Franck

En cas de perte

Franck@franckmail. ~~com~~

Fran

Français 4e

Chantal Bertagna
Agrégée de Lettres Classiques
Professeur en collège
Formatrice en lettres

Françoise Carrier-Nayrolles
Agrégée de Lettres modernes
Professeur en collège
Coordinatrice académique de lettres
(formation continue)

Les auteurs remercient pour leurs conseils avisés, Dominique Bodin, Marc Brunet, Dominique Cormier, Isabelle Dauzats, Nolwenn Drouet, Dominique Girard, Paule Giudicelli, Karine Hurtevent, Astrid Rogge, Fabienne Sejeat, Mélinée Simonot, ainsi que les enseignants qui ont effectué des relectures, ceux qui ont dialogué avec les délégués pédagogiques Hachette Éducation et ceux qui ont participé aux études menées sur le manuel ; Charlotte Ruffault et Jacques Charpentreau pour l'utilisation du titre « Fleurs d'encre » ; enfin des remerciements tout particuliers à Colette Guillot et à Cécil, Édouard, François, Héloïse, Jean-Jacques et William.

Les auteurs remercient chaleureusement leur éditrice Kerstin Benito-Wörmann ainsi que Benjamin Barbier pour leur précieuse collaboration.

Crédits couverture de haut en bas : arrière plan ht d Lettre autographe de George Sand © Hachette Livre ; **arrière plan g** *All is Vanity*, Coll. particulière ; **premier plan d** *Cosette*, Roger-Viollet ; **arrière plan bd** *Les brisants à la Pointe de Granville*, Superstock / Leemage ; **premier plan bg** *Danse à la campagne*, Aisa / Leemage.

Crédits garde avant : *Danse à la campagne*, Aisa / Leemage.

Crédits garde arrière : de gauche à droite : The Metropolitan Museum of Art, Dist. RMN / Image of the MMA ; Akg-images ; Leemage / Photo Josse ; **ht d** *Danse à la campagne*, Aisa / Leemage ; **bd** Gamma Rapho / Robert Doisneau / Rapho.

Crédits pages liminaires : p. 1 *Cosette*, Roger-Viollet ; **p. 3 de haut en bas** : *Le Masque de la Mort-Rouge* de Timothy Hannem et Jean Monset, 2005 ; Akg-images / Erich Lessing ; CDDS Enguerand / Pascal Gély ; (Cosette et Jean Valjean) Rue des Archives / Coll. CSFF / G.E.F. – Modern Media Filmproduktion – SFP ; **p. 5** ht **d** Sarcophage et momie, période ptolémaïque. Science Museum. Leemage / SSPL / Jennie Hills ; **p. 5 bg** Prod DB © Prana-Film / D.R. ; **p. 5 bd** Bridgeman / Giraudon ; **p. 6 g** Leemage / FineArtImages ; **p. 6 d** RMN / Michèle Bellot ; **p. 7 g** CDDS Enguerand / Ramon Senera ; **p. 7 d** CDDS Enguerand / Bernard Michel Palazon ; **p. 8 g** BnF ; **p. 8 d** Bridgeman / Giraudon / Birmingham Museums and Art Gallery ; **p. 9 g** Roger-Viollet / Maisons de Victor Hugo ; **p. 9 d** Leemage / Selva ; **p. 10** Leemage / FineArtImages ; **p. 11 de haut en bas :** CDDS Enguerand / Marc Enguerand ; CDDS Enguerand / Brigitte Enguerand ; Leemage / Photo Josse ; **p. 12** Bibl. littéraire Jacques Doucet, Paris / Suzanne Nagy.

Couverture et maquette intérieure : Delphine d'Inguimbert et Valérie Goussot
Adaptation et mise en page : Anne-Danielle Naname
Relecture : Astrid Rogge
Iconographie : Agnès Calvo et Anne Mensior
Dessins originaux : Philippe Gady

Pour Hachette Éducation, le principe est d'utiliser des papiers composés de fibres naturelles, renouvelables, recyclables, fabriquées à partir de bois issus de forêts qui adoptent un système d'aménagement durable.
En outre, Hachette Éducation attend de ses fournisseurs de papier qu'ils s'inscrivent dans une démarche de certification environnementale reconnue.

ISBN 978-2-01-125635-5

www.hachette-education.com

Sommaire

La nouvelle au XIXe siècle

1 Scènes de la vie ordinaire

2 Nouvelles fantastiques

Nosferatu le vampire de F. W. Murnau, 1922.

3 Dossier Histoire des arts — L'antique au cœur du fantastique

Johann Heinrich Füssli, *La Folie de Kate*, 1806-07.

Partage de sentiments

4 Correspondances privées ou publiques ?

J.-B. Santerre, *Jeune femme lisant une lettre à la lumière d'une bougie*, vers 1700.

5 Variations sentimentales

L.-P. Crépin (1772-1851), *Scène de naufrage*.

Le théâtre entre rires et pleurs

6 Drôles de rires

On ne badine pas avec l'amour, mise en scène d'I. Ronayette, 2003.

7 *Le Cid* ou le conflit de l'amour et de l'honneur

Le Cid, mise en scène de T. Le Douarec, 2009.

ATELIER THÉÂTRE ET CINÉMA

Regards sur l'homme et la société

8 Combats d'écrivains et d'artistes au Siècle des lumières

Caricature de Louis XVI et de Marie-Antoinette, 1791.

9 Destins romanesques au XIXe siècle

A. EGG, *Les Compagnes de voyage*, 1862.

10 *Les Misérables*, une œuvre toujours actuelle

J. GEOFFROY (1853-1924), *Jean Valjean et Cosette.*

11 Dossier Histoire des arts — *Au Bonheur des Dames* ou la peinture de la modernité

Gravure d'une voiture à cheval de livraison, fin du XIXe siècle.

L'Histoire des Arts dans *Fleurs d'encre*

Chapitres	Thématiques (PROGRAMME)	Domaines artistiques (PROGRAMME)	Activités	Artistes et œuvres
1	*Arts, ruptures, continuités* **Impressionnisme**	**Arts du visuel**	*Analyser un tableau*	A. Renoir, p. 30
			Étudier une photographie	R. Doisneau, p. 39
Atelier de lecture	*Arts, ruptures, continuités* **Réalisme**	**Arts du visuel**	*Rendre compte d'une lecture à l'aide d'étude d'images*	C. Pissarro, p. 41
				J.-F. Millet, P. Cézanne, D. Hockney, Images de film, p. 46-47
2	*Arts, ruptures, continuités* **Fantastique**	**Arts du son**	*Découvrir un opéra*	J. Offenbach, p. 67
			Établir des liens entre des œuvres	H. Berlioz, p. 64
		Arts du visuel		**Vanités** : Arcimboldo, p. 57 Grandville, p. 53 J. Ensor, p. 64 Letellier, C. A. Gilbert p. 65 Affiches, p. 76-77
			Étudier une photographie	M. Kenna, p. 73
			Étudier un film	F. W. Murnau, p. 74
3 Dossier	*Arts, ruptures, continuités* *Arts, espace, temps* **Antique et fantastique**	**Arts du quotidien**	*Établir des liens entre des œuvres*	Arts décoratifs, p. 78 à 87
		Arts du son		G. Verdi, p. 79
		Arts du visuel		H. Robert p. 87
			S'initier au vocabulaire architectural	P.-A. de Curzon, p. 81
			Étudier des sculptures	Statuaire antique, p. 82-83
		Arts de l'espace	*Présenter un compte rendu d'histoire des arts*	p. 78 à 87
4		**Arts du visuel**	*Établir des liens entre des œuvres*	J.-H. Fragonard, p. 114 J.-B. Santerre, p. 123
			Décrire des tableaux et raconter des histoires à partir de ces tableaux	J. Vermeer, p. 119
5	*Arts, ruptures, continuités* **Lyrisme, romantisme, impressionnisme**	**Arts du visuel**	*Établir des liens entre des œuvres*	W. Turner, p. 134 C. D. Friedrich, C. G. Carus, p. 135 V. van Gogh p. 149
			Analyser un tableau	J. A. Whistler, p. 140
		Arts du son	*Écouter une adaptation musicale*	F. Schubert, p. 135 C. Debussy, p. 139

L'ABC de l'image

L'étude de la langue

Grammaire

› Les classes grammaticales et les fonctions

› L'analyse de la phrase

› Les classes de mots

› Les fonctions grammaticales

› La grammaire du verbe

› Initiation à la grammaire du texte

› Initiation à la grammaire de l'énonciation

Orthographe

Lexique

Tableaux de conjugaison

Les compétences du socle commun dans *Fleurs d'encre*

Tout au long du manuel, des entraînements et des évaluations signalés par un logo (SOCLE).

C1

La maîtrise de la langue française

En lien avec la lecture et l'écriture, des activités d'observation, d'entraînement et d'évaluation.

C4

La maîtrise des techniques usuelles de l'information et de la communication B2i

Des activités simples et guidées, en lien avec les textes, l'écriture et les œuvres intégrales.

C5

La culture humaniste

De nombreux liens à tisser entre les œuvres littéraires au programme, entre la littérature et les arts, pour acquérir des repères littéraires et culturels, exercer le jugement et le goût, travailler l'histoire des arts.

C6

Les compétences sociales et civiques

Des notions politiques et sociales étudiées dans le dossier 8.

C7

L'autonomie et l'initiative

- Dans les ateliers et dossiers, des projets de lecture, d'écriture et d'oral, pour développer l'autonomie.
- De nombreuses **Fiches-méthodes** et conseils, pour rendre l'élève autonome.

1

Scènes de la vie ordinaire

Aborder la nouvelle réaliste

Édouard Manet, *Portrait d'Émile Zola* (détail), 1868, Musée d'Orsay, Paris ; Auguste Renoir, *Le Déjeuner des canotiers* (détail), 1880-1881, National Gallery of art, Washington ; montage A.-D. Naname, 2011.

1. **Quelles scènes de vie du XIXe siècle ce montage présente-t-il ?**
2. **Quel type de document l'écrivain Émile Zola tient-il entre ses mains ?**

Lectures

Pour entrer dans le chapitre

- Observez la frise à la fin de votre manuel, puis recopiez dans l'ordre chronologique le nom de ces trois écrivains : G. de Maupassant, É. Zola et H. de Balzac.

Avant de lire les textes

- *Lexique* Décomposez le mot « biographie » et indiquez son sens.

Biographies de Guy de Maupassant

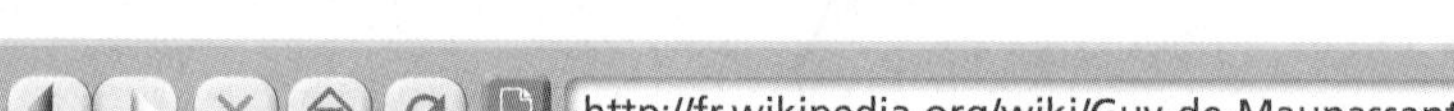

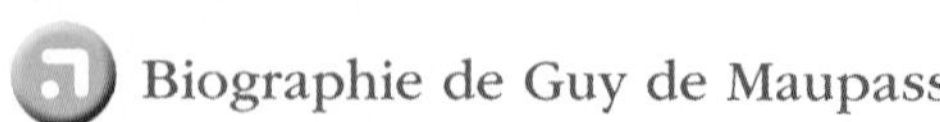

Voir ses œuvres

Guy de Maupassant, né le 5 août 1850 au château de Miromesnil à Tourville-sur-Arques et mort le 6 juillet 1893 à Paris, est un écrivain français.

Lié à Gustave Flaubert et à Émile Zola, il a marqué la littérature française par ses six romans, dont *Une vie* en 1883, *Bel-Ami* en 1885, *Pierre et Jean* en 1887-1888, mais surtout par ses nouvelles (plus de 300), parfois intitulées contes, comme *Boule de Suif* en 1880, les *Contes de la bécasse* en 1883 ou *Le Horla* en 1887. Ces œuvres retiennent l'attention par leur force réaliste, la présence importante du fantastique et par le pessimisme qui s'en dégage le plus souvent [...]. La carrière littéraire de Guy de Maupassant se limite à une décennie – de 1880 à 1890 – avant qu'il ne sombre peu à peu dans la folie et ne meure à quarante-trois ans. Reconnu de son vivant, Guy de Maupassant conserve un renom de premier plan, renouvelé encore par les nombreuses adaptations filmées de ses œuvres. [...]

La Normandie, région natale de Maupassant, tient une place importante dans son œuvre avec ses paysages [...] et ses habitants [...]. Elle ne constitue cependant pas un cadre spatial unique puisque Paris sert de toile de fond au grand roman *Bel-Ami* [...]. Le milieu des petits employés de bureau parisiens et des classes populaires est lui plutôt présent dans des nouvelles comme *L'Héritage* ou *La Parure* [...].

La guerre de 1870 et l'occupation allemande constituent un autre thème important, Maupassant se souvenant des événements vécus dix ou quinze ans plus tôt : la liste serait longue, citons *Boule de suif, Mademoiselle Fifi, Deux amis, Le Père Milon, La Folle...*

Sur le plan humain, Maupassant s'attache particulièrement aux femmes, souvent victimes [...]. Le thème de la famille et de l'enfant lui est également cher avec souvent la question de la paternité (*Pierre et Jean, Boitelle, Aux champs, L'Enfant, En famille...*).

Parmi les autres axes majeurs de l'œuvre de Maupassant se trouvent la folie, la dépression et la paranoïa[1] [...] et aussi la mort et la destruction (*Une vie, Bel-Ami, La Petite Roque, Fort comme la mort...*).

1. maladie psychiatrique.

MAUPASSANT, GUY DE (château de Miromesnil, Tourville-sur-Arques, Seine-Maritime, 1850 – Paris, 1893), écrivain français. Dirigé par Flaubert (ami d'enfance de sa mère), il exprima son pessimisme dans ses 300 nouvelles naturalistes[1], réunies dans des recueils : *La Maison Tellier* (1881), *Mademoiselle Fifi* (1882), *Contes de la bécasse* (1883), *Toine* (1885), *Le Horla* (1887), *Le Rosier de Mme Husson* (1888). *Boule de Suif* parut dans le recueil collectif des *Soirées de Médan* (1880). Romans : *Une vie* (1883), *Bel-Ami* (1885), *Pierre et Jean* (1888). Il mourut de la syphilis[2].

Dictionnaire Hachette, 2007.

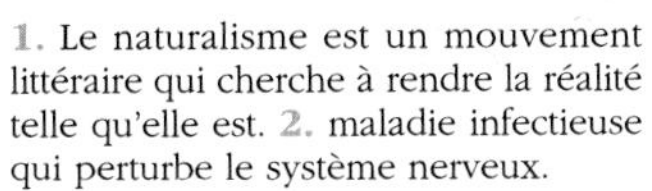

1. Le naturalisme est un mouvement littéraire qui cherche à rendre la réalité telle qu'elle est. 2. maladie infectieuse qui perturbe le système nerveux.

Le château de Miromesnil, lieu de naissance de Guy de Maupassant.

Lire et rédiger une biographie d'écrivain

Les sources documentaires

1. D'où chaque document provient-il ?

2. Quels sont les deux types d'informations qu'ils contiennent ?

3. Comment repérez-vous les titres des œuvres ?

La biographie de Maupassant

4. Comparez les deux documents et notez au brouillon :
- le nom d'un écrivain qui a influencé Maupassant ;
- un événement marquant de sa vie personnelle ;
- les deux genres littéraires auxquels appartiennent ses œuvres ;
- des mots qui caractérisent ses œuvres.

5. a. Quels sont les deux lieux où Maupassant situe ses récits ?
b. Quel événement historique a marqué son œuvre ?

6. a. À quelle caractéristique de l'œuvre de Maupassant ce chapitre du manuel correspond-il ?
b. Feuilletez les pages 88 à 93 : quelle autre caractéristique de son œuvre découvrez-vous ?

Dégager l'essentiel SOCLE C1

› En vous aidant de la **Fiche-méthode** ci-contre, établissez la fiche biographique de Maupassant.

Fiche-méthode

Élaborer une fiche biographique

Vous respecterez les consignes suivantes :
- recopier les titres des rubriques ci-dessous ;
- employer des phrases simples ou nominales ;
- souligner les titres d'œuvres.

AUTEUR (date de naissance – date de mort)

SA VIE
- Lieux de naissance et de vie.
- Études, métiers, activités.
- Principaux événements personnels.
- Personnage(s) ou événements(s) ayant marqué l'auteur.

SON ŒUVRE
- Les genres littéraires

Choisir dans cette liste : roman, nouvelle, théâtre, poésie. Indiquer un titre d'œuvre pour chaque genre littéraire abordé par l'auteur.
- Les sujets des œuvres

Quel(s) événement(s), personnage(s), milieu(x), sentiment(s) sont évoqués dans l'œuvre de l'auteur ?
- Le style

Quelles sont les caractéristiques principales de l'art d'écrire de l'auteur ?

Lectures

Avant de lire le texte

Le XIXe siècle voit le développement des journaux populaires, des livres à bas prix et l'élargissement du nombre de lecteurs grâce au progrès de l'instruction. Ainsi s'expliquent le succès du roman et l'apparition d'un nouveau genre : la nouvelle. En effet, les journaux paient « à la feuille » des écrivainspour qu'ils publient chaque jour un récit bref ou un épisode d'un roman plus long, d'où le nom de « feuilleton ». G. de Maupassant, É. Zola et H. de Balzac ont tous collaboré à des journaux en rédigeant des scènes de vie de leur époque.
La nouvelle *Le Petit Fût*, d'abord parue dans *Le Gaulois* du 7 avril 1884, fut ensuite publiée dans le recueil *Les Sœurs Rondoli*.

- Au XXIe siècle, quel est l'équivalent des feuilletons du XIXe siècle ?

Le Gaulois

LE PETIT FÛT

Le Petit Fût (1) TEXTE INTÉGRAL

Maître Chicot, l'aubergiste d'Épreville, arrêta son tilbury[1] devant la ferme de la mère Magloire. C'était un grand gaillard de quarante ans, rouge et ventru, et qui passait pour malicieux.

Il attacha son cheval au poteau de la barrière, puis il pénétra dans la cour. Il possédait un bien attenant aux terres[2] de la vieille, qu'il convoitait depuis longtemps. Vingt fois il avait essayé de les acheter, mais la mère Magloire s'y refusait avec obstination.

– J'y sieus née, j'y mourrai, disait-elle.

Il la trouva épluchant des pommes de terre devant sa porte. Âgée de soixante-douze ans, elle était sèche, ridée, courbée, mais infatigable comme une jeune fille. Chicot lui tapa dans le dos avec amitié, puis s'assit près d'elle sur un escabeau[3].

– Eh bien ! la mère, et c'te santé, toujours bonne ?

– Pas trop mal, et vous, maît' Prosper ?

– Eh ! eh ! quéques douleurs ; sans ça, ce s'rait à satisfaction.

– Allons, tant mieux !

Elle ne dit plus rien. Chicot la regardait accomplir sa besogne. Ses doigts crochus, noués, durs comme des pattes de crabe, saisissaient à la façon de pinces les tubercules[4] grisâtres dans une manne[5], et vivement elle les faisait tourner, enlevant de longues bandes de peau sous la lame d'un vieux couteau qu'elle tenait de l'autre main. Et, quand la pomme de terre était devenue toute jaune, elle la jetait dans un seau d'eau. Trois poules hardies s'en venaient l'une après l'autre jusque dans ses jupes ramasser les épluchures, puis se sauvaient à toutes pattes, portant au bec leur butin.

Chicot semblait gêné, hésitant, anxieux, avec quelque chose sur la langue qui ne voulait pas sortir. À la fin, il se décida :

– Dites donc, mère Magloire…

– Qué qu'i a pour votre service ?

– C'te ferme, vous n' voulez toujours point m' la vendre ?

– Pour ça non. N'y comptez point. C'est dit, c'est dit, n'y r'venez pas.

– C'est qu' j'ai trouvé un arrangement qui f'rait notre affaire à tous les deux.

– Qué qu' c'est ?

– Le v'là. Vous m' la vendez, et pi vous la gardez tout d' même. Vous n'y êtes point ? Suivez ma raison.

La vieille cessa d'éplucher ses légumes et fixa sur l'aubergiste ses yeux vifs sous leurs paupières fripées.

Il reprit :

– Je m'explique. J' vous donne, chaque mois, cent cinquante francs. Vous entendez bien : chaque mois j' vous apporte ici, avec mon tilbury, trente écus de cent sous. Et pi n'y a rien de changé de plus, rien de rien ; vous restez chez vous, vous n' vous occupez point de mé, vous n' me d'vez rien. Vous n' faites que prendre mon argent.

Ça vous va-t-il ?

Il la regardait d'un air joyeux, d'un air de bonne humeur.

La vieille le considérait avec méfiance, cherchant le piège. Elle demanda :

– Ça, c'est pour mé ; mais pour vous, c'te ferme, ça n' vous la donne point ?

Il reprit :

– N' vous tracassez point de ça. Vous restez tant que l' bon Dieu vous laissera vivre. Vous êtes chez vous. Seulement vous m' ferez un p'tit papier chez l' notaire pour qu'après vous ça me revienne. Vous n'avez point d'éfants, rien qu' des neveux que vous n'y tenez guère. Ça vous va-t-il ? Vous gardez votre bien votre vie durant, et j' vous donne trente écus de cent sous par mois. C'est tout gain pour vous[6].

La vieille demeurait surprise, inquiète, mais tentée. Elle répliqua :

– Je n' dis point non. Seulement, j' veux m' faire une raison là-dessus. Rev'nez causer d' ça dans l' courant d' l'autre semaine. J' vous f'rai une réponse d' mon idée.

Et maître Chicot s'en alla, content comme un roi qui vient de conquérir un empire.

À suivre…

1. voiture à cheval, légère et découverte, à deux places.
2. terrain voisin des terres.
3. petit siège en bois.
4. pommes de terre.
5. grand panier d'osier à deux anses.
6. Tout le bénéfice est pour vous.

Extrait du « Petit Fût », *Guy de Maupassant, Les Contes en BD*, scénario de Céka et dessins de Clod © Éditions Petit à Petit, 2007.

*Étudier une nouvelle de Maupassant : l'incipit**

Les personnages dans leur cadre

1. Où l'action se situe-t-elle ? Proposez des éléments à l'appui de votre réponse.

2. a. Qui sont les deux personnages en présence ?
b. Quelle est leur profession respective ?

3. a. L. 1 à 52 : quelles sont les caractéristiques physiques et morales de chaque personnage ?
b. L. 35 à 44 : quelle est la figure de style employée ?
c. Quel trait de caractère du personnage révèle-t-elle ?

➔ Réviser les figures de style – p. 383

La mise en place de l'intrigue

4. Sur quoi les deux personnages sont-ils en désaccord ? Répondez en citant le texte.

5. a. Dans quel but maître Chicot vient-il rendre visite à la mère Magloire ?
b. Expliquez avec vos propres mots sa proposition.

Un dialogue construit et réaliste

6. Repérez dans le texte les passages de dialogue. Trouvez dans les paroles des deux personnages deux types de déformation des mots qui donnent à entendre le patois normand.

7. a. Quels adjectifs qualifient Chicot lignes 53 à 56 ?
b. Comment est-il qualifié lignes 89 à 90 ?
c. Comment cette évolution s'explique-t-elle ?

8. De quelle qualité Chicot fait-il preuve dans le dialogue ? Expliquez.

➔ Réviser le discours direct – p. 350
➔ Réviser les classes de mots – p. 300

* début d'un récit.

Dégager l'essentiel SOCLE C1

› Qu'apprend-on dans cet incipit de nouvelle ?

Rédiger un texte bref SOCLE C1

À partir de cet incipit de nouvelle, imaginez en quelques lignes quelle réponse la vieille femme pourrait faire une semaine plus tard.

Lectures

Avant de lire le texte

1. Dans quels genres littéraires du Moyen Âge avez-vous rencontré des histoires dont les personnages sont des paysans ou des marchands ?
2. *Lexique* Cherchez les différents sens du nom « fût ».

Le Gaulois

LE PETIT FÛT

Maître Chicot, l'aubergiste d'Épreville, arrêta son tilbury devant la ferme de la mère Magloire. C'était un grand gaillard de quarante ans, rouge et ventru, et qui passait pour malicieux.

Le Petit Fût (2) TEXTE INTÉGRAL

La mère Magloire demeura songeuse. Elle ne dormit pas la nuit suivante. Pendant quatre jours, elle eut une fièvre d'hésitation. Elle flairait bien quelque chose de mauvais pour elle là-dedans, mais la pensée des trente écus par mois, de ce bel argent sonnant qui s'en viendrait couler dans son tablier, qui lui tomberait comme ça du ciel, sans rien faire, la ravageait de désir.

Alors elle alla trouver le notaire et lui conta son cas. Il lui conseilla d'accepter la proposition de Chicot, mais en demandant cinquante écus de cent sous au lieu de trente, sa ferme valant, au bas mot[1], soixante mille francs.

– Si vous vivez quinze ans, disait le notaire, il ne la payera encore, de cette façon, que quarante-cinq mille francs.

La vieille frémit à cette perspective de cinquante écus de cent sous par mois ; mais elle se méfiait toujours, craignant mille choses imprévues, des ruses cachées, et elle demeura jusqu'au soir à poser des questions, ne pouvant se décider à partir. Enfin elle ordonna de préparer l'acte, et elle rentra troublée comme si elle eût bu quatre pots de cidre nouveau.

Quand Chicot vint pour savoir la réponse, elle se fit longtemps prier, déclarant qu'elle ne voulait pas, mais rongée par la peur qu'il ne consentît point à donner les cinquante pièces de cent sous. Enfin, comme il insistait, elle énonça ses prétentions.

Il eut un sursaut de désappointement[2] et refusa.

Alors, pour le convaincre, elle se mit à raisonner sur la durée probable de sa vie.

– Je n'en ai pas pour pu de cinq à six ans pour sûr. Me v'là sur mes soixante-treize, et pas vaillante avec ça. L'aut'e soir, je crûmes que j'allais passer. Il me semblait qu'on me vidait l' corps, qu'il a fallu me porter à mon lit.

Mais Chicot ne se laissait pas prendre.

– Allons, allons, vieille pratique[3], vous êtes solide comme l' clocher d' l'église. Vous vivrez pour le moins cent dix ans. C'est vous qui m'enterrerez, pour sûr.

Tout le jour fut encore perdu en discussions. Mais, comme la vieille ne céda pas, l'aubergiste, à la fin, consentit à donner les cinquante écus.

Ils signèrent l'acte le lendemain. Et la mère Magloire exigea dix écus de pot de vin[4].

Trois ans s'écoulèrent. La bonne femme se portait comme un charme. Elle paraissait n'avoir pas vieilli d'un jour, et Chicot se désespérait. Il lui semblait, à lui, qu'il payait cette rente depuis un demi-siècle, qu'il était trompé, floué[5], ruiné. Il allait de temps en temps rendre visite à la fermière, comme on va voir, en juillet, dans les champs, si les blés sont mûrs pour la faux. Elle le recevait avec une malice dans le regard. On eût dit qu'elle se félicitait du bon tour qu'elle lui avait joué ; et il remontait bien vite dans son tilbury en murmurant :

– Tu ne crèveras donc point, carcasse !

Il ne savait que faire. Il eût voulu l'étrangler en la voyant. Il la haïssait d'une haine féroce, sournoise, d'une haine de paysan volé.

Alors il chercha des moyens.

Un jour enfin, il s'en revint la voir en se frottant les mains, comme il faisait la première fois lorsqu'il lui avait proposé le marché.

Et, après avoir causé quelques minutes :

– Dites donc, la mère, pourquoi que vous ne v'nez point dîner à la maison, quand vous passez à Épreville ? On en jase[6] ; on dit comme ça que j' sommes pu amis, et ça me fait deuil[7]. Vous savez, chez mé, vous ne payerez point. J' suis pas regardant à un dîner. Tant que le cœur vous en dira, v'nez sans retenue, ça m' fera plaisir.

La mère Magloire ne se le fit point répéter, et le surlendemain, comme elle allait au marché dans sa carriole conduite par son valet Célestin, elle mit sans gêne son cheval à l'écurie chez maître Chicot, et réclama le dîner promis.

À suivre…

1. au moins.
2. déception.
3. connaissance.
4. somme versée en plus du prix officiel.
5. volé.
6. raconte des choses.
7. de la peine.

Extrait du « Petit Fût »,
Guy de Maupassant, Les Contes en BD, scénario de Céka et dessins de Clod

Étudier une nouvelle de Maupassant : la construction

Le récit et son rythme

1. a. Relevez oralement les indices temporels qui permettent d'établir la chronologie du récit. **b.** Quelles en sont les quatre grandes étapes ? Donnez-leur un titre.

2. Indiquez les lignes des passages du texte dans lesquels le narrateur : **a.** détaille l'histoire ; **b.** la résume.

→ Les connecteurs temporels dans la narration – p. 342

Le rapport de force entre les deux personnages

3. L. 1 à 35 : dans quel état d'esprit la mère Magloire se trouve-t-elle au début de l'extrait ? Expliquez.

4. a. Quels éléments poussent la mère Magloire à accepter la proposition de Chicot ? **b.** Lesquels la retiennent ?

5. L. 36 à 95 : **a.** Lequel des deux personnages est en situation de force ? **b.** Quels sont leurs sentiments respectifs ?

6. L. 97 à 112 : **a.** Pourquoi, selon vous, Chicot se frotte-t-il les mains en allant voir la mère Magloire ? Que lui propose-t-il ? **b.** Quel trait du caractère de la mère Magloire l'amène à accepter la proposition de Chicot ?

7. Lequel des deux personnages vous semble en position de force à la fin du passage ? Expliquez.

Des indices cachés

8. L. 32 à 35 : **a.** quelle est la figure de style employée ? **b.** Comment la mère Magloire est-elle présentée ?

9. ***Lexique*** Lequel des sens de « fût » pourrait, selon vous, convenir pour le titre de la nouvelle ? Pourquoi ?

→ Réviser les figures de style – p. 383

Lire les images

10. Quels traits de caractère de la mère Magloire le dessinateur a-t-il soulignés ? Comment ?

Dégager l'essentiel SOCLE C1

› Quels moyens Maupassant utilise-t-il pour donner envie à ses lecteurs de lire la suite de la nouvelle ?

Rédiger un texte bref SOCLE C1

En vous appuyant sur vos réponses aux questions précédentes, imaginez la fin de la nouvelle.

Avant de lire le texte

- Selon vous, la générosité est-elle une qualité que possède : a. la mère Magloire ? b. maître Chicot ? Justifiez.

Le Gaulois

Lundi 7 Avril 1884

ARTHUR MEYER
Directeur
du GAULOIS et PARIS-JOURNAL

RÉDACTION
9, Boulevard des Italiens, 9

LE PETIT FÛT

Maître Chicot, l'aubergiste d'Epreville, arrêta son tilbury devant la ferme de la mère Magloire. C'était un grand gaillard de quarante ans, rouge et ventru, et qui passait pour malicieux.

Le Petit Fût (3) TEXTE INTÉGRAL

L'aubergiste, radieux, la traita comme une dame, lui servit du poulet, du boudin, de l'andouille, du gigot et du lard aux choux. Mais elle ne mangea presque rien, sobre[1] depuis son enfance, ayant toujours vécu d'un peu de soupe et d'une croûte de pain beurrée.

Chicot insistait, désappointé[2]. Elle ne buvait pas non plus. Elle refusa de prendre du café.

Il demanda :

– Vous accepterez toujours bien un p'tit verre.

– Ah ! pour ça, oui. Je ne dis pas non.

Et il cria de tous ses poumons, à travers l'auberge :

– Rosalie, apporte la fine, la surfine, le fil-en-dix[3].

Et la servante apparut, tenant une longue bouteille ornée d'une feuille de vigne en papier.

Il emplit deux petits verres.

– Goûtez ça, la mère, c'est de la fameuse.

Et la bonne femme se mit à boire tout doucement, à petites gorgées, faisant durer le plaisir. Quand elle eut vidé son verre, elle l'égoutta[4], puis déclara :

– Ça, oui, c'est de la fine.

Maître Chicot invitant la mère Magloire. Illustration par R. LELONG pour *Le Petit Fût*, 1904.

Elle n'avait point fini de parler que Chicot lui en versait un second coup. Elle voulut refuser, mais il était trop tard, et elle le dégusta longuement, comme le premier.

Il voulut alors lui faire accepter une troisième tournée, mais elle résista. Il insistait :

– Ça, c'est du lait, voyez-vous ; mé j'en bois dix, douze, sans embarras. Ça passe comme du sucre. Rien au ventre, rien à la tête ; on dirait que ça s'évapore sur la langue. Y a rien de meilleur pour la santé !

Comme elle en avait bien envie, elle céda, mais elle n'en prit que la moitié du verre.

Alors Chicot, dans un élan de générosité, s'écria :

– T'nez, puisqu'elle vous plaît, j' vas vous en donner un p'tit fût, histoire de vous montrer que j' sommes toujours une paire d'amis.

La bonne femme ne dit pas non, et s'en alla, un peu grise[5].

Le lendemain, l'aubergiste entra dans la cour de la mère Magloire, puis tira du fond de sa voiture une petite barrique cerclée de fer. Puis il voulut lui faire goûter le contenu, pour prouver que c'était bien la même fine ; et quand ils en eurent encore bu chacun trois verres, il déclara, en s'en allant :

– Et puis, vous savez, quand n'y en aura pu, y en a encore ; n' vous gênez point. Je n' suis pas regardant. Pû tôt que ce sera fini, pu que je serai content.

Et il remonta dans son tilbury.

Il revint quatre jours plus tard. La vieille était devant sa porte, occupée à couper le pain de la soupe.

Il s'approcha, lui dit bonjour, lui parla dans le nez, histoire de sentir son haleine. Et il reconnut un souffle d'alcool. Alors son visage s'éclaira.

– Vous m'offrirez bien un verre de fil[6] ? dit-il.

Et ils trinquèrent deux ou trois fois.

Mais bientôt le bruit courut dans la contrée que la mère Magloire s'ivrognait toute seule. On la ramassait tantôt dans sa cuisine, tantôt dans sa cour, tantôt dans les chemins des environs, et il fallait la rapporter chez elle, inerte comme un cadavre.

Chicot n'allait plus chez elle, et, quand on lui parlait de la paysanne, il murmurait avec un visage triste :

– C'est-il pas malheureux, à son âge, d'avoir pris c' t' habitude-là ? Voyez-vous, quand on est vieux, y a pas de ressource. Ça finira bien par lui jouer un mauvais tour !

Ça lui joua un mauvais tour, en effet. Elle mourut l'hiver suivant, vers la Noël, étant tombée, soûle, dans la neige.

Et maître Chicot hérita de la ferme, en déclarant :

– C'te manante, si alle s'était point boissonnée[7], elle en avait bien pour dix ans de plus.

GUY DE MAUPASSANT, *Le Petit Fût*, 1884.

1. qui mange et boit avec modération.
2. déçu.
3. variétés d'eaux-de-vie.
4. vida la dernière goutte.
5. ivre.
6. eau-de-vie.
7. soûlée.

Étudier une nouvelle de Maupassant : l'écriture

Un récit réaliste

1. ***Lexique*** Relevez les noms évoquant la nourriture et la boisson : vous semblent-ils conformes au cadre de l'histoire ?

2. a. Quel est le piège tendu à la mère Magloire par Chicot ? **b.** Relevez-en les différentes étapes.

3. L. 28 à 30 : **a.** Comment qualifieriez-vous l'attitude de la mère Magloire ? **b.** Relevez dans la suite du texte les passages qui évoquent la relation de la mère Magloire à l'alcool : quelle progression Maupassant souligne-t-il ?

L'art du dialogue

4. L. 18 : quel sentiment de l'aubergiste cette phrase traduit-elle ?

5. a. L. 43 à 48 : quels sont les arguments de Chicot ? **b.** L. 48-49 : comment faut-il comprendre cette phrase ? **c.** Quel ton Chicot adopte-t-il ?

6. a. Sur quel ton doit-on prononcer les deux dernières répliques de Chicot ? **b.** Quel trait de caractère du personnage est ainsi révélé ?

Lire l'image

7. À quel passage du texte l'illustration de la page 22 correspond-elle ? Justifiez.

8. Quels détails réalistes repérez-vous dans l'image ?

Dégager l'essentiel SOCLE C1

› Quels éléments de la nouvelle donnent à cette histoire l'aspect de la réalité ?

› Quel est le ton adopté par Maupassant dans les dialogues ?

Rédiger un texte bref SOCLE C1

Résumez en une quinzaine de lignes l'ensemble de la nouvelle.

Villégiature[1] TEXTE INTÉGRAL

Descente de voyageurs à la gare, fin XIXe siècle.

La nouvelle Villégiature *est d'abord parue dans* Le Petit Journal *où Zola a tenu une critique journalistique de 1865 à 1872.*

Avant de lire le texte

- En vous aidant de la **Fiche-méthode** p. 17, réalisez la fiche biographique d'É. Zola ; vous chercherez des informations dans un dictionnaire, au CDI ou sur Internet.

La boutique du bonnetier[2] Gobichon est peinte en jaune clair ; c'est une sorte de couloir obscur, garni à droite et à gauche de casiers exhalant une vague senteur de moisi ; au fond, dans une ombre et un silence solennels[3], se dresse le comptoir. La lumière du jour et le bruit de la vie se refusent à se hasarder dans ce tombeau.

La villa du bonnetier Gobichon, située à Arcueil[4], est une maison à un étage, toute plate, bâtie en plâtre ; devant le corps de logis, s'allonge un étroit jardin enclos d'une muraille basse. Au milieu, se trouve un bassin qui n'a jamais eu d'eau ; çà et là se dressent quelques arbres étiques[5] qui n'ont jamais eu de feuilles. La maison est d'une blancheur crue, le jardin est d'un gris sale. La Bièvre coule à cinquante pas, charriant des puanteurs ; des terres crayeuses s'étendent à l'horizon, des débris, des champs bouleversés, des carrières béantes et abandonnées, tout un paysage de misère et de désolation.

Depuis trois années, Gobichon a l'ineffable[6] bonheur d'échanger chaque dimanche l'ombre de sa boutique pour le soleil ardent de sa villa, l'air du ruisseau de sa rue pour l'air nauséabond de la Bièvre.

Pendant trente ans il a caressé le rêve insensé de vivre aux champs, de posséder des terres où il ferait bâtir le château de ses songes. Rien ne lui a coûté pour contenter son caprice de grand seigneur ; il s'est imposé les plus dures privations : on l'a vu, pendant trente ans, se refuser une prise de tabac et une tasse de café, empilant gros sous sur gros sous.

Aujourd'hui, il a assouvi sa passion. Il vit un jour sur sept dans l'intimité de la poussière et des cailloux. Il mourra content.

Chaque samedi, le départ est solennel. Lorsque le temps est beau, la route se fait à pied ; on jouit mieux ainsi des beautés de la nature.

La boutique est laissée à la garde d'un vieux commis qui a charge de dire à chaque client qui se présente :

– Monsieur et madame sont à leur villa d'Arcueil.

Monsieur et madame, équipés en guerre[7], chargés de paniers, vont chercher à la pension voisine le jeune Gobichon, gamin d'une douzaine d'années, qui

1. maison de campagne.
2. marchand de lingerie.
3. graves.
4. village proche de Paris.
5. très maigres.
6. inexprimable.
7. chargés comme s'ils partaient à la guerre.
8. étouffement.

voit avec terreur ses parents prendre le chemin de la Bièvre. Et durant le trajet, le père, grave et heureux, cherche à inspirer à son fils l'amour des champs en dissertant sur les choux et sur les navets.

On arrive, on se couche. Le lendemain, dès l'aurore, Gobichon passe la blouse du paysan : il est fermement décidé à cultiver ses terres ; il bêche, il pioche, il plante, il sème toute la journée. Rien ne pousse ; le sol, fait de sable et de gravats, se refuse à toute végétation. Le rude travailleur n'en essuie pas moins avec une vive satisfaction la sueur qui inonde son visage. En regardant les trous qu'il creuse, il s'arrête tout orgueilleux et il appelle sa femme :

– Madame Gobichon, venez donc voir ! crie-t-il. Hein ! quels trous ! sont-ils assez profonds ceux-là !

La bonne dame s'extasie sur la profondeur des trous.

L'année dernière, par un étrange et inexplicable phénomène, une salade, une romaine haute comme la main, rongée et d'un jaune sale, a eu le singulier caprice de pousser dans un coin du jardin. Gobichon a invité trente personnes à dîner pour manger cette salade.

Il passe ainsi la journée entière au soleil, aveuglé par la lumière crue, étouffé par la poussière. À son côté se tient son épouse, poussant le dévouement jusqu'à la suffocation[8]. Le jeune Gobichon cherche avec désespoir les minces filets d'ombre que font les murailles.

Le soir, toute la famille s'assied autour du bassin vide et jouit en paix des charmes de la nature. Les usines du voisinage jettent une fumée noire ; les locomotives passent en sifflant, traînant toute une foule endimanchée bruyante ; les horizons s'étendent, dévastés, rendus plus tristes encore par ces éclats de rire qui rentrent à Paris pour une grande semaine. Et, mêlées aux puanteurs de la Bièvre, des odeurs de friture et de poussière passent dans l'air lourd.

Gobichon attendri regarde religieusement la lune se lever entre deux cheminées.

Émile Zola, *Villégiature*, 1865.

Portrait d'Émile Zola, *La Revue illustrée*, 1887. Bibliothèque des Arts décoratifs, Paris.

*Comprendre une scène de mœurs**

Les lieux et les personnages

1. L. 1 à 13 : relevez pour chacun des lieux décrits un adjectif qualificatif et un nom le caractérisant. Quelle impression créent-ils ?

2. a. Quel est le milieu social de Gobichon ? **b.** De quoi Gobichon rêve-t-il ? À quel personnage de Molière fait-il penser ? **c.** Indiquez les traits de caractère de Gobichon révélés par les lignes 14 à 21.

3. Le fils Gobichon partage-t-il la « passion » de son père ? Justifiez en citant le texte.

Les dimanches des Gobichon

4. L. 35 à 36 : quelle figure de style repérez-vous ?

5. a. Quel est le « phénomène » évoqué à la ligne 43 ? **b.** « une » (salade), « trente » (personnes) : quel effet produit le rapprochement par antithèse de ces déterminants numéraux ?

6. a. Relevez les adjectifs qualificatifs dans les lignes 51 à 56.

b. Correspondent-ils aux « charmes de la nature » ?

7. D'après vos réponses précédentes, définissez le ton du récit.

→ Les figures de style – p. 384
→ Les procédés de l'ironie – p. 384

* qui décrit des habitudes de vie.

Dégager l'essentiel SOCLE C1

› Quel jugement Zola porte-t-il sur les mœurs de ces petits-bourgeois ?

› Quelles caractéristiques de la nouvelle réaliste retrouvez-vous dans cette nouvelle ?

Rédiger un texte bref SOCLE C1

Racontez la découverte de la salade, puis le dîner, en adoptant le point de vue du fils Gobichon. Vous insisterez sur les sentiments qu'il ressent. Vous rédigerez à la première ou à la troisième personne.

Honoré de Balzac
(1799-1850)

Ce romancier français a regroupé sous le nom de « Comédie humaine » ses romans et nouvelles qui montrent la société française du début du XIXe siècle et comportent des descriptions réalistes célèbres.

Avant de lire le texte

1. Depuis le Moyen Âge, quel objet signale une boutique aux passants ?
2. *Lexique* Regroupez les adjectifs qualificatifs suivants par groupes de synonymes : *vieux, vif, coquet, décrépit, bizarre, singulier, pimpant, antique, mystérieux, étrange, gai.*

La Maison du Chat-qui-pelote[1]

Par une matinée pluvieuse, au mois de mars, un jeune homme, soigneusement enveloppé dans son manteau, se tenait sous l'auvent[2] de la boutique qui se trouvait en face de ce vieux logis, et paraissait l'examiner avec un enthousiasme d'archéologue. [...] À chaque étage, une singularité : au premier, quatre fenêtres longues, étroites, rapprochées l'une de l'autre, avaient des carreaux de bois dans leur partie inférieure, afin de produire ce jour douteux, à la faveur duquel un habile marchand prête aux étoffes la couleur souhaitée par ses chalands[3]. Le jeune homme semblait plein de dédain pour cette partie essentielle de la maison, ses yeux ne s'y étaient pas encore arrêtés. Les fenêtres du second étage, dont les jalousies[4] relevées laissaient voir, au travers de grands carreaux en verre de Bohême, de petits rideaux de mousseline rousse, ne l'intéressaient pas davantage. Son attention se portait particulièrement au troisième, sur d'humbles croisées dont le bois travaillé grossièrement aurait mérité d'être placé au Conservatoire des arts et métiers pour y indiquer les premiers efforts de la menuiserie française. Ces croisées avaient de petites vitres d'une couleur si verte, que, sans son excellente vue, le jeune homme n'aurait pu apercevoir les rideaux de toile à carreaux bleus qui cachaient les mystères de cet appartement aux yeux des profanes[5]. Parfois, cet observateur, ennuyé de sa contemplation sans résultat, ou du silence dans lequel la maison était ensevelie, ainsi que tout le quartier, abaissait ses regards vers les régions inférieures. Un sourire involontaire se dessinait alors sur ses lèvres, quand il revoyait la boutique où se rencontraient en effet des choses assez risibles. Une formidable pièce de bois, horizontalement appuyée sur quatre piliers qui paraissaient courbés par le poids de cette maison décrépite, avait été rechampie[6] d'autant de couches de diverses peintures que la joue d'une vieille duchesse en a reçu de rouge. Au milieu de cette large poutre mignardement[7] sculptée se trouvait un antique tableau représentant un chat qui pelotait.

HONORÉ DE BALZAC, *La Maison du Chat-qui-pelote*, 1829.

1. « peloter » : jouer avec une balle (terme de pelote basque).
2. petit toit pour protéger de la pluie.
3. acheteurs.
4. persiennes formées de minces lattes parallèles et mobiles.
5. ignorants.
6. repeinte.
7. délicatement.

Illustration d'ÉDOUARD TONDOUZE pour *La Maison du Chat-qui-pelote* d'HONORÉ DE BALZAC, Édition Flammarion, 1949.

Aborder une description réaliste

Les caractéristiques de la description

1. a. À travers quel personnage le lecteur découvre-t-il la maison ? **b.** Ce personnage regarde-t-il attentivement ou distraitement ? Justifiez avec des mots du texte.

2. ***Lexique*** Relevez les mots précisant : **a.** les formes de la maison ; **b.** les couleurs ; **c.** les matériaux.

3. a. Quelles sont les étapes de la description ? **b.** Quel déplacement le regard effectue-t-il ?

4. a. Sur quel détail le regard se porte-t-il à la fin ? **b.** Pourquoi l'auteur, selon vous, s'attache-t-il à ce détail ?

5. La description permet-elle au lecteur de se représenter de façon précise ce lieu inventé par Balzac ?

Les rôles de la description dans le récit

6. Après votre première lecture, lesquels des adjectifs qualificatifs listés dans **Avant de lire le texte** associez-vous à cette maison ? Justifiez à l'aide du texte.

7. a. Quel est le point commun aux fenêtres des trois étages ? Expliquez. **b.** Quelle atmosphère cela crée-t-il ?

8. L. 15 à 20 : **a.** Qu'est-ce qui caractérise la maison ? **b.** Dans quel état d'esprit le jeune homme se trouve-t-il ? **c.** Quelles hypothèses de lecture pouvez-vous faire pour la suite du récit à partir de ces indications ?

9. L. 20 à 25 : **a.** L'adjectif « risible » est-il mélioratif ou péjoratif ? **b.** Relevez une comparaison : quel jugement traduit-elle ? **c.** Qui porte ce jugement : le personnage ou le narrateur ?

→ Les procédés de modalisation – p. 346

Dégager l'essentiel SOCLE C1

› Dans chaque couple de propositions, choisissez celle qui convient.

Une description réaliste :
- choisit des détails significatifs / décrit tous les éléments d'un lieu ;
- oriente la lecture par le choix des mots / adopte un ton neutre ;
- a un rôle décoratif / a un lien avec l'intrigue ;
- décrit des lieux réels / crée l'illusion de la réalité.

› Proposez, à partir des éléments retenus, votre définition de la description réaliste.

Rédiger un texte bref SOCLE C1

Décrivez l'intérieur du troisième étage tel que vous vous l'imaginez après la lecture de ce texte. Employez des adjectifs qualificatifs qui expriment votre jugement.

Œuvre intégrale

Guy de Maupassant, *Contes de la bécasse*, 1883

→ *Étudier un recueil de nouvelles*
→ *Connaître une œuvre littéraire du patrimoine* SOCLE C5

A Prendre connaissance du recueil

Le titre du recueil

Lisez le texte introducteur : « La bécasse ».

1. a. En quoi consiste la coutume appelée le « conte de la bécasse » ?
b. Comment l'auteur regroupe-t-il les récits du recueil ?

2. a. Relevez, à la fin du texte, l'homonyme de « compter ».
b. Proposez un synonyme de ce verbe.
c. Qu'est-ce qu'un « conte » pour vous ?
d. D'après la biographie de Maupassant p. 16, faut-il s'attendre à lire des contes merveilleux ?

Les couvertures

Comparez des couvertures.

3. Lesquelles des couvertures ci-dessus évoquent le texte introducteur « La bécasse » ? Pourquoi ?

4. Quels univers ces couvertures évoquent-elles ?

La table des matières

Consultez la table des matières.

5. Quels sont les titres qui désignent un héros éponyme (qui donne son nom à la nouvelle) ?

6. Quels sont les titres qui évoquent la Normandie ?

7. Cherchez dans un dictionnaire les mots des titres dont vous ne connaissez pas le sens.

Dégager l'essentiel SOCLE C1
› Expliquez ce qu'est un recueil de nouvelles.

B Réaliser un défi-lecture

Lisez l'ensemble des contes.

Entraînement

1. Pour tester votre lecture, répondez aux trois questions suivantes :

a. Dans quelle nouvelle est-il question d'un chien ? 1 point

b. Quel doute abominable torture l'académicien narrateur de « Un fils » ? 2 points

c. Dans quelle nouvelle trouve-t-on un personnage qui s'appelle le père Malandain ? 3 points

Préparation

2. À votre tour, par groupes de cinq élèves, préparez deux questions à 1 point, deux questions à 2 points, deux questions à 3 points.
Les points varient selon la difficulté des questions. Chaque groupe remet ses questions au professeur qui les valide.

Réalisation

3. En un temps limité, chaque groupe doit répondre aux questions des autres groupes et remettre ses réponses au professeur, qui comptabilisera les points acquis.

C Comprendre l'unité du recueil

Les thèmes (les sujets) des nouvelles

1. Reproduisez le tableau ci-dessous et complétez-le en indiquant les titres des nouvelles et en plaçant une croix dans les colonnes appropriées.
Attention ! Certains contes peuvent correspondre à plusieurs critères.

2. Utilisez votre tableau pour répondre aux questions suivantes : **a.** Où l'histoire des contes se situe-t-elle ? **b.** Quels sont les thèmes que Maupassant développe le plus ?

3. Parcourez à nouveau les contes consacrés à la guerre de 1870 : quelles visions de cette guerre Maupassant propose-t-il ?

4. Dans quel conte chacun des thèmes vous paraît-il le mieux exprimé ? Justifiez.

L'écriture des nouvelles

5. Choisissez un conte à tonalité humoristique, un autre à tonalité pessimiste ; pour chacun d'eux, relevez un petit passage qui illustre la tonalité du conte choisi.

Dégager l'essentiel SOCLE C1

› Rédigez un paragraphe qui explique ce qui fait l'unité de ce recueil.

D Présenter des nouvelles sous forme d'interview

→ *Participer à un échange verbal* SOCLE C1

Sujet

Par deux, vous allez présenter à la classe une nouvelle du recueil.

Préparation

– Organisez-vous par groupes de deux pour jouer, l'un le rôle d'un journaliste, l'autre celui de Maupassant.
– Prévoyez une présentation de cinq minutes.
– Pour réaliser l'interview, suivez les indications de la **Fiche-méthode** ci-dessous.

Fiche-méthode

Rendre compte d'une lecture sous forme d'interview

Préparation

- Repérer dans les textes les thèmes importants et les caractéristiques de l'écriture de l'auteur.
- Choisir des passages représentatifs des thèmes et / ou de l'écriture de l'auteur.
- S'entraîner à lire ou à réciter ces passages avec expressivité (voir p. 36).
- Élaborer des questions et des réponses pour présenter les éléments retenus dans les deux premiers points.

Présentation

- Présenter cette interview en équilibrant les temps de parole.
- Ne pas lire ses notes mais donner l'impression d'un dialogue en direct.
- Prévoir :
– un accueil rapide de l'auteur par le journaliste ;
– une phrase de conclusion formulée par le journaliste.

TITRE DU CONTE	LIEU		PÉRIODE	THÈMES				ÉCRITURE	
	Normandie	Ailleurs	1870	Avarice	Boisson	Amour	Femme	Ton humoristique	Ton pessimiste
Ce cochon de Morin									
…									

François Coppée
(1842-1908)

Poète, dramaturge et romancier français.

Vous êtes dans le vrai, canotiers[1], calicots[2] !...

Vous êtes dans le vrai, canotiers, calicots !
Pour voir des boutons d'or et des coquelicots,
Vous partez, le dimanche, et remplissez les gares
De femmes, de chansons, de joie et de cigares,
Et, pour être charmants et faire votre cour,
Vous savez imiter les cris de basse-cour.
Vous avez la gaîté peinte sur la figure.
Pour vous, le soir qui vient, c'est la tonnelle[3] obscure
Où, bruyants et grivois[4], vous prenez le repas ;
Et le soleil couchant ne vous attriste pas.

François Coppée, *Promenades et Intérieurs*, 1872.

1. personnes qui se promènent en barque.
2. employés de grands magasins.
3. petit abri couvert de végétation.
4. s'amusant avec les femmes.

Établir des liens entre les œuvres
SOCLE C5

1. À quelle nouvelle du chapitre ce poème fait-il écho ? Pourquoi ?

Réciter un poème
SOCLE C5

2. Adoptez un ton très gai et un rythme entraînant.

Histoire des Arts

A. Observez les références du tableau (titre, date) et expliquez le lien entre cette œuvre et le thème du chapitre.

B. a. Qu'est-ce qui caractérise les personnages (postures, vêtements, regards...) ? **b.** Quelle atmosphère cela donne-t-il à la scène ?

C. Plein air, couleurs, lumière : ces trois caractéristiques des tableaux des peintres impressionnistes comme A. Renoir se retrouvent-elles dans cette œuvre ? Expliquez.

→ L'ABC de l'image – p. 276

Auguste Renoir, *Le Déjeuner des canotiers*, 1880-1881.
National Gallery of art, Washington.

Nouvelles réalistes du XIXe siècle

Couverture de l'hebdomadaire *Gil Blas*, 14 août 1892.

Arts et culture : la nouvelle au XIXe siècle

- Le genre de la **nouvelle** s'impose au XIXe siècle ; elle est alors souvent appelée « conte ». Son développement s'explique en partie par celui des journaux populaires, qui publient chaque jour de brefs récits. Les écrivains sont payés « à la feuille » par les journaux, d'où le nom de « feuilletons » donné à des récits quotidiens par épisodes.
- Des auteurs de renom tels que **H. de Balzac**, **G. Flaubert** (p. 40), **G. de Maupassant**, **É. Zola** ont écrit des nouvelles, très souvent **publiées dans des journaux** avant d'être réunies dans des **recueils** par leur auteur ou par un éditeur.
- À cette époque, deux types de nouvelles coexistent : les **nouvelles réalistes** et les nouvelles fantastiques (p. 48 à 93).

Un genre littéraire : la nouvelle réaliste

- Une nouvelle est un **récit bref**, **centré sur un personnage**, rapidement présenté ; elle raconte un **moment de crise** ou quelques épisodes essentiels de la vie du personnage.
- La **force du récit** lui confère de l'intensité ; le dénouement est généralement soudain, voire brutal.
- Un **récit réaliste vise à créer l'illusion de la réalité**.
- Les nouvelles réalistes du XIXe siècle, **ancrées dans une région**, en exposent des caractéristiques marquantes, comme l'avarice des paysans normands dans les nouvelles de Maupassant.
- Elles peignent, souvent avec humour ou ironie, les **différentes catégories sociales de l'époque** (paysans, employés de bureau, bourgeois) ou des traits de caractères (la bêtise, la lâcheté, l'ambition...).

L'écriture d'une nouvelle réaliste

- Une nouvelle appartient au genre narratif : elle respecte l'emploi des temps du récit ; elle a recours à des connecteurs temporels.
- Une nouvelle vise à plaire instantanément ; elle se caractérise donc par :
  – un rythme vif : enchaînement rapide des épisodes, ellipses (passage sous silence d'événements mineurs), phrases fortement ponctuées ;
  – l'art de la concision (dire beaucoup en peu de mots).
- Une nouvelle est rendue réaliste par :
  – des descriptions qui donnent à voir un lieu ou une région ;
  – des dialogues qui imitent la langue orale des personnages (par exemple, patois normand des paysans de Maupassant).

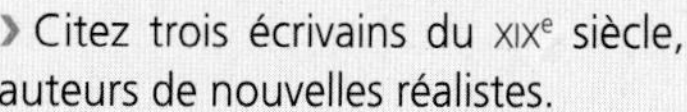

› Citez trois écrivains du XIXe siècle, auteurs de nouvelles réalistes.

› Rédigez une brève définition de la nouvelle réaliste.

Réviser des notions lexicales

1. a. Quels sont les deux radicaux de cette famille de mots ?
améliorer – meilleur – amélioration – mélioratif
b. Que signifie « mélioratif » ?

2. Relevez en les classant en deux colonnes (mélioratifs / péjoratifs) les verbes, puis les adjectifs qualificatifs et les participes employés comme adjectifs.
valoriser – mélioratif – péjoratif – empirer – dévaloriser – déprécier – dépréciatif – défavorable – laudatif – rabaissant – améliorer

Identifier la classe grammaticale des mots dans un champ lexical

3. a. Regroupez les mots en italique selon leur classe grammaticale : nom, adjectif qualificatif, participe passé employé comme adjectif, verbe. b. Quel jugement du personnage sur lui-même ce champ lexical (ensemble de mots) traduit-il ?

« […] Je suis un *lâche coquin*. Quand j'*ai triché*[1] ce Hollandais, je ne pensais qu'à gagner ving-cinq napoléons, voilà tout. Je ne pensais pas à Gabrielle, et voilà pourquoi je me *méprise*… Moi, estimer mon honneur moins que vinq-cinq napoléons[2] ! Quelle *bassesse* ! Oui, je serais heureux de pouvoir me dire : "J'ai *volé* pour tirer Gabrielle de la misère…" Non !… non ! je ne pensais pas à elle… Je n'étais pas amoureux dans ce moment… J'étais un *joueur*… j'étais un *voleur*… J'ai volé de l'argent pour l'avoir avec moi… et cette action m'*a* tellement *abruti*, *avili*, que je n'ai plus aujourd'hui de courage ni d'amour… je vis, et je ne pense plus à Gabrielle… je suis un homme *fini*. »

P. Mérimée, *La Partie de Trictrac*, 1830.

1. trompé au jeu. 2. monnaie.

Distinguer vocabulaire mélioratif et vocabulaire péjoratif

→ Les procédés de modalisation – p. 346

4. Parmi ces noms servant à décrire des lieux, quels sont ceux qui sont : a. mélioratifs ? b. péjoratifs ?
cloaque – masure – palais – taudis – mansarde – manoir – villégiature – paradis – éden – demeure – baraque – égout – bas-fond

5. a. Recopiez le tableau et classez-y les adjectifs de la liste. b. Soulignez ceux qui expriment une odeur.
idyllique – sordide – somptueux – abject – paradisiaque – crasseux – fétide – pestilentiel – insalubre – immonde – nauséabond – embaumé – suave

Péjoratif	Mélioratif
sordide	idyllique

6. a. Quel titre pourriez-vous donner au texte : « Un véritable enfer » ou « Un véritable paradis » ? Justifiez en citant des mots du texte. b. Quelle est la classe grammaticale de la plupart des mots cités ? c. Donnez un synonyme de « cloaque ».

La maison, construite selon un système nouveau, tremblait au vent et s'émiettait sous les pluies d'orage. À l'intérieur, les cheminées, garnies de fumivores[1] ingénieux, fumaient à asphyxier les gens ; les sonnettes électriques s'obstinaient à garder le silence ; les cabinets d'aisances[2], établis sur un modèle excellent, étaient devenus d'horribles cloaques ; les meubles, qui devaient obéir à des mécanismes particuliers, refusaient de s'ouvrir et de se fermer.

É. Zola, *Une victime de la réclame*, 1866.

1. appareils qui absorbent la fumée. 2. toilettes.

7. a. Cherchez le sens de « maraudeur ». b. Relevez dans le texte les noms et GN qui désignent ou caractérisent, d'une part maître Chiquet, d'autre part le maraudeur. c. Donnez le sens des noms relevés. d. Quel jugement maître Chiquet et ses gens portent-ils sur le maraudeur ? e. Par quel verbe le narrateur exprime-t-il une critique de maître Chiquet ?

Maître Chiquet, exaspéré, se précipitant sur le maraudeur, le roua de coups, tapant comme un forcené, comme tape un paysan volé, avec le poing et avec le genou par tout le corps de l'infirme, qui ne pouvait se défendre. Les gens de la ferme arrivaient à leur tour qui se mirent avec le patron à assommer le mendiant. […] Cloche, à moitié mort, saignant et crevant de faim, demeura couché sur le sol. […] Vers midi, les gendarmes parurent et ouvrirent la porte avec précaution, s'attendant à une résistance, car maître Chiquet prétendait avoir été attaqué par le gueux.

G. de Maupassant, *Le Gueux*, 1884.

8. a. Relevez les adjectifs qualifiant « la Blanchotte ». b. Quel jugement le forgeron porte-t-il sur elle ?

Tout à coup, un des forgerons, répondant à la pensée de tous, dit à Philippe :
« C'est tout de même une bonne et brave fille que la Blanchotte, et vaillante et rangée malgré son malheur, et qui serait une digne femme pour un honnête homme. »

G. de Maupassant, *Le Papa de Simon*, 1879.

Orthographe Conjugaison

Réviser les terminaisons de l'imparfait de l'indicatif

→ Réviser l'analyse complète du verbe – p. 326

Observer et manipuler

1. a. Classez les verbes par groupes en soulignant les terminaisons. **b.** Varient-elles d'un groupe à l'autre ?
nous tendions – ils lavaient – je parlais – elle flottait – il glaçait – tu gravais – nous foncions – vous tiriez – nous agissions – vous gémissiez – elle venait – je voyais – tu recevais – vous lisiez – elles finissaient – tu étais – vous aviez

Formuler la règle

2. Recopiez et complétez la phrase suivante.
Les terminaisons de l'imparfait de l'indicatif sont pour tous les groupes : ..., ..., ..., ..., ..., ...

Réviser les terminaisons du passé simple de l'indicatif

→ Réviser l'analyse complète du verbe – p. 326

Observer et manipuler

3. a. Classez ces verbes selon leur groupe : pour chaque groupe, quelle(s) est (sont) la (les) voyelle(s) dominante(s) du passé simple ? **b.** Classez les verbes selon leur personne en indiquant la terminaison.
je vis – nous sûmes – vous finîtes – ils dirent – tu créas – il raconta – ils gémirent – elle but – je discutai – tu crus – ils appelèrent – nous parlâmes – vous jouâtes – elles prirent

4. Recopiez, complétez et remplissez le tableau suivant avec les terminaisons du passé simple.

Groupes / Pers.	1er groupe	2e groupe	3e groupe	
1re p. singulier				
2e p. singulier				
3e p. singulier				

5. Conjuguez au passé simple les verbes entre parenthèses.

Il (sortir) de sa cour, (se glisser) dans le bois, (gagner) le four à plâtre, (pénétrer) au fond de la longue galerie et, ayant retrouvé par terre les vêtements du mort, il (s'en vêtir). Alors, il (se mettre) à rôder par les champs. [...] Lorsqu'il (croire) l'heure arrivée, il (se cacher).

G. de Maupassant, *Le Père Milon*, 1883.

Formuler la règle

6. Répondez aux questions suivantes.
Quelle est la voyelle caractéristique du passé simple pour les verbes du 1er groupe ? pour ceux du 2e groupe ? Quelles sont les deux voyelles les plus fréquentes au 3e groupe ?

Réviser l'accord du verbe avec le sujet

→ Les accords complexes sujet / verbe – p. 354

Observer et manipuler

7. a. Avec quel nom chaque verbe en italique s'accorde-t-il ? **b.** Quels accords posent problème ? Pourquoi ?

Les chiens de garde *habitaient* en des niches, un peuple de volailles *circulait* dans l'herbe haute. Chaque midi, quinze personnes, maîtres, valets et servantes, *prenaient* place autour de la longue table de cuisine où *fumait* la soupe dans un grand vase de faïence.

G. de Maupassant, *Coco*, 1884.

8. a. De combien de verbes les noms en italique sont-ils le sujet ? **b.** Quels sont ces verbes ?

Des *légions* de mouches bourdonnaient au-dessus d'eux, jetaient dans l'air un ronflement doux. Et le *soleil*, le grand soleil d'un jour sans brise, s'abattait sur le long coteau, faisait sortir de ce bois un arôme puissant.

D'après G. de Maupassant, *Le Père*, 1885.

Formuler la règle

9. Recopiez et complétez les phrases suivantes.
Un verbe s'accorde en personne et en ... avec son sujet. Un sujet peut être ... du verbe par des compléments, des appositions ; si un sujet est placé ... le verbe, on parle de sujet inversé. Plusieurs verbes peuvent avoir le ... sujet.

Écrire un texte sous la dictée SOCLE C1

Tout à coup, elle découvrit, dans une boîte de satin noir, une superbe rivière de diamants ; et son cœur se mit à battre d'un désir immodéré. Ses mains **tremblaient** en la prenant. Elle l'**attacha** autour de sa gorge, sur sa robe montante, et demeura en extase devant elle-même.
Puis, elle demanda, hésitante, pleine d'angoisse :
– **Peux**-tu me prêter cela, rien que cela ?
– Mais oui, bien certainement.
Elle sauta au cou de son amie, l'**embrassa** avec emportement, puis **s'enfuit** avec le trésor.

G. de Maupassant, *La Parure*, 1885.

• Relevez les verbes conjugués au passé simple, en les classant par groupes ; soulignez la terminaison.

• Justifiez la terminaison des verbes en gras en les recopiant avec leur sujet.

Réviser la valeur des temps de l'indicatif dans un récit au passé

➜ Réviser les valeurs des temps de l'indicatif – p. 336

Observer et manipuler

1. a. À quel temps sont conjugués les verbes soulignés ? les verbes en gras ? b. Quel est le temps qui sert à décrire ? Quel est celui qui sert à raconter ? c. À quel temps le verbe en italique est-il conjugué ? Situe-t-il l'action avant, après, en même temps que les autres actions ?

Le capitaine Ledoux **était** un bon marin. Il *avait commencé* par être simple matelot, puis il devint aide-timonier[1]. Au combat de Trafalgar, il eut la main gauche fracassée par un éclat de bois ; il fut amputé, et fut congédié ensuite avec de bons certificats. Le repos ne lui **convenait** guère, et l'occasion de se rembarquer se présentant, il servit en qualité de second lieutenant, à bord d'un corsaire[2].

P. Mérimée, *Tamango*, 1829.

1. matelot chargé du système de veille. 2. bateau.

2. a. Lisez le texte oralement : peut-on supprimer les passages en italique ou les autres ? Quels sont ceux qui évoquent l'arrière-plan ? Quels sont ceux qui expriment les actions essentielles ? b. À quel temps de l'indicatif les verbes y sont-ils conjugués ? c. À quel temps de l'indicatif les verbes des éléments d'arrière-plan sont-ils conjugués ?

Félicie eut sa moue de dégoût, son calme et heureux visage exprima une répulsion pour ce vieil ivrogne, ce misérable *qui sentait la pauvreté. Mais elle le regardait toujours ;* et, brusquement, [...] elle devint blanche, étouffant un cri, lâchant la monnaie *qu'elle tenait.* [...] Félicie eut un geste de la main pour écarter tout le monde. *Elle ne pouvait parler.*

É. Zola, *Jacques Damour*, 1884.

3. Recopiez ce texte en employant les temps du passé (passé simple ou imparfait) qui conviennent.

Maître Hautecorne, de Bréauté, (venir) d'arriver à Goderville, et il (se diriger) vers la place, quand il (apercevoir) par terre un petit bout de ficelle. Maître Hautecorne, économe, en vrai Normand, (penser) que tout (être) bon à ramasser qui peut servir, et il (se baisser) péniblement car il (souffrir) de rhumatismes. Il (prendre) par terre le morceau de corde mince, et il (se disposer) à le rouler avec soin, quand il (remarquer) sur le seuil de sa porte maître Malandrin qui le (regarder).

G. de Maupassant, *La Ficelle*, 1883.

Formuler la règle

4. Recopiez et complétez les phrases suivantes.

Dans un récit au passé, on emploie le ... pour raconter les actions de premier plan, l'imparfait pour ... un lieu ou un personnage, pour évoquer l'arrière-plan. Pour exprimer une action qui se situe avant les autres, on emploie le ... ou le passé antérieur.

Repérer et analyser des connecteurs temporels

➜ Les connecteurs temporels dans la narration – p. 342

Observer et manipuler

5. a. Relevez dans cet extrait les connecteurs temporels (adverbes et GN) qui expriment la succession des actions. b. Ce passage est-il narratif ou descriptif ?

Le père jouait avec sa fille comme avec un enfant de six ans. [...] Bientôt sa fille le gronda en l'embrassant, et tenta d'obtenir en plaisantant l'entrée de son Louis au logis ; mais, tout en plaisantant aussi, le père refusa. Elle bouda, revint, bouda encore ; puis à la fin de la soirée, elle se trouva contente d'avoir gravé dans le cœur de son père et son amour pour Louis et l'idée d'un mariage prochain. Le lendemain, elle ne parla plus de son amour [...] ; elle devint plus caressante pour son père qu'elle ne l'avait jamais été. [...] Au bout de huit jours, sa mère lui fit un signe, elle vint ; puis à l'oreille, à voix basse : « J'ai amené ton père à le recevoir », dit-elle.

H. de Balzac, *La Vendetta*, 1830.

6. Relevez dans cet extrait les connecteurs temporels en indiquant la classe grammaticale de chacun d'eux : adverbe ou groupe nominal.

J'avais alors pour voisine une espèce de folle, dont l'esprit s'était égaré sous les coups du malheur. Jadis, elle avait perdu son père, son mari et son enfant nouveau-né. Quelques jours plus tard, la pauvre femme, foudroyée par le chagrin, prit le lit, délira. Puis, une sorte de lassitude calme succédant à cette crise violente, elle resta sans mouvement.

D'après G. de Maupassant, *La Folle*, 1883.

Formuler la règle

7. Recopiez et complétez les phrases suivantes.

Les connecteurs ... servent à organiser un ... . Leur classe grammaticale peut être : ... ou ... .

Réviser la narration, la description et le dialogue dans le récit SOCLE C1, C5

1. Rédiger la suite d'un récit

SUJET 1 : Rédigez la suite de ce récit.

Quand j'entrai dans la salle des voyageurs de la gare de Loubain, mon premier regard fut pour l'horloge. J'avais à attendre deux heures dix minutes l'express de Paris. Je me sentis las soudain comme après dix lieues à pieds ; puis je regardai autour de moi comme si j'allais découvrir sur les murs un moyen de tuer le temps ; puis je ressortis et m'arrêtai devant la porte de la gare, l'esprit travaillé par le désir d'inventer quelque chose à faire.

G. DE MAUPASSANT, *Madame Baptiste*, 1882.

Gravure de VICTOR GERUZEZ tirée de *À travers Paris*, 1890.

Préparation

- Repérez dans le texte :
  - des informations sur le narrateur, le lieu, l'époque ;
  - les temps des verbes ;
  - le type de narrateur (1re ou 3e personne).

Consignes d'écriture

- Respectez les éléments du texte : personnage, époque, lieu.
- Respectez l'écriture du texte : la personne du narrateur, le temps des verbes.
- Imaginez une ou deux péripétie(s) ainsi qu'une situation finale.
- Construisez des paragraphes cohérents.
- Respectez une conjugaison et une orthographe correctes.

2. Décrire en exprimant un jugement

SUJET 2 : Décrivez la façade d'une maison ou d'un immeuble de manière à en faire ressortir le caractère agréable ou déplaisant.

Consignes d'écriture

- Organisez votre description en déplaçant le regard de manière progressive.
- Employez des mots qui expriment le jugement que vous portez.
- Rédigez votre description à l'imparfait de l'indicatif.

3. Insérer un dialogue dans un récit

SUJET 3 : Racontez la scène entre les deux personnages en insérant un dialogue.

Tous les samedis, régulièrement, Ferdinand Sourdis venait renouveler sa provision de couleurs et de pinceaux dans la boutique du père Morand [...]. Le plus souvent, il tombait sur Mlle Adèle, la fille du père Morand, qui peignait elle-même de fines aquarelles, dont on parlait beaucoup à Mercœur.

É. ZOLA, « Madame Sourdis », paru dans *Le Messager de l'Europe*, 1880.

1. surveillant. 2. dessins préparatoires.

Consignes d'écriture

- Faites alterner récit et dialogue.
- Utilisez la ponctuation qui convient pour insérer un dialogue dans un récit.
- Utilisez des verbes de parole.
- Employez un niveau de langue courant dans le récit et dans le dialogue.

Oral

Lire et dire des nouvelles SOCLE C1, C5

1. Lire avec expressivité

SUJET 1 : Lisez cet extrait en tenant compte des pauses liées à la ponctuation (deux barres obliques) et des pauses secondaires (une barre oblique), et en insistant sur les groupes de mots soulignés.

VARIANTE : Choisissez dix lignes du *Petit Fût* (p. 18 à 23) pour les dire devant la classe de la même façon que dans le SUJET 1.

Tenez, // dit M. Mathieu d'Endolin //, les bécasses me rappellent une bien sinistre anecdote de la guerre. // Vous connaissez ma propriété / dans le faubourg de Cormeil. // Je l'habitais / au moment de l'arrivée des Prussiens. // J'avais alors / pour voisine / une espèce de folle dont l'esprit s'était égaré sous les coups du malheur. // Jadis, // à l'âge de vingt-cinq ans, // elle avait perdu, // en un seul mois, // son père, / son mari / et son enfant nouveau-né.

G. de Maupassant, *La Folle*, 1883.

2. Mettre en scène un passage du *Petit Fût*

SUJET 2 : Vous allez jouer par binômes devant vos camarades ce passage du *Petit Fût*, p. 18 (l. 18 à 117).

Préparation

- Repérez les passages de récit que vous jouerez et, au brouillon, notez des indications scéniques (posture, déplacements, gestes, mimiques, accessoires…).
- Observez les verbes de parole et les expressions qui vous donnent des indications sur l'intonation. Complétez vos indications scéniques.
- Après vous être réparti les rôles, répétez d'abord : en jouant la mise en scène (positions, gestes, déplacements, mimiques) ; en lisant les passages dialogués en vous efforçant de les rendre expressifs.
- Apprenez chacun votre rôle (le texte à dire, les jeux de scène).
- Faites une nouvelle répétition, cette fois en récitant les passages dialogués.
- Préparez les accessoires utiles à la mise en scène.

Critères de réussite

- Traduire le comique de la scène.
- Faire ressortir le caractère opposé des deux personnages.
- Bien exprimer le patois normand.
- Rendre l'aspect vivant de la scène par les gestes, l'occupation de l'espace scénique.
- Traduire le caractère des deux personnages par l'expression du visage.

3. Transposer à l'oral récit et dialogue

SUJET 3 : Vous allez, par groupes de trois, imaginer et dire un dialogue à partir de ces vignettes de BD.

Extrait de « La Parure », *Guy de Maupassant, Les Contes en BD*, scénario et dessins de Muriel Sevestre © Éditions Petit à Petit, 2007.

Préparation

- Répartissez-vous les rôles : un narrateur et les deux personnages.
- Inventez un scénario possible en tenant compte du décor et des deux personnages.
- Prévoyez une dizaine de répliques échangées entre les deux personnages.

Critères de réussite

- Alterner récit et dialogue.
- Bien enchaîner les interventions du narrateur et des deux personnages.
- Faire ressortir le caractère des deux personnages à travers les dialogues.
- Trouver un ton adapté à la situation.

Nouvelles contemporaines

Dans chaque chapitre du manuel, vous découvrirez une activité pour rendre compte de vos lectures personnelles et les faire partager à la classe.

M. Higgins Clark
Le Billet gagnant et deux autres nouvelles
© Classiques et contemporains, Magnard.
Nouvelles policières situées aux États-Unis.

Fournel, Daeninckx, Paganelli
Nouvelles sportives
© Classiques Hatier.
Courtes nouvelles consacrées à des sports différents.

A. Christie
Nouvelles policières
© Bibliocollège, Hachette.
De grands classiques d'une célèbre romancière anglaise.

Le cercle des lecteurs

Réalisation d'un panneau pour présenter une nouvelle

- **Lire**
  - Lisez un de ces six livres.
  - Choisissez une nouvelle.
  - Organisez-vous par groupes de trois.
- **Réaliser un panneau**
  - Trouvez un ou des élément(s) visuel(s) évoquant la nouvelle retenue.
  - Résumez l'histoire de la nouvelle en dix à quinze lignes.
  - Recopiez un passage marquant de la nouvelle.
- **Élire le meilleur panneau**
  - Chaque groupe sélectionne les trois panneaux qu'il considère les meilleurs, à l'exception du sien. Il accorde 3 points au premier, 2 points au deuxième, 1 point au troisième.
  - Face à la classe, chaque groupe explique et justifie ses choix de classement.

Traven
Nouvelles mexicaines
© Classiques Hatier.
Récits amusants sur la vie quotidienne des Mexicains.

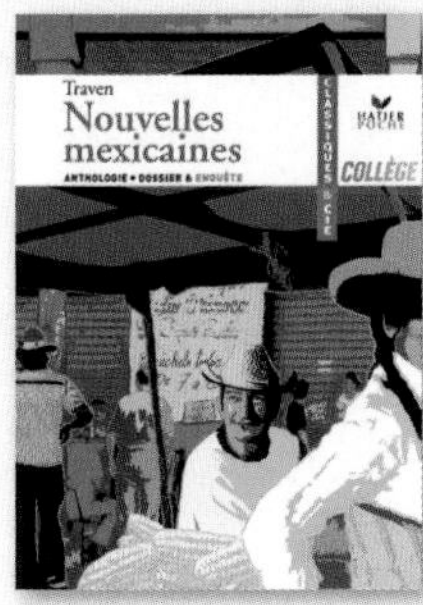

Nouvelles à chute
© Classiques et contemporains, Magnard.
Nouvelles à la fin surprenante.

Nouvelles du XXIe siècle
© Classiques & Cie, Hatier poche.
Courtes nouvelles traitant de sujets actuels.

Évaluations

Révisions

Faire le point
→ voir p. 31

Lexique
→ voir p. 32

Orthographe et conjugaison
→ voir p. 33

Grammaire
→ voir p. 34

ROBERT DOISNEAU, *Le Timide à lunettes*, 1956.

Le Papa de Simon

Midi finissait de sonner. La porte de l'école s'ouvrit, et les gamins se précipitèrent en se bousculant pour sortir plus vite. Mais au lieu de se disperser rapidement et de rentrer dîner, comme ils le faisaient chaque jour, ils s'arrêtèrent à quelques pas, se réunirent par groupes et se mirent à chuchoter.

C'est que, ce matin-là, Simon, le fils de la Blanchotte, était venu à la classe pour la première fois.

Tous avaient entendu parler de la Blanchotte dans leurs familles ; et quoiqu'on lui fît[1] bon accueil en public, les mères la traitaient entre elles avec une sorte de compassion[2] un peu méprisante qui avait gagné les enfants sans qu'ils sussent[3] du tout pourquoi.

Quant à Simon, ils ne le connaissaient pas, car il ne sortait jamais et il ne galopinait point avec eux dans les rues du village ou sur les bords de la rivière. Aussi ne l'aimaient-ils guère ; et c'était avec une certaine joie, mêlée d'un étonnement considérable, qu'ils avaient accueilli et qu'ils s'étaient répété l'un à l'autre cette parole dite par un gars de quatorze ou quinze ans qui paraissait en savoir long tant il clignait finement des yeux :

– Vous savez... Simon... eh bien, il n'a pas de papa.

Le fils de la Blanchotte parut à son tour sur le seuil de l'école.

Il avait sept ou huit ans. Il était un peu pâlot, très propre, avec l'air timide, presque gauche.

Il s'en retournait chez sa mère quand les groupes de ses camarades, chuchotant toujours et le regardant avec les yeux malins et cruels des enfants qui méditent un mauvais coup, l'entourèrent peu à peu et finirent par l'enfermer tout à fait. Il restait là, planté au milieu d'eux, surpris et embarrassé, sans comprendre ce qu'on allait lui faire. Mais le gars qui avait apporté la nouvelle, enorgueilli du succès obtenu déjà, lui demanda :

1. subjonctif imparfait du verbe « faire ».
2. pitié.
3. subjonctif imparfait du verbe « savoir ».

– Comment t'appelles-tu, toi ?

Il répondit : « Simon. »

– Simon quoi ? reprit l'autre.

L'enfant répéta tout confus : « Simon. »

Le gars lui cria : « On s'appelle Simon quelque chose… c'est pas un nom ça… Simon. »

Et lui, prêt à pleurer, répondit pour la troisième fois :

– Je m'appelle Simon.

Les galopins se mirent à rire. Le gars triomphant éleva la voix : « Vous voyez bien qu'il n'a pas de papa. »

Un grand silence se fit. Les enfants étaient stupéfaits par cette chose extraordinaire, impossible, monstrueuse – un garçon qui n'a pas de papa – ils le regardaient comme un phénomène, un être hors de la nature, et ils sentaient grandir en eux ce mépris, inexpliqué jusque-là, de leurs mères pour la Blanchotte.

Quant à Simon, il s'était appuyé contre un arbre pour ne pas tomber ; et il restait comme atterré par un désastre irréparable. Il cherchait à s'expliquer. Mais il ne pouvait rien trouver pour leur répondre, et démentir cette chose affreuse qu'il n'avait pas de papa. Enfin, livide[4], il leur cria à tout hasard : « Si, j'en ai un. »

4. très pâle.

Guy de Maupassant, *Le Papa de Simon*, 1881.

Comprendre le texte SOCLE C1

Un récit réaliste

1. a. L. 18 à 20 : relevez les verbes en indiquant leur temps. **b.** Justifiez l'emploi de ces temps.

2. Relevez dans ce texte des éléments qui en font le récit réaliste d'une scène de vie.

Le personnage de Simon

3. Relevez les adjectifs et participes passés qualifiant Simon, **a.** dans les lignes 19 à 25 ; **b.** dans les lignes 41 à 44.

4. Quelle image de Simon le texte donne-t-il ?

Les enfants face à Simon

5. a. Relevez :
– les adjectifs qualifiant les enfants et le « gars » ;
– les verbes introducteurs de parole des lignes 25 à 36.
b. Justifiez l'accord des verbes « entourèrent » (l. 23) et « demanda » (l. 26).

6. En vous appuyant sur les relevés précédents, expliquez le comportement des enfants à l'égard de Simon.

Dégager l'essentiel du texte SOCLE C1

7. Expliquez à quel personnage va la sympathie de l'auteur. Justifiez votre réponse en vous appuyant sur le texte.

Rédiger un texte cohérent SOCLE C1, C5

SUJET : Imaginez une suite à ce texte.

Consignes d'écriture :
- Respectez les éléments du texte.
- Respectez les temps du récit.
- Insérez un bref dialogue que vous ferez alterner avec le récit.
- Insérez quelques phrases de description.
- Employez des adjectifs péjoratifs et mélioratifs pour qualifier les attitudes et réactions de Simon et des enfants.
- Relisez-vous à l'aide d'un dictionnaire et des tableaux de conjugaison de votre manuel.

Histoire des Arts SOCLE C5

A. a. Quelle scène de vie la photographie montre-t-elle ? **b.** De quand date-t-elle ? **c.** Quels éléments permettent de situer la scène dans son époque ?

B. Comment le photographe a-t-il rendu le rapport entre les enfants ?

C. Quels rapports pouvez-vous établir entre cette photographie et le récit de Maupassant, dans le sujet traité et la façon de le présenter ?

Atelier de lecture

Un cœur simple,
Gustave Flaubert

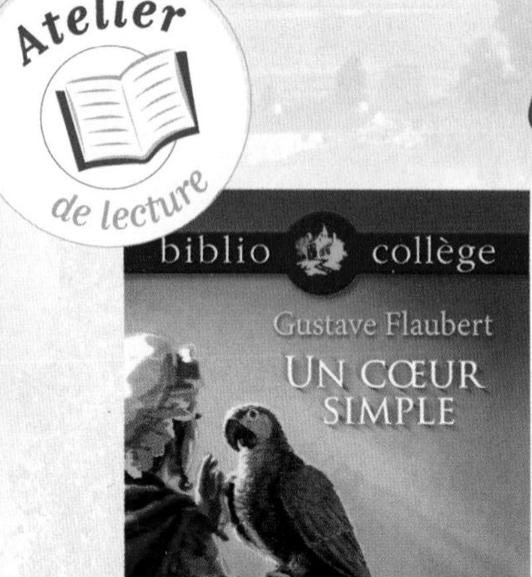

→ *Être autonome dans son travail de lecture* SOCLE C7

→ *Manifester sa compréhension de la nouvelle par des moyens divers* SOCLE C1

Dans cet atelier, vous allez apprendre à lire en autonomie. Chaque étape vous invite :
– à lire un extrait ;
– à répondre oralement ou au brouillon à des questions qui vous aident à comprendre cet extrait ;
– à rédiger un *Journal de bord*.

Gustave Flaubert
(1821-1880)

Cet écrivain français a écrit un recueil de nouvelles, *Trois contes*, des romans (*Madame Bovary*, *L'Éducation sentimentale*). Il a cherché à peindre avec réalisme la société de son temps.

Lexique

Conte (du latin *computare*, « calculer » ; attesté dans les récits médiévaux au sens de « narrer », « relater »).

Genre narratif dont la définition demeure imprécise jusqu'à la Renaissance, voire jusqu'au XVIIe siècle, il s'applique aussi bien au « récit de choses vraies » qu'au « récit de choses inventées ». En 1694, le *Dictionnaire de l'Académie française* ajoute une précision : « Il est plus ordinaire* pour les [aventures] fabuleuses et les plaisantes. »

H. van Gorp, *Dictionnaire des termes littéraires*, © Champion Classique, 2005.

* habituel.

Étape 1

Acquérir des repères littéraires pour faire des hypothèses de lecture SOCLE C5

Le genre littéraire : un conte

1. « Un cœur simple » est extrait d'un recueil intitulé *Trois contes* : d'après la définition ci-contre et la biographie de G. Flaubert, vous attendez-vous à lire un conte de fées ou une nouvelle réaliste ?

Le titre du conte et le nom de son héroïne

2. ***Lexique*** Quels sens peuvent avoir le nom « cœur » et l'adjectif « simple » ?

3. a. ***Lexique*** Que signifie le nom commun « félicité » ?
b. Le choix du prénom « Félicité » invite-t-il le lecteur à imaginer une vie heureuse ou malheureuse pour l'héroïne ?

Journal de bord

Formuler des hypothèses de lecture

Quelles hypothèses de lecture pouvez-vous formuler à partir des informations sur le genre de l'œuvre, son titre et le nom du personnage principal ? Rédigez un bref paragraphe.

Étape 2 Utiliser ses connaissances sur la langue pour mieux lire SOCLE C1

EXTRAIT 1

Ce passage constitue l'incipit (le début du conte).

Pendant un demi-siècle, les bourgeoises de Pont-l'Évêque[1] envièrent à Mme Aubain sa servante Félicité.

Pour cent francs par an, elle faisait la cuisine et le ménage, cousait, lavait, repassait, savait brider[2] un cheval, engraisser les volailles, battre le beurre, et resta fidèle à sa maîtresse, – qui cependant n'était pas une personne agréable.

Elle avait épousé un beau garçon sans fortune, mort au commencement de 1809, en lui laissant deux enfants très jeunes avec une quantité de dettes. Alors elle vendit ses immeubles, sauf la ferme de Toucques et la ferme de Geffosses, dont les rentes montaient à 5 000 francs tout au plus, et elle quitta sa maison de Saint-Melaine pour en habiter une autre moins dispendieuse[3], ayant appartenu à ses ancêtres et placée derrière les halles.

Cette maison, revêtue d'ardoises, se trouvait entre un passage et une ruelle aboutissant à la rivière. [...] Au premier étage, il y avait d'abord la chambre de "Madame", très grande, tendue d'un papier à fleurs pâles, et contenant le portrait de "Monsieur" en costume de muscadin[4]. Elle communiquait avec une chambre plus petite, où l'on voyait deux couchettes d'enfants, sans matelas. Puis venait le salon, toujours fermé, et rempli de meubles recouverts d'un drap. Ensuite un corridor menait à un cabinet d'études ; des livres et des paperasses garnissaient les rayons d'une bibliothèque entourant de ses trois côtés un large bureau de bois noir. Les deux panneaux en retour disparaissaient sous des dessins à la plume, des paysages à la gouache[5] et des gravures d'Audran[6], souvenirs d'un temps meilleur et d'un luxe évanoui. Une lucarne au second étage éclairait la chambre de Félicité, ayant vue sur les prairies.

À suivre...

1. ville du Calvados. 2. placer un mors dans la bouche d'un cheval. 3. coûteuse. 4. jeune homme élégant. 5. peinture. 6. peintre et graveur français.

1. Où l'histoire se situe-t-elle ?

2. Repérez un groupe nominal complément circonstanciel de temps qui situe l'histoire.

3. a. Qui sont les deux personnages présentés dans cet incipit ? **b.** Qui est désigné par le pronom personnel « elle » à la ligne 3 ? à la ligne 7 ?

4. L. 3 à 6 : **a.** Quels sont les deux traits de caractère de Félicité ? **b.** Félicité fait-elle preuve ici de qualités ou de défauts ? **c.** Mme Aubain est-elle présentée de façon positive ou négative ?

5. Quel est l'espace de la maison réservé à Mme Aubain ? à Félicité ?

6. Auquel des deux personnages associez-vous le tableau de Pissarro ? Pourquoi ?

→ Réviser les classes de mots – p. 300

Dégager l'idée essentielle du texte SOCLE C1

Le mode et le cadre de vie de Félicité semblent-ils en accord avec son nom ? Justifiez.

CAMILLE PISSARRO, *La Petite Bonne de campagne*, 1882. Tate Gallery, Londres.

Étape 3

Rendre compte d'une lecture par l'écriture d'une suite de texte SOCLE C1

EXTRAIT 2

Le narrateur fait un retour en arrière pour expliquer le passé de Félicité : orpheline, elle travaillait dans une ferme. Elle avait rencontré un certain Théodore qui lui faisait la cour et dont elle était tombée amoureuse.

Bientôt il [Théodore] avoua quelque chose de fâcheux : ses parents, l'année dernière, lui avaient acheté un homme[1] ; mais d'un jour à l'autre on pourrait le reprendre ; l'idée de servir[2] l'effrayait. Cette couardise[3] fut pour Félicité une preuve de tendresse ; la sienne en redoubla. Elle s'échappait la nuit, et, parvenue au rendez-vous, Théodore la torturait avec ses inquiétudes et ses instances[4].

Enfin, il annonça qu'il irait lui-même à la Préfecture prendre des informations[5], et les apporterait dimanche prochain entre onze heures et minuit.

Le moment arrivé, elle courut vers l'amoureux.

À sa place, elle trouva un de ses amis.

Il lui apprit qu'elle ne devait plus le revoir. Pour se garantir de la conscription[6], Théodore avait épousé une vieille femme très riche, Mme Lehoussais, de Toucques.

Ce fut un chagrin désordonné. Elle se jeta par terre, poussa des cris, appela le bon Dieu, et gémit toute seule dans la campagne jusqu'au soleil levant. Puis elle revint à la ferme, déclara son intention d'en partir ; et, au bout du mois, ayant reçu ses comptes, elle enferma tout son petit bagage dans un mouchoir, et se rendit à Pont-l'Évêque.

À suivre…

1. Les parents avaient payé un homme pour le remplacer lors du recrutement militaire. **2.** faire son service militaire. **3.** lâcheté. **4.** ici, demandes amoureuses. **5.** à propos de leur futur mariage. **6.** tirage au sort par lequel on désignait les futurs soldats.

1. a. Quel nom qualifie, dans le premier paragraphe, le caractère de Théodore ? **b.** Quelles sont les deux situations où le caractère de Théodore se manifeste ?

2. a. Dans quel état d'esprit Félicité se rend-elle à la rencontre nocturne du dimanche ? **b.** Par quels mots l'auteur traduit-il le sentiment éprouvé par Félicité ?

3. Quel trait de caractère de Félicité se révèle dans la dernière phrase du texte ?

Fiche-méthode

Rédiger une suite de texte sans faire de hors-sujet

Comprendre la consigne

- **Les types de textes**

Relever ou souligner dans le sujet les expressions indiquant le ou les type(s) de texte attendu(s) : narratif, descriptif, explicatif, argumentatif.

- **Le dialogue dans le récit**

Repérer s'il faut insérer un dialogue.

- **La scène à rédiger**

Répondre aux questions suivantes.
– Qui doit être le personnage principal ?
– Où et quand l'action doit-elle se passer ?
– De quoi sera-t-il question ?
– Faut-il faire intervenir un ou plusieurs nouveau(x) personnage(s) ?

Savoir repérer des indices dans le texte

- À quelle époque et dans quelle région l'histoire se situe-t-elle ?
- Que sait-on du (ou des) personnage(s) : âge, milieu social, caractère, relations affectives et / ou sociales, état d'esprit dans lequel il(s) se trouve(nt) au moment de la scène à rédiger ?
- L'histoire est-elle racontée : à la 3e ou à la 1re personne ? du point de vue d'un personnage (lequel ?) ou de celui d'un narrateur qui sait tout (omniscient) ?
- Quel est le temps employé pour le récit (passé simple, présent de narration, passé composé) ?
- Le récit est-il réaliste, fantastique, merveilleux ?

Journal de bord

Rédiger une suite de texte

Rédigez la suite du deuxième extrait en vous aidant de la **Fiche-méthode** ci-dessus : racontez l'arrivée de Félicité à Pont-l'Évêque pour chercher du travail. Vous insérerez dans votre récit un dialogue et un passage descriptif.

Étape 4

Comprendre une scène-clé

EXTRAIT 3

Un soir d'automne, on s'en retourna par les herbages.

La lune à son premier quartier éclairait une partie du ciel, et un brouillard flottait comme une écharpe sur les sinuosités de la Toucques[1]. Des bœufs, étendus au milieu du gazon, regardaient tranquillement ces quatre personnes passer. Dans la troisième pâture quelques-uns se levèrent, puis se mirent en rond devant elles.

« Ne craignez rien ! » dit Félicité ; et, murmurant une sorte de complainte, elle flatta sur l'échine celui qui se trouvait le plus près ; il fit volte-face, les autres l'imitèrent. Mais, quand l'herbage suivant fut traversé, un beuglement formidable s'éleva. C'était un taureau, que cachait le brouillard. Il avança vers les deux femmes. Mme Aubain allait courir.

« Non ! Non ! Moins vite ! » Elles pressaient le pas cependant, et entendaient par-derrière un souffle sonore qui se rapprochait. Ses sabots, comme des marteaux, battaient l'herbe de la prairie ; voilà qu'il galopait maintenant ! Félicité se retourna, et elle arrachait à deux mains des plaques de terre qu'elle lui jetait dans les yeux. Il baissait le mufle, secouait les cornes et tremblait de fureur en beuglant horriblement. Mme Aubain, au bout de l'herbage avec ses deux petits, cherchait éperdue comment franchir le haut bord. Félicité reculait toujours devant le taureau, et continuellement lançait des mottes de gazon qui l'aveuglaient, tandis qu'elle criait :

« Dépêchez-vous ! Dépêchez-vous ! »

Mme Aubain descendit le fossé, poussa Virginie, Paul[2] ensuite, tomba plusieurs fois en tâchant de gravir le talus, et à force de courage y parvint.

Le taureau avait acculé[3] Félicité contre une claire-voie[4] ; sa bave lui rejaillissait à la figure, une seconde de plus il l'éventrait. Elle eut le temps de se couler entre deux barreaux, et la grosse bête, toute surprise, s'arrêta.

Cet événement, pendant bien des années, fut un sujet de conversation à Pont-l'Évêque. Félicité n'en tira aucun orgueil, ne se doutant même pas qu'elle eût rien fait d'héroïque.

À suivre…

1. rivière. **2.** prénoms des enfants de Mme Aubain. **3.** poussé contre un obstacle qui empêche de reculer. **4.** clôture.

1. Quelles sont les différentes étapes de cette scène ?

2. Quels traits de caractère de Félicité sont mis en valeur ?

3. Pourquoi peut-on dire que cette scène est une scène-clé ?

Journal de bord

Manifester sa compréhension du texte par des moyens divers SOCLE C1

Proposez un titre pour cet épisode. Situez chronologiquement cet extrait par rapport aux deux extraits précédents.

Louis Émile Adan, *La Servante Félicité et le taureau*, 1894. BnF, Paris.

Étape 5

Comprendre l'implicite* d'un texte

SOCLE C1

EXTRAIT 4

Virginie, de santé fragile, a dû faire un séjour au bord de la mer, à Trouville. Félicité y a fait la connaissance de son neveu, Victor, qu'elle prend en affection. Celui-ci s'embarque ensuite sur un navire en partance pour l'Amérique. Quant à Virginie, elle est placée en pension dans un couvent de religieuses pour son éducation et sa santé.

Sa mère exigeait du couvent une correspondance réglée. Un matin que le facteur n'était pas venu, elle s'impatienta ; et elle marchait dans la salle, de son fauteuil à la fenêtre. C'était vraiment extraordinaire ! Depuis quatre jours, pas de nouvelles !

Pour qu'elle se consolât par son exemple, Félicité lui dit :

« Moi, Madame, voilà six mois que je n'en ai reçu !...

– De qui donc ?... »

La servante lui répliqua doucement :

« Mais, de mon neveu !

– Ah votre neveu ! » et, haussant les épaules, Mme Aubain reprit sa promenade, ce qui voulait dire : « Je n'y pensais plus !... Au surplus, je m'en moque ! Un mousse, un gueux[1], belle affaire !... tandis que ma fille... Songez donc !... »

Félicité, bien que nourrie dans la rudesse, fut indignée contre Madame, puis oublia.

Il lui paraissait tout simple de perdre la tête à l'occasion de[2] la petite.

Les deux enfants avaient une importance égale ; un lien de son cœur les unissait, et leurs destinées devaient être la même.

À suivre...

1. un vaurien. 2. à propos de.

* ce qui est sous-entendu.

1. Quel est le sujet d'inquiétude de Félicité ? celui de Mme Aubain ?

2. Que révèle ce passage sur les sentiments de Félicité ? sur le caractère de Mme Aubain ?

3. De quelle qualité Félicité fait-elle preuve à la fin de ce passage ?

4. Quelle clé la dernière phrase donne-t-elle pour la suite du récit ?

5. Par quels moyens la BD traduit-elle les sentiments et les réactions des deux personnages ?

Journal de bord

Rédiger un paragraphe argumentatif

Expliquez en un paragraphe en quoi ce passage illustre le titre de la nouvelle.

Étape 6

Lire à haute voix de façon expressive SOCLE C1

EXTRAIT 5

Ce fut quinze jours après que Liébard[1], à l'heure du marché comme d'habitude, entra dans la cuisine, et lui[2] remit une lettre qu'envoyait son beau-frère. Ne sachant lire aucun des deux[3], elle eut recours à sa maîtresse.

Mme Aubain, qui comptait les mailles d'un tricot, le posa près d'elle, décacheta la lettre, tressaillit, et, d'une voix basse, avec un regard profond :

« C'est un malheur... qu'on vous annonce. Votre neveu... »

Il était mort. On n'en disait pas davantage.

Félicité tomba sur une chaise, en s'appuyant la tête à la cloison, et ferma ses paupières, qui devinrent roses tout à coup. Puis, le front baissé, les mains pendantes, l'œil fixe, elle répétait par intervalles :

« Pauvre petit gars ! Pauvre petit gars ! » [...]

Machinalement elle soulevait, de temps à autre, les longues aiguilles sur la table à ouvrage.

Des femmes passèrent dans la cour avec un bard[4] d'où dégouttelait du linge.

En les apercevant par les carreaux, elle se rappela sa lessive ; l'ayant coulée[5] la veille, il fallait aujourd'hui la rincer ; et elle sortit de l'appartement.

Sa planche et son tonneau étaient au bord de la Toucques. Elle jeta sur la berge un tas de chemises, retroussa ses manches, prit son battoir ; et les coups forts qu'elle donnait s'entendaient dans les autres jardins à côté. Les prairies étaient vides, le vent agitait la rivière ; au fond, de grandes herbes s'y penchaient, comme des chevelures de cadavres flottant dans l'eau. Elle retenait sa douleur, jusqu'au soir fut très brave ; mais, dans sa chambre, elle s'y abandonna, à plat ventre sur son matelas, le visage dans l'oreiller, et les deux poings contre les tempes.

GUSTAVE FLAUBERT, « Un cœur simple », *Trois contes*, 1877.

1. L. 10 à 16 : quel sentiment les attitudes de Félicité traduisent-elles ?

2. L. 23 à 25 : **a.** Quelles sont les différentes attitudes de Félicité ? **b.** Quel trait de caractère révèlent-elles ?

3. L. 25 à 27 : en quoi le paysage est-il en accord avec le sentiment de Félicité ?

4. Comparez la dernière phrase de cet extrait et la fin de l'extrait 2. En quoi l'extrait 5 marque-t-il une étape dans la vie de Félicité ?

5. a. Quels sont les passages du texte repris dans la BD ? **b.** Pourquoi, selon vous, le dessinateur a-t-il fait ce choix ?

Lecture expressive SOCLE C5

Entraînez-vous à lire ce texte de façon à rendre très sensible la douleur de Félicité.

1. un fermier au service de Mme Aubain.
2. Félicité.
3. comme aucun des deux ne savait lire.
4. brancard.
5. l'ayant fait bouillir.

Trois contes de Gustave Flaubert en bandes dessinées, L. DUTHIL (scénariste), O. DESVAUX, L. CLÉMENT et J. LAMANDA (dessinateurs)

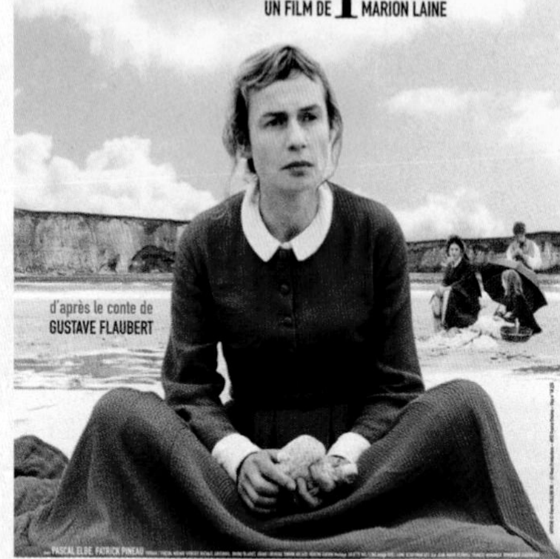

Affiche du film
Un cœur simple,
réalisé par MARION LAINE, 2008.

Étape 7

Lire en autonomie SOCLE C7

Et si vous découvriez toute l'histoire de Félicité en lisant *Un cœur simple* ?

DAVID HOCKNEY, *Félicité endormie, avec perroquet*, 1974. Collection privée.

Journal de bord

Vous rendrez compte de votre lecture d'une des deux manières suivantes :

Présenter un élément-clé

Expliquez en quelques lignes quel rôle le perroquet joue dans la vie de Félicité.

Changer la fin de l'histoire

Imaginez en une quinzaine de lignes une autre fin à la nouvelle et justifiez votre choix.

Photo tirée du film *Un cœur simple*, réalisé par MARION LAINE, 2008.

Étape 8

Rendre compte d'une lecture à l'aide d'une étude d'images

Histoire des Arts SOCLE C5

Par oral, échangez vos points de vue sur les représentations de femmes dans les tableaux des pages 41, 46 et 47.

A. a. Présentez les images : auteur, titre, date, support.
b. Décrivez avec précision chacune des images figurant dans l'atelier en vous intéressant aux personnages (postures, activités...), à la lumière, aux plans utilisés, aux couleurs.

B. Recherchez dans les extraits proposés des mots, expressions, passages qui peuvent être associés à chacune des images.

C. Expliquez en quoi ces images et ce conte peuvent être qualifiés de réalistes (voir **Faire le point**, p. 31).

→ L'ABC de l'image – p. 276 et p. 278

Jean-François Millet, *La Couseuse*, 1859.
Musée d'Orsay, Paris.

Paul Cézanne, *Vieille Femme au rosaire*, 1896.
National Gallery, Londres.

Journal de bord

Analyser un personnage en s'aidant d'une image

Choisissez une image de cet atelier et expliquez en quoi elle représente pour vous le personnage de Félicité. Vous citerez le texte à l'appui de votre réponse.

Nouvelles fantastiques

Étudier l'hésitation entre réel et surnaturel

Henri Michaux, *Le Prince de l'obscurité*, 1937. Musée national d'Art moderne – Centre Georges Pompidou, Paris.

1 Comment comprenez-vous le titre du tableau ?

2 Ce tableau évoque-t-il un monde réel ou surnaturel ? Justifiez.

Lectures

Pour entrer dans le chapitre

- Dans les contes merveilleux et dans les romans de Chrétien de Troyes, s'étonne-t-on de la présence de fées, de sorcières, d'animaux fabuleux, du pouvoir de la magie ?
- *Lexique* Quelle différence de sens faites-vous entre ces deux emplois de l'adjectif « fantastique » ? a. « Ils ont gagné le championnat du monde : c'est fantastique ! » b. « Les fantômes sont des créatures fantastiques. »

Avant de lire le texte

1. Qu'est-ce qui pour vous est surnaturel ?
2. La cafetière : comment ce banal objet du quotidien peut-il, selon vous, devenir surnaturel ?

Théophile Gautier
(1811-1872)

Écrivain français, poète, romancier, auteur de nouvelles fantastiques (voir aussi **Dossier 3**, p. 80-81).

La Cafetière (I) TEXTE INTÉGRAL

L'année dernière, je fus invité, ainsi que deux de mes camarades d'atelier[1], Arrigo Cohic et Pedrino Borgnioli, à passer quelques jours dans une terre au fond de la Normandie.

Le temps, qui, à notre départ, promettait d'être superbe, s'avisa de changer tout à coup, et il tomba tant de pluie, que les chemins creux où nous marchions étaient comme le lit d'un torrent.

Nous enfoncions dans la bourbe[2] jusqu'aux genoux, une couche épaisse de terre grasse s'était attachée aux semelles de nos bottes, et par sa pesanteur ralentissait tellement nos pas, que nous n'arrivâmes au lieu de notre destination qu'une heure après le coucher du soleil.

Nous étions harassés ; aussi, notre hôte, voyant les efforts que nous faisions pour comprimer nos bâillements et tenir les yeux ouverts, aussitôt que nous eûmes soupé, nous fit conduire chacun dans notre chambre.

La mienne était vaste ; je sentis, en y entrant, comme un frisson de fièvre, car il me sembla que j'entrais dans un monde nouveau.

En effet, l'on aurait pu se croire au temps de la Régence[3], à voir les dessus de porte de Boucher[4] représentant les quatre Saisons, les meubles surchargés d'ornements de rocaille[5] du plus mauvais goût, et les trumeaux[6] des glaces sculptés lourdement.

Rien n'était dérangé. La toilette couverte de boîtes à peignes, de houppes[7] à poudrer, paraissait avoir servi la veille. Deux ou trois robes de couleurs changeantes, un éventail semé de paillettes d'argent, jonchaient le parquet bien ciré, et, à mon grand étonnement, une tabatière d'écaille ouverte sur la cheminée était pleine de tabac encore frais.

Je ne remarquai ces choses qu'après que le domestique, déposant son bougeoir sur la table de nuit, m'eut souhaité un bon somme, et, je l'avoue, je commençai à trembler comme la feuille. Je me déshabillai promptement, je me couchai, et, pour en finir avec ces sottes frayeurs, je fermai bientôt les yeux en me tournant du côté de la muraille.

Mais il me fut impossible de rester dans cette position : le lit s'agitait sous moi comme une vague, mes paupières se retiraient violemment en arrière. Force me fut de me retourner et de voir.

Le feu qui flambait jetait des reflets rougeâtres dans l'appartement, de sorte qu'on pouvait sans peine distinguer les personnages de la tapisserie et les figures des portraits enfumés pendus à la muraille.

C'étaient les aïeux de notre hôte, des chevaliers bardés de fer, des conseillers en perruque, et de belles dames au visage fardé et aux cheveux poudrés à blanc, tenant une rose à la main.

1. atelier d'artistes peintres.
2. boue épaisse.
3. 1715-1723 : époque de l'histoire de France qui fait suite à la mort de Louis XIV.
4. peintre français.
5. style décoratif très chargé, à la mode au début du XVIIIe siècle.
6. panneaux décoratifs.
7. sorte de gros pinceaux à maquillage.
8. très pâle.
9. simples.
10. qui a de l'asthme (maladie respiratoire).
11. s'activaient.
12. bûches non consumées.

Denis Pierre Bergeret (1846-1910), *Intérieur, nature morte*. Musée d'Orsay, Paris.

Tout à coup le feu prit un étrange degré d'activité ; une lueur blafarde[8] illumina la chambre, et je vis clairement que ce que j'avais pris pour de vaines[9] peintures était la réalité ; car les prunelles de ces êtres encadrés remuaient, scintillaient d'une façon singulière ; leurs lèvres s'ouvraient et se fermaient comme des lèvres de gens qui parlent, mais je n'entendais rien que le tic-tac de la pendule et le sifflement de la bise d'automne.

Une terreur insurmontable s'empara de moi, mes cheveux se hérissèrent sur mon front, mes dents s'entrechoquèrent à se briser, une sueur froide inonda tout mon corps.

La pendule sonna onze heures. Le vibrement du dernier coup retentit longtemps, et, lorsqu'il fut éteint tout à fait...

Oh ! non, je n'ose pas dire ce qui arriva, personne ne me croirait, et l'on me prendrait pour un fou.

Les bougies s'allumèrent toutes seules ; le soufflet, sans qu'aucun être visible lui imprimât le mouvement, se prit à souffler le feu, en râlant comme un vieillard asthmatique[10], pendant que les pincettes fourgonnaient[11] dans les tisons[12] et que la pelle relevait les cendres.

Ensuite une cafetière se jeta en bas d'une table où elle était posée, et se dirigea, clopin-clopant, vers le foyer, où elle se plaça entre les tisons.

Quelques instants après, les fauteuils commencèrent à s'ébranler, et, agitant leurs pieds tortillés d'une manière surprenante, vinrent se ranger autour de la cheminée.

À suivre...

Comprendre la construction d'une nouvelle fantastique : apparition du surnaturel

Le cadre de l'histoire

1. a. L. 1 à 10 : le lieu où se situe l'histoire appartient-il au monde de la réalité ou du merveilleux ? **b.** Ce lieu est-il isolé ? Justifiez vos réponses.

2. Quelles informations sur le temps les deuxième et troisième paragraphes donnent-ils ?

3. Dans quelle condition physique le narrateur et ses amis se trouvent-ils ?

4. L. 14 à 24 : **a.** Qu'est-ce qui caractérise la chambre à coucher ? **b.** Qu'éprouve le narrateur en découvrant sa chambre ? Pourquoi ?

L'apparition du surnaturel

5. a. « Il me sembla... » l. 15 : relevez un synonyme de ce verbe dans les lignes 20 à 24. **b.** À quel mode le verbe « aurait pu » (l. 16) est-il conjugué ? **c.** Quelle impression l'emploi de ces mots crée-t-il ?

6. a. Quel phénomène surnaturel se produit dans les lignes 30 à 63 ? **b.** Listez tous les éléments de la chambre touchés par ce phénomène.

7. a. Quel sentiment le narrateur éprouve-t-il devant ce phénomène ? **b.** Croit-il à ce qu'il voit ? Justifiez. **c.** Le lecteur est-il amené à le croire ? Justifiez en citant le texte.

→ Les procédés de modalisation – p. 346

Lire l'image

8. Quels objets voyez-vous sur le tableau de nature morte ? Quels sont ceux qui sont présents dans le texte de T. Gautier ?

Dégager l'essentiel SOCLE C1

› Pourquoi l'apparition du surnaturel dans cette histoire est-elle surprenante ?

› À ce stade du récit, quelle explication le lecteur peut-il donner à l'expérience vécue par le narrateur ?

Rédiger un texte bref SOCLE C1

Vous somnolez devant votre bureau. Tout à coup, les objets de votre chambre s'animent. Racontez en un bref paragraphe, en exprimant vos sentiments.

Avant de lire le texte

1. Expliquez le titre de la nouvelle d'après l'extrait précédent.
2. Sur quel nom commun le prénom « Angéla » est-il formé ?

La Cafetière (II) TEXTE INTÉGRAL

Je ne savais que penser de ce que je voyais ; mais ce qui me restait à voir était encore bien plus extraordinaire.

Un des portraits, le plus ancien de tous, celui d'un gros joufflu à barbe grise, ressemblant, à s'y méprendre, à l'idée que je me suis faite du vieux sir John Falstaff[1], sortit, en grimaçant, la tête de son cadre, et, après de grands efforts, ayant fait passer ses épaules et son ventre rebondi entre les ais[2] étroits de la bordure, sauta lourdement par terre.

Il n'eut pas plutôt pris haleine, qu'il tira de la poche de son pourpoint[3] une clef d'une petitesse remarquable ; il souffla dedans pour s'assurer si la forure[4] était bien nette, et il l'appliqua à tous les cadres les uns après les autres.

Et tous les cadres s'élargirent de façon à laisser passer aisément les figures qu'ils renfermaient.

Petits abbés poupins[5], douairières[6] sèches et jaunes, magistrats à l'air grave ensevelis dans de grandes robes noires, petits-maîtres en bas de soie, en culotte de prunelle[7], la pointe de l'épée en haut, tous ces personnages présentaient un spectacle si bizarre, que, malgré ma frayeur, je ne pus m'empêcher de rire.

Ces dignes personnages s'assirent ; la cafetière sauta légèrement sur la table. Ils prirent le café dans des tasses du Japon blanches et bleues, qui accoururent spontanément de dessus un secrétaire[8], chacune d'elles munie d'un morceau de sucre et d'une petite cuiller d'argent.

Quand le café fut pris, tasses, cafetières et cuillers disparurent à la fois, et la conversation commença, certes la plus curieuse que j'aie jamais ouïe, car aucun de ces étranges causeurs ne regardait l'autre en parlant : ils avaient tous les yeux fixés sur la pendule.

Je ne pouvais moi-même en détourner mes regards et m'empêcher de suivre l'aiguille, qui marchait vers minuit à pas imperceptibles.

Enfin, minuit sonna ; une voix, dont le timbre était exactement celui de la pendule, se fit entendre et dit :

– Voici l'heure, il faut danser.

Toute l'assemblée se leva. Les fauteuils se reculèrent de leur propre mouvement ; alors, chaque cavalier prit la main d'une dame, et la même voix dit :

– Allons, messieurs de l'orchestre, commencez !

J'ai oublié de dire que le sujet de la tapisserie était un concerto italien d'un côté, et de l'autre une chasse au cerf où plusieurs valets donnaient du cor. Les piqueurs[9] et les musiciens, qui, jusque-là, n'avaient fait aucun geste, inclinèrent la tête en signe d'adhésion.

Le maestro[10] leva sa baguette, et une harmonie vive et dansante s'élança des deux bouts de la salle. On dansa d'abord le menuet.

Mais les notes rapides de la partition exécutée par les musiciens s'accordaient mal avec ces graves révérences : aussi chaque couple de danseurs, au bout de quelques minutes, se mit à pirouetter comme une toupie d'Allemagne. Les robes de soie des femmes, froissées dans ce tourbillon dansant, rendaient des sons d'une nature particulière ; on aurait dit le bruit d'ailes d'un vol de pigeons. Le vent qui s'engouffrait par-dessous les gonflait prodigieusement, de sorte qu'elles avaient l'air de cloches en branle.

1. personnage d'une pièce de Shakespeare.
2. planches de bois.
3. vêtement d'homme du XIIIe au XVIIe siècle.
4. trou percé dans une clé.
5. au teint frais et coloré.
6. aristocrates âgées et riches.
7. étoffe de laine de couleur noire.
8. meuble à tiroirs.
9. serviteurs qui, à la chasse, conduisent la meute de chiens.
10. chef d'orchestre.

L'archet[11] des virtuoses passait si rapidement sur les cordes, qu'il en jaillissait des étincelles électriques. Les doigts des flûteurs se haussaient et se baissaient comme s'ils eussent été de vif-argent[12] ; les joues des piqueurs étaient enflées comme des ballons, et tout cela formait un déluge de notes et de trilles si pressés et de gammes ascendantes et descendantes si entortillées, si inconcevables, que les démons eux-mêmes n'auraient pu deux minutes suivre une pareille mesure.

Aussi, c'était pitié de voir tous les efforts de ces danseurs pour rattraper la cadence. Ils sautaient, cabriolaient, faisaient des ronds de jambe, des jetés battus et des entrechats[13] de trois pieds de haut, tant que la sueur, leur coulant du front sur les yeux, leur emportait les mouches[14] et le fard. Mais ils avaient beau faire, l'orchestre les devançait toujours de trois ou quatre notes.

La pendule sonna une heure ; ils s'arrêtèrent. Je vis quelque chose qui m'était échappé : une femme qui ne dansait pas.

Elle était assise dans une bergère[15] au coin de la cheminée, et ne paraissait pas le moins du monde prendre part à ce qui se passait autour d'elle.

Jamais, même en rêve, rien d'aussi parfait ne s'était présenté à mes yeux ; une peau d'une blancheur éblouissante, des cheveux d'un blond cendré, de longs cils et des prunelles bleues, si claires et si transparentes, que je voyais son âme à travers aussi distinctement qu'un caillou au fond d'un ruisseau.

Et je sentis que, si jamais il m'arrivait d'aimer quelqu'un, ce serait elle. Je me précipitai hors du lit, d'où jusque-là je n'avais pu bouger, et je me dirigeai vers elle, conduit par quelque chose qui agissait en moi sans que je pusse m'en rendre compte ; et je me trouvai à ses genoux, une de ses mains dans les miennes, causant avec elle comme si je l'eusse connue depuis vingt ans.

Mais, par un prodige bien étrange, tout en lui parlant, je marquais d'une oscillation de tête la musique qui n'avait pas cessé de jouer ; et, quoique je fusse au comble du bonheur d'entretenir une aussi belle personne, les pieds me brûlaient de danser avec elle.

11. la baguette des violonistes.
12. doués d'une grande mobilité comme le mercure ou vif-argent.
13. « Jetés battus » et « entrechats » sont des pas de danse.
14. petits morceaux de tissu, imitant un grain de beauté, que les femmes se mettaient sur le visage pour rehausser la blancheur de leur peau.
15. fauteuil.

A. Quel lien établissez-vous entre la nouvelle de Gautier et la gravure de Grandville ? Expliquez.

B. Par quels moyens Grandville a-t-il traduit le mouvement ?

J. J. GRANDVILLE, « L'Apocalypse du ballet », *Un autre monde*, éditions Fournier, 1844.

Lectures

Cependant je n'osais lui en faire la proposition. Il paraît qu'elle comprit ce que je voulais, car, levant vers le cadran de l'horloge la main que je ne tenais pas :

– Quand l'aiguille sera là, nous verrons, mon cher Théodore.

Je ne sais comment cela se fit, je ne fus nullement surpris de m'entendre ainsi appeler par mon nom, et nous continuâmes à causer. Enfin, l'heure indiquée sonna, la voix au timbre d'argent vibra encore dans la chambre et dit :

– Angéla, vous pouvez danser avec monsieur, si cela vous fait plaisir, mais vous savez ce qui en résultera.

– N'importe, répondit Angéla d'un ton boudeur. Et elle passa son bras d'ivoire autour de mon cou.

– *Prestissimo !* cria la voix.

Et nous commençâmes à valser. Le sein de la jeune fille touchait ma poitrine, sa joue veloutée effleurait la mienne, et son haleine suave[16] flottait sur ma bouche.

Jamais de la vie je n'avais éprouvé une pareille émotion ; mes nerfs tressaillaient comme des ressorts d'acier, mon sang coulait dans mes artères en torrent de lave, et j'entendais battre mon cœur comme une montre accrochée à mes oreilles.

Pourtant cet état n'avait rien de pénible. J'étais inondé d'une joie ineffable[17] et j'aurais toujours voulu demeurer ainsi, et, chose remarquable, quoique l'orchestre eût triplé de vitesse, nous n'avions besoin de faire aucun effort pour le suivre.

Les assistants, émerveillés de notre agilité, criaient bravo, et frappaient de toutes leurs forces dans leurs mains, qui ne rendaient aucun son.

Angéla, qui jusqu'alors avait valsé avec une énergie et une justesse surprenantes, parut tout à coup se fatiguer ; elle pesait sur mon épaule comme si les jambes lui eussent manqué ; ses petits pieds, qui, une minute auparavant, effleuraient le plancher, ne s'en détachaient que lentement, comme s'ils eussent été chargés d'une masse de plomb.

– Angéla, vous êtes lasse, lui dis-je, reposons-nous.

– Je le veux bien, répondit-elle en s'essuyant le front avec son mouchoir. Mais, pendant que nous valsions, ils se sont tous assis ; il n'y a plus qu'un fauteuil, et nous sommes deux.

– Qu'est-ce que cela fait, mon bel ange ? Je vous prendrai sur mes genoux.

À suivre...

16. très douce.
17. impossible à décrire en raison de son intensité.

Comprendre la construction d'une nouvelle fantastique : plongée dans le surnaturel

Les étapes du récit

1. a. Quand la scène se déroule-t-elle ? **b.** Quel objet rythme cette scène ? **c.** Expliquez quel effet cet objet produit sur le narrateur.

2. a. Quel phénomène surnaturel se manifeste dans : les lignes 3 à 26 ? les lignes 27 à 56 ? les lignes 57 à 94 ? **b.** Quel est le point commun à tous ces phénomènes ?

Angéla : un être humain ou surnaturel ?

3. Quel est le sentiment dominant du narrateur au début de cet extrait ?

4. L. 61 à 64 : Angéla est-elle présentée, selon vous, comme un être humain ou surnaturel ? Justifiez.

5. L'effet produit par Angéla sur le narrateur dans les lignes 65 à 73 relève-t-il du surnaturel ou de la réalité ? Citez le texte à l'appui de votre réponse.

6. a. L. 87 à 92 : quels sentiments le narrateur éprouve-t-il dans ce passage ? **b.** Par quelles manifestations physiques ce sentiment se traduit-il ?

7. a. Comment le narrateur nomme-t-il Angéla dans la dernière réplique ? **b.** Quels sens peut-on donner à cette expression ?

Dégager l'essentiel SOCLE C1

› Comment le narrateur évolue-t-il face aux phénomènes qui l'entourent ?

Rédiger un texte bref SOCLE C1

Racontez en un bref paragraphe la métamorphose de la bobine en danseuse (cf. illustration p. 53).

Jacob Joseph Eckhout, *Le Rendez-vous*, 1852. Musée national des Beaux-Arts, Minsk.

Avant de lire le texte

1. Dans l'extrait précédent, de qui Théodore, le narrateur, a-t-il fait connaissance ? Dans quelles circonstances ? Quel sentiment éprouve-t-il ?
2. Le chant des oiseaux annonce-t-il l'arrivée de la nuit ou de l'aurore ?

La Cafetière (III) TEXTE INTÉGRAL

Sans faire la moindre objection[1], Angéla s'assit, m'entourant de ses bras comme d'une écharpe blanche, cachant sa tête dans mon sein pour se réchauffer un peu, car elle était devenue froide comme un marbre.

Je ne sais pas combien de temps nous restâmes dans cette position, car tous mes sens étaient absorbés dans la contemplation de cette mystérieuse et fantastique créature.

Je n'avais plus aucune idée de l'heure ni du lieu ; le monde réel n'existait plus pour moi, et tous les liens qui m'y attachent étaient rompus ; mon âme, dégagée de sa prison de boue, nageait dans le vague et l'infini ; je comprenais ce que nul homme ne peut comprendre, les pensées d'Angéla se révélant à moi sans qu'elle eût besoin de parler ; car son âme brillait dans son corps comme une lampe d'albâtre[2], et les rayons partis de sa poitrine perçaient la mienne de part en part.

L'alouette chanta, une lueur pâle se joua sur les rideaux.

Aussitôt qu'Angéla l'aperçut, elle se leva précipitamment, me fit un geste d'adieu, et, après quelques pas, poussa un cri et tomba de sa hauteur.

Saisi d'effroi, je m'élançai pour la relever... Mon sang se fige rien que d'y penser : je ne trouvai rien que la cafetière brisée en mille morceaux.

À cette vue, persuadé que j'avais été le jouet de quelque illusion diabolique, une telle frayeur s'empara de moi, que je m'évanouis.

À suivre...

1. protestation.
2. pierre translucide de couleur blanche.

Comprendre la construction d'une nouvelle fantastique : retour au réel ?

1. a. À quoi Angéla est-elle comparée dans le premier paragraphe ? **b.** Quelle est la couleur dominante dans les lignes 1 à 14 ? Justifiez. **c.** Que symbolise cette couleur ? **d.** Quel événement annonce-t-elle ? **e.** Par quelle sensation cet événement est-il également annoncé ?

2. a. Quel changement se produit à la ligne 15 ? **b.** Quels événements ce changement entraîne-t-il ?

3. Dans cet extrait, diriez-vous que le narrateur passe du monde réel au monde surnaturel ou l'inverse ? Justifiez.

4. a. Relevez deux groupes nominaux évoquant Angéla. **b.** La présentent-ils comme un être réel ou surnaturel ?

5. Quel sentiment le narrateur éprouve-t-il à la fin de l'extrait ? Est-ce nouveau ?

Dégager l'essentiel SOCLE C1

› Le narrateur donne-t-il une explication rationnelle (fondée sur la raison) ou surnaturelle à ce qu'il vient de vivre ? Expliquez.

Rédiger un texte bref SOCLE C1

Imaginez en un paragraphe le dénouement de l'histoire. Vous commencerez par : « Quelques heures plus tard, je me réveillai... »

Lectures

Avant de lire le texte

- Dans l'extrait précédent, qu'est-il arrivé à Angéla ? au narrateur ? à la cafetière?

La Cafetière (IV) TEXTE INTÉGRAL

Lorsque je repris connaissance, j'étais dans mon lit ; Arrigo Cohic et Pedrino Borgnioli se tenaient debout à mon chevet.

Aussitôt que j'eus ouvert les yeux, Arrigo s'écria :

– Ah ! ce n'est pas dommage ! Voilà bientôt une heure que je te frotte les tempes d'eau de Cologne. Que diable as-tu fait cette nuit ? Ce matin, voyant que tu ne descendais pas, je suis entré dans ta chambre, et je t'ai trouvé tout du long étendu par terre, en habit à la française, serrant dans tes bras un morceau de porcelaine brisée, comme si c'eût été une jeune et jolie fille.

– Pardieu ! C'est l'habit de noce de mon grand-père, dit l'autre en soulevant une des basques[1] de soie fond rose à ramages verts. Voilà les boutons de strass[2] et de filigrane[3] qu'il nous vantait tant. Théodore l'aura trouvé dans quelque coin et l'aura mis pour s'amuser. Mais à propos de quoi t'es-tu trouvé mal ? ajouta Borgnioli. Cela est bon pour une petite-maîtresse qui a des épaules blanches ; on la délace, on lui ôte ses colliers, son écharpe, et c'est une belle occasion de faire des minauderies[4].

– Ce n'est qu'une faiblesse qui m'a pris ; je suis sujet à cela, répondis-je sèchement.

Je me levai, je me dépouillai de mon ridicule accoutrement.

Et puis l'on déjeuna.

Mes trois camarades mangèrent beaucoup et burent encore plus ; moi, je ne mangeais presque pas, le souvenir de ce qui s'était passé me causait d'étranges distractions.

Le déjeuner fini, comme il pleuvait à verse, il n'y eut pas moyen de sortir ; chacun s'occupa comme il put. Borgnioli tambourina des marches guerrières[5] sur les vitres ; Arrigo et l'hôte firent une partie de dames ; moi, je tirai de mon album un carré de vélin[6], et je me mis à dessiner.

Les linéaments[7] presque imperceptibles tracés par mon crayon, sans que j'y eusse songé le moins du monde, se trouvèrent représenter avec la plus merveilleuse exactitude la cafetière qui avait joué un rôle si important dans les scènes de la nuit.

– C'est étonnant comme cette tête ressemble à ma sœur Angéla, dit l'hôte, qui, ayant terminé sa partie, me regardait travailler par-dessus mon épaule.

En effet, ce qui m'avait semblé tout à l'heure une cafetière était bien réellement le profil doux et mélancolique d'Angéla.

– De par tous les saints du paradis ! Est-elle morte ou vivante ? m'écriai-je d'un ton de voix tremblant, comme si ma vie eût dépendu de sa réponse.

– Elle est morte, il y a deux ans, d'une fluxion[8] de poitrine à la suite d'un bal.

– Hélas ! répondis-je douloureusement.

Et, retenant une larme qui était près de tomber, je replaçai le papier dans l'album.

Je venais de comprendre qu'il n'y avait plus pour moi de bonheur sur la terre !

THÉOPHILE GAUTIER, *La Cafetière*, 4 mai 1831.

1. parties découpées d'un vêtement, qui descendent en dessous de la taille.
2. verre de couleur imitant les pierres précieuses.
3. fil métallique entrelacé.
4. manières affectées pour attirer l'attention.
5. tapa sur les vitres en imitant le rythme de chants militaires.
6. papier de grande qualité.
7. traits esquissés.
8. inflammation des poumons.

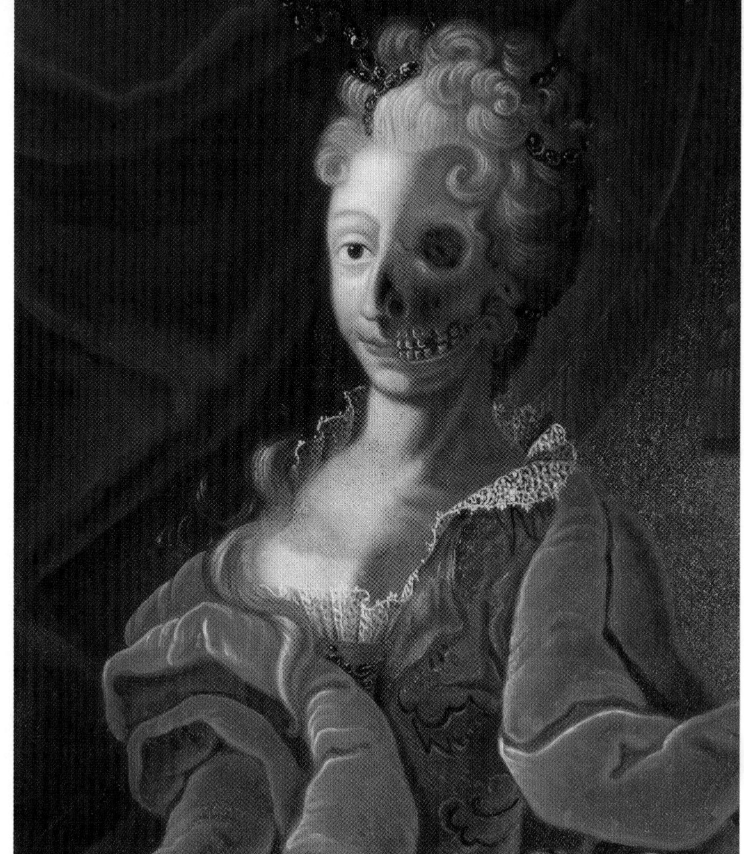

GIUSEPPE ARCIMBOLDO (1527-1593), *Vanité*. Collection Dreyfus, Binningen.

Comprendre la construction d'une nouvelle fantastique : hésitation finale

Une explication rationnelle ?

1. Quels personnages entrent à nouveau en scène ? Appartiennent-ils au monde du réel ou du surnaturel ? Justifiez à l'aide du texte.

2. « Que diable as-tu fait cette nuit ? » (l. 5) : **a.** Pourquoi Arrigo pose-t-il cette question ?
b. ***Lexique*** « diable » : quels sont les deux sens que l'on peut donner à ce mot ici ?
c. Quel détail retient l'attention du lecteur dans le récit d'Arrigo ? Pourquoi ?

3. a. Quelle explication les amis du narrateur donnent-ils à ce qu'ils ont vu ? **b.** Le narrateur partage-t-il cette explication ? Justifiez.

→ Réviser la polysémie – p. 380

Un phénomène surnaturel ?

4. Les actions du narrateur et de ses amis après le déjeuner amènent-elles le lecteur dans le monde du réel ou du surnaturel ? Expliquez.

5. Quels nouveaux phénomènes surnaturels le dessin du narrateur dévoile-t-il ?

6. Que révèle l'hôte à la fin du texte ? Cette révélation donne-t-elle au narrateur une explication rationnelle ou surnaturelle à son aventure ?

7. Quel est le sentiment du narrateur exprimé dans la dernière phrase ?

Dégager l'essentiel SOCLE C1

› Selon vous, le lecteur dispose-t-il à la fin de l'histoire d'une explication rationnelle de ce qui a été raconté ? Justifiez votre réponse.

Histoire des Arts SOCLE C5

A. Décrivez le personnage du tableau en observant la composition, les lumières, les couleurs.
B. a. Expliquez le titre du tableau en vous aidant de la page 65. **b.** Pourquoi cette femme peut-elle être un personnage fantastique ? Expliquez.

→ L'ABC de l'image – p. 276

Avant de lire le texte

- En vous servant du titre de la nouvelle et des images des pages 58 à 62, imaginez un scénario possible pour cette histoire fantastique.

Edgar Allan Poe
(1809-1849)

Auteur de contes et de nouvelles fantastiques, *Histoires extraordinaires* et *Nouvelles Histoires extraordinaires*, qui ont été traduites par le poète français Charles Baudelaire.

Le Masque de la Mort Rouge

TEXTE INTÉGRAL

Pour lire cette nouvelle en autonomie et vous assurer que vous avez compris l'histoire, répondez aux questions en rose.

La Mort Rouge avait pendant longtemps dépeuplé la contrée[1]. Jamais peste[2] ne fut si fatale, si horrible. Son avatar[3], c'était le sang, la rougeur et la hideur[4] du sang. C'étaient des douleurs aiguës, un vertige soudain, et puis un suintement[5] abondant par les pores, et la dissolution de l'être. Des taches pourpres sur le corps, et spécialement sur le visage de la victime, la mettaient au ban[6] de l'humanité, et lui fermaient tout secours et toute sympathie. L'invasion, le résultat de la maladie, tout cela était l'affaire d'une demi-heure.

Mais le prince Prospero était heureux, et intrépide, et sagace[7]. Quand ses domaines furent à moitié dépeuplés, il convoqua un millier d'amis vigoureux et allègres[8] de cœur, choisis parmi les chevaliers et les dames de sa cour, et se fit avec eux une retraite profonde dans une de ses abbayes fortifiées. C'était un vaste et magnifique bâtiment, une création du prince, d'un goût excentrique et cependant grandiose. Un mur épais et haut lui faisait une ceinture. Ce mur avait des portes de fer. Les courtisans, une fois entrés, se servirent de fourneaux et de solides marteaux pour souder les verrous. Ils résolurent de se barricader contre les impulsions soudaines du désespoir extérieur et de fermer toute issue aux frénésies[9] du dedans. L'abbaye fut largement approvisionnée. Grâce à ces précautions, les courtisans pouvaient jeter le défi à la contagion. Le monde extérieur s'arrangerait comme il pourrait. En attendant, c'était folie de s'affliger ou de penser. Le prince avait pourvu à tous les moyens de plaisir. Il y avait des bouffons, il y avait des improvisateurs, des danseurs, des musiciens, il y avait le beau sous toutes ses formes, il y avait le vin. En dedans, il y avait toutes ces belles choses et la sécurité. Au-dehors, la Mort Rouge.

Ce fut vers la fin du cinquième ou sixième mois de sa retraite, et pendant que le fléau sévissait au-dehors avec le plus de rage, que le prince Prospero gratifia ses mille amis[10] d'un bal masqué de la plus insolite[11] magnificence.

Tableau voluptueux que cette mascarade[12] ! Mais d'abord laissez-moi vous décrire les salles où elle eut lieu. Il y en avait sept, une enfilade impériale. Dans beaucoup de palais, ces séries de salons forment de longues perspectives en ligne droite, quand les battants des portes sont rabattus sur les murs de chaque côté,

1. Qui sont les personnages ?

2. Où et quand l'action se passe-t-elle ?

1. région.
2. épidémie mortelle.
3. ici, ses conséquences fâcheuses.
4. laideur extrême.
5. écoulement.
6. la déclaraient indigne.
7. perspicace, subtil.
8. joyeux.
9. violences.
10. fit don à ses mille amis.
11. inattendue.
12. réunion de personnes déguisées et masquées.

3. Combien y a-t-il de salles ? Qu'est-ce qui caractérise chacune d'elles ?

4. Où la source de lumière se trouve-t-elle ?

de sorte que le regard s'enfonce jusqu'au bout sans obstacle. Ici, le cas était fort différent, comme on pouvait s'y attendre de la part du duc et de son goût très vif pour le bizarre. Les salles étaient si irrégulièrement disposées que l'œil n'en pouvait guère embrasser plus d'une à la fois. Au bout d'un espace de vingt à trente yards[13] il y avait un brusque détour, et à chaque coude un nouvel aspect. À droite et à gauche, au milieu de chaque mur, une haute et étroite fenêtre gothique donnait sur un corridor fermé qui suivait les sinuosités de l'appartement. Chaque fenêtre était faite de verres colorés en harmonie avec le ton dominant dans les décorations de la salle sur laquelle elle s'ouvrait. Celle qui occupait l'extrémité orientale, par exemple, était tendue de bleu, et les fenêtres étaient d'un bleu profond. La seconde pièce était ornée et tendue de pourpre, et les carreaux étaient pourpres. La troisième, entièrement verte, et vertes les fenêtres. La quatrième, décorée d'orange, était éclairée par une fenêtre orangée, la cinquième, blanche, la sixième, violette.

La septième salle était rigoureusement ensevelie de tentures de velours noir qui revêtaient tout le plafond et les murs, et retombaient en lourdes nappes sur un tapis de même étoffe et de même couleur. Mais, dans cette chambre seulement, la couleur des fenêtres ne correspondait pas à la décoration. Les carreaux étaient écarlates, d'une couleur intense de sang.

Or, dans aucune des sept salles, à travers les ornements d'or éparpillés à profusion çà et là ou suspendus aux lambris[14], on ne voyait de lampe ni de candélabre[15]. Ni lampes, ni bougies ; aucune lumière de cette sorte dans cette longue suite de pièces. Mais, dans les corridors qui leur servaient de ceinture, juste en face de chaque fenêtre, se dressait un énorme trépied, avec un brasier éclatant, qui projetait ses rayons à travers les carreaux de couleur et illuminait la salle d'une manière éblouissante. Ainsi se produisait une multitude d'aspects chatoyants et fantastiques. Mais dans la chambre de l'ouest, la chambre noire, la lumière du brasier qui ruisselait sur les tentures noires à travers les carreaux sanglants était épouvantablement sinistre, et donnait aux physionomies des imprudents qui y entraient un aspect tellement étrange, que bien peu de danseurs se sentaient le courage de mettre les pieds dans son enceinte magique.

5. Quel élément du mobilier est décrit avec précision ?

C'était aussi dans cette salle que s'élevait, contre le mur de l'ouest, une gigantesque horloge d'ébène[16]. Son pendule se balançait avec un tic-tac sourd, lourd, monotone ; et quand l'aiguille des minutes avait fait le circuit du cadran et que l'heure allait sonner, il s'élevait des poumons d'airain[17] de la machine un son clair, éclatant, profond et excessivement musical, mais d'une note si particulière et d'une énergie telle, que d'heure en heure, les musiciens de l'orchestre étaient contraints d'interrompre un instant leurs accords pour écouter la musique de l'heure ; les valseurs alors cessaient forcément leurs évolutions ; un trouble momentané courait dans toute la joyeuse compagnie ; et, tant que vibrait le carillon, on remarquait que les plus fous devenaient pâles, et que les plus âgés et les plus rassis[18] passaient leurs mains sur leurs fronts, comme dans une méditation ou une rêverie délirante. Mais quand l'écho s'était tout à fait évanoui, une légère hilarité[19] circulait, par toute l'assemblée ; les musiciens s'entre-regardaient et souriaient de leurs nerfs et de leur folie, et se juraient tout bas, les uns aux

13. Un yard est une unité de longueur valant 0,914 m.
14. revêtement en bois, en marbre, sur les murs intérieurs d'une pièce.
15. grand chandelier à plusieurs branches.
16. bois de couleur foncée.
17. bronze.
18. calmes, réfléchis.
19. rire.

autres, que la prochaine sonnerie ne produirait pas en eux la même émotion ; et puis, après la fuite des soixante minutes qui comprennent les trois mille six cents secondes de l'heure disparue, arrivait une nouvelle sonnerie de la fatale horloge, et c'étaient le même trouble, le même frisson, les mêmes rêveries.

Mais en dépit de tout cela, c'était une joyeuse et magnifique orgie[20]. Le goût du duc était tout particulier. Il avait un œil sûr à l'endroit des couleurs et des effets. Il méprisait le décorum[21] de la mode. Ses plans étaient téméraires et sauvages et ses conceptions brillaient d'une splendeur barbare. Il y a des gens qui l'auraient jugé fou. Ses courtisans sentaient bien qu'il ne l'était pas. Mais il fallait l'entendre, le voir, le toucher, pour être sûr qu'il ne l'était pas.

Il avait, à l'occasion de cette grande fête, présidé en grande partie à la décoration mobilière des sept salons, et c'était son goût personnel qui avait commandé le style des travestissements[22]. À coup sûr, c'étaient des conceptions grotesques. C'était éblouissant, étincelant ; il y avait du piquant et du fantastique, beaucoup de ce qu'on a vu depuis dans *Hernani*[23]. Il y avait des figures vraiment grotesques, absurdement équipées, incongrûment[24] bâties ; des fantaisies monstrueuses comme la folie ; il y avait du beau, du licencieux[25], du bizarre en quantité, tant soit peu de terrible, et du dégoûtant à foison[26]. Bref, c'était comme une multitude de rêves qui se pavanaient çà et là dans les sept salons. Et ces rêves se contorsionnaient en tous sens, prenant la couleur des chambres, et l'on eût dit qu'ils exécutaient la musique avec leurs pieds, et que les airs étranges de l'orchestre étaient l'écho de leurs pas.

6. Qu'est-ce qui caractérise ce bal ?

Et de temps en temps on entend sonner l'horloge d'ébène dans la salle de velours. Et alors, pour un moment, tout s'arrête, tout se tait, excepté la voix de l'horloge. Les rêves sont glacés, paralysés dans leurs postures. Mais les échos de la sonnerie s'évanouissent, ils n'ont duré qu'un instant, et à peine ont-ils fui, qu'une hilarité légère et mal contenue circule partout. Et la musique s'enfle de nouveau, et les rêves revivent, et ils se tordent çà et là plus joyeusement que jamais, reflétant la couleur des fenêtres à travers lesquelles ruisselle le rayonnement des trépieds. Mais dans la chambre qui est là-bas tout à l'ouest aucun masque n'ose maintenant s'aventurer ; car la nuit avance, et une lumière plus rouge afflue à travers les carreaux couleur de sang, et la noirceur des draperies funèbres[27] est effrayante ; et à l'étourdi qui met le pied sur le tapis funèbre l'horloge d'ébène envoie un carillon[28] plus lourd, plus solennellement énergique que celui qui frappe les oreilles des masques tourbillonnant dans l'insouciance lointaine des autres salles.

Quant à ces pièces-là, elles fourmillent de monde, et le cœur de la vie y battait fiévreusement. Et la fête tourbillonnait toujours, lorsque s'éleva enfin le son de minuit de l'horloge. Alors, comme je l'ai dit, la musique s'arrêta ; le tournoiement des valseurs fut suspendu ; il se fit partout, comme naguère, une anxieuse immobilité. Mais le timbre de l'horloge avait cette fois douze coups à sonner ; aussi il se peut bien que plus de pensée se soit glissée dans les méditations de ceux qui pensaient parmi cette foule festoyante.

Et ce fut peut-être aussi pour cela que plusieurs personnes parmi cette foule, avant que les derniers échos du dernier coup fussent noyés dans le silence, avaient eu le temps de s'apercevoir de la présence d'un masque qui jusque-là n'avait aucunement attiré l'attention. Et, la nouvelle de cette intrusion s'étant

20. fête.
21. les règles.
22. déguisements.
23. pièce de Victor Hugo.
24. bizarrement.
25. contraire à la pudeur.
26. en grande quantité.
27. qui évoquent la mort.
28. son de cloche.

7. Quel nouveau personnage apparaît ?

répandue en un chuchotement à la ronde, il s'éleva de toute l'assemblée un bourdonnement, un murmure significatif d'étonnement et de désapprobation, – puis, finalement de terreur, d'horreur et de dégoût.

Dans une réunion de fantômes telle que je l'ai décrite, il fallait sans doute une apparition bien extraordinaire pour causer une telle sensation. La licence[29] carnavalesque de cette nuit était, il est vrai, à peu près illimitée ; mais le personnage en question avait dépassé l'extravagance d'un Hérode[30], et franchi les bornes, cependant complaisantes, du décorum imposé par le prince. Il y a dans les cœurs des plus insouciants des cordes qui ne se laissent pas toucher sans émotion. Même chez les plus dépravés[31], chez ceux pour qui la vie et la mort sont également un jeu, il y a des choses avec lesquelles on ne peut pas jouer. Toute l'assemblée parut alors sentir profondément le mauvais goût et l'inconvenance de la conduite et du costume de l'étranger. Le personnage était grand et décharné, et enveloppé d'un suaire[32] de la tête aux pieds. Le masque qui cachait le visage représentait si bien la physionomie d'un cadavre raidi, que l'analyse la plus minutieuse aurait difficilement découvert l'artifice. Et cependant, tous ces fous joyeux auraient peut-être supporté, sinon approuvé, cette laide plaisanterie. Mais le masque avait été jusqu'à adopter le type de la Mort Rouge. Son vêtement était barbouillé de sang, et son large front, ainsi que tous les traits de sa face, étaient aspergés de l'épouvantable écarlate.

Quand les yeux du prince Prospero tombèrent sur cette figure de spectre, – qui, d'un mouvement lent, solennel, emphatique[33], comme pour mieux soutenir son rôle, se promenait çà et là à travers les danseurs, – on le vit d'abord convulsé par un violent frisson de terreur ou de dégoût ; mais une seconde après, son front s'empourpra de rage.

– Qui ose, demanda-t-il, d'une voix enrouée, aux courtisans debout près de lui ; qui ose nous insulter par cette ironie blasphématoire[34] ? Emparez-vous de lui, et démasquez-le ; que nous sachions qui nous aurons à pendre aux créneaux, au lever du soleil !

C'était dans la chambre de l'est ou chambre bleue, que se trouvait le prince Prospero, quand il prononça ces paroles. Elles retentirent fortement et clairement à travers les sept salons, car le prince était un homme impétueux et robuste, et la musique s'était tue à un signe de sa main.

C'était dans la chambre bleue que se tenait le prince, avec un groupe de pâles courtisanes à ses côtés. D'abord, pendant qu'il parlait, il y eut parmi le groupe un léger mouvement en avant dans la direction de l'intrus, qui fut un instant presque à leur portée, et qui maintenant, d'un pas délibéré et majestueux, se rapprochait de plus en plus du prince. Mais par suite d'une certaine terreur indéfinissable que l'audace insensée du masque avait inspirée à toute la société, il ne se trouva personne pour lui mettre la main dessus ; si bien que, ne trouvant aucun obstacle, il passa à deux pas de la personne du prince ; et, pendant que l'immense assemblée, comme obéissant à un seul mouvement, reculait du centre de la salle vers les murs, il continua sa route sans interruption, de ce même pas solennel et mesuré qui l'avait tout d'abord caractérisé, de la chambre bleue à la chambre pourpre, de la chambre pourpre à la chambre verte, de la verte à l'orange, de celle-ci à la blanche, et de celle-là à la violette, avant qu'on eût fait un mouvement décisif pour l'arrêter.

29. liberté.
30. roi des Juifs, de 37 à 4 av. J.-C., qui a pour réputation d'avoir été un tyran sanguinaire.
31. corrompus.
32. voile dont on couvrait le visage et la tête des morts.
33. pompeux.
34. qui insulte la religion.

Ce fut alors, toutefois, que le prince Prospero, exaspéré par la rage et la honte de sa lâcheté d'une minute, s'élança précipitamment à travers les six chambres, où nul ne le suivit ; car une terreur mortelle s'était emparée de tout le monde. Il brandissait un poignard nu, et s'était approché impétueusement à une distance de trois ou quatre pieds du fantôme qui battait en retraite, quand ce dernier, arrivé à l'extrémité de la salle de velours, se retourna brusquement et fit face à celui qui le poursuivait. Un cri aigu partit, et le poignard glissa avec un éclair sur le tapis funèbre où le prince Prospero tombait mort une seconde après.

Alors, invoquant le courage violent du désespoir, une foule de masques se précipita à la fois dans la chambre noire ; et, saisissant l'inconnu, qui se tenait, comme une grande statue, droit et immobile dans l'ombre de l'horloge d'ébène, ils se sentirent suffoqués par une terreur sans nom, en voyant que sous le linceul[35] et le masque cadavéreux, qu'ils avaient empoigné avec une si violente énergie, ne logeait aucune forme humaine.

On reconnut alors la présence de la Mort Rouge. Elle était venue comme un voleur de nuit. Et tous les convives tombèrent un à un dans les salles de l'orgie inondées d'une rose sanglante, et chacun mourut dans la posture désespérée de sa chute.

Et la vie de l'horloge d'ébène disparut avec celle du dernier de ces êtres joyeux. Et les flammes des trépieds expirèrent. Et les Ténèbres, et la Ruine, et la Mort Rouge établirent sur toutes choses leur empire illimité.

EDGAR ALLAN POE, « Le Masque de la Mort Rouge », 1842,
trad. Charles Baudelaire, *Nouvelles Histoires extraordinaires,* 1865.

35. drap dont on enveloppe les morts.

8. Expliquez brièvement le dénouement de la nouvelle.

Illustrations des pages 58 à 62 : extraits du film d'animation *Le Masque de la mort rouge* de TIMOTHY HANNEM et JEAN MONSET, 2005.

Le Masque de la Mort Rouge, Edgard Allan Poe

→ Étudier la création d'un univers fantastique

A Un ancrage dans la réalité ?

1. a. Dans les deux premiers paragraphes (p. 58), relevez les groupes nominaux et les adverbes qui évoquent les lieux. b. Ces lieux sont-ils précisément localisables ?

2. Selon vous, peut-on dater précisément l'histoire ? Justifiez.

3. D'après le premier paragraphe : a. Qu'est-ce que la Mort Rouge ? b. Quelles sont ses caractéristiques ?

4. L. 71 à 77 : a. À travers quels sens (visuel, tactile...) l'horloge est-elle décrite ? b. Quelles particularités de l'horloge sont soulignées ?

→ Les adverbes – p. 310

B Des lieux et des personnages étranges

1. Qu'est-ce qui caractérise la disposition des salles ?

2. En quoi la dernière salle diffère-t-elle des précédentes ?

3. a. Quel est le nom du prince ? b. Quels sont ses traits de caractère ?

4. a. Combien de personnes le prince a-t-il conviées dans l'abbaye ? b. Quelles sont leurs caractéristiques communes ? c. Relevez dans les lignes 106 à 121 des mots et expressions qui désignent ces personnes lors de la fête : quelle impression est ainsi créée ?

5. L. 143 à 171 : a. Quelles sont les principales caractéristiques du nouveau personnage ? b. Qu'apprend-on sur ce personnage à la fin de l'histoire ?

C Un univers symbolique

1. a. Combien de salles l'abbaye comporte-t-elle ? b. Quel épisode biblique ce chiffre évoque-t-il ?

2. a. À quel point cardinal associe-t-on le soleil levant ? le soleil couchant ? b. Les salles sont-elles disposées d'est en ouest ou d'ouest en est ? c. Que symbolise cette disposition : le passage de la vie à la mort ou de la mort à la vie ?

3. a. Combien de passages relatifs à la description de l'horloge repérez-vous ? b. Quel effet créent-ils dans l'histoire ? c. À quel moment l'apparition de la Mort Rouge se produit-elle ? d. Quelle est la valeur symbolique de l'horloge ?

D L'expression de l'hésitation fantastique

Lisez ces passages extraits de la nouvelle.

> « Ici, le cas était fort différent, comme on pouvait s'y attendre de la part du duc... »
> « Et de temps en temps on entend sonner l'horloge d'ébène dans la salle de velours. »
> « Alors, comme je l'ai dit, la musique s'arrêta... »
> « Dans une réunion de fantômes telle que je l'ai décrite,... »
> « Quand les yeux du prince Prospero tombèrent sur cette figure de spectre [...] on le vit d'abord convulsé par un violent frisson de terreur et de dégoût... »
> « On reconnut alors la présence de la Mort Rouge. »

1. a. Quel est le pronom personnel sujet employé à deux reprises ? b. Quelle est la classe grammaticale de l'autre pronom sujet ? Qui représente-t-il ?

2. Le personnage-narrateur peut-il témoigner de la scène, au vu de la fin de l'histoire ? Justifiez.

→ La situation d'énonciation – p. 347-348

Dégager l'essentiel SOCLE C1

› Quels éléments créent dans cette histoire un univers fantastique ?

Rédiger un texte bref SOCLE C1

En quinze lignes maximum, résumez cette nouvelle.

Histoire des Arts SOCLE C5

A. Dans les photogrammes extraits du film d'animation, quelles sont les couleurs dominantes ? Pourquoi, selon vous, les scénaristes ont-ils fait ce choix ?

B. a. Dans le dernier photogramme, quel est l'angle de prise de vue utilisé ? b. Quel effet crée-t-il ?

→ L'ABC de l'image – p. 274 et 276

Lectures

Le fantastique dans les arts Arts

→ *Établir des liens entre des œuvres artistiques et littéraires* SOCLE C4, C5 B2i

Des masques et des fantômes

Avant d'étudier le tableau

B2i Rendez-vous sur le site du Musée d'Orsay ; dans la fenêtre de « Recherche », tapez « Exposition James Ensor vidéo ». Indiquez : 1. quelques caractéristiques du travail de J. Ensor ; 2. celui des deux moments de la carrière de J. Ensor auquel ce tableau appartient ; 3. la place des masques de mort dans l'œuvre du peintre.

James Ensor
(1860-1949)

Ce peintre belge, influencé par les récits d'E. A. Poe et les carnavals de sa région, a peint des masques grotesques, considérés comme un apport essentiel à l'art moderne.

JAMES ENSOR, *Masques devant la mort*, 1888. MoMA, New York.

Littérature et peinture

A. Pourquoi le tableau de J. Ensor peut-il évoquer un carnaval ?

B. Dans quelle partie du tableau les personnages sont-ils massés ? Quelle impression l'autre partie crée-t-elle ? Par quels moyens (composition du tableau, plan, couleurs) le personnage à tête de mort est-il mis en valeur ?

C. Pour le poète É. Verhaeren, certains masques d'Ensor expriment une « farce quasi-joviale » et d'autres, un rire devenu « ricanement » : pour vous, sont-ils amusants ou inquiétants ? Justifiez.

D. **a.** Quelles sont les couleurs dominantes ? **b.** Sont-elles vives ou sombres ? **c.** Créent-elles une atmosphère de carnaval ou de mort ? Expliquez.

E. Comment cette œuvre peut-elle faire écho à la nouvelle d'E. A. Poe, *Le Masque de la Mort Rouge* (p. 58 à 62) ?

→ L'ABC de l'image – p. 276 et 278

Littérature et musique

La Symphonie fantastique (1855) d'Hector Berlioz est composée de cinq mouvements. Dans le premier, « Rêveries et passions », un jeune musicien s'éprend d'une femme idéale. Bizarrement, l'image de cette femme se présente toujours à lui liée à une mélodie obsédante. Dans le cinquième mouvement, « Songe d'une nuit du Sabbat », le musicien se voit au milieu d'une troupe d'ombres, de sorciers, de monstres réunis pour ses funérailles. La mélodie tant aimée n'est plus qu'un air de danse diabolique, aux sons funèbres.

A. De laquelle des deux nouvelles, *La Cafetière* ou *Le Masque de la Mort Rouge*, peut-on rapprocher le 1er et le 5e mouvements de la symphonie de Berlioz ? Justifiez.

B. Écoutez des extraits de ces deux mouvements : quelles émotions font-ils naître en vous ?

DEF LEPPARD, pochette du CD *Retro Active*, 1993.

Vanité et avatars

CHARLES ALLAN GILBERT, *All is vanity*, 1892.

Lexique

- En peinture, une « vanité » (du latin *vanitas*, « le vide, le manque de consistance ») désigne un tableau qui comporte des objets, comme un sablier, une bougie, un crâne, symbolisant la fragilité et la brièveté de la vie, le temps qui passe ou la mort.
- Un « avatar » (du sanskrit *avatâra*, « descente de Vishnou sur terre ») désigne chacune des incarnations de Vishnou dans la religion hindoue. En 1822, il prend le sens de « métamorphose, transformation ».

Littérature et arts plastiques

A. Que voyez-vous sur le tableau *All is vanity* (« Tout est vanité ») : à première vue ? en prenant un peu de recul ?

B. Comparez le tableau de Letellier avec celui de C. A. Gilbert : **a.** Quel point commun repérez-vous ? **b.** En quoi ces deux tableaux sont-ils des vanités ?

C. a. En quoi la vanité de C. A. Gilbert peut-elle être qualifiée de fantastique ?
b. Quel lien pouvez-vous établir entre cette œuvre et la nouvelle de T. Gautier ? celle de E. A. Poe ?

D. Pourquoi, selon vous, le groupe de hard rock Def Leppard a-t-il choisi un avatar du tableau de C. A. Gilbert pour sa pochette de CD ?

LETELLIER, *Vanité avec crâne*, XVIIe siècle. Musée des Beaux-Arts, Dunkerque.

Œuvre intégrale

Contes fantastiques, E. T. A. Hoffmann

→ *Découvrir le maître du fantastique européen*
→ *Établir des liens entre des œuvres* SOCLE C5

A. DELERAUD, *E. T. A. Hoffmann*, vers 1850.

Ernst Theodor Amadeus Hoffmann (1776-1822)

Cet écrivain romantique allemand, passionné de musique, à la vie agitée, publie, à partir de 1814, des récits fantastiques : *Contes nocturnes*, *Contes des Frères Sérapion*. Ces contes, traduits en français dès 1829, connaissent un succès triomphal et sont imités. En 1881, le compositeur français Jacques Offenbach tire un opéra des *Contes* d'Hoffmann.

Lisez ces trois contes qui se présentent sous la forme de nouvelles : *Le Violon de Crémone* ou *Le Chancelier Krespel*, *L'Homme au sable*, *Histoire de fantôme*.

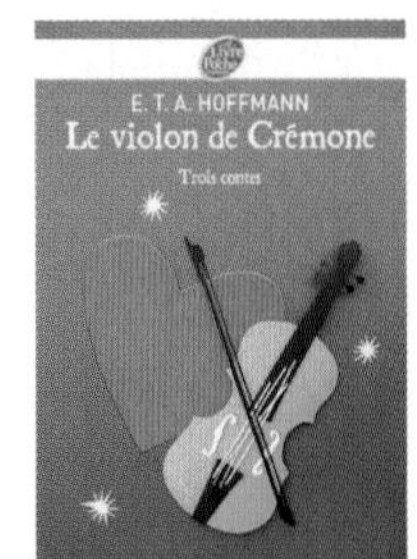

A Présenter oralement un conte fantastique

Choisissez un des contes et présentez-le à la classe.

Préparation

1. Repérez : le lieu et le moment où se déroule l'histoire, le narrateur, le personnage principal, le thème fantastique du conte, le moment où l'hésitation fantastique apparaît.

2. Entraînez-vous à présenter le conte de la façon suivante : « *L'histoire se situe… Elle est racontée par… et elle relate… Le fantastique se présente sous la forme de…* »

3. a. Choisissez un passage fantastique d'une dizaine de lignes qui vous a marqué(e). b. Entraînez-vous à le lire de façon expressive.

Présentation

4. Présentez le contenu de votre conte en respectant les indications fournies ci-dessus.

5. Terminez votre présentation de manière à laisser votre auditoire dans l'hésitation fantastique.

6. a. Lisez le passage retenu, de façon expressive, de manière à faire frissonner vos auditeurs. b. Justifiez brièvement le choix du passage lu.

B Définir le fantastique selon E. T. A. Hoffmann

À partir de votre lecture et des présentations orales, définissez le fantastique des *Contes* d'E. T. A. Hoffmann en un paragraphe.

Vous vous intéresserez en particulier à ces éléments : les personnages étranges ou maléfiques, les manifestations du surnaturel, la peur, la mort.

C Rédiger la quatrième de couverture d'un conte fantastique

Rédigez la quatrième de couverture du conte que vous avez étudié.

La quatrième de couverture vise à la fois à informer sur le conte, sans trop en dire, et à donner envie de le lire.

Préparation

Avant de rédiger la quatrième de couverture, il faut avoir lu attentivement le conte et s'être posé un certain nombre de questions : pour cela, aidez-vous de votre préparation de présentation orale.

Rédaction de la quatrième de couverture

Voir la **Fiche-méthode** de la page 67.

Fiche-méthode

Rédiger la quatrième de couverture d'un conte fantastique

Présentation

- Mentionner le nom de l'auteur et le titre du conte.
- Rédiger un texte d'une dizaine de lignes pour :
  – présenter le conte en deux ou trois phrases, en ne dévoilant que le début ;
  – indiquer le thème fantastique du conte.

Conseils d'écriture

- Employer des phrases brèves, juxtaposées, éventuellement des phrases nominales.
- Chercher à susciter la curiosité du lecteur, à le faire frissonner. Pour cela, recourir à :
  – des phrases interrogatives ou exclamatives ;
  – des adjectifs qualificatifs comme :
  déroutant, étonnant, étrange, extraordinaire, incroyable, inimaginable, inquiétant, mystérieux, stupéfiant ;
  – des expressions telles que :
  à vous couper le souffle, à vous glacer le sang, à vous faire frissonner, à vous faire dresser les cheveux sur la tête.

Les Contes d'Hoffmann

L'opéra « fantastique », les *Contes d'Hoffmann*, dernière œuvre du compositeur J. Offenbach, créé en 1881, est l'un des opéras français le plus joué au monde. Son livret est tiré d'une pièce de J. Barbier et M. Carré, conçue à partir de trois contes de l'écrivain allemand.

ARGUMENT

PROLOGUE

Dans une taverne, le jeune poète Hoffmann boit en attendant Stella, qu'il aime. La Muse (déesse de la poésie) apparaît pour le ramener à la poésie. Il raconte à ses amis ses trois précédentes aventures amoureuses.

ACTE I : **Olympia**

Hoffmann est amoureux d'Olympia, sans comprendre qu'elle est un automate créé par le charlatan Coppélius.

ACTE II : **Antonia**

Hoffmann et Antonia s'aiment mais sont séparés par le violoniste Crespel, le père de la jeune fille, qui veut l'empêcher de chanter de peur qu'elle ne meure.

ACTE III : **Giulietta**

À Venise, la courtisane Giulietta, pour séduire Hoffmann, cherche et réussit à lui voler son reflet.

ÉPILOGUE

Hoffmann, termine son récit. La Muse réapparaît et encourage le poète à renouer avec son art.

D *Les Contes d'Hoffmann* : un opéra fantastique

Découvrez un opéra de J. Offenbach inspiré des *Contes d'Hoffmann*

1. ***Lexique*** Cherchez le sens des mots « opéra », « compositeur », « chorégraphe », « prologue », « épilogue ».

2. ***Lexique*** Que signifient « livret » et « argument » pour un opéra ?

3. Écoutez la « barcarolle » (chant des gondoliers de Venise), le plus célèbre des airs de cet opéra, repris dans les musiques des films *Titanic* de J. Cameron et *La vie est belle* de R. Benigni.
a. Quel est le rythme de ce chant ? b. Pour vous, la mélodie de cette chanson d'amour est-elle douce ou inquiétante ? Pourquoi ?

4. Comparez les personnages féminins de l'opéra à ceux des contes que vous avez lus.

5. La mise en scène de l'opéra par J. Savary correspond-elle, selon vous, au sous-titre d'« opéra fantastique » ? Justifiez.

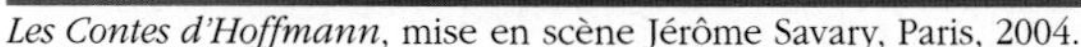

Les Contes d'Hoffmann, mise en scène Jérôme Savary, Paris, 2004.

Scarbo

Aloysius Bertand
(1807-1841)

Poète français, créateur du poème en prose, il est l'auteur d'un recueil, *Gaspard de la nuit*, qui comporte des poèmes fantastiques.

Oh ! que de fois je l'ai entendu et vu, Scarbo, lorsqu'à minuit la lune brille dans le ciel comme un écu d'argent sur une bannière[1] d'azur semée d'abeilles d'or !

Que de fois j'ai entendu bourdonner son rire dans l'ombre de mon alcôve[2], et grincer son ongle sur la soie des courtines[3] de mon lit !

Que de fois je l'ai vu descendre du plancher, pirouetter sur un pied et rouler par la chambre comme le fuseau tombé de la quenouille[4] d'une sorcière.

Le croyais-je alors évanoui ? Le nain grandissait entre la lune et moi, comme le clocher d'une cathédrale gothique, un grelot d'or en branle à son bonnet pointu !

Mais bientôt son corps bleuissait, diaphane[5] comme la cire d'une bougie, son visage blémissait comme la cire d'un lumignon[6], – et soudain il s'éteignait.

Aloysius Bertrand, « Scarbo »,
Gaspard de la nuit, 1842.

1. drapeau.
2. renfoncement dans un mur, où est placé un lit.
3. rideaux.
4. instrument pour filer la laine.
5. très pâle.
6. lampe qui éclaire faiblement.

Établir des liens entre les œuvres SOCLE C5

1. Quel est le thème fantastique présent dans ce poème ?

2. De quels textes du chapitre pouvez-vous rapprocher ce poème ? Pourquoi ?

Réciter un poème SOCLE C5

3. Respectez le rythme de ce poème en prose en marquant une pause après chaque point d'exclamation.

4. Soulignez par l'intonation les exclamations, les répétitions et les allitérations.

Nain avec le ventre pendant et un chapeau pointu. Série *Les Gobbi*, 1620-1622. Collection particulière.

Faire le point

Le genre fantastique

Arts et culture : le fantastique au XIXe siècle

- La nouvelle fantastique, apparue à la fin du XVIIIe siècle, est particulièrement à la mode au XIXe siècle. Ce genre, créé en Allemagne par **E. T. A. Hoffmann,** s'est répandu en France (**T. Gautier, G. de Maupassant, P. Mérimée**), en Russie (**N. Gogol, N. Pouchkine**), aux États-Unis (**E. A. Poe**).
Le fantastique s'exprime dès le XIXe siècle dans d'autres arts que la littérature : la musique (**H. Berlioz, J. Offenbach**), la peinture (**J. Ensor, J. H. Füssli, L. Spilliaert**...), puis le cinéma au XXe siècle (**F. W. Murnau**...).
- Le fantastique recourt à des **thèmes surnaturels**, souvent **à la frontière de la vie et de la mort** :
  – les hallucinations, le rêve, la folie... ;
  – le double, le revenant, le fantôme, le vampire ;
  – les objets, les automates qui s'animent ;
  – le pacte avec le diable.
  C'est pourquoi, au XIXe siècle, le fantastique s'est emparé d'**un thème à la mode : l'Antiquité** (voir **dossier 3**, p. 78 à 87).

Gustave Doré, *Vision de la mort assise sur le globe terrestre*. Illustration pour *Le Corbeau* d'E. A. Poe, 1882.

Un genre littéraire : la nouvelle fantastique

Un cadre particulier

- Le surnaturel surgit le plus souvent :
  – dans des **lieux** tels que des châteaux isolés, des cimetières... ;
  – la nuit (de préférence à minuit), en hiver, lors de tempêtes...
- Des bruits, des visions créent **la peur et ses manifestations physiques**.

L'hésitation fantastique

- Le fantastique se caractérise par **l'intrusion du surnaturel dans le cadre de la vie ordinaire**.
- **Le narrateur**, un être raisonnable (souvent à la 1re personne), **doute** de l'existence du surnaturel.
- L'auteur fait partager au lecteur le point de vue du narrateur : **l'hésitation du lecteur** est la première condition du fantastique. Ce doute ne peut se prolonger indéfiniment : **la nouvelle est le cadre idéal pour le fantastique.** Le plus souvent, le récit s'achève en laissant le lecteur choisir lui-même entre l'explication rationnelle ou l'interprétation surnaturelle.

L'écriture du fantastique

Pour exprimer le doute, l'auteur recourt à des modalisateurs.

Phrases interrogatives	*Suis-je fou ?*
Adverbes	*peut-être, vraisemblablement...*
Mode conditionnel	*On aurait dit un fantôme...*
Verbes attributifs	*sembler, paraître, avoir l'air...*
Verbes d'incertitude	*Je crus voir que... Il devait (être minuit...)*
Périphrases	*une sorte de, une espèce de, quelque chose...*

Je retiens l'essentiel

› À quel siècle le genre fantastique est-il apparu ?

› Quelle est la principale condition pour créer une atmosphère fantastique ?

› Quels thèmes fantastiques pouvez-vous citer ?

Lexique

› Le vocabulaire de la peur et de l'étrange

Étudier le vocabulaire de la peur

1. Classez les noms suivants en deux colonnes, suivant qu'ils expriment une peur de faible ou de forte intensité.
anxiété – appréhension – crainte – effroi – angoisse – trac – phobie – épouvante – affolement – frayeur – horreur – inquiétude – panique – peur – terreur

2. Choisissez trois noms de l'exercice 1 et employez-les chacun dans une phrase qui mettra leur sens en évidence.

3. Classez en deux colonnes les adjectifs qualificatifs et participes passés suivants, selon qu'ils signifient : a. qui provoque la peur ; b. qui éprouve de la peur.
apeuré – craintif – effrayant – effroyable – effrayé – inquiet – inquiétant – horrifié – horrible – terrible – terrorisé

4. Formez sur les noms suivants des verbes signifiant « provoquer la peur » : effroi – horreur – inquiétude – peur – terreur (deux réponses).

5. Complétez les phrases suivantes par un mot de la même famille que « terreur ».
1. Le Masque de la Mort Rouge était … à voir avec son visage taché de sang. 2. Le souvenir de cette nuit passée dans les ruines du château hanté le … encore des années après. 3. Ne … pas ces enfants avant de dormir avec ces histoires de vampires !

6. Reproduisez et complétez le tableau suivant.

NOM(S)	VERBE(S)	ADJECTIF(S)	ADVERBE(S)
			peureusement
effroi			
		inquiet	*x*
	craindre		

Repérer les manifestations physiques de la peur

7. Relevez les manifestations physiques de la peur du chien.

Il [le chien] restait maintenant immobile, dressé sur ses pattes comme hanté d'une vision, et il se remit à hurler vers quelque chose d'invisible, d'inconnu, d'affreux sans doute, car tout son poil se hérissait.

G. DE MAUPASSANT, *La Peur*, 1882.

8. Complétez ces expressions exprimant des manifestations physiques de la peur.
avoir le souffle c… • avoir la gorge s… • avoir la gorge n… • être c… sur place • se sentir par… • être pétr… • avoir la ch… de p… • perdre co… • hu… d'horreur • tr… comme une feuille • se trouver sans v… • avoir des sueurs f…

9. Proposez des expressions qui décrivent les manifestations physiques de la peur en vous référant aux parties du corps suivantes : les dents – les cheveux – les veines – le cœur – les jambes.

Exprimer l'étrange

10. Relevez : a. le vocabulaire de la raison ; b. celui de la folie. Quel effet leur association crée-t-elle ?

Était-ce bien une hallucination ? […] Certes, je me croirais fou, si je n'étais conscient, si je ne connaissais parfaitement mon état, si je ne le sondais en l'analysant avec une complète lucidité. Je ne serais donc, en somme, qu'un halluciné raisonnant. Un trouble inconnu se serait produit dans mon cerveau.

G. DE MAUPASSANT, *Le Horla*, 1886.

11. Chassez l'intrus de chaque liste.
Liste A : vision – revenant – ombre – spectre – fantôme – apparition – nuit – esprit.
Liste B : livide – blême – blafard – empourpré – cireux – exsangue.
Liste C : maigre – décharné – have – dodu – émacié.

12. Décrivez le tableau ci-contre en employant le plus de mots possible parmi ceux de cette page.

ARNOLD BÖCKLIN, *L'Île des morts*, 1883. Nationalgalerie, Berlin.

Orthographe Conjugaison

Réviser les accords dans le groupe nominal

→ Réviser les accords dans le groupe nominal – p. 364

Observer et manipuler

[Ce gros **chien** agressif et terrifiant] semblait vouloir dévorer [le jeune **marquis**, perdu dans le parc].

1. Quelle est la classe grammaticale : a. des mots en gras ? b. des passages entre crochets ?

2. Oralement, prononcez la phrase en mettant les mots en gras au féminin. Dans les passages entre crochets, quels mots ont changé : a. de prononciation et d'orthographe ? b. d'orthographe seulement ? c. Quelle est la classe grammaticale de chacun de ces mots ?

3. Oralement, prononcez la phrase en mettant les mots en gras au pluriel. Dans les passages entre crochets, quels mots ont changé : a. de prononciation et d'orthographe ? b. d'orthographe seulement ? c. Quelle est la classe grammaticale de chacun de ces mots ?

Formuler la règle

4. En vous appuyant sur vos observations, recopiez et complétez la phrase suivante.

Dans un groupe nominal, les adjectifs ... et les ... pris comme adjectifs s'accordent en genre et en nombre avec le nom dont ils sont épithètes ou apposés. Un déterminant ... de forme en fonction du ... et du ... du nom qu'il accompagne.

Réviser la conjugaison du conditionnel

→ Révisez l'analyse complète du verbe – p. 326

Observer et manipuler

5. Observez les formes verbales en italique et celles en gras : lesquelles sont des temps simples ? des temps composés ? Justifiez.

La vue de ces arbres *ferait* frémir une âme sensible et bien courageux *seraient* les voyageurs qui *oseraient* s'aventurer en ces lieux. Oluf avait éprouvé un grand froid dans la poitrine, comme d'un fer qui *entrerait* et *chercherait* le cœur. On **aurait dit** qu'Oluf galopait dans un nuage. Il traversa le bois de sapins qu'on **aurait pris** pour des spectres.

D'après T. Gautier, *Le Chevalier double*, 1840.

6. a. Relisez le texte ci-dessus et recopiez les formes verbales en italique avec une couleur pour la base verbale et une autre pour la terminaison ; indiquez leur infinitif. b. À quels autres mode et temps trouve-t-on ces terminaisons ? c. À quoi la base verbale isolée pour les formes « entrerait » et « chercherait » ressemble-t-elle ? d. Les formes « ferait » et « seraient » proviennent-elles de verbes réguliers ou irréguliers ?

7. a. De quels éléments les formes verbales en gras sont-elles constituées ? b. À quel temps le premier élément est-il conjugué ?

8. Récrivez le texte suivant en conjuguant les verbes au conditionnel : a. présent ; b. passé.

Des médecins venaient, écrivaient, s'en allaient. On apportait des remèdes ; une femme les lui faisait boire. Ses mains étaient chaudes, son front brûlant et humide, son regard brillant et triste. Je lui parlais, elle me répondait. [...] Elle mourut, je me rappelle très bien son petit soupir.

G. de Maupassant, *La Morte*, 1880.

Formuler la règle

9. Répondez aux questions suivantes.

Sur quelle base verbale forme-t-on le conditionnel présent ? Quelles terminaisons emploie-t-on ? Comment forme-t-on le conditionnel passé ?

Écrire un texte sous la dictée SOCLE C1

Recopiez le texte en accordant les mots entre parenthèses et en conjuguant le verbe en italique au conditionnel passé.

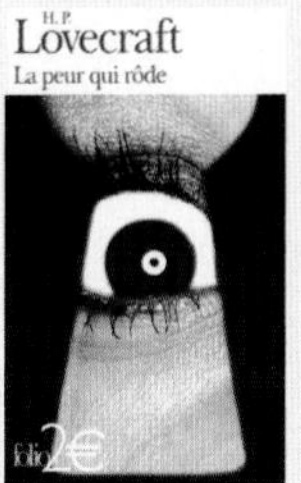

Le décor de l'endroit où je creusais *suffire* à ébranler les nerfs d'un homme ordinaire. Des arbres (sinistre), de taille (anormal) et d'aspect grotesque, me contemplaient d'en haut comme les colonnes de quelque temple (infernal), assourdissant le bruit du tonnerre et celui du vent, laissant passer (quelque) (rare) gouttes de pluie. Là-bas, au-delà des troncs (meurtri), (illuminé) par de (faible) éclairs, se dressaient les pierres (humide) et (couvert) de lierre de la maison (abandonné) ; un peu plus près s'étendait le jardin hollandais, (au) allées et (au) massifs (pollué) par une végétation (surabondant), (blanc), (fétide) et (corrompu), qui n'avait jamais reçu la (plein) lumière du jour.

H. P. Lovecraft, *La Peur qui rôde*, trad. Y. Rivière, Folio © Éditions Gallimard, 1961.

Définir les modalisateurs et leur rôle

→ Les procédés de modalisation – p. 346

Observer et manipuler

1. a. Quelle différence faites-vous entre les deux versions du texte suivant ? **b.** À quoi les modalisateurs en gras servent-ils ? **c.** À quel genre le texte d'A. Horowitz appartient-il ?

Texte 1

Sa famille – Christopher et Élizabeth assis à la table, Jamie debout à côté d'eux – était devenue une photo. Matthew les regardait de l'extérieur, figés dans un autre monde. Tout s'était immobilisé. En même temps il éprouvait une sensation qu'il n'avait jamais éprouvée. Un frisson dans le creux de la nuque lui hérissa les cheveux l'un après l'autre. Il baissa les yeux sur l'appareil photo, qui était devenu un trou béant et noir entre ses mains. Il y tomba, aspiré. Une fois qu'il s'y fut englouti, le boîtier se referma avec un claquement sec comme un couvercle de cercueil, et l'engloutit dans d'effroyables ténèbres...

D'après A. Horowitz.

Texte 2

Il **avait l'impression** que sa famille – Christopher et Élizabeth assis à la table, Jamie debout à côté d'eux – était devenue une photo. C'était **comme si** Matthew les regardait de l'extérieur, figés dans un autre monde. Tout **semblait** s'être immobilisé. En même temps il éprouvait une sensation qu'il n'avait jamais éprouvée. Un **étrange** frisson dans le creux de la nuque lui hérissa les cheveux l'un après l'autre. Il baissa les yeux sur l'appareil photo, qui était devenu un trou béant et noir entre ses mains. Il s'y **sentit** tomber, aspiré. Une fois qu'il s'y **serait** englouti, le boîtier se **refermerait** avec un claquement sec comme un couvercle de cercueil, et l'**engloutirait** dans d'effroyables ténèbres...

A. Horowitz, *La Photo qui tue*, trad. A. Le Goyat

2. Classez les modalisateurs du texte 2, selon qu'il s'agit : **a.** de mots qui nuancent le sens du texte ; **b.** de verbes dont le mode nuance le sens du texte.

Formuler la règle

3. En vous appuyant sur les exercices précédents, répondez à la question suivante.

À quoi les modalisateurs servent-ils dans un texte fantastique ?

Identifier et employer des modalisateurs

→ Les procédés de modalisation – p. 346

Observer et manipuler

4. Relevez en les classant les modalisateurs du texte : **a.** trois verbes ; **b.** un adverbe ; **c.** une comparaison.

Nathanaël découvrit le visage aux traits admirables d'Olympia. Seuls les yeux lui parurent étrangement fixes et morts. Mais comme il la regardait avec insistance au moyen de son télescope, il crut voir se lever dans les yeux d'Olympia d'humides rayons de lune. Il semblait que la force visuelle venait de s'allumer en eux, les regards flambaient de plus en plus vifs. Nathanaël était enchaîné à la fenêtre comme par un charme, contemplant sans se lasser la beauté céleste d'Olympia.

E. T. A. Hoffmann, *L'Homme au sable*,
trad. G. Bianquis

5. a. Récrivez le texte en soulignant les modalisateurs. **b.** Quelles sont les différentes façons d'exprimer le doute employées dans ce texte ?

Et puis je me disais : « Est-ce bien Clarimonde ? Quelle preuve en ai-je ? Ce page noir ne peut-il être passé au service d'une autre femme ? Je suis bien fou de me désoler et de m'agiter ainsi. » Mais mon cœur me répondit avec un battement : « C'est bien elle, c'est bien elle. » Je me rapprochai du lit, et je regardai avec un redoublement d'attention l'objet de mon incertitude. [...] Ce repos ressemblait tant à un sommeil que l'on s'y serait trompé. »

T. Gautier, *La Morte amoureuse*, 1836.

6. Récrivez le texte ci-dessous en y intégrant ces modalisateurs : imperceptiblement – sans raison – pareille à un fantôme debout – on se croit – confuse – semblait – vague – ce quelque chose d'invisible
Vous ferez les modifications nécessaires.

Je voyageais en Bretagne, tout seul à pied. De temps en temps une pierre druidique me regardait passer, et peu à peu entrait en moi une appréhension ; il est des soirs où l'on est frôlé par des esprits, où l'âme frissonne, où le cœur bat sous la crainte d'un danger visible.

D'après G. de Maupassant, *La Peur*, 1882.

Formuler la règle

7. En vous appuyant sur les exercices précédents, répondez à la question suivante.

Quelles sortes de modalisateurs pouvez-vous nommer ?

Écrit — Rédiger des récits fantastiques (SOCLE C1, C5)

1. Rédiger un récit fantastique à partir d'une photographie

SUJET 1 : À partir de la photographie ci-dessous, rédigez, en une trentaine de lignes, un récit fantastique qui fasse prendre vie aux sculptures. Vous commencerez par : « Je fis ce jour-là une expérience singulière… ». Vous terminerez par : « Je ne savais trop que penser. »

Histoire des Arts (SOCLE C5)

A. Que voyez-vous sur la photographie ? Dans quel décor ?

B. Selon vous, quelle impression le photographe a-t-il cherché à suggérer ? Par quels moyens ?

MICHAEL KENNA, *Chariot d'Apollon, Étude 2.* Versailles, 1996.

Préparation

- Au brouillon, notez :
  - les éléments du décor propices au fantastique ;
  - une liste de modalisateurs pour créer l'hésitation fantastique ;
  - des mots exprimant la peur, en les classant du plus faible au plus fort ;
  - une liste de noms et d'adjectifs évoquant le blanc et le noir.

Consignes d'écriture

- Respectez le décor suggéré par la photographie.
- Exprimez la peur de façon progressive.
- Employez des modalisateurs dont des verbes au conditionnel.
- Rédigez le récit à la première personne et au passé simple.

2. Rédiger la suite d'un texte fantastique

SUJET 2 : Imaginez l'aventure fantastique qu'a pu vivre le marquis de la Tour-Samuel.

Alors le vieux marquis de la Tour-Samuel, âgé de quatre-vingt-deux ans, se leva et vint s'appuyer à la cheminée. Il dit de sa voix un peu tremblante :

– Moi aussi, je sais une chose étrange, tellement étrange, qu'elle a été l'obsession de ma vie. Voici maintenant cinquante-six ans que cette aventure m'est arrivée, et il ne se passe pas un mois sans que je la revoie en rêve. Il m'est demeuré de ce jour-là une marque, une empreinte de peur, me comprenez-vous ? Oui, j'ai subi l'horrible épouvante, pendant dix minutes, d'une telle façon que depuis cette heure une sorte de terreur constante m'est restée dans l'âme. Les bruits inattendus me font tressaillir jusqu'au cœur ; les objets que je distingue mal dans l'ombre du soir me donnent une envie folle de me sauver. J'ai peur la nuit, enfin.

G. DE MAUPASSANT, *Apparition*, 1883.

Préparation

- Relevez au brouillon les indications données par le texte, à respecter pour écrire une suite cohérente :
  - statut social du narrateur ;
  - âge du narrateur à l'époque de l'aventure, au moment du récit ;
  - durée de l'aventure ;
  - moment où s'est déroulée l'aventure ;
  - éléments fantastiques fournis par le texte.

Consignes d'écriture

- Rédigez une vingtaine de lignes environ.
- Respectez strictement les données du texte.
- Rédigez le récit à la première personne et au passé composé.
- Créez un cadre spatio-temporel propice au fantastique.
- Exprimez l'hésitation du narrateur. Pour cela, employez des modalisateurs, dont des verbes conjugués au conditionnel.
- Employez des mots du vocabulaire de la peur et de ses manifestations physiques.

S'exprimer à partir des éléments d'un film SOCLE C1, C4, C5

Nosferatu (1922), le film de F. W. Murnau, est la première adaptation cinématographique du roman de B. Stoker, *Dracula* (1897). Vous pouvez visionner ce grand classique du cinéma, entièrement ou par extraits, à cette adresse : http://www.archive.org/details/nosferatu

Synopsis du film

À Brême, Jonathon, époux de Nina, doit partir pour la Transylvanie afin de vendre une propriété au comte Dracula qui veut une résidence en ville. Après un long voyage, le jeune homme est accueilli dans un sinistre château par le comte qui n'est autre que Nosferatu, le vampire. Une fois la transaction réalisée, Jonathon, menacé par Nosferatu, est sauvé grâce à Nina qui l'avertit par télépathie. Nosferatu prend le bateau et apporte alors à Brême une épidémie que les gens prennent pour la peste. Jonathon, à son retour, retrouve Nina tandis que Nosferatu s'installe en face de chez eux. Nina découvre dans un livre qu'elle doit se sacrifier pour neutraliser le pouvoir maléfique du vampire : Nosferatu, après l'avoir mordue, s'évanouit en fumée, ce qui libère la ville de l'épidémie.

1. Analyser des images du film

SUJET 1 : **Choisissez une de ces deux images ; décrivez-la à la classe et expliquez comment elle traduit une atmosphère fantastique. Aidez-vous de l'ABC de l'image, p. 274 à 279.**

Nosferatu le vampire de F. W. Murnau, 1922.

2. Écouter et commenter la bande-son 

SUJET 2 : **Expliquez comment la bande-son (musique, bruitages...) traduit la peur ou crée le malaise.**

Méthode

- En visionnant le film, repérez trois passages dans lesquels la bande-son vous semble bien traduire la peur ou créer le malaise ; notez le minutage.
- Au brouillon, définissez les caractéristiques de ces passages sonores.
- En classe, projetez les passages retenus en justifiant oralement votre choix.

3. Exposer les thèmes fantastiques du film 

SUJET 3 : **Exposez les différents thèmes fantastiques que vous avez repérés dans le film.**

Méthode

- Aidez-vous du **Faire le point** (p. 69) pour identifier des thèmes fantastiques présents dans le film.
- Selon les indications de votre professeur, par binômes, prenez en charge une séquence du film (par exemple d'une dizaine de minutes).
- Choisissez deux ou trois images ou mini-séquences ; notez le minutage.
- En classe, projetez les passages retenus en expliquant quel(s) est (sont) ce(s) thème(s) et comment l'image filmique le(s) met en valeur, par le cadrage, les angles de prises de vue, les contrastes.

→ L'ABC de l'image – p. 274 à 276

Nouvelles fantastiques d'ici et d'ailleurs

A. Horowitz
La Photo qui tue, Neuf histoires à vous glacer le sang
© Hachette Jeunesse, 2007.
Brefs récits où des objets ordinaires font basculer dans l'horreur, par un spécialiste anglais de la littérature jeunesse.

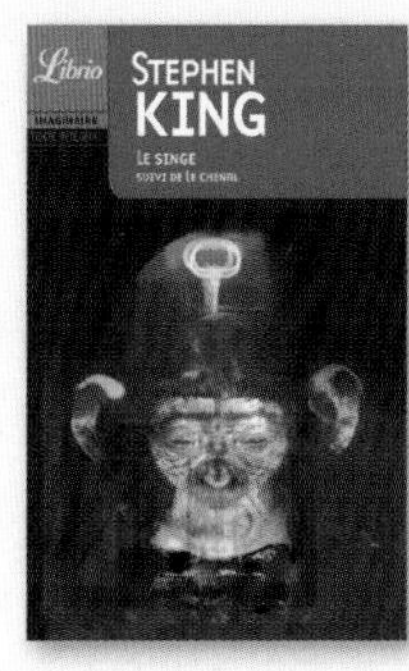

S. King
Le Singe, suivi de Le Chenal
© Librio, 1994.
Deux nouvelles du maître américain de l'horreur, où l'ombre de la mort plane à cause d'un jouet ou d'un chenal.

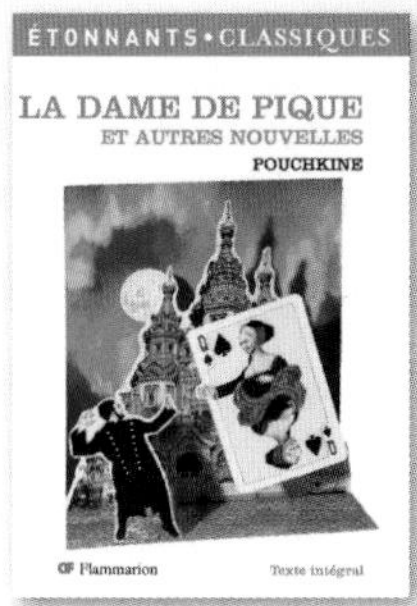

A. Pouchkine
La Dame de pique et autres nouvelles
© Étonnants Classiques, Flammarion, 2007.
Récit du célèbre romancier russe, où les cartes ont un pouvoir bien étrange.

Le cercle des lecteurs

Réalisation et présentation d'une couverture illustrée

- **Réalisation de la couverture illustrée**

1. Choisissez une nouvelle ou un recueil que vous lirez.
2. Réalisez une couverture illustrée (dessin, peinture, photographie, collage, montage) :
– votre couverture mettra en valeur les éléments fantastiques, attirera l'œil et donnera envie de lire la nouvelle ou le recueil.
– faites figurer le titre et le nom de l'auteur, en jouant sur la calligraphie, la typographie des caractères, les couleurs.
3. Exposez les couvertures, en veillant à l'esthétique de l'affichage. Si possible, ce travail sera réalisé avec l'aide du professeur d'arts plastiques.

- **Présentation de la couverture réalisée**

Oralement, expliquez et justifiez le choix de la nouvelle ou du recueil, des éléments retenus dans l'illustration, des formes, des couleurs...

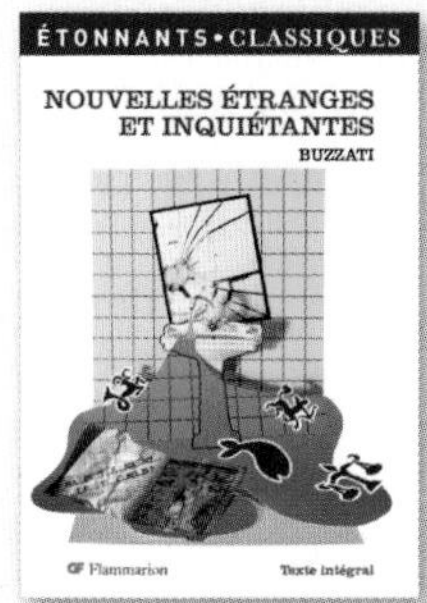

D. Buzzati
Nouvelles étranges et inquiétantes
© Étonnants Classiques, Flammarion, 2010.
Sélection de nouvelles de l'écrivain italien Buzzati, dominées par l'hésitation fantastique.

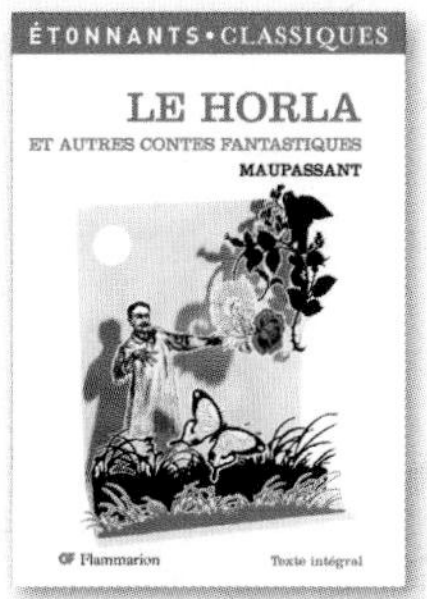

G. de Maupassant
Le Horla et autres contes fantastiques
© Étonnants Classiques, Flammarion, 2006.
Récits fantastiques du maître français de la nouvelle.

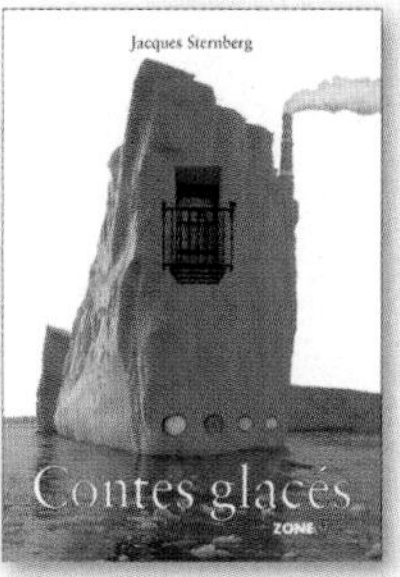

J. Sternberg
Contes glacés
© Mijade, 2008.
Des contes très brefs d'un écrivain belge, pour basculer dans le monde de l'étrange et du doute.

Évaluations

Révisions

Faire le point → voir p. 69

Lexique → voir p. 70

Orthographe et conjugaison → voir p. 71

Grammaire → voir p. 72

Le Nez

Le 25 mars, un événement tout à fait étrange s'est produit à Pétersbourg.

Le barbier Ivan Iakovlévitch, demeurant avenue Voznéssenski (le souvenir de son nom de famille est perdu, et son enseigne même ne porte rien de plus que la tête d'un monsieur au visage barbouillé de savon et l'inscription : *Ici on pratique aussi la saignée*), le coiffeur Ivan Iakovlévitch s'éveilla d'assez bonne heure et sentit l'odeur du pain chaud. Se soulevant à demi sur son lit, il vit que son épouse, une dame respectable et qui appréciait beaucoup le café, retirait des pains du four.

– Aujourd'hui, Prascovia Ossipovna, je ne prendrai pas de café, dit Ivan Iakovlévitch ; je mangerai plutôt du pain chaud et de l'oignon (Ivan Iakovlévitch se serait volontiers régalé de café et de pain frais, mais il savait qu'il était inutile de demander deux choses à la fois : Prascovia Ossipovna n'admettait pas ces fantaisies).

« Il n'a qu'à manger du pain, l'imbécile ! songea la dame ; tant mieux pour moi : il me restera plus de café. »

Et elle lança un pain sur la table.

Soucieux des convenances, Ivan Iakovlévitch enfila son habit par-dessus sa chemise et s'étant installé à table, il éplucha deux oignons, les saupoudra de sel, prit en main son couteau et, la mine solennelle, se mit en devoir de couper le pain. L'ayant partagé en deux, il aperçut à son grand étonnement une masse blanchâtre dans la mie ; il piqua la chose avec précaution du bout de son couteau, puis la tâta du doigt : « C'est dur, se dit-il ; qu'est-ce que cela pourrait bien être ? »

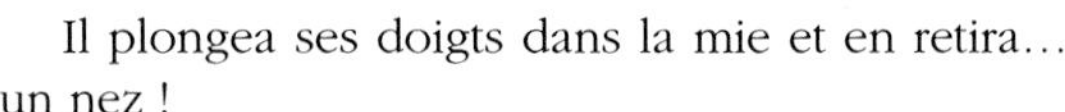

Il plongea ses doigts dans la mie et en retira... un nez !

Les bras lui en tombèrent. Il se frotta les yeux et palpa l'objet : oui, c'était bien un nez. Et, de plus, un nez qu'il lui semblait connaître. La terreur se peignit sur le visage d'Ivan Iakovlévitch. Mais cette terreur n'était rien auprès de la colère qui s'empara de son épouse.

– Où as-tu coupé ce nez, animal ? s'écria-t-elle, furieuse. Canaille ! ivrogne ! Je vais te livrer à la police, brigand ! J'ai déjà entendu trois clients se plaindre que tu tirais tellement sur leur nez en leur faisant la barbe que tu as failli le leur arracher.

Cependant Ivan Iakovlévitch était plus mort que vif ; il avait reconnu ce nez, qui n'était autre que le nez de l'assesseur[1] de collège Kovaliov qu'il rasait chaque mercredi et chaque dimanche.

– Attends un peu, Prascovia Ossipovna ! Je vais l'envelopper dans un chiffon et le cacher dans un coin ; il restera là un petit moment, et ensuite je l'emporterai.

– Je ne veux rien entendre ! Que je permette, moi, de laisser traîner dans ma chambre un nez coupé !... Vieux croûton ! Il ne sait que repasser son rasoir sur

Projet de scénario pour le film *Le Nez*, de S. A. Alimow, 1998-2001.

le cuir[2] et ne sera bientôt même plus capable de travailler comme il faut ! chenapan ! Ne t'imagine pas que je vais répondre de toi au commissariat de police ! Ah, non !... saligaud ! stupide bûche ! décampe ! Emporte-le où tu voudras, que je ne le voie plus !

Ivan Iakovlévitch demeurait tout étourdi ; il essayait de comprendre ce qui se passait et n'y parvenait pas.

« Le diable sait comment c'est arrivé ! prononça-t-il enfin, en se grattant la nuque. Étais-je ivre ou non hier, en rentrant ? Je n'en suis pas sûr ; mais tout semble indiquer que la chose est absurde, puisque le pain, on le cuit au four, mais un nez, non, pas du tout... Je n'y comprends rien ! »

NICOLAS GOGOL, *Le Nez*, trad. B. de Schloezer

1. du fonctionnaire. 2. bande de cuir pour aiguiser.

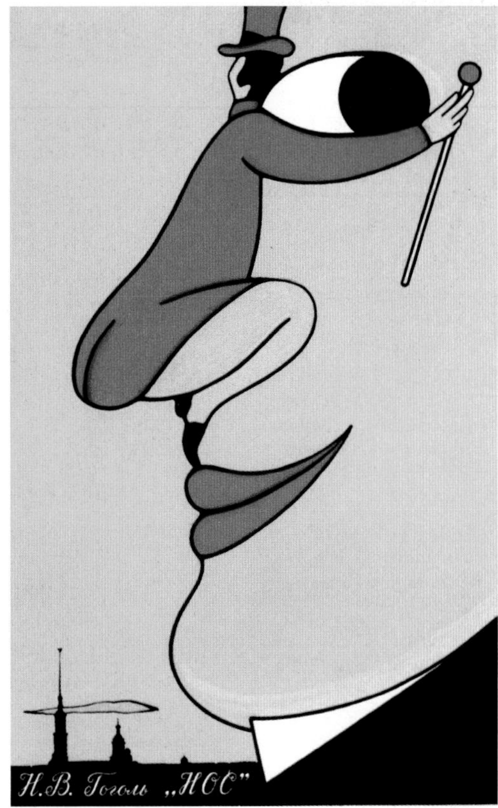

Affiche de théâtre pour *Le Nez*, de N. GOGOL.

Histoire des Arts SOCLE C5

A. Quel lien pouvez-vous établir entre Gogol et les artistes qui ont réalisé ces deux images ?

B. Choisissez une des deux images. a. Décrivez-la. b. Expliquez en quoi, pour vous, cette image crée une atmosphère fantastique.

Comprendre le texte SOCLE C1

Les personnages

1. Quel est le métier d'Ivan Iakovlévitch ?

2. a. Quel est le niveau de langue de Prascovia Ossipovna ? Justifiez. **b.** Quel est le type de phrase dominant dans ses propos ? **c.** Quel trait de caractère manifeste-t-elle ainsi ?

3. Ces deux personnages appartiennent-ils à un univers réaliste ou surnaturel ? Justifiez.

Le fantastique

4. Le début du récit ancre-t-il l'histoire dans la réalité ou dans le surnaturel ? Justifiez.

5. L. 18 à 27 : **a.** Quel événement fait basculer le récit ? **b.** Quels sont les deux sentiments éprouvés successivement par Ivan Iakovlévitch ? **c.** Relever les deux modalisateurs exprimant l'hésitation fantastique.

6. En quoi le dernier paragraphe est-il caractéristique d'un récit fantastique ? Expliquez en vous appuyant sur des procédés d'écriture.

Dégager l'essentiel du texte SOCLE C1

7. En russe, HOC prononcé « nos », « le nez », est l'anagramme de COH, prononcé « son », « le sommeil » ou « le rêve » : en quoi ce jeu sur les mots entraîne-t-il le lecteur sur la piste du fantastique ?

Rédiger un texte cohérent SOCLE C1, C5

SUJET : Lors de votre petit déjeuner, il vous arrive un événement inexplicable, de nature fantastique. Racontez.

Consignes d'écriture :

- Rédigez votre récit à la 1re personne du singulier et au passé simple.
- Ancrez le début du récit dans la réalité.
- Employez plusieurs modalisateurs pour exprimer l'hésitation fantastique.

Arts, ruptures, continuités

L'antique au cœur du fantastique

→ *Découvrir le goût de l'antique au XIXe siècle*
→ *Explorer des thèmes fantastiques*
→ *Faire un compte rendu d'Histoire des arts*

①

Mystères pompéiens et égyptomanie au XIXe siècle

L'intérêt pour l'Antiquité, admirée pour ses valeurs citoyennes, est apparu dès la seconde moitié du XVIIIe siècle. Au XIXe siècle, ce goût pour les ruines, pour les civilisations disparues, romaine et égyptienne, se développe : il se manifeste dans toutes les formes d'art, nourrit l'imaginaire, en particulier celui des auteurs de récits fantastiques.

Pompéi, la ville des morts

L'écrivain américain Mark Twain participe en 1867 avec des touristes américains au premier voyage organisé en Europe ; il livre ses impressions sur Pompéi.

C'est une distraction étrange et bizarre de se promener à travers cette vieille cité silencieuse des morts ; de flâner dans des rues totalement désertes où autrefois des milliers et des milliers d'êtres humains achetaient et vendaient, marchaient et roulaient en char, faisaient retentir la ville du bruit et des désordres du commerce et des plaisirs.

Mark Twain, *Le Voyage des innocents, un pique-nique dans l'ancien monde*, 1867.

②

L'archéologie met l'antique à la mode

1763 Identification par les archéologues de la ville romaine disparue de Pompéi et début des fouilles.

1772 Découverte à Pompéi de dix-huit corps ensevelis, dont celui d'une jeune fille.

1798 Campagne d'Égypte de Bonaparte.

1822 Déchiffrement des hiéroglyphes par le Français Champollion.

1834 *Les Derniers Jours de Pompéi*, roman de Bulwer-Lytton.

1836 Installation de l'obélisque de Louxor à Paris.

1837 Prosper Mérimée, *La Vénus d'Ille*, nouvelle fantastique.

1840 Théophile Gautier, *Le Pied de momie*, nouvelle fantastique.

③

L'égyptomanie

Au XIXe siècle, [...] l'aventure archéologique est en marche, conduisant sur le terrain des explorateurs archéologues qui décrivent à leur retour les antiquités qu'ils ont découvertes, relevées, copiées, photographiées. Les publications illustrées de ces expéditions scientifiques sont la source même de l'égyptomanie. C'est en effet en feuilletant ces beaux volumes [...] que les artistes occidentaux vont inventer leur propre imagerie égyptienne.

GUILLEMETTE ANDRIEU, in « Egyptomania, les modèles égyptiens dans l'art occidental », *Dossiers de l'art*, n°17, 1994.

Aïda, de Giuseppe Verdi

En 1871, l'opéra *Aïda* dont le livret (le texte), les décors et les costumes ont été créés par l'égyptologue français Auguste Mariette, met en scène, dans l'Égypte des pharaons, un général égyptien, Radamès, qui préfère à l'amour de la fille du roi d'Égypte celui d'Aïda, une jeune esclave, fille du roi d'Éthiopie, ennemi mortel de l'Égypte. Par amour, il trahit son pays et est condamné à être enterré vif ; Aïda le suit dans la mort.

① Pichet avec col en forme de sphinge, 1787-1797. Musée Adrien Dubouché, Limoges.
② Candélabres (paire), vers 1805. Mobilier national.
③ Pot à lait à l'égyptienne, porcelaine, début du XIXe siècle. Musée de la Porcelaine, Florence.
④ Assiette du service de L'Empereur, 1808. Château de Fontainebleau.
⑤ Pendule. Premier Empire. Château de Compiègne.
⑥ Chenet de cheminée, fin XVIIIe. Fontainebleau.

④

Histoire des Arts SOCLE C5

A. a. Quelles sont les deux civilisations antiques à la mode à la fin du XVIIIe siècle et au XIXe siècle ? b. Quels événements historiques expliquent le goût pour ces deux civilisations ?

B. Repérez et décrivez des éléments égyptiens dans les objets du XIXe siècle représentés sur cette double page.

C. a. En quoi l'opéra *Aïda* correspond-il à l'égyptomanie ?
b. B2i Sur Internet, dans un moteur de recherche, tapez « Verdi marche triomphale » pour écouter plusieurs enregistrements : quel est l'instrument de musique dominant au début du morceau ? Qu'entend-on ensuite ? Cet air est-il triste ou majestueux ?

D. Pourquoi les découvertes archéologiques peuvent-elles, selon vous, correspondre au goût de l'étrange propre au genre fantastique ?

1845 Edgar Allan Poe, *Petite Discussion avec une momie*, nouvelle fantastique.

1852 Théophile Gautier, *Arria Marcella, Souvenir de Pompéi*, nouvelle fantastique.

⑤

1857 Théophile Gautier, *Le Roman de la momie*.

⑥

1860 Fouilles systématiques de Pompéi. Invention des moulages de plâtre permettant de conserver la silhouette des victimes.

1867 Temple égyptien de l'Exposition universelle de Paris.

1871 Création au Caire, en Égypte, de l'opéra de Giuseppe Verdi, *Aïda*, pour l'inauguration du canal de Suez.

Résurrection de Pompéi

Théophile Gautier
(1811-1872)

Ce poète et romancier français visite en 1850 les ruines de Pompéi, la ville romaine ensevelie sous les cendres du volcan Vésuve après son éruption en 79 ap. J.-C. Son récit s'inspire de la découverte, en 1792, du cadavre d'une jeune fille par les archéologues.

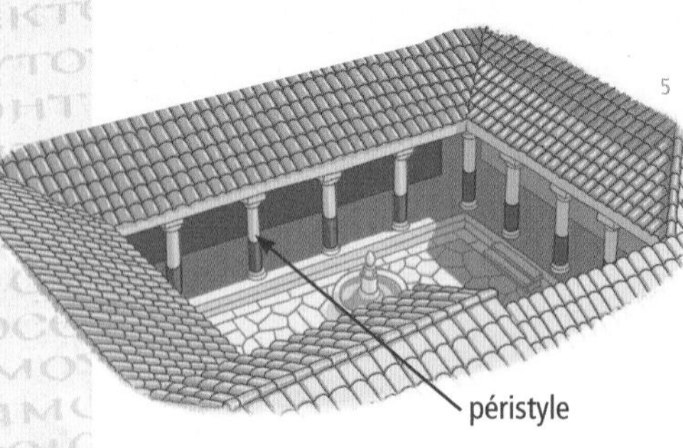

Lexique

Vocabulaire de l'architecture antique

1. Quel est le point commun des mots suivis d'un astérisque dans le texte ?

2. Découvrez le sens de ces mots à l'aide des schémas ou d'un dictionnaire.

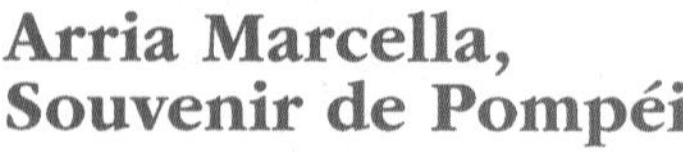

Arria Marcella, Souvenir de Pompéi

Octavien et ses amis visitent Pompéi en touristes. Un soir, Octavien retourne seul dans la ville antique.

Ses pieds, sans qu'il [Octavien] en eût conscience, le portèrent à l'entrée par laquelle on pénètre dans la ville morte ; il déplaça la barre de bois qui la ferme et s'engagea au hasard dans les décombres.

La lune illuminait de sa lueur blanche les maisons pâles, divisant les rues en deux tranches de lumière argentée et d'ombre bleuâtre. Ce jour nocturne, avec ses teintes ménagées, dissimulait la dégradation des édifices. L'on ne remarquait pas, comme à la clarté crue du soleil, les colonnes tronquées, les façades sillonnées de lézardes, les toits effondrés par l'éruption ; les parties absentes se complétaient par la demi-teinte, et un rayon brusque, comme une touche de sentiment dans l'esquisse d'un tableau, indiquait tout un ensemble écroulé. Les génies taciturnes de la nuit semblaient avoir réparé la cité fossile pour quelque représentation d'une vie fantastique. [...]

En passant devant une maison qu'il avait remarquée pendant le jour et sur laquelle la lune donnait en plein, il vit, dans un état d'intégrité parfaite[1], un portique* dont il avait cherché à rétablir l'ordonnance[2] : quatre colonnes d'ordre dorique cannelées* jusqu'à mi-hauteur, et le fût* enveloppé comme d'une draperie pourpre d'une teinte de minium*, soutenaient une cimaise* coloriée d'ornements polychromes*, que le décorateur semblait avoir achevée hier ; sur la paroi latérale de la porte un molosse de Laconie[3], exécuté à l'encaustique et accompagné de l'inscription sacramentelle[4] : *Cave canem*[5], aboyait à la lune et aux visiteurs avec une fureur peinte. Sur le seuil de mosaïque le mot *Ave*[6], en lettres osques[7] et latines, saluait les hôtes de ses syllabes amicales. Les murs extérieurs, teints d'ocre et de brique, n'avaient pas une crevasse. La maison s'était exhaussée[8] d'un étage, et le toit de tuiles dentelé d'un acrotère* de bronze projetait son profil intact sur le bleu léger du ciel où pâlissaient quelques étoiles.

Cette restauration étrange, faite de l'après-midi au soir par un architecte inconnu, tourmentait beaucoup Octavien, sûr d'avoir vu cette maison le jour même dans un fâcheux état de ruine. Le mystérieux reconstructeur avait travaillé bien vite, car les habitations voisines avaient le même aspect récent et neuf ; tous les piliers étaient coiffés de leurs chapiteaux* ; pas une pierre, pas une brique, pas une pellicule de stuc*, pas une écaille de peinture ne manquaient aux parois luisantes des façades, et par l'interstice des péristyles* on entrevoyait, autour du bassin de marbre du *cavaedium*[9], des lauriers roses et blancs, des myrtes[10] et des grenadiers. Tous les

Paul-Alfred de Curzon, *Un rêve dans les ruines de Pompéi*, 1866. Musée Saliès, Bagnères-de-Bigorre.

historiens s'étaient trompés ; l'éruption n'avait pas eu lieu, ou bien l'aiguille du temps avait reculé de vingt heures séculaires[11] sur le cadran de l'éternité.

Octavien, surpris au dernier point, se demanda s'il dormait tout debout et marchait dans un rêve. Il s'interrogea sérieusement pour savoir si la folie ne faisait pas danser devant lui ses hallucinations ; mais il fut obligé de reconnaître qu'il n'était ni endormi ni fou.

Un changement singulier avait eu lieu dans l'atmosphère ; de vagues teintes roses se mêlaient, par dégradations violettes, aux lueurs azurées de la lune ; le ciel s'éclaircissait sur les bords ; on eût dit[12] que le jour allait paraître. Octavien tira sa montre ; elle marquait minuit. Craignant qu'elle ne fût arrêtée, il poussa le ressort de la répétition ; la sonnerie tinta douze fois : il était bien minuit, et cependant la clarté allait toujours augmentant, la lune se fondait dans l'azur de plus en plus lumineux ; le soleil se levait.

Alors Octavien, en qui toutes les idées de temps se brouillaient, put se convaincre qu'il se promenait non dans une Pompéi morte, froid cadavre de ville qu'on a tiré à demi de son linceul[13], mais dans une Pompéi vivante, jeune, intacte, sur laquelle n'avaient pas coulé les torrents de boue brûlante du Vésuve.

Un prodige inconcevable le reportait, lui, Français du dix-neuvième siècle, au temps de Titus[14], non en esprit, mais en réalité, ou faisait revenir à lui, du fond du passé, une ville détruite avec ses habitants disparus ; car un homme vêtu à l'antique venait de sortir d'une maison voisine.

Théophile Gautier, *Arria Marcella, Souvenir de Pompéi*, 1852.

Histoire des Arts SOCLE C5

A. Décrivez le tableau en employant un vocabulaire architectural précis.

B. Comparez la vision d'Octavien au « rêve » représenté dans le tableau.

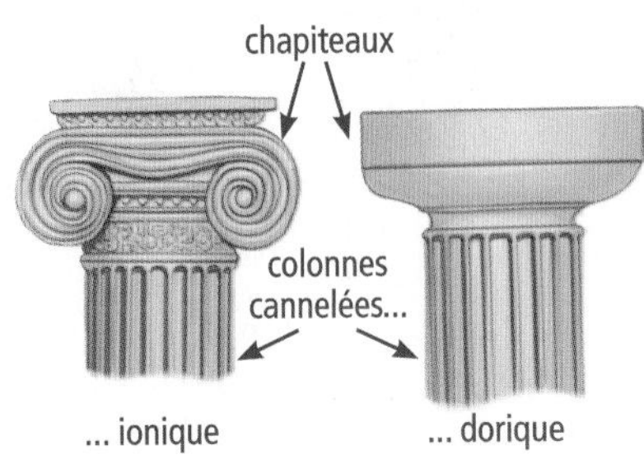

1. Qu'est-ce qui caractérise l'état des lieux dans le deuxième paragraphe ?

2. À quel domaine technique appartient le vocabulaire dominant dans les lignes 16 à 45 ?

3. Comment l'état des lieux évolue-t-il dans les lignes 15 à 45 ?

4. a. Quels sentiments Octavien éprouve-t-il à partir de la ligne 32 ? **b.** Pour quelle raison ? **c.** Quelles explications cherche-t-il à donner à ce qu'il voit ?

5. En quoi consiste le « prodige » évoqué à la ligne 63 ?

1. dans un état tout à fait intact. 2. la belle présentation. 3. un très gros chien de Grèce. 4. traditionnelle. 5. « Attention au chien », en latin. 6. « salut », en latin. 7. langue de l'Italie antique. 8. surélevée. 9. ancien nom de l'atrium, pièce centrale de la maison romaine, à ciel ouvert. 10. arbustes aromatiques. 11. qui durent un siècle. 12. on aurait dit. 13. drap dont on enveloppe les morts. 14. empereur romain (79-81).

Vénus, la maléfique ?

Prosper Mérimée
(1803-1870)

Auteur de romans et de nouvelles, nommé en 1834 inspecteur général des monuments historiques, il parcourt la France pour faire l'inventaire du patrimoine et crée des musées. Il s'efforce de trouver dans les vestiges du passé des traces des hommes et de leur vie privée.

La Vénus d'Ille

Le narrateur, un archéologue, se rend chez M. de Peyrehorade, un amateur d'antiquités, pour que celui-ci lui fasse découvrir les ruines de sa région.

« Gageons, monsieur, me dit mon guide, comme nous étions déjà dans la plaine, gageons un cigare que je devine ce que vous allez faire chez M. de Peyrehorade ?

– Mais, répondis-je en lui tendant un cigare, cela n'est pas bien difficile à deviner. À l'heure qu'il est, quand on a fait six lieues[1] dans le Canigou[2], la grande affaire, c'est de souper.

– Oui, mais demain ?... Tenez, je parierais que vous venez à Ille pour voir l'idole ? J'ai deviné cela à vous voir tirer en portrait les saints de Serrabona.

– L'idole ! Quelle idole ? » Ce mot avait excité ma curiosité.

« Comment ! On ne vous a pas conté, à Perpignan, comment M. de Peyrehorade avait trouvé une idole en terre ?

– Vous voulez dire une statue en terre cuite, en argile ?

– Non pas. Oui, bien en cuivre, et il y en a de quoi faire des gros sous. Elle vous pèse autant qu'une cloche d'église. C'est bien avant dans la terre, au pied d'un olivier, que nous l'avons eue.

– Vous étiez donc présent à la découverte ?

– Oui, monsieur. M. de Peyrehorade nous dit, il y a quinze jours, à Jean Coll et à moi, de déraciner un vieil olivier qui était gelé de l'année dernière, car elle a été bien mauvaise, comme vous savez. Voilà donc qu'en travaillant Jean Coll qui y allait de tout cœur, il donne un coup de pioche, et j'entends bimm... comme s'il avait tapé sur une cloche. Qu'est-ce que c'est ? que je dis. Nous piochons toujours, nous piochons, et voilà qu'il paraît une main noire, qui semblait la main d'un mort qui sortait de terre. Moi, la peur me prend. Je m'en vais à monsieur, et je lui dis : "Des morts, notre maître, qui sont sous l'olivier ! Faut appeler le curé. – Quels morts ?" qu'il me dit. Il vient, et il n'a pas plus tôt vu la main qu'il s'écrie : "Un antique ! un antique !" Vous auriez cru qu'il avait trouvé un trésor. Et le voilà, avec la pioche, avec les mains, qui se démène et qui faisait quasiment autant d'ouvrage que nous deux.

– Et enfin que trouvâtes-vous ?

– Une grande femme noire plus qu'à moitié nue, révérence parler[3], monsieur, toute en cuivre, et M. de Peyrehorade nous a dit que c'était une idole du temps des païens... du temps de Charlemagne, quoi !

– Je vois ce que c'est... Quelque bonne Vierge en bronze d'un couvent détruit.

– Une bonne Vierge ! Ah bien oui !... Je l'aurais bien reconnue, si ç'avait été une bonne Vierge. C'est une idole, vous dis-je ; on le voit bien à son air. Elle vous fixe avec ses grands yeux blancs...

Sculpture en bronze d'une Danaïde, découverte en 1754 dans la Villa des Papyrus d'Herculanum, 50 av. J.-C. Museo Archeologico Nazionale, Naples.

On dirait qu'elle vous dévisage. On baisse les yeux, oui, en la regardant.

– Des yeux blancs ? Sans doute ils sont incrustés dans le bronze. Ce sera peut-être quelque statue romaine.

– Romaine ! C'est cela. M. de Peyrehorade dit que c'est une Romaine. Ah ! Je vois bien que vous êtes un savant comme lui. »

Prosper Mérimée, *La Vénus d'Ille*, 1837.

1. mesure linéaire : une lieue équivaut à environ 4 km et demi. 2. massif des Pyrénées. 3. sauf votre respect.

1. **a.** Décrivez précisément la statue en reprenant les mots du texte (matériaux, forme, époque…). **b.** Où et comment a-t-elle été découverte ? **c.** En quoi cette découverte évoque-t-elle l'archéologie ?

2. **a.** Que savez-vous sur Vénus ? **b.** ***Lexique*** Cherchez dans un dictionnaire le sens d'« idole ». **c.** Ce sens est-il approprié ici ?

3. Expliquez pourquoi cette statue semble appartenir à l'univers du fantastique.

Lire la nouvelle en autonomie et y repérer des informations SOCLE C1, C7

Procurez-vous la nouvelle de Mérimée, lisez-la et répondez aux questions suivantes.

1. À quelles occasions et envers qui la Vénus se montre-t-elle à nouveau maléfique ?

2. « Vendredi » signifie « jour de Vénus » ; pour les chrétiens, il s'agit du jour sacré de la mort du Christ. **a.** Pourquoi M. de Peyrehorade choisit-il un vendredi pour marier son fils ? **b.** Pourquoi ce choix choque-t-il son épouse ?

3. Expliquez pourquoi le post-scriptum final (P.S.) rend la nouvelle fantastique.

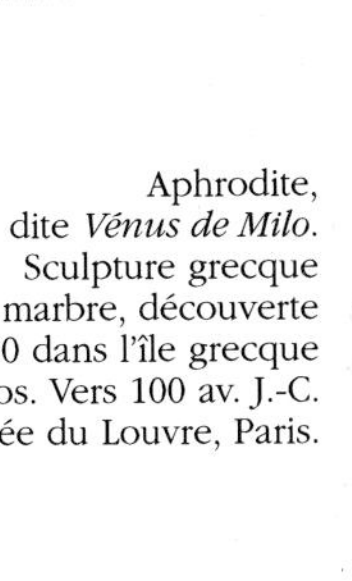

Aphrodite, dite *Vénus de Milo*. Sculpture grecque en marbre, découverte en 1820 dans l'île grecque de Milos. Vers 100 av. J.-C. Musée du Louvre, Paris.

Histoire des Arts SOCLE C5

Vocabulaire de la sculpture

A. ***Lexique*** Cherchez le sens des mots suivants :
a. taille, moulage, modelage, fonte (de métal) ;
b. bas-relief / haut-relief / ronde-bosse.

B. Parmi ces matériaux de sculpteurs, *l'argile, le bois, la cire, le bronze, le marbre, la pierre*, quels sont ceux que l'on peut : **a.** fondre ; **b.** modeler ; **c.** tailler ; **d.** travailler ?

Étudier des sculptures

C. Observez les légendes des statues et précisez pour chacune d'elles : **a.** le matériau utilisé ; **b.** l'époque où elle a été sculptée ; **c.** le lieu et la date de sa découverte.

D. Ces sculptures sont-elles réalisées en bas-relief, en haut-relief ou en ronde-bosse ?

E. Quels liens pouvez-vous faire entre chacune de ces sculptures et le texte de P. Mérimée ? Expliquez.

F. Laquelle de ces statues, pour vous, correspond le mieux à l'image que vous vous faites de la Vénus d'Ille ? Pourquoi ?

Visage du sarcophage de la momie d'Ahmose-Meritamon, de la XVIIIe dynastie. Musée Égyptien, Le Caire.

Histoires de momies

Le Pied de momie

Le narrateur a acheté chez un « marchand de bric-à-brac » (sorte de brocanteur) un pied de momie pour servir de presse-papiers. Un soir, tandis qu'il est couché...

Tout à coup je vis remuer le pli d'un de mes rideaux, et j'entendis un piétinement comme d'une personne qui sauterait à cloche-pied. Je dois avouer que j'eus chaud et froid alternativement ; que je sentis un vent inconnu me souffler dans le dos, et que mes cheveux firent sauter, en se redressant, ma coiffure de nuit à deux ou trois pas.

Les rideaux s'entrouvrirent, et je vis s'avancer la figure la plus étrange qu'on puisse imaginer.

C'était une jeune fille, café au lait très foncé, comme la bayadère Amani[1], d'une beauté parfaite et rappelant le type égyptien le plus pur ; elle avait des yeux taillés en amande avec des coins relevés et des sourcils tellement noirs qu'ils paraissaient bleus, son nez était d'une coupe délicate, presque grecque pour la finesse, et l'on aurait pu la prendre pour une statue de bronze de Corinthe[2], si la proéminence des pommettes[3] et l'épanouissement un peu africain de la bouche n'eussent fait reconnaître, à n'en pas douter, la race hiéroglyphique des bords du Nil.

Ses bras minces et tournés en fuseau, comme ceux des très jeunes filles, étaient cerclés d'espèces d'emprises de métal et de tours de verroterie[4] ; ses cheveux étaient nattés en cordelettes, et sur sa poitrine pendait une idole[5] en pâte verte que son fouet à sept branches faisait reconnaître pour l'Isis[6], conductrice des âmes ; une plaque d'or scintillait à son front, et quelques traces de fard[7] perçaient sous les teintes de cuivre de ses joues.

Quant à son costume il était très étrange.

Figurez-vous un pagne de bandelettes chamarrées[8] d'hiéroglyphes noirs et rouges, empesés de bitume[9] et qui semblaient appartenir à une momie fraîchement démaillotée.

Par un de ces sauts de pensée si fréquents dans les rêves, j'entendis la voix fausse et enrouée du marchand de bric-à-brac, qui répétait, comme un refrain monotone, la phrase qu'il avait dite dans sa boutique avec une intonation si énigmatique : « Le vieux Pharaon ne sera pas content ; il aimait beaucoup sa fille, ce cher homme. »

Particularité étrange et qui ne me rassura guère, l'apparition n'avait qu'un seul pied, l'autre jambe était rompue à la cheville.

Elle se dirigea vers la table où le pied de momie s'agitait et frétillait avec un redoublement de vitesse. Arrivée là, elle s'appuya sur le rebord, et je vis une larme germer et perler dans ses yeux.

E. A. Poe (1809-1849)

Voir biographie p. 58.

1. Relevez des expressions du texte qui pourraient être celles d'un archéologue.

2. a. Relevez le vocabulaire de l'étrange. **b.** À quels phénomènes fantastiques le narrateur a-t-il affaire ?

3. Le narrateur éprouve-t-il de l'attirance ou de la répulsion pour la jeune femme ? Justifiez.

Quoiqu'elle ne parlât pas, je discernais clairement sa pensée : elle regardait le pied, car c'était bien le sien, avec une expression de tristesse coquette d'une grâce infinie ; mais le pied sautait et courait çà et là comme s'il eût été poussé par des ressorts d'acier.

Deux ou trois fois elle étendit sa main pour le saisir, mais elle n'y réussit pas.

THÉOPHILE GAUTIER, *Le Pied de momie*, 1840.

1. danseuse indoue venue à Paris en 1838. 2. ville de la Grèce antique connue pour la beauté de ses femmes. 3. pommettes saillantes. 4. bijoux en pâte de verre. 5. représentation d'une divinité. 6. déesse de l'Égypte ancienne. 7. maquillage. 8. ornementées. 9. goudron.

Petite Discussion avec une momie

Nous nous souhaitions réciproquement une bonne nuit, quand mes yeux, tombant par hasard sur ceux de la momie, y restèrent immédiatement cloués d'étonnement. De fait le premier coup d'œil m'avait suffi pour m'assurer que les globes[1], que nous avions tous supposés être de verre, et qui primitivement se distinguaient par une certaine fixité singulière, étaient maintenant si bien recouverts par les paupières, qu'une petite portion de la *tunica albuginea*[2] restait seule visible.

Je poussai un cri, et j'attirai l'attention sur ce fait qui devint immédiatement évident pour tout le monde. Je ne dirai pas que j'étais alarmé par le phénomène, parce que le mot alarme, dans mon cas, ne serait pas précisément le mot propre. Il aurait pu se faire toutefois que, sans ma provision de Brown Stout[3], je me sentisse légèrement ému.

Quant aux autres personnes de la société[4], elles ne firent vraiment aucun effort pour cacher leur naïve terreur. Le docteur Ponnonner était un homme à faire pitié. M. Gliddon, par je ne sais quel procédé particulier, s'était rendu invisible. Je présume que M. Silk Buckingham n'aura pas l'audace de nier qu'il ne se soit fourré à quatre pattes sous la table.

Après le premier choc de l'étonnement nous résolûmes, cela va sans dire, de tenter tout de suite une nouvelle expérience. Nos opérations furent alors dirigées contre le gros orteil du pied droit. Nous fîmes une incision au-dessus de la région de l'os *sesamoideum pollicis pedis*[5] et nous arrivâmes ainsi à la naissance du muscle *abductor*[6]. Rajustant la batterie, nous appliquâmes de nouveau le fluide[7] aux nerfs mis à nu, – quand, avec un mouvement plus vif que la vie elle-même, la momie retire son genou droit comme pour le rapprocher le plus possible de l'abdomen, puis,

Histoire des Arts SOCLE C5

Dans l'Égypte antique, on utilisait le procédé de la momification pour conserver les corps après la mort. La momie, entourée de bandelettes de tissu, était déposée dans un cercueil nommé « sarcophage », puis conduite dans le tombeau. Des objets étaient placés auprès de la momie pour l'accompagner dans sa nouvelle vie : quatre vases dits « canopes », dans lesquels étaient conservés les viscères du défunt (les organes contenus dans son corps), un repose-tête en bois, des meubles, des aliments.

1. globes des yeux.
2. membrane de l'œil, de couleur blanche.
3. marque de whisky.
4. du groupe.
5. os du pied.
6. muscle qui produit un écartement de l'orteil.
7. le courant électrique.

Lexique

1. Associez à chacun des mots suivants de la liste A le(s) mot(s) grec(s) ou latin(s) de la liste B dont il est issu.

LISTE A :

• archéologie • exhumation • maléfice • fatal • résurrection

LISTE B :

- *archeos* (grec : « ancien »)
- *ex-* (grec et latin : « hors de »)
- *facio* (latin, « faire »)
- *fatum* (latin : « le sort », « le hasard »)
- *logos* (grec : « étude »)
- *humus* (latin : « terre »)
- *malus* (latin : « mauvais »)
- *re-* (latin : « de nouveau »)
- *surgere* (latin : « se lever », « surgir »)

2. À partir de leur étymologie et en vous aidant d'un dictionnaire, donnez la définition de ces mots.

1. Les momies égyptiennes appartiennent-elles au monde des vivants ou à celui des morts ?

2. Par quel moyen la momie du texte revient-elle à la vie ? À travers quelles étapes ?

3. Relevez quelques mots scientifiques : à quels domaines scientifiques appartiennent-ils ?

4. Quel est le ton du récit dans les passages en bleu : sérieux ou humoristique ? Expliquez.

Discussion avec une momie, illustration d'Abot d'après Wogel, tirée des *Histoires extraordinaires* d'E. A. Poe, édition de 1884.

redressant le membre avec une force inconcevable allongea au docteur Ponnonner une ruade qui eut pour effet de décocher ce gentleman, comme le projectile d'une catapulte, et de l'envoyer dans la rue à travers une fenêtre.

Nous nous précipitâmes en masse pour rapporter les débris mutilés de l'infortuné ; mais nous eûmes le bonheur de le rencontrer sur l'escalier, remontant avec une inconcevable diligence[8], bouillant de la plus grande ardeur philosophique, et plus que jamais frappé de la nécessité de poursuivre nos expériences avec rigueur et avec zèle.

Ce fut donc d'après son conseil que nous fîmes sur-le-champ une incision profonde dans le bout du nez du sujet ; et le docteur y jetant des mains impétueuses[9], le fourra violemment en contact avec le fil métallique. Moralement et physiquement, – métaphoriquement et littéralement[10], – l'effet fut électrique. D'abord le cadavre ouvrit les yeux et les cligna très rapidement pendant quelques minutes, comme M. Barnes dans la pantomime[11] ; puis il éternua ; en troisième lieu, il se dressa sur son séant[12] ; en quatrième lieu, il mit son poing sous le nez du docteur Ponnonner ; enfin, se tournant vers MM. Gliddon et Buckingham, il leur adressa, dans l'égyptien le plus pur, le discours suivant :

– Je dois vous dire, gentlemen, que je suis aussi surpris que mortifié[13] de votre conduite.

Edgar Allan Poe, *Petite Discussion avec une momie*, trad. Charles Baudelaire, 1845.

Dégager l'essentiel des deux textes SOCLE C1, C5

› Expliquez quels sont les points communs et les différences entre les momies des deux textes (p. 84 à 86).

› Pourquoi les auteurs choisissent-ils d'employer un vocabulaire scientifique très précis dans des récits fantastiques ?

8. rapidité.
9. pleines de force et de rapidité.
10. au sens figuré et au sens propre.
11. théâtre de geste et de mimes.
12. son derrière.
13. blessé, peiné (avec un jeu de mots sur « mortifié »).

Vers l'épreuve d'évaluation
d'Histoire des Arts

→ *Présenter un bref compte rendu d'Histoire des arts*

Ce travail s'effectue par petits groupes qui se chargent, chacun, d'un thème d'étude. Chaque groupe dégage du dossier les liens entre l'antique et le fantastique et présente son travail à la classe en trois ou quatre minutes.

HUBERT ROBERT, *Ruines romaines*, 1776.
Musée du Petit Palais, Paris.

Thème 1
Le fantastique s'appuie sur l'archéologie
Recherchez dans les textes et documents du dossier des exemples de descriptions précises de sites archéologiques, de vocabulaire scientifique et technique.

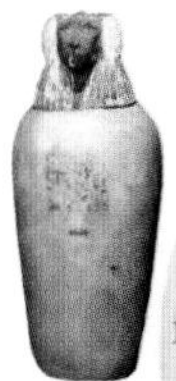

Thème 2
Le fantastique brouille les repères du temps
Recherchez dans les textes et documents du dossier des exemples de remontée dans le temps et de perte des repères temporels qui créent une atmosphère fantastique.

Thème 3
Le fantastique ressuscite les morts
Recherchez dans les textes et documents du dossier des exemples d'éléments enfouis sous terre ou sous des bandelettes, d'apparitions et de morts-vivants qui créent une atmosphère fantastique.

Vases canope, XXIe dynastie.
British Museum, Londres.

Préparation

- En vous aidant des conseils propres à chaque thème, retrouvez dans les extraits de nouvelles fantastiques du dossier un (ou des) passage(s) qui illustre(nt) votre thème d'étude.
- Choisissez dans le dossier des œuvres d'art qui conviennent à votre thème d'étude.
- Utilisez un vocabulaire précis pour parler des œuvres d'art.
- Soulignez bien le lien entre l'antique et le fantastique.
- Organisez la présentation de votre compte rendu et répartissez-vous la parole.

Présentation

- Présentez brièvement votre compte rendu à la classe.
- Pensez à citer des passages, en en faisant une lecture claire et expressive, et à mentionner des œuvres d'art.

Dégager l'essentiel SOCLE C1

› Après le passage de tous les groupes, rédigez individuellement un paragraphe de bilan sur les liens entre l'antique et le fantastique.

Fiche-méthode

Présenter un compte rendu d'Histoire des arts SOCLE C1, C5, C7

Je dois être capable :
– de situer des œuvres littéraires et artistiques, des découvertes scientifiques ;
– d'identifier les éléments d'une œuvre d'art (matériaux, formes…) ;
– d'effectuer des rapprochements entre des œuvres ;
– d'utiliser un vocabulaire artistique précis et adapté.

Je dois savoir :
– rendre compte de mon travail à la classe ;
– adapter ma prise de parole (être audible, utiliser un niveau de langue correct, varier le ton, retenir l'attention).

Créer une collection de nouvelles fantastiques

→ *Rédiger un texte cohérent* SOCLE C1

→ *Être autonome dans son travail* SOCLE C7

→ *Saisir un texte et le mettre en page* SOCLE C4 

La classe va réaliser une collection de nouvelles fantastiques à partir de nouvelles écrites individuellement (ou par binômes) et présentées sous forme de livrets. L'élaboration de ces nouvelles fera alterner des séances de travail collectif, en petits groupes, et individuel. L'écriture de la nouvelle prendra appui sur des extraits de nouvelles. Vous vous référerez aussi aux textes et aux images du chapitre 2 et/ou du dossier 3.

GUSTAVE KLIMT, *Étude pour une allégorie de la tragédie* (détail), 1897.
Wien Museum Karlplatz, Vienne.

Étape 1

Échanger à l'oral sur les conditions du fantastique

1. D'après le texte ci-dessous, expliquez d'où naît la peur liée au fantastique.

TEXTE 1

La peur (et les hommes les plus hardis peuvent avoir peur), c'est quelque chose d'effroyable, une sensation atroce, comme une décomposition de l'âme, un spasme affreux de la pensée et du cœur, dont le souvenir seul donne des frissons d'angoisse. Mais cela n'a lieu, quand on est brave, ni devant une attaque, ni devant la mort inévitable, ni devant toutes les formes connues du péril, cela a lieu dans certaines circonstances anormales, sous certaines influences mystérieuses en face de risques vagues. La vraie peur, c'est quelque chose comme une réminiscence[1] des terreurs fantastiques d'autrefois. Un homme qui croit aux revenants, et qui s'imagine apercevoir un spectre dans la nuit, doit éprouver la peur en toute son épouvantable horreur.

Moi, j'ai deviné la peur en plein jour, il y a dix ans environ. Je l'ai ressentie, l'hiver dernier, par une nuit de décembre.

GUY DE MAUPASSANT, *La Peur*, 1882.

1. un souvenir vague.

JOHANN HEINRICH FÜSSLI, *Le Cauchemar*, 1782.
Goethe Museum, Francfort.

2. Rappelez les thèmes fantastiques étudiés dans le **chapitre 2** et / ou le **dossier 3**.

3. Rappelez en quelques mots ce qu'est l'hésitation fantastique.

4. Imaginez un titre de collection pour vos nouvelles.

GUSTAVE COURBET, *Portrait de l'artiste* dit *Le Désespéré*, 1841. Luxeuil, collection privée.

Étape 2

Élaborer un projet de scénario

Préparation

1. Organisez-vous par groupes de trois ou quatre en vous répartissant les rôles : le maître du temps, de la parole, du bruit, le secrétaire…

2. Élaborez une première esquisse du scénario. Votre nouvelle commencera par : « Moi, j'ai ressenti la peur l'hiver dernier, par une nuit de décembre… »

3. Définissez :
– le lieu et le temps (époque, heure) de votre histoire ;
– les personnages, dont le narrateur ;
– le (ou les) phénomène(s) inexpliqué(s), surnaturel(s).

4. Imaginez :
– ce qui fait hésiter le narrateur ;
– une fin qui laisse planer le doute entre réel et surnaturel ;
– un titre provisoire.

Présentation orale

5. Exposez le scénario à la classe, qui fait des commentaires sur la cohérence du scénario et sur sa nature fantastique.

Reprise du brouillon

6. Reprenez le scénario, par groupes, en fonction des remarques faites en classe par les élèves et par le professeur.

Étape 3

Définir les éléments du récit

1. Au brouillon, par groupes, en vous aidant des lectures menées dans le **chapitre 2** et / ou le **dossier 3**, des textes 2 à 5 et des images de l'atelier, préparez une fiche selon le modèle suivant :

2. Soumettez vos fiches à votre professeur.

FICHE 1

- Le lieu (éléments propices à créer la peur, le doute) : ...
- Le cadre temporel propice au fantastique (l'hiver, une tempête, le soir...) : ...
- Le narrateur (son identité, ses réactions face au phénomène, ses manifestations de peur) : ...
- Le phénomène fantastique (relever, dans les textes 2 à 5 des mots et expressions qui pourraient convenir au phénomène retenu) : ...

TEXTE 2

Celle qui était morte remua de nouveau – et cette fois-ci, plus énergiquement. […] Le corps, je le répète, remuait, et, maintenant plus activement qu'il n'avait fait jusque-là. Les couleurs de la vie montaient à la face avec une énergie singulière, – les membres se relâchaient, – et, sauf que les paupières restaient toujours lourdement fermées, et que les bandeaux et les draperies funèbres communiquaient encore à la figure leur caractère sépulcral[1], j'aurais rêvé que Rowena avait entièrement secoué les chaînes de la Mort.

EDGAR ALLAN POE, « Ligeia », *Histoires extraordinaires*, trad. C. Baudelaire, 1856.

1. qui provient d'un tombeau.

TEXTE 3

L'ombre était vague, sans forme, indéfinie, ce n'était l'ombre ni d'un homme, ni d'un dieu [...]. Et l'ombre reposait sur la grande porte de bronze et sous la corniche cintrée, et elle ne bougeait pas, et elle ne prononçait pas une parole, mais elle se fixait de plus en plus, et elle resta immobile. [...] À la longue, moi, Oinos, je me hasardai à prononcer quelques mots à voix basse, et je demandai à l'ombre sa demeure et son nom. Et l'ombre répondit :

– Je suis OMBRE, et ma demeure est tout près de ces sombres plaines infernales [...] !

Et alors, tous les sept, nous nous dressâmes d'horreur sur nos sièges, et nous nous tenions tremblants, frissonnants, effarés ; car le timbre de la voix de l'ombre n'était pas le timbre d'un seul individu, mais d'une multitude d'êtres ; et cette voix, variant ses inflexions de syllabe en syllabe, tombait confusément dans nos oreilles en imitant les accents connus et familiers de mille et mille amis disparus !

Edgar Allan Poe, « Ombre », *Nouvelles Histoires extraordinaires*, trad. C. Baudelaire, 1857.

TEXTE 4

Nous entrâmes dans le salon, ma femme et moi. Il y régnait une odeur de mousse et d'humidité. Dès que nous fîmes de la lumière sur les murs qui n'en avaient pas vu depuis un siècle, des millions de souris et de rats se sauvèrent de tous les côtés. [...]

« Vois-tu ce miroir accroché dans le coin ? » demandai-je à ma femme en lui montrant un grand miroir encadré de bronze noirci, près du portrait de ma bisaïeule. « [...] D'après la légende, ce miroir abritait le diable et ma bisaïeule avait un faible pour le Malin[1]. Ce sont évidemment des bavardages, mais il n'y a pas de doute, cette glace encadrée de bronze possède un pouvoir mystérieux. »

J'enlevai la poussière qui recouvrait le miroir et partis d'un éclat de rire. L'écho en renvoya le son assourdi. C'était un miroir déformant ; les traits de mon visage étaient tordus en tous sens : j'avais le nez sur la joue gauche, le menton était coupé en deux et s'étirait de biais.

« Elle avait des goûts étranges, ma bisaïeule ! » dis-je.

Ma femme s'approcha du miroir d'un pas hésitant et y jeta un regard ; et aussitôt, il se passa quelque chose d'effroyable. Elle blêmit, se mit à trembler de tous ses membres, et poussa un cri. Le chandelier glissa de sa main, tomba sur le sol, la bougie s'éteignit et nous nous trouvâmes dans les ténèbres. J'entendis le bruit d'un corps qui tombait : c'était ma femme qui venait de s'évanouir.

Anton Tchekhov, « Le Miroir déformant », trad. E. Parayre et M. Durand, *Histoires pour rire et sourire*, © L'École des loisirs, 1984.

1. le diable.

TEXTE 5

Je perçus une indescriptible sensation, comme si un fluide, un fluide irrésistible eût pénétré en moi par toutes les parcelles de ma chair, noyant mon âme dans une épouvante atroce et bonne. Et le craquement se fit, tout contre moi. Je me dressai en me tournant si vite que je faillis tomber. On y voyait comme en plein jour, et je ne me vis pas dans la glace ! Elle était vide, claire, pleine de lumière. Je n'étais pas dedans, et j'étais en face, cependant. Je la regardais avec des yeux affolés. Je n'osais pas aller vers elle, sentant bien qu'il était entre nous, lui, l'invisible, et qu'il me cachait. [...] Ce qui me cachait n'avait pas de contours, mais une sorte de transparence opaque s'éclaircissant peu à peu.

Guy de Maupassant, *Lettre d'un fou*, 1885.

Étape 4 Exprimer l'hésitation fantastique

Collectivement ou par groupes, repérez dans les textes 6, 7 et 8 les procédés de la modalisation (mots et expressions) qui traduisent l'hésitation fantastique. Préparez une fiche que vous soumettrez à votre professeur. → Les procédés de modalisation – p. 346

FICHE 2

– Les procédés de modalisation : ...

TEXTE 6

Au milieu de ce travail qui m'absorbait, un arbre assez voisin de ma fenêtre fut violemment agité. J'entendis craquer des branches mortes, et il me sembla que quelque animal fort lourd essayait d'y grimper. Encore tout préoccupé des histoires d'ours que le docteur m'avait racontées, je me levai, non sans un certain émoi, et à quelques pieds de ma fenêtre, dans le feuillage de l'arbre, j'aperçus une tête humaine, éclairée en plein par la lumière de ma lampe. L'apparition ne dura qu'un instant, mais l'éclat singulier des yeux qui rencontrèrent mon regard me frappa plus que je ne saurais dire [...]. Je sonnais ; un domestique entra. Je lui racontai ce qui venait de se passer.

– Monsieur le professeur se sera trompé sans doute.

– Je suis sûr de ce que je dis, repris-je. Je crains qu'il y ait un voleur dans le parc.

– Impossible, Monsieur.

Prosper Mérimée, *Lokis*, 1868.

TEXTE 7

Je m'aperçus bientôt qu'une terreur mystérieuse planait sur le pays. Un tel fléau[1], pensait-on, n'était point naturel. On prétendit qu'on entendait des voix la nuit, des sifflements aigus, des cris qui passaient. Ces cris et ces sifflements venaient sans aucun doute des oiseaux émigrants qui voyagent au crépuscule, et qui fuyaient en masse vers le sud. Mais allez donc faire entendre raison à des gens affolés. Une épouvante envahissait les esprits et on s'attendait à un événement extraordinaire.

Guy de Maupassant, *Conte de Noël*, 1882.

1. une telle catastrophe.

TEXTE 8

Je demeurai tranquille, mais bientôt les légers mouvements de ma barque m'inquiétèrent. Il me sembla qu'elle faisait des embardées gigantesques, touchant tour à tour les deux berges du fleuve ; puis je crus qu'un être ou qu'une force invisible l'attirait doucement au fond de l'eau et la soulevait ensuite pour la laisser retomber. J'étais ballotté comme au milieu d'une tempête. [...] J'étais comme enseveli jusqu'à la ceinture dans une nappe de coton d'une blancheur singulière, et il me venait des imaginations fantastiques. Je me figurais qu'on essayait de monter dans ma barque que je ne pouvais plus distinguer, et que la rivière, cachée par ce brouillard opaque, devait être pleine d'êtres étranges qui nageaient autour de moi.

Guy de Maupassant, *Sur l'eau*, 1876.

Léon Spilliaert, *Les Habits blancs*, 1912.
Museum voor Schone Kunsten, Ostende.

Étape 5

Enrichir son vocabulaire : l'expression de la peur

Relisez les extraits de l'atelier et constituez-vous une fiche au brouillon.

FICHE 3

- Synonymes du nom « peur » : ...
- Synonymes de l'adjectif « effroyable » : ...
- Manifestations physiques de la peur : ...

Étape 6

Élaborer le scénario définitif

1. Individuellement (ou par binômes) et en vous appuyant sur les travaux menés en groupe, établissez au brouillon un plan comportant les étapes de votre récit en suivant la grille de relecture ci-dessous.

2. Relisez-vous en vérifiant que vous avez bien respecté toutes les étapes de la grille de relecture.

3. Soumettez votre travail à votre professeur.

GRILLE DE RELECTURE DU SCÉNARIO
Une situation initiale : – un décor et un moment propices au fantastique ; – un ancrage dans le réel.
Un élément déclencheur : – une phrase qui fasse basculer du réel dans le surnaturel (Ex. : *Soudain…*).
Une première péripétie : – apparition du phénomène fantastique ; – premières réactions du narrateur : peur, doute, puis retour au réel.
Une deuxième péripétie : – suite ou seconde apparition du phénomène ; – réactions du narrateur : curiosité, mais aussi peur et doute plus importants.
Une situation finale : – doute final du narrateur et / ou du lecteur.

Johann Heinrich Füssli, *La Folie de Kate*, 1806-07. Goethe Museum, Francfort.

Caspar David Friedrich, *Hibou perché sur une tombe*, 1836-37. Musée Pouchkine, Moscou.

Étape 7

Rédiger la nouvelle

A. Les outils

• Munissez-vous de votre brouillon (scénario et fiches préparatoires).

• Pensez à utiliser :
– un dictionnaire ou le site de dictionnaires « Lexilogos » ;
– la page ***Lexique*** du **chapitre 2** (p. 70) ;
– les tableaux de conjugaisons du manuel (p. 390 à 396).

B. Les consignes d'écriture

• Validez ou modifiez le titre provisoire de votre nouvelle.

• Rédigez votre nouvelle :
– en reprenant la phrase de lancement : « Moi, j'ai ressenti la peur l'hiver dernier, par une nuit de décembre », et en rédigeant un récit à la 1re personne du singulier ;
– en suivant le scénario validé par votre professeur ;
– en créant cinq paragraphes qui correspondent aux cinq étapes de la grille de relecture du scénario ;
– en respectant une ponctuation et une orthographe correctes.

• Votre nouvelle ne dépassera pas quatre pages manuscrites ou 5 000 caractères (espaces compris) en traitement de texte. Selon les indications de votre professeur, vous rédigerez votre nouvelle en une ou plusieurs fois, avec ou sans étape de brouillon.

• Avant de remettre votre texte et / ou de l'imprimer, relisez-vous à l'aide de la grille de relecture suivante.

GRILLE DE RELECTURE DE LA NOUVELLE		
Points à vérifier	**OUI**	**NON**
La lisibilité		
La construction du récit **Mon récit comporte :** – une situation initiale ; – un élément déclencheur ; – une première péripétie ; – une seconde péripétie ; – une situation finale. J'ai créé des paragraphes (avec un alinéa au début) pour marquer la progression du récit.		
Les personnages du récit **J'ai employé :** – un narrateur à la 1re personne ; – des reprises nominales et pronominales claires ; – des noms et adjectifs pour qualifier les personnages.		
L'atmosphère fantastique **J'ai employé :** – des modalisateurs pour exprimer l'hésitation fantastique ; – du vocabulaire pour exprimer la peur ; – des adjectifs pour qualifier le phénomène fantastique.		
La qualité de l'expression **J'ai employé :** – le passé simple de l'indicatif pour le récit ; – l'imparfait de l'indicatif pour les descriptions et les actions de second plan. **J'ai vérifié :** – la ponctuation, les majuscules ; – la construction des phrases ; – la conjugaison des verbes, en particulier la 1re personne du singulier du passé simple ; – l'orthographe des mots dont je ne suis pas sûr(e). **J'ai accordé :** – chaque verbe avec son sujet ; – les adjectifs avec les noms.		

C. La maquette et les illustrations SOCLE C4

→ *Saisir et mettre en page un texte*

→ *Organiser la composition et la présentation d'un document*

→ *Connaître et respecter les règles élémentaires du droit informatique*

Vous présenterez votre nouvelle sous la forme d'un livret illustré manuscrit ou rédigé en traitement de texte.

La 1re de couverture

• Elle mentionne :
– le nom de la « collection » inventée par la classe ;
– le titre et le (ou les) auteur(s) de votre nouvelle.

• Elle comporte une illustration (dessin, photographie, montage) réalisée par vous-même ou recueillie sur Internet : attention, certaines images ne sont pas libres de droits si votre nouvelle est ensuite publiée sur le site du collège.

Créer, produire, traiter, exploiter des données SOCLE C4

› Si vous réalisez votre première de couverture en traitement de texte, choisissez une police et des tailles de caractères (mais ne perdez pas trop de temps pour cela) ; centrez le titre.

D. La rédaction et la présentation

Les nouvelles sont destinées à être exposées dans le collège et à être lues par d'autres. Donc :
– soignez votre écriture ;
– créez des paragraphes, avec un alinéa en début de paragraphe ;
– veillez à une orthographe correcte ;
– vous pouvez illustrer votre texte.

Créer, produire, traiter, exploiter des données SOCLE C4

› Si vous saisissez directement votre texte ou le recopiez en traitement de texte, pensez à :
– utiliser le vérificateur orthographique ;
– créer des alinéas pour chaque début de paragraphe ;
– justifier votre texte (aligner les fins de lignes), en cliquant sur l'icône ▤ ;
– vérifier la longueur de votre texte en cliquant sur l'onglet « Statistiques ».

4

Correspondances privées ou publiques ?

Explorer la lettre dans tous ses états

E. Bacot, *Victor Hugo à Guernesey*, 1862, coll. Musée Carnavalet ; A. Charpentier, *George Sand*, 1838 ; C. Landelle, *Alfred de Musset*, XIXe siècle ; montage de M. Chenon (détail) ; J. Vermeer, *La Jeune Femme avec une servante tenant une lettre* (détail), vers 1667-1668 ; V. Hugo, *Le Château Saint-Goarshausen*, 1840 ; montage A.-D. Naname, 2011.

1 **Quels aspects de la correspondance ce montage évoque-t-il ?**

2 **Retrouvez dans le chapitre le nom des écrivains représentés dans ce montage.**

Lectures

Un peu d'étymologie

Le nom « lettre » vient du latin *littera*, qui, au singulier, signifie « caractère d'écriture » et, au pluriel, « tout type d'écrit ». Citez des mots formés sur le radical *litter-* et d'autres sur le radical *lettr-*.

• En latin, *epistula* désigne une lettre adressée à quelqu'un. Que signifie « épistolaire » ?

LETTRES D'AUTEURS DU XIXe SIÈCLE

Avant de lire les textes

1. *Lexique* a. Qu'appelle-t-on l'émetteur d'une lettre ? le destinataire ?
b. Quels sont les différents sens du nom « billet » ?
2. Cherchez p. 40 et p. 100 qui étaient Gustave Flaubert et George Sand.

Billets d'amis

NADAR, *George Sand*, 1865. Collection privée.

Mon brave cher camarade,

Est-ce que vous serez à Paris ces jours-ci, comme vous me le faisiez espérer ? Je pars d'ici le 2. Quelle bonne chance si je vous trouvais au dîner du lundi suivant[1] ! Et puis on joue une pièce de mon fils et de moi le 10. Est-ce que je pourrai me passer de vous ce jour-là ? J'aurai de l'émotion cette fois, à cause de mon cher collaborateur. Soyez bon ami, et tâchez de pouvoir !
Je vous embrasse de tout cœur, dans cette espérance.

Feu[2] Goulard[3].
G. Sand

Paris, 4 août 1866.

Chère Maître,

Que je sois au prochain Magny, j'en doute, mais je serai certainement à la première[4] de votre pièce.
Je compte d'ici là aller vous faire une petite visite.
Je vous embrasse et suis votre vieux Goulard surnommé.

Paris, boulevard du Temple, 42.
Samedi matin.
Gustave Flaubert

1. Un lundi par mois, des écrivains dînaient ensemble à Paris : c'étaient les « Dîners Magny », du nom du restaurant.
2. désigne quelqu'un qui est décédé.
3. personnage que G. Sand avait créé puis « tué » ; sorte de nom de code entre G. Flaubert et G. Sand.
4. nom donné à la première représentation officielle d'une pièce de théâtre.

Paris, samedi soir 4 août 1866.

Cher Ami,

Comme je suis toujours dehors, je ne veux pas que vous veniez pour vous casser le nez à mes antipodes[5]. Venez à 6 heures et dînez avec moi et avec mes enfants que j'attends demain. Nous dînons chez Magny toujours à 6 heures précises. Vous nous ferez un sensible plaisir comme dirait – comme eût dit, hélas ! – l'infortuné Goulard.
Vous êtes bon frère comme tout de me promettre d'être au Don Juan. Pour ça je vous embrasse deux fois plus.

G. Sand

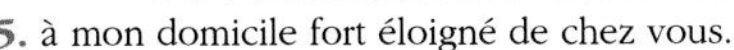
5. à mon domicile fort éloigné de chez vous.

LEGE et BERGERON, *Portrait de Flaubert*, vers 1870.

Paris, 5 août 1866.

Pouvez-vous, mon chère Maître, me dire positivement quel est le jour de votre première ? J'aurais besoin de le savoir pour mes petits arrangements ultérieurs.
Pardonnez-moi cette importunité.
Je vous baise les mains.

Dimanche matin, 10 heures.
Gustave Flaubert

Paris, dimanche 5 août 1866.

C'est jeudi prochain. Je vous ai écrit hier soir ; nos lettres se croiseront.

À vous de cœur.
G. Sand

GUSTAVE FLAUBERT, *Correspondance*,
Bibliothèque de La Pléiade
© Éditions Gallimard, 2007.

Définir les fonctions d'une lettre : échanger

L'écriture épistolaire

1. a. Qui sont les émetteurs et destinataires de ces lettres ?
b. Relevez les groupes nominaux et les pronoms personnels qui les désignent.

2. a. Observez les lettres, puis associez à chaque chiffre un de ces éléments :
– la signature ;
– le corps de la lettre ;
– la date ;
– le lieu ;
– la formule d'adresse ;
– la formule de politesse.

1 2
3
4
5
6

b. Lequel des deux émetteurs ne respecte pas la disposition traditionnelle ?

3. En quoi les dates des lettres aident-elles à comprendre les connecteurs temporels (« demain », « jeudi prochain », « hier soir ») présents dans les lettres ?

→ La situation d'énonciation : connecteurs et pronoms – p. 348

L'usage de la correspondance au XIXe siècle

4. a. *Lexique* En quoi ces lettres sont-elles des « billets » ?
b. Sur quels sujets G. Sand et G. Flaubert se livrent-ils à un échange de questions et de réponses ?

5. Observez les lieux et les dates des billets : quels moyens de communication utiliserait-on aujourd'hui pour ce genre d'échanges ?

Une correspondance d'amis

6. Par quels mots ou groupes de mots et par quel type de phrases, le sentiment d'amitié s'exprime-t-il ?

7. a. Quel événement important pour un auteur de théâtre est au cœur de plusieurs billets ? **b.** Pourquoi G. Sand souhaite-t-elle la présence de G. Flaubert ?

Dégager l'essentiel SOCLE C1

› D'après ces documents, quels sont le contenu et la forme d'une correspondance privée ?

Lectures

Avant de lire les textes

- Expliquez ce qu'est un « post-scriptum » (du latin, *post*, « après », et *scriptum*, « écrit »).

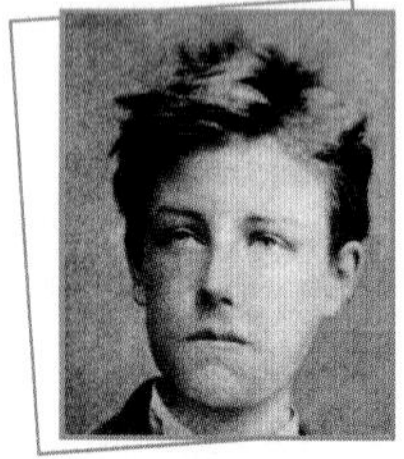

Arthur Rimbaud
(1854-1891)

Poète français qui a écrit très jeune, avant de vivre une vie aventureuse au Moyen-Orient et en Afrique.

Lettres à un professeur

Arthur Rimbaud à Georges Izambard.

Paris, 5 septembre 1870.

Cher Monsieur,

Ce que vous me conseilliez de ne pas faire, je l'ai fait : je suis allé à Paris, quittant la maison maternelle ! J'ai fait ce tour le 29 août.

Arrêté en descendant de wagon pour n'avoir pas un sou et devoir treize francs de chemin de fer, je fus conduit à la préfecture, et, aujourd'hui, j'attends mon jugement à Mazas[1] ! oh ! – J'espère en vous comme en ma mère ; vous m'avez toujours été comme un frère : je vous demande instamment cette aide que vous m'offrîtes. J'ai écrit à ma mère, au procureur impérial[2], au commissaire de police de Charleville[3] ; si vous ne recevez de moi aucune nouvelle mercredi, avant le train qui conduit de Douai à Paris, prenez ce train, venez ici me réclamer par lettre, ou en vous présentant au procureur, en priant, en répondant de moi, en payant ma dette ! Faites tout ce que vous pourrez, et, quand vous recevrez cette lettre, écrivez, vous aussi, je vous l'ordonne, oui, écrivez à ma pauvre mère (Quai de la Madeleine, 5, Charleville) pour la consoler. Écrivez-moi aussi ; faites tout ! Je vous aime comme un frère, je vous aimerai comme un père.

Je vous serre la main.

Votre pauvre Arthur Rimbaud,
[détenu] à Mazas.

(et si vous parvenez à me libérer, vous m'emmènerez à Douai avec [vous].)

Arthur Rimbaud, dessin paru dans *La Revue blanche*, 1895.

1. ancienne prison parisienne.
2. La France est alors gouvernée par l'empereur Napoléon III.
3. ville du Nord de la France.

Madame Rimbaud à Georges Izambard.

Charleville, le 24 septembre 1870.

Monsieur,

Je suis très inquiète et je ne comprends pas cette absence prolongée d'Arthur ; il a cependant dû comprendre par ma lettre du 17 qu'il ne devait pas rester un jour de plus à Douai ; d'un autre côté la police fait des démarches pour savoir où il est passé, et je crains bien qu'avant le reçu de cette présente ce petit drôle se fasse arrêter une seconde fois ; mais il n'aurait plus besoin de revenir, car je jure bien que de ma vie je ne le recevrais plus. Est-il possible de comprendre la sottise de cet enfant, lui, si sage et si tranquille ordinairement ? Comment une telle folie a-t-elle pu venir à son esprit ? Quelqu'un l'y aurait-il soufflée[1] *? Mais non, je ne dois pas le croire. On est injuste aussi, quand on est malheureux. Soyez donc assez bon pour avancer dix francs à ce malheureux. Et chassez-le, qu'il revienne vite !*

Je sors du bureau de poste où l'on m'a encore refusé un mandat, la ligne n'étant pas ouverte jusqu'à Douai[2]*. Que faire ? Je suis bien en peine. Que Dieu ne punisse pas la folie de ce malheureux enfant comme il le mérite.*

J'ai l'honneur, Monsieur, de vous présenter mes respects.

V. Rimbaud.

1. la lui aurait-il soufflée.
2. Les mandats étaient des sortes de virements d'argent faits par la poste et qui utilisaient, à cette époque, les lignes de télégraphe.

ARTHUR RIMBAUD, *Œuvres complètes, Correspondance* © Bouquins, Robert Laffont, 2004.

Définir les fonctions d'une lettre : formuler une demande

La demande d'Arthur Rimbaud

1. À quel âge et dans quelle circonstance A. Rimbaud écrit-il cette lettre à son professeur G. Izambard ?

2. L. 11 à 16 : **a.** À quel mode la majorité des verbes est-elle conjuguée ? **b.** Quels sont les deux types de phrase dominants ? **c.** Dans quel état d'esprit A. Rimbaud se trouve-t-il ?

3. Quelle demande A. Rimbaud formule-t-il ?

La demande de Madame Rimbaud

4. a. Dans quelle circonstance Mme Rimbaud écrit-elle cette lettre ? **b.** Quel sentiment éprouve-t-elle au début de sa lettre ? à la fin ? Justifiez.

5. Relevez les termes qu'elle emploie pour qualifier son fils et son acte : quel jugement porte-t-elle ?

6. Quelle demande formule-t-elle ?

Les sentiments à l'égard de Georges Izambard

7. a. Relevez les comparaisons employées par A. Rimbaud : quel sentiment traduisent-elles ? **b.** Quel sentiment le post-scriptum sous-entend-il ? Expliquez.

8. a. Quelle accusation Mme Rimbaud sous-entend-elle ? **b.** Qui désigne-t-elle par le pronom indéfini « on » (l. 11-12) ? **c.** Pourquoi s'exprime-t-elle ainsi ?

9. Quel sentiment chaque formule de politesse révèle-t-elle ?

→ Réviser les figures de style – p. 383

Dégager l'essentiel SOCLE C1

› Que nous apprend cette correspondance privée sur la situation familiale et affective d'A. Rimbaud à cette période de sa vie ?

Rédiger un texte bref SOCLE C1

Lisez p. 128 le poème d'A. Rimbaud, « Ma bohème ». Rédigez une brève lettre que le jeune homme aurait pu écrire à son professeur pendant sa fugue pour lui faire part de son aventure. Vous respecterez la disposition d'une lettre.

Lectures

Avant de lire les textes

1. Lisez la biographie ci-dessous : a. Qui est George Sand : un homme ou une femme ? b. Quels âges respectifs Alfred de Musset et George Sand ont-ils lors de cette correspondance ?
2. Que savez-vous de l'histoire de Roméo et de Juliette ?

Correspondance sentimentale

Alfred de Musset à George Sand.

Alfred de Musset
(1810-1857)
George Sand
(1804-1876)

Alfred de Musset, auteur de poésies (voir p. 134) et de théâtre (voir p. 152 à 157) a eu une liaison amoureuse avec Aurore Maupin, femme de lettres qui se faisait appeler George Sand. Lors d'un voyage à Venise en 1833, Musset tombe gravement malade et George Sand le trompe avec le médecin appelé à son chevet. Après leur rupture, Musset rentre à Paris.

Ce n'est donc pas un rêve, mon frère chéri. Cette amitié qui survit à l'amour, dont tout le monde se moque tant, dont je me suis tant moqué moi-même, cette amitié-là existe. C'est donc vrai, tu me le dis et je le crois, je le sens, tu m'aimes. Que se passe-t-il en moi, mon amie ? Je vois la main de la providence[1] comme je vois le soleil. Maintenant c'est fini pour toujours, j'ai renoncé, non pas à mes amis, mais à la vie que j'ai menée avec eux. Cela m'est impossible de recommencer, j'en suis sûr ; que je me sais bon gré d'avoir essayé ! Sois fière, mon grand et brave George, tu as fait un homme d'un enfant. Sois heureuse, sois aimée, sois bénie, repose-toi, pardonne-moi ! Qu'étais-je donc sans toi, mon amour ? Rappelle-toi nos conversations dans ta cellule ; regarde où tu m'as pris et où tu m'as laissé. Suis ton passage dans ma vie ; regarde comme tout cela est palpable, évident ; comme tu m'as dit clairement : ce n'est pas là ton chemin ; comme tu m'as pris par la main pour me remettre dans ma route. – Assieds-toi sur le bord de cette route simple, ô mon enfant, tu étais trop lasse pour y marcher longtems[2] avec moi. – Mais moi, j'y marcherai. Il faut que tu m'écrives souvent, que tu me laisses t'écrire ma vie à mesure que je vivrai. [...] Toutes les fois que je relèverai la tête dans l'orage, comme un pilote effrayé, trouverai-je toujours mon étoile, la seule étoile de ma nuit ? Consulte-toi. Ces trois lettres que j'ai reçues, est-ce le dernier serrement de main de la maîtresse qui me quitte, ou le premier de l'ami qui me reste ? [...]

Adieu, mon frère, mon ange, mon oiseau, ma mignonne adorée, adieu tout ce que j'aime sous ce triste ciel, tout ce que j'ai trouvé sur cette pauvre terre. Chantes-tu encore quelquefois nos vieilles romances espagnoles ? Et penses-tu quelquefois à Roméo mourant ? Adieu ma Juliette.

Alfred de Musset.

1. la protection divine.
2. longtemps.

Lettre d'Alfred de Musset à George Sand, 1834 ; *George Sand et Alfred de Musset*, XIXe siècle.

George Sand à Alfred de Musset.

Non, mon enfant chéri, ces trois lettres ne sont pas le dernier serrement de main de l'amante qui te quitte, c'est l'embrassement du frère qui te reste. Ce sentiment-là est trop beau, trop pur et trop doux pour que j'éprouve jamais le besoin d'en finir avec lui. [...] Sois heureux, sois aimé. Comment ne le serais-tu pas ? Mais garde-moi dans un petit coin secret de ton cœur et descends-y dans tes jours de tristesse pour y trouver une consolation ou un encouragement. Tu ne parles pas de ta santé. Cependant tu me dis que l'air du printemps et l'odeur des lilas entre dans ta chambre par bouffées et fait bondir ton cœur d'amour et de jeunesse. Cela est un signe de santé et de force, le plus doux certainement que la nature nous a donné. Aime donc, mon Alfred, aime pour tout de bon. Aime une femme jeune, belle et qui n'ait pas encore aimé, pas encore souffert. [...]

Adieu, mon cher petit ange, écris-moi, écris-moi toujours de ces bonnes lettres qui ferment toutes les plaies que nous nous sommes faites et qui changent en joies présentes nos douleurs passées. Je t'embrasse. [...]

George Sand.

G. Sand et A. de Musset, *Correspondance amoureuse*

Histoire des  SOCLE **C4, C5** 

S'informer, se documenter

Consultez le site du film *Les Enfants du siècle* : http://www.bacfilms.com/site/enfants

A. Indiquez le nom de la réalisatrice, des interprètes d'A. de Musset et de G. Sand, du créateur des costumes.

B. Expliquez le rapport entre l'intrigue du film et ces deux lettres.

Photographie du film *Les Enfants du siècle*, de Diane Kurys, 1999.

Analyser les fonctions de la lettre : partager des sentiments

Des sentiments complexes

1. a. Relevez les apostrophes employées d'une part par A. de Musset, d'autre part par G. Sand.
b. Que révèlent-elles de leurs sentiments respectifs et de leur relation ?

2. a. Dans quelle circonstance A. de Musset écrit-il ? Expliquez. **b.** À quoi comprenez-vous que la lettre de G. Sand est une réponse à celle d'A. de Musset ?

3. a. Selon A. de Musset, quel rôle essentiel G. Sand a-t-elle joué dans sa vie ?
b. Quel rôle lui demande-t-il de jouer à l'avenir ?
c. Accepte-t-elle de jouer ce rôle ? Développez votre réponse en citant les lettres.

4. a. Quelles recommandations G. Sand fait-elle à A. de Musset ? **b.** Quel rôle se donne-t-elle ainsi ?

5. Relisez le dernier paragraphe de chaque lettre : **a.** Quel sentiment A. de Musset éprouve-t-il ? **b.** Ce sentiment est-il partagé par G. Sand ? Expliquez.

→ La situation d'énonciation – p. 347

L'écriture des lettres

6. Relevez des exemples de figures de style (métaphore, comparaison, répétition, énumération) dans les deux lettres.

7. Quels sont les deux types de phrase dominants dans les deux lettres ? Donnez un exemple de chaque type.

8. En vous appuyant sur vos réponses précédentes, définissez le ton de cette correspondance.

Dégager l'essentiel SOCLE **C5**

› Quel rôle ces deux lettres jouent-elles dans la vie sentimentale d'A. de Musset et de G. Sand ?

 **Rédiger un texte bref** SOCLE **C1**

Rédigez en une dizaine de lignes la réponse qu'A. de Musset aurait pu écrire.

Lectures

Avant de lire le texte

- Cherchez sur une carte où se trouve l'île de Guernesey dans la Manche.

Lettre ouverte aux habitants de Guernesey

Victor Hugo
(1802-1885)

Cet écrivain français, pour s'être opposé à l'empereur Napoléon III, a dû fuir la France et s'est exilé dans les îles anglo-normandes, Jersey puis Guernesey. Il a toujours milité contre la peine de mort, comme écrivain et comme député.

Peuple de Guernesey,

C'est un proscrit[1] qui vient à vous.

C'est un proscrit qui vient vous parler pour un condamné. [...]

Le mardi 18 octobre 1853, à Guernesey, un homme, John-Charles Tapner, est entré la nuit chez une femme, Mme Saujon, et l'a tuée ; puis il l'a volée, et il a mis le feu au cadavre et à la maison, espérant que le premier forfait s'en irait dans la fumée du second. Il s'est trompé. Les crimes ne sont pas complaisants, et l'incendie a refusé de cacher l'assassinat. [...]

Le procès fait à Tapner a jeté un jour hideux[2] sur plusieurs autres crimes. Depuis un certain temps des mains, tout de suite disparues, avaient mis le feu à diverses maisons dans l'île ; les présomptions[3] se sont fixées sur Tapner, et il a paru vraisemblable que tous les précédents incendies dussent se résumer dans le sanglant incendiaire du 18 octobre.

Cet homme a été jugé ; jugé avec une impartialité et un scrupule qui honorent votre libre et intègre[4] magistrature. Treize audiences[5] ont été employées à l'examen des faits et à la formation lente de la conviction des juges. Le 3 janvier l'arrêt a été rendu à l'unanimité ; et à neuf heures du soir, en audience publique et solennelle, votre honorable chef-magistrat, le bailli[6] de Guernesey, d'une voix brisée et éteinte, tremblant d'une émotion dont je le glorifie, a déclaré à l'accusé que « la loi punissant de mort le meurtre », il devait, lui John-Charles Tapner, se préparer à mourir, qu'il serait pendu, le 27 janvier prochain, sur le lieu même de son crime, et que, là où il avait tué, il serait tué. [...]

Guernesiais ! La peine de mort recule aujourd'hui partout et perd chaque jour du terrain ; elle s'en va devant le sentiment humain. En 1830, la Chambre des députés de France en réclamait l'abolition, par acclamation ; la Constituante de Francfort l'a rayée des codes en 1848 ; la Constituante de Rome l'a supprimée en 1849 ; notre Constituante de Paris ne l'a maintenue qu'à une majorité imperceptible ; je dis plus, la Toscane, qui est catholique, l'a abolie ; la Russie, qui est barbare, l'a abolie. [...] Est-ce que vous en voulez, vous, hommes de ce bon pays ?

Il dépend de vous que la peine de mort soit abolie[7] de fait à Guernesey ; il dépend de vous qu'un homme ne soit pas « pendu jusqu'à ce que mort s'ensuive » le 27 janvier ; il dépend de vous que ce spectacle effroyable, qui laisserait une tache noire sur votre beau ciel, ne vous soit pas donné. [...]

Levez-vous. Hâtez-vous. Ne perdez pas un jour, ne perdez pas une heure, ne perdez pas un instant. Que ce fatal 27 janvier vous soit sans cesse présent. Que toute l'île compte les minutes comme cet homme !

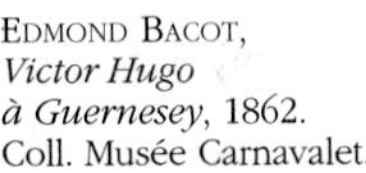

EDMOND BACOT, *Victor Hugo à Guernesey*, 1862. Coll. Musée Carnavalet.

Songez-y bien, depuis que cette sentence de mort est prononcée, le bruit que vous entendez maintenant dans toutes vos horloges, c'est le battement du cœur de ce misérable. [...]

Peuple de pêcheurs, bons et vaillants hommes de la mer, ne laissez pas mourir cet homme. Ne jetez pas l'ombre d'une potence sur votre île charmante et bénie. [...]

Si Dieu seul a le droit de retirer ce que Dieu seul a eu le pouvoir de donner, si la mère qui sent l'enfant remuer dans ses entrailles est un être béni, si le berceau est une chose sacrée, si le tombeau est une chose sainte, insulaires[8] de Guernesey, ne tuez pas cet homme !

Je dis : ne le tuez pas, car, sachez-le bien, quand on peut empêcher la mort, laisser mourir, c'est tuer.

VICTOR HUGO,
Lettre ouverte aux habitants de Guernesey, 1854.

---

1. exilé pour raisons politiques. 2. a éclairé de façon horrible. 3. soupçons. 4. honnête. 5. séances du tribunal. 6. président. 7. supprimée. 8. habitants de l'île.

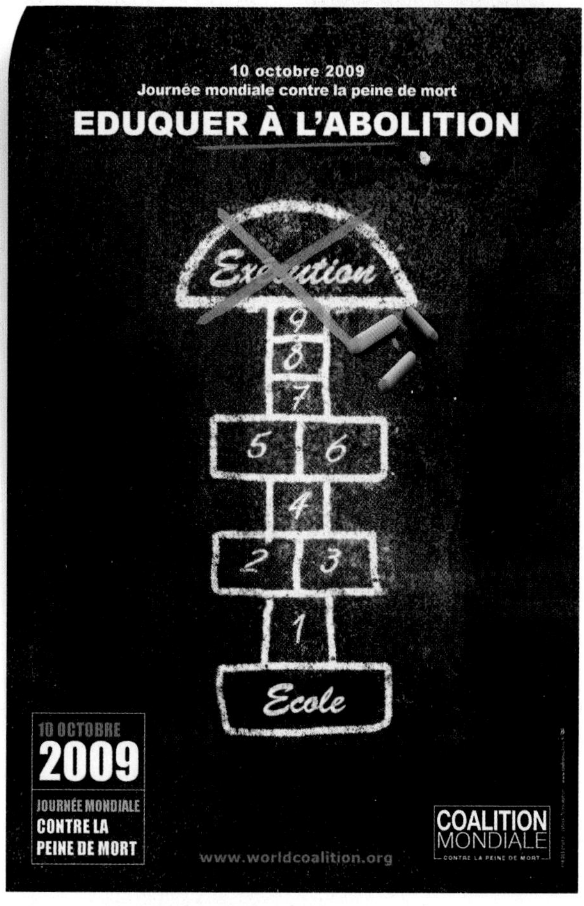

Affiche de la Journée mondiale contre la peine de mort, 2009.

Histoire des Arts SOCLE C5

A. a. Quelle est la nature du document ci-contre ?
b. Qui s'adresse à qui ? Justifiez.

B. Que peut signifier le choix du jeu de la marelle ?

C. Quelles sont les couleurs du dessin ? Que symbolisent-elles ?

D. Quels liens peut-on faire entre cette affiche et la lettre de V. Hugo ?

Définir les fonctions de la lettre : défendre une cause

Une lettre « ouverte »

1. Quelle est la situation de V. Hugo au moment où il écrit cette lettre ?

2. a. Relevez les groupes nominaux désignant les destinataires de la lettre. **b.** À qui V. Hugo s'adresse-t-il ? **c.** Quelle opinion de ses destinataires a-t-il ?

3. D'après vos réponses précédentes, une lettre « ouverte » est-elle privée ou publique ?

Une cause à défendre

4. L. 4 à 24 : **a.** Quel est le temps verbal dominant ?
b. Dans ce passage, V. Hugo défend-il des idées ou raconte-t-il des faits ? Justifiez.

5. a. De quoi Tapner est-il accusé ? **b.** Que risque-t-il ?
c. À travers ce cas, quelle cause V. Hugo défend-il ?

L'art de persuader

6. a. Quelle figure de style repérez-vous dans les l. 34 à 38 ? **b.** Dans les l. 43 à 45 ?

7. L. 39 à 57 : quel est le type de phrase dominant ? Quelles sont les constructions employées ?

8. a. Expliquez la dernière phrase.
b. Quel verbe V. Hugo répète-t-il volontairement ?
c. Quel sentiment cherche-t-il à éveiller ainsi chez les destinataires de sa lettre ?

→ Réviser la phrase – p. 282

Dégager l'essentiel SOCLE C1

› Quelles sont les caractéristiques d'une lettre ouverte ?

CORRESPONDANCES ÉLECTRONIQUES

Avant de lire le document

- *Lexique* Traduisez « e-mail » (« e » étant l'abréviation d'« electronic »).

www.lyonplus.com

IN & OUT
DE LA LETTRE À l'E-MAIL

Adieu ratures et pattes de mouche

En une quinzaine d'années, les courriers électroniques ont presque entièrement remplacé les lettres manuscrites, n'en déplaise à Madame de Sévigné ou Honoré de Balzac, célèbres pour leur missives. Aujourd'hui, 247 milliards d'e-mails transitent quotidiennement dans le monde, affirme une étude du groupe d'expertise américaine Radicati, parue en 2009. Si la plupart sont des publicités, les autres permettent, en quelques secondes, d'échanger des informations par écrit, de la plus indispensable à la plus futile. *Exit*[1] les correspondances interminables, de brefs e-mails permettent désormais de supprimer les barrières du temps et de la distance. En avril, selon *Médiamétrie*, deux Français sur trois âgés de 11 ans et plus se sont connectés à Internet au moins une fois durant le mois, soit 36 millions de Français susceptibles d'avoir au moins une boîte mail. 85 % d'entre eux en possèdent au moins deux, rapporte *Le Journal du Net*. Un phénomène entré dans les habitudes de vie des Français, dont les boîtes aux lettres ne reçoivent plus que des factures et quelques cartes postales…

1. finies.

IN L'E-MAIL RAPIDE COMME L'ÉCLAIR

Simplicité et rapidité d'exécution

Pas de papier, une adresse courte, et le message parvient à son destinataire en quelques secondes. L'e-mail a révolutionné les modes de communication écrits. Une instantanéité appréciée des internautes français, qui aiment aussi disposer de plusieurs adresses mails, pour mieux trier contacts professionnels, familiaux et amicaux. Un utilisateur sur quatre possède jusqu'à cinq boîtes différentes, selon *Le Journal du Net*.

Accessible presque partout

En plein Paris ou au fin fond d'un village vietnamien, dès lors qu'un terminal est relié à Internet, la boîte mail est disponible pour donner des nouvelles à ses proches. Le Web ne dort jamais, et les noctambules de la plume ne se heurtent plus aux horaires des services postaux.

Du multimédia en supplément

Photos, vidéos, fichiers audio et documents joints font partie intégrante des messages électroniques. Les grands-parents peuvent dès lors s'émerveiller en visionnant la vidéo, filmée le matin même, des premiers pas de leur petit-fils.

OUT LA LETTRE TRAÎNE EN ROUTE

Des missives perdues

Si la plupart des lettres arrivent en vingt-quatre heures, gare à ceux qui se tromperaient en rédigeant l'adresse. Samedi, une lettre un peu particulière est arrivée à la mairie de Seix, un petit village ariégeois. Elle avait été postée à Paris en février… 1790, rapporte *La Dépêche du Midi*. Il a fallu 220 ans à la missive pour arriver à destination à cause d'une confusion avec Saix, commune du Tarn.

Du papier et des timbres

C'est le côté fastidieux et peu économique du courrier. Donner de ses nouvelles a un coût. En France, il faut s'affranchir d'un timbre à 0,56 euro et le coller sur une enveloppe à 2 centimes d'euro.

Pas toujours très confidentiel

L'enveloppe, censée mettre la lettre d'amour à l'abri des regards, n'empêche pas toujours certains curieux d'intercepter la missive et de percer ses secrets.

Article « Loisirs » du lundi 7 juin 2010 de Lyonplus.com, journal quotidien gratuit.

Comparer lettre et courrier électronique

Un article de presse en ligne

1. Comment l'article est-il mis en page ? Répondez en employant les mots « colonnes », « gros titre », « surtitre », « sous-titre », « encadrés » et en vous intéressant aux caractères typographiques, aux images, aux couleurs.

2. a. Traduisez le surtitre « IN & OUT ». **b.** Comparez les deux sous-parties de l'article titrées « IN » et « OUT », puis expliquez les sens figurés de « IN » et « OUT » dans l'article.

Deux genres épistolaires

3. Relevez dans l'article un synonyme de « lettre » et un synonyme de « e-mail ».

4. Relevez tous les mots de l'article appartenant au vocabulaire épistolaire.

→ Réviser la synonymie – p. 380

Comparaison des deux types de correspondances

5. a. Quelles caractéristiques de la lettre l'article décrit-il ? **b.** Le jugement porté est-il positif ou négatif ?

6. Par quel moyen l'auteur de l'article démontre-t-il l'importance des e-mails aujourd'hui ?

7. a. Quelles caractéristiques du courrier électronique l'article décrit-il ? **b.** Le jugement porté est-il un éloge ou une critique ?

Dégager l'essentiel SOCLE C1

› Quelle est la principale raison du succès des e-mails, selon l'article ?

› Partagez-vous ce point de vue ? Expliquez.

S'informer, se documenter SOCLE C4

Connectez-vous au site Lyonplus.com ou à un autre journal en ligne indiqué par votre professeur pour répondre aux questions suivantes.

1. Où, à quel rythme, comment et quand ce journal est-il publié et diffusé ?

2. a. À quel groupe de presse ce journal appartient-il ? **b.** Quel est le nom de son rédacteur en chef ? **c.** Comment peut-on contacter la rédaction du journal ?

Communiquer, échanger SOCLE C4

SUJET : Pour une raison ou une autre (accident, épidémie, intempéries…), vous ne pouvez pas aller au collège ni voir vos amis et vous correspondez avec eux par courrier électronique.

Consignes :

- Adressez-vous plusieurs courts messages pour donner de vos nouvelles et formuler une ou plusieurs demandes.
- Joignez un document ou une photo à l'un de vos messages, en respectant les règles de la charte d'usage des TICE dans le collège.
- Veillez à rédiger des textes correctement ponctués et orthographiés.

Avant de lire le document

1. *Lexique* Cherchez le sens de « courtoisie ».
2. a. *Lexique* De quel mot « pseudo » est-il l'abréviation ?
b. Qu'est-ce qu'un « pseudo » sur Internet ?

Trouver la bonne média attitude

Tes amis, tes parents, tes professeurs, ton directeur de stage... Les occasions de communiquer ne manquent pas. Tu dois cependant tenir compte du contexte, t'adapter à chaque interlocuteur et trouver le ton juste.

« Petitefillette78 me demande où j'habite, je lui réponds quoi ? » Il vaut mieux éviter de donner des informations personnelles à des inconnus.

« Alors, que puis-je lui dire ? » Tu peux parler de tes goûts musicaux, de ta série préférée... [...]

Donner mon nom ? Protéger ma vie privée ? Comment choisir ?
Tout dépend de la situation. Quels sont les usages sur le site ou le réseau ?
Interroge-toi sur le statut des personnes avec qui tu échanges et sur l'utilité ou non de donner des informations personnelles. En cas de doute, attends et demande conseil à tes parents ou à un adulte de ton entourage.

Pour une bonne attitude

De l'autre côté du téléphone, de l'ordinateur, derrière un pseudo... il y a une personne ! Ce n'est pas parce qu'on ne la voit pas qu'elle n'est pas réelle. Comme dans la vie quotidienne, il y a des usages à respecter.

- La *Netiquette* souligne qu'« en général les règles habituelles de courtoisie devraient s'appliquer encore plus sur Internet car le langage corporel et le ton de la voix ne peuvent plus qu'être déduits ».
- Lorsqu'on écrit un courrier, un message sur un *chat* ou sur un forum, il est facile de respecter les règles de politesse.
- « Bonjour », « au revoir », « merci » s'emploient exactement comme d'habitude.
- Attention ! Écrire en lettres capitales donne une importance spéciale aux propos mais peut aussi donner l'impression que l'on crie.
- Distinguer tutoiement et vouvoiement est important, surtout lorsqu'on s'adresse à un adulte.
- En plus d'être une marque de politesse, une bonne orthographe permet d'être compris de tous...
- La présentation (couleur, police, icônes, trombines ou « smileys »...) doit être adaptée à l'interlocuteur et ne doit pas nuire à la lecture.

De mes proches à la Terre entière

• **Avec les personnes qui me sont le plus proches :** Téléphone, *SMS*, *MMS*
C'est l'usage le plus privé, le plus direct, je ne laisse donc pas mes informations à tout le monde. C'est pratique pour échanger vite, sans nécessairement y mettre les formes. [...]

• **Avec mes correspondants, mes copains, les copains de mes copains... :** Messagerie instantanée (*MSN*, *Skype*...)
Je partage mon pseudo, j'élargis mon cercle d'amis, mais il est important que je sache qui est derrière chaque pseudo... Je suis libre de mon expression, mais je fais attention à ce que j'écris pour être bien compris et interprété, surtout si je m'adresse à quelqu'un que je n'ai jamais vu.

• **Avec mes amis, mais aussi parfois avec des personnes plus éloignées :** Courriel ou *mail*
Connaître, ou au contraire ne pas connaître, mon correspondant ne me dispense pas de courtoisie. La forme du message compte : formules de politesse et signature sont indispensables.

Quel média pour quel message ?

• **Avec mes connaissances :** Les réseaux sociaux (*Facebook*...)
J'échange des idées, des photos, des liens, le plus souvent sous ma véritable identité. Je dois donc faire attention à l'image que je donne de moi et à ce que je dévoile ou cache de mon intimité.

• **Avec une communauté consacrée à ma musique préférée ou à mes jeux favoris :** Forums ou *chats*
J'échange publiquement avec des personnes que je ne connais pas forcément mais avec qui je partage des centres d'intérêt. La courtoisie et la connaissance des règles de la communauté sont nécessaires. [...]

• **Je publie moi-même :** *Blogs* et sites
Je suis producteur d'informations sur mon *blog* ou dans les commentaires. Je respecte les règles relatives au droit des auteurs et à la protection de la vie privée. Je ne choisis pas qui me lit, tout ce que j'écris m'engage et restera longtemps sur Internet.

Connaître les règles des échanges sur le Net

La *Netiquette*

1. Quelles sont les informations à ne pas livrer sur Internet ? Dans quel cas ?

2. Les règles d'écriture sur Internet sont-elles différentes des règles de correspondance sur papier ? Justifiez.

3. *Net* signifie « réseau » en anglais ; « étiquette » désigne les usages de la vie en société : définissez la *Netiquette*.

Échanges privés ou publics ?

4. Classez les types d'échanges listés dans cette brochure en deux catégories : **a.** privés ; **b.** publics.

5. Peut-on employer un pseudo ? Expliquez.

6. Peut-on tout écrire sur Internet ? Pourquoi ?

Dégager l'essentiel SOCLE C1

› Un réseau social sur Internet est-il un espace public ou privé ?

› La liberté d'expression sur le *Net* est-elle la même que dans un échange de lettres ? Expliquez.

Adopter une attitude responsable SOCLE C4

Répondez à ce questionnaire sur « l'identité numérique » en indiquant VRAI ou FAUX.

1. Je ne suis pas obligé(e) de donner mon nom et mon prénom quand je me crée un profil.
2. Si j'ai changé d'avis, je peux toujours effacer ce que j'ai publié.
3. Les réseaux sociaux comme *Facebook* permettent de garder le lien avec mes copains de vacances.
4. Seuls mes amis peuvent avoir accès à mes photos.
5. Je peux avoir 700 amis sur *Facebook*.
6. Les informations que je donne permettent au site de mieux me connaître.
7. Si je commente ou partage une information déjà publiée, je ne suis pas responsable du contenu.
8. On peut tout savoir sur moi en cherchant sur le Web.
9. Pour échanger les photos de la soirée de fin d'année, c'est bien de les mettre en ligne.
10. Les réseaux sociaux sont un bon moyen de se faire connaître pour un artiste.

http://www.ctoutnet.fr

Autour d'une œuvre

Avant de lire les textes

- Retrouvez le sens latin du nom *epistula*, p. 96 : qu'est-ce qu'une « épistolière » ?

Lettres choisies, Mme de Sévigné

→ *Étudier un art d'écrire*
→ *Écrire à la manière de Mme de Sévigné*

A Situer les lettres dans leur époque

La poste au XVIIe siècle

En 1630 est créée la Surintendance des postes : la Poste aux chevaux pour les voyageurs et la Poste aux lettres pour le courrier ; toutes deux utilisaient les relais de poste, auberges réparties à travers tout le territoire, où chevaux, postillons et voyageurs pouvaient se reposer. Ces relais étaient tenus par les maîtres de poste nommés par le roi à partir de la fin du XVIIe siècle ; bien payés, bien logés, ils avaient une situation enviable.

Vers 1664, pour acheminer le courrier, apparaît un véhicule plus rapide, la « chaise de poste », menée par un « postillon ». Un voyage Paris-Lyon durait trois jours ; Paris-Marseille, neuf jours.

Le nom « poste » (de l'italien *posta*, « station »), désignait l'emplacement d'un cheval dans une écurie : expliquez l'évolution du sens de ce nom.

B Découvrir une épistolière célèbre

Ami lecteur, amie lectrice,

Que te dire de la Marquise ? Mme de Sévigné est née en 1626 à Paris. Elle s'est retrouvée veuve assez jeune. Très attachée à sa fille, elle lui a écrit des centaines de lettres (deux par semaine en moyenne) après le mariage de celle-ci avec M. de Grignan et leur installation en Provence. Elle correspond aussi avec des amis comme M. de Pomponne. Au total, le nombre de ses lettres s'élève environ à mille cinq cents !

De haute noblesse, la marquise de Sévigné fréquente les milieux aristocratiques et la cour de Louis XIV à Versailles. Elle habite une des plus belles demeures de Paris, l'hôtel Carnavalet (aujourd'hui un musée) ; elle se rend parfois en Bretagne où elle possède, près de Vitré, le château des Rochers et à Vichy pour y suivre des cures ; elle séjourne trois fois à Grignan chez sa fille.

Contrairement à la légende, sais-tu que les lettres de Mme de Sévigné sont restées privées ? C'est sa petite-fille qui en fera la première publication importante en 1734, en insistant sur le caractère privé des lettres de sa grand-mère : « C'est ici une mère qui écrit à sa fille tout ce qu'elle pense, comme elle l'a pensé, sans avoir jamais pu croire que ses lettres tombassent en d'autres mains que les siennes. »

Les lettres de cette épistolière sont écrites dans un style raffiné, léger, plaisant, a fait dire à Voltaire que Mme de Sévigné était « la première personne de son siècle pour le style épistolaire, et surtout pour conter des bagatelles[1] avec grâce ».

Nous espérons que tu prendras plaisir à la découverte des lettres de la Marquise.

Bonne lecture.
Les auteurs du manuel.

1. a. À quel siècle Mme de Sévigné a-t-elle vécu ? **b.** De quel roi s'agit-il dans ses lettres ?

2. a. À qui a-t-elle adressé la majorité de ses lettres ? **b.** De son temps, ses lettres étaient-elles privées ou publiées ?

3. Pourquoi le musée Carnavalet consacre-t-il des salles à Mme de Sévigné ?

4. a. Pourquoi Mme de Sévigné est-elle connue comme « épistolière » ? **b.** Pourquoi y a-t-il des « Festivals de la correspondance » à Grignan et à Vitré ?

1. petites choses sans importance.

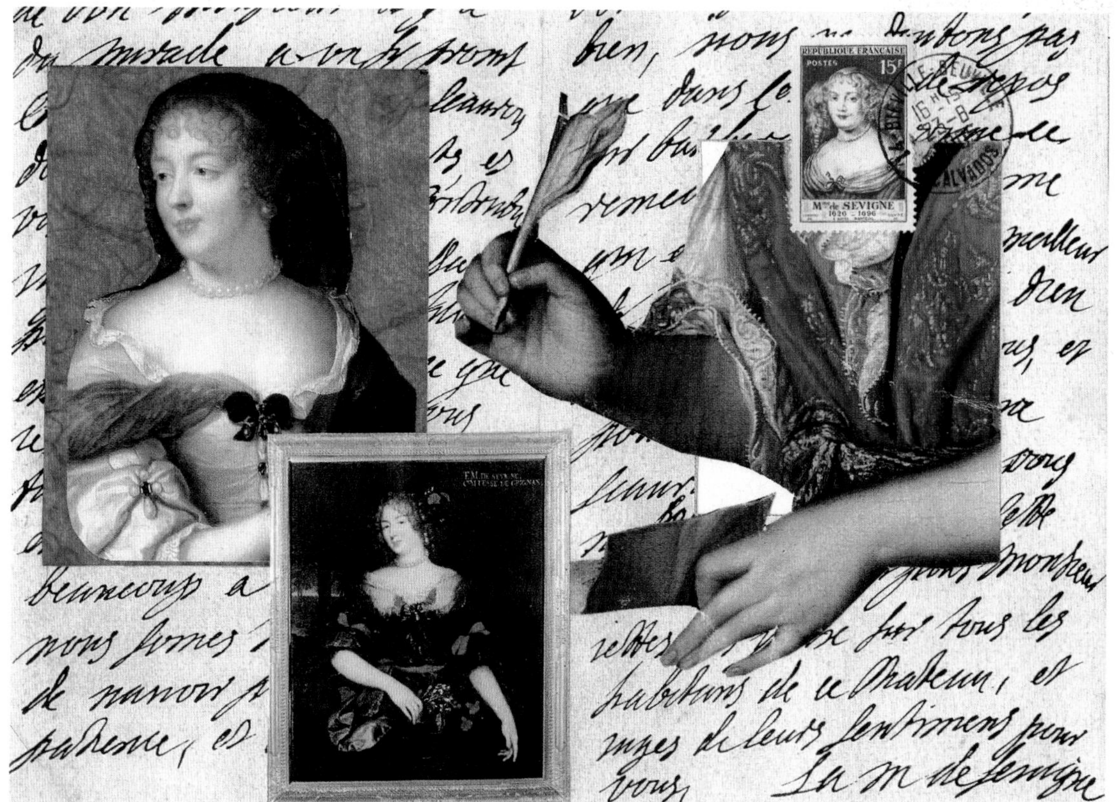

Enveloppe-collage réalisée par Martine Chenon, collection Pierre-Stéphane Proust.

C Lire des lettres de Mme de Sévigné

Lettre 1

Au marquis de Pompone

À Paris, lundi 1er décembre 1664.

[…] Il faut que je vous conte une petite historiette, qui est très vraie, et qui vous divertira. Le Roi se mêle depuis peu de faire des vers ; MM. de Saint-Aignan et Dangeau lui apprennent comme il faut s'y prendre. Il fit l'autre jour un petit madrigal[1], que lui-même ne trouva pas trop joli. Un matin, il dit au maréchal de Gramont : « Monsieur le maréchal, je vous prie, lisez ce petit madrigal, et voyez si vous en avez jamais vu un si impertinent[2]. Parce qu'on sait que depuis peu j'aime les vers, on m'en apporte de toutes les façons. » Le maréchal, après avoir lu, dit au Roi : « Sire, Votre Majesté juge divinement bien de toutes choses : il est vrai que voilà le plus sot et le plus ridicule madrigal que j'aie jamais lu. » Le Roi se mit à rire et lui dit : « N'est-il pas vrai que celui qui l'a fait est bien fat[3] ? – Sire, il n'y a pas moyen de lui donner un autre nom. – Oh bien ! dit le Roi, je suis ravi que vous m'en ayez parlé si bonnement ; c'est moi qui l'ai fait. – Ah ! Sire, quelle trahison ! Que Votre Majesté me le rende ; je l'ai lu brusquement. – Non, Monsieur le maréchal : les premiers sentiments sont toujours les plus naturels. » Le Roi a fort ri de cette folie, et tout le monde trouve que voilà la plus cruelle petite chose que l'on puisse faire à un vieux courtisan. Pour moi, qui aime toujours à faire des réflexions, je voudrais que le Roi en fît là-dessus, et qu'il jugeât par là combien il est loin de connaître jamais la vérité. […]

1. petit poème.
2. mauvais.
3. prétentieux.

EUGÈNE FROMENT, *La Mort de Vatel*, 1905.

Lettre 2

À Mme de Grignan

JEAN-FRANÇOIS SOIRON, *Mme de Gringnan*, 1756-1813. Musée du Louvre, Paris.

À Paris, dimanche 26 avril 1671.

Il est dimanche 26 avril ; cette lettre ne partira que mercredi ; mais ceci n'est pas une lettre, c'est une relation[1] que vient de me faire Moreuil, à votre intention, de ce qui s'est passé à Chantilly touchant Vatel[2]. Je vous écrivis vendredi qu'il s'était poignardé : voici l'affaire en détail.

Le Roi arriva jeudi au soir ; la chasse, les lanternes, le clair de la lune, la promenade, la collation[3] dans un lieu tapissé de jonquilles, tout cela fut à souhait. On soupa[4] ; il y eut quelques tables où le rôti manqua, à cause de plusieurs dîners où l'on ne s'était point attendu[5]. Cela saisit Vatel ; il dit plusieurs fois : « Je suis perdu d'honneur ; voici un affront que je ne supporterai pas. » Il dit à Gourville[6] : « La tête me tourne, il y a douze nuits que je n'ai dormi ; aidez-moi à donner des ordres. » Gourville le soulagea en ce qu'il put. Ce rôti qui avait manqué, non pas à la table du Roi, mais aux vingt-cinquièmes, lui revenait toujours à la tête. Monsieur le Prince[7] alla jusque dans sa chambre, et lui dit : « Vatel, tout va bien, rien n'était si beau que le souper du Roi. » Il lui dit : « Monseigneur, votre bonté m'achève ; je sais que le rôti a manqué à deux tables. – Point du tout, dit Monsieur le Prince, ne vous fâchez point, tout va bien. » La nuit vient : le feu d'artifice ne réussit pas, il fut couvert d'un nuage ; il coûtait seize mille francs. À quatre heures du matin, Vatel s'en va partout, il trouve tout endormi ; il rencontre un petit pourvoyeur[8] qui lui apportait seulement deux charges de marée[9] ; il lui demande : « Est-ce là tout ? » Il lui dit : « Oui, Monsieur. » Il ne savait pas que Vatel avait envoyé à tous les ports de mer. Il attend quelque temps ; les autres pourvoyeurs ne viennent point ; sa tête s'échauffait, il croit qu'il n'aura point d'autre marée[10] ; il trouve Gourville, et lui dit : « Monsieur, je ne survivrai pas à cet affront-ci ; j'ai de l'honneur et de la réputation à perdre. » Gourville se moqua de lui. Vatel monte à sa chambre, met son épée contre la porte, et se la passe au travers cœur ; mais ce ne fut qu'au troisième coup, car il s'en donna deux qui n'étaient pas mortels : il tombe mort. La marée cependant arrive de tous côtés ; on cherche Vatel pour la distribuer ; on va à sa chambre ; on heurte, on enfonce la porte ; on le trouve noyé dans son sang. […]

1. récit.
2. célèbre cuisinier du prince de Condé, lequel reçoit le roi ce jour-là.
3. repas léger.
4. dîna.
5. à cause de plusieurs invités imprévus.
6. intendant du Prince.
7. prince de Condé.
8. livreur.
9. poisson frais qui arrivait directement d'un port de pêche.
10. livraison de poisson.

Lettre 3

À Mme de Grignan

À Paris, lundi 5 février 1674.

L'archevêque de Reims revenait hier fort vite de Saint-Germain, c'était comme un tourbillon ; il croit bien être grand seigneur, mais ses gens le croient encore plus que lui. Ils passaient au travers de Nanterre, tra tra tra ! Ils rencontrent un homme à cheval, gare, gare. Ce pauvre homme veut se ranger, son cheval ne veut pas ; et enfin le carrosse et les six chevaux renversent cul par-dessus tête le pauvre homme et le cheval, et passent par-dessus, et si bien par-dessus, que le carrosse en fut versé et renversé ; en même temps l'homme et le cheval, au lieu de s'amuser à être roués[1] *et estropiés, se relèvent miraculeusement, remontent l'un sur l'autre, et s'enfuient et courent encore, pendant que les laquais de l'archevêque et le cocher, et l'archevêque même, se mettent à crier : Arrête, arrête ce coquin*[2]*, qu'on lui donne cent coups ! L'archevêque, en racontant ceci, disait : « Si j'avais tenu ce maraud-là*[3]*, je lui aurais rompu les bras et coupé les oreilles. »*

1. frappés.
2. voyou.
3. voyou (terme employé pour un homme du peuple).

Lettre 4

À Mme de Grignan

La marquise de Brinvilliers avait empoisonné son père et ses frères ; elle fut condamnée à mort et son exécution fit grand bruit.

À Paris, vendredi 17 juillet 1676.

Enfin c'en est fait, la Brinvilliers est en l'air : son pauvre corps a été jeté, après l'exécution, dans un fort grand feu, et les cendres au vent ; de sorte que nous la respirerons, et par la communication des petits esprits, il nous prendra quelque humeur empoisonnante, dont nous serons tous étonnés. Elle fut jugée dès hier ; ce matin on lui a lu son arrêt, qui était de faire amende honorable[1] *à Notre-Dame, et d'avoir la tête coupée, son corps brûlé, les cendres au vent. On l'a présentée à la question*[2] *: elle a dit qu'il n'en était pas besoin, et qu'elle dirait tout : en effet, jusqu'à cinq heures du soir elle a conté sa vie, encore plus épouvantable qu'on ne le pensait. Elle a empoisonné dix fois de suite son père (elle ne pouvait en venir à bout), ses frères et plusieurs autres. [...] À six heures, on l'a menée nue en chemise et la corde au cou, à Notre-Dame, faire l'amende honorable ; et puis on l'a remise dans le même tombereau*[3]*, où je l'ai vue, jetée à reculons sur de la paille, avec une cornette*[4] *basse et sa chemise, un docteur auprès d'elle, le bourreau de l'autre côté : en vérité cela m'a fait frémir. Ceux qui ont vu l'exécution disent qu'elle a monté sur l'échafaud avec bien du courage. Pour moi, j'étais sur le pont Notre-Dame*[5]*, avec la bonne d'Escars*[6] *; jamais il ne s'est vu tant de monde, ni Paris si ému ni si attentif ; et qu'on demande ce que bien des gens ont vu, ils n'ont vu, comme moi, qu'une cornette*[7] *; mais enfin ce jour était consacré à cette tragédie. J'en saurai demain davantage, et cela vous reviendra.*

ANONYME, *L'Exécution remarquable de Mme de Brinvilliers*, XVIIe siècle. Musée Carnavalet, Paris.

1. reconnaître publiquement ses fautes.
2. la torture pour faire avouer.
3. charrette dans laquelle on mettait les condamnés à mort.
4. coiffe de femme du peuple.
5. dans une des maisons construites sur le pont.
6. mon amie Mme d'Escars.
7. la coiffe de la Brinvilliers.

Autour d'une œuvre

Lettre 5

À Mme de Grignan

Pietro Antonio Rotari (1707-1762), *Portrait de femme*, XVIIIe siècle. Musée national d'Art M.K. Ciurlionis, Kaunas.

À Montélimar, jeudi 5 octobre 1673.

Voici un terrible jour, ma chère fille ; je vous avoue que je n'en puis plus. Je vous ai quittée dans un état qui augmente ma douleur. Je songe à tous les pas que vous faites et à tous ceux que je fais, et combien il s'en faut qu'en marchant toujours de cette sorte, nous puissions jamais nous rencontrer. Mon cœur est en repos quand il est auprès de vous : c'est son état naturel, et le seul qui peut lui plaire. [...] J'ai le cœur et l'imagination tout remplis de vous ; je n'y puis penser sans pleurer, et j'y pense toujours : de sorte que l'état où je suis n'est pas une chose soutenable ; comme il est extrême, j'espère qu'il ne durera pas dans cette violence. Je vous cherche toujours, et je trouve que tout me manque, parce que vous me manquez. Mes yeux – qui vous ont tant rencontrée depuis quatorze mois – ne vous trouvent plus. Le temps agréable qui est passé rend celui-ci douloureux, jusqu'à ce que j'y sois un peu accoutumée ; mais ce ne sera jamais assez pour ne pas souhaiter ardemment de vous revoir et de vous embrasser. Je ne dois pas espérer mieux de l'avenir que du passé. Je sais ce que votre absence m'a fait souffrir ; je serai encore plus à plaindre, parce que je me suis fait imprudemment une habitude nécessaire de vous voir. Il me semble que je ne vous ai point assez embrassée en partant. [...] Je ne vous ai point assez dit combien je suis contente de votre tendresse ; je ne vous ai point assez recommandée à M. de Grignan. [...] Je suis déjà dévorée de curiosité ; je n'espère plus de consolation que de vos lettres, qui me feront encore bien soupirer. En un mot, ma fille, je ne vis que pour vous. Dieu me fasse la grâce de l'aimer quelque jour comme je vous aime. [...]

Adieu, ma chère enfant, aimez-moi toujours ; hélas ! Nous revoilà dans les lettres. [...] Ma fille, plaignez-moi de vous avoir quittée.

Lettre 6

À Mme de Grignan

À Paris, vendredi 8 décembre 1679.

C'est une chose rude, ma bonne, que d'être fort loin des personnes que l'on aime beaucoup ; il est impossible, quelque résolution que l'on fasse, de n'être pas un peu alarmée des désordres de la poste. Je n'eus point de vos lettres avant-hier ; pour dimanche, je ne m'en étonne pas, car j'avais eu le courrier. J'envoyai chez M. de Grignan ; ils n'en avaient point non plus. J'y allai le lendemain qui était hier ; enfin, il vint une lettre du 28 novembre, de Monsieur l'Archevêque, qui nous persuada qu'au moins vous n'étiez pas plus malade qu'à l'ordinaire. Je passai à la poste pour avoir des nouvelles d'Aix, car les courriers de ces messieurs vont plus vite que les nôtres. [...] J'attends donc vos lettres de dimanche ; je crois que j'en aurai deux. Je n'ai jamais mis en doute que vous m'ayez écrit, à moins que d'être bien malade. Cette seule pensée, sans aucun fondement, fait un fort grand mal. C'est une suite de votre délicate santé, car quand vous vous portiez bien, je supportais sans horreur les extravagances de la poste.

[...]

Je vous embrasse, ma très chère.

D Étudier un art d'écrire

Organisez-vous par petits groupes pour travailler ces axes d'étude.

Axe d'étude 1
Mme de Sévigné et sa fille

1. a. Repérez les passages où Mme de Sévigné s'adresse directement à sa fille : sont-ils rares ou fréquents ? **b.** Pour quelle raison Mme de Sévigné procède-t-elle ainsi ?

2. Dans quelles lettres Mme de Sévigné exprime-t-elle ses sentiments envers sa fille ? Quels sont ces sentiments ? Expliquez en vous appuyant sur les textes.

3. Quels buts Mme de Sévigné vise-t-elle en écrivant à sa fille ? Expliquez en citant des passages.

Axe d'étude 2
Mme de Sévigné et son temps

4. Sur quels aspects de la vie au XVIIe siècle les lettres de Mme de Sévigné constituent-elles un témoignage pour le lecteur moderne ? Expliquez.

5. a. Quelle opinion Mme de Sévigné a-t-elle des courtisans dans la lettre 1 ? **b.** Expliquez la dernière phrase de cette lettre. **c.** Quel comportement de l'archevêque la lettre 3 souligne-t-elle ?

6. Quelle image du roi les lettres 1 et 2 donnent-elles ? Expliquez.

7. Comment Mme de Sévigné juge-t-elle la Brinvilliers ? Son exécution ?

Axe d'étude 3
Le style de Mme de Sévigné

8. a. À qui Mme de Sévigné donne-t-elle la parole dans les lettres 1 et 2 ? **b.** Quelles marques d'oralité repérez-vous dans la lettre 3 ?

9. a. Observez la ponctuation dans les lettres 1, 2, 3 et 4 : quel est le rythme des phrases ? **b.** Quelle est la figure de style fréquemment employée dans ces lettres ?

10. a. La plupart des lettres sont-elles surtout narratives ou descriptives ? **b.** Repérez des passages au présent de narration dans la lettre 2. **c.** Dans quelle autre lettre trouve-t-on le même temps de la narration ?

→ Réviser les valeurs des temps de l'indicatif – p. 336

Faire preuve de sensibilité, d'esprit critique, de curiosité SOCLE C5

› Selon vous, pour quelles raisons les lettres de Mme de Sévigné peuvent-elles avoir un intérêt pour un lecteur du XXIe siècle ?

E Écrire à la manière de Mme de Sévigné

→ *Connaître et pratiquer diverses formes d'expression à visée littéraire* SOCLE C5

SUJET :

En vous inspirant notamment de la lettre 3, rédigez, à la manière de Mme de Sévigné, une lettre dans laquelle vous raconterez une querelle entre automobilistes, un concours sportif, une dispute entre élèves... Vous adresserez cette lettre à un adulte de votre choix.

Consignes d'écriture :

- Respectez le code de présentation d'une lettre.
- Respectez la situation d'énonciation : le vouvoiement, un niveau de langue soutenu.
- Employez des phrases brèves, juxtaposées, comportant de nombreuses énumérations.
- Moquez-vous d'un des personnages (ou de tous).

ANONYME, *Portrait de Mme de Sévigné.*
Musée Carnavalet, Paris, XVIIIe siècle.

L'écho du poète

Lettre

Éloigné de vos yeux, Madame, par des soins
Impérieux (j'en prends tous les dieux à témoins),
Je languis[1] et me meurs, comme c'est ma coutume
En pareil cas, et vais, le cœur plein d'amertume,
À travers des soucis où votre ombre me suit,
Le jour dans mes pensers[2], dans mes rêves la nuit, [...]

En attendant, je suis, très chère, ton valet.

Tout se comporte-t-il là-bas comme il te plaît,
Ta perruche, ton chat, ton chien ? La compagnie
Est-elle toujours belle ? et cette Silvanie
Dont j'eusse aimé l'œil noir si le tien n'était bleu,
Et qui parfois me fit des signes, palsambleu !
Te sert-elle toujours de douce confidente ?

[...] Cléopâtre[3] fut moins aimée, oui, sur ma foi !
Par Marc-Antoine et par César que vous par moi,
N'en doutez pas, Madame, et je saurai combattre
Comme César pour un sourire, ô Cléopâtre,
Et comme Antoine fuir au seul prix d'un baiser.

Sur ce, très chère, adieu. Car voilà trop causer,
Et le temps que l'on perd à lire une missive
N'aura jamais valu la peine qu'on l'écrive.

PAUL VERLAINE, « Lettre », *Fêtes galantes*, 1869.

1. je perds des forces.
2. pensées.
3. reine d'Égypte, célèbre pour sa beauté, elle fut la maîtresse du général romain César, puis celle de Marc-Antoine, proche de César.

JEAN-HONORÉ FRAGONARD, *La Lettre d'amour*, vers 1770. The Metropolitan Museum of Art, New York.

Histoire des Arts SOCLE C5

A. a. Expliquez le titre du tableau.
b. Comment interprétez-vous l'expression et la posture de la jeune femme ?
B. Observez le décor, les étoffes : quelle impression le peintre a-t-il cherché à créer selon vous ?
C. Quel détail du tableau fait écho au poème ?

Établir des liens entre les œuvres SOCLE C5

1. Quels vers pourraient figurer dans une lettre privée ordinaire ?

2. Quel sentiment l'auteur de cette « lettre » exprime-t-il ? Avec quelle intensité ?

Réciter un poème SOCLE C5

3. Marquez le changement de ton selon que le poète emploie le tutoiement ou le vouvoiement.

Faire le point

La lettre

Arts et culture

Bref historique

- Les lettres ont d'abord été des papyrus ou des parchemins roulés. Puis apparaît la lettre pliée en quatre et fermée (scellée) par un cachet de cire (le sceau). L'enveloppe ne sera fabriquée industriellement qu'à la fin du XIXe siècle.
- La poste, avec son système de relais, est créée au début du XVIIe siècle. En France, la création du premier timbre-poste date de 1848.
- À la fin du XXe siècle sont apparues des formes électroniques de courrier, privées ou publiques : le courriel (*mails*), le *chat* (conversation écrite en ligne), le *blog*, les messages écrits des téléphones portables (*SMS* ou *MMS*).

La lettre et la littérature

- Certaines correspondances privées ont été publiées et sont devenues des œuvres célèbres, telles que les lettres de **Mme de Sévigné**, la correspondance personnelle d'écrivains : **D. Diderot**, **Voltaire** (voir p. 212), **G. Sand**, **G. Flaubert**, **A. de Musset**, **A. Rimbaud**…
- Les romans épistolaires, tels les *Lettres persanes* (voir p. 212 et 217), sont constitués de lettres fictives.

Le genre épistolaire

L'auteur (ou émetteur) d'une lettre transmet un **message** qu'il adapte en fonction de son **destinataire** :

- une lettre privée **raconte**, **décrit**, **explique**, **exprime des sentiments** ou **des idées** ; sa présentation peut être pleine de fantaisie ;
- une lettre officielle **explique**, **informe** ou **formule une demande** ; sa présentation et son écriture sont codifiées ;
- une lettre publique **défend une opinion** ; elle est publiée dans la presse écrite, sur Internet ou dans des livres.

L'écriture de la lettre

- La présentation, le style, le niveau de langue de la lettre dépendent de sa forme (privée, officielle, publique).
- Une lettre comporte une formule d'adresse et une formule de politesse, quelle que soit sa forme (voir p. 97).
- Une lettre est rattachée à la situation d'énonciation : emploi de la 1re et de la 2e personnes, temps des verbes (présent d'actualité, futur, passé composé), présence de phrases interrogatives et injonctives, emploi d'indicateurs de temps tels que *maintenant*, *hier*, *demain*…
- Les messages électroniques, caractérisés par la brièveté, obéissent à des codes d'écriture spécifiques.

Je retiens l'essentiel

› Que signifie « épistolaire » ?

› Citez des auteurs dont la correspondance personnelle est devenue une œuvre littéraire.

› Quelles nouvelles formes la correspondance privée ou publique prend-elle aujourd'hui ?

Lexique

Étudier le vocabulaire de la lettre

Formation des mots et famille de mots

1. a. Décomposez le nom « correspondance » et expliquez-le. b. Donnez des mots de la même famille.

2. Le mot latin *epistula* signifiait « la lettre envoyée, le courrier » : a. Que veut dire « épistolaire » ? b. Comment se nomme une personne connue pour ses lettres ? c. Qu'est-ce qu'une « épître » ?

3. a. Donnez deux synonymes du nom « lettre » formés directement sur le radical latin *miss- / mess-* qui signifie « envoyer ». b. L'abréviation « P.S. » signifie « post-scriptum », du latin *post* (« après ») et *scriptum* (« écrit »). Où trouve-ton un post-scriptum dans une lettre : avant ou après la signature ?

Le vocabulaire de la correspondance

4. a. *Poster, postier, postillon, postiche*. Quel est l'intrus ? Justifiez. b. Que signifie : « affranchir une lettre » ? « affranchir un esclave » ? c Qu'est-ce qu'un « timbre oblitéré » ? d. Qu'est-ce qu'un « philatéliste » ? e. « Décacheter » une enveloppe signifie-t-il l'ouvrir ou la fermer ? f. Quelle différence y a-t-il entre une signature et un paraphe ? Qu'est-ce qu'un « parapheur » ?

5. a. Classez ces verbes par groupes de deux synonymes : *adresser, expédier, acheminer, envoyer*. b. Employez chacun d'eux dans une phrase qui en révèle le sens. c. Quand adresse-t-on des condoléances ? des vœux ?

Polysémie : les différents sens des mots

6. Dans chacune de ces expressions, le nom « lettre » est-il employé au sens propre ou figuré ?
1. Lettre recommandée : envoi dont la poste garantit l'acheminement.
2. Passer comme une lettre à la poste : passer facilement et sans incident ; être facilement digéré : être facilement admis.
3. Lettre circulaire : lettre adressée à plusieurs personnes à la fois.
4. Lettre de cachet : avant la Révolution, lettre fermée par le sceau du roi, qui permettait d'emprisonner quelqu'un sans jugement.
5. Rester lettre morte : rester sans effet.

7. a. Voici les différents sens de « courrier » :
1. XIVe siècle, de l'italien *corriere*, « courir » : l'homme qui précédait les voitures de poste pour préparer les relais. *Dépêcher un courrier*. 2. Transport des dépêches, des lettres, des journaux. *Un avion long-courrier*. 3. Ensemble des écrits adressés à quelqu'un, envoyés ou à envoyer.
4. Titre de certains journaux, rubrique dans un journal. *Le Courrier de l'Ouest*.
b. Auquel de ces sens rattachez-vous chacune des expressions suivantes ?
le courrier des lecteurs – le courrier électronique – dépouiller son courrier – répondre par retour du courrier – le courrier du cœur

8. « Mander » signifie : « 1. Faire savoir par écrit, par lettre ; 2. Ordonner ; 3. Faire venir ».
a. Quels sont les différents sens du nom « mandat » ?
b. Lequel correspond au domaine épistolaire ?

Exprimer des sentiments dans une lettre

9. a. Relevez dans la lettre suivante les adjectifs qualifiant Léonie : quel sentiment de V. Hugo expriment-ils ? b. Relevez un nom et un adjectif qualificatif de la même famille exprimant un autre sentiment. c. Le verbe « enivrer » est-il employé ici au sens propre ou au sens figuré ? d. Quel nom de sentiment est formé sur l'adjectif « fier » ?

> Oui, j'avais lu dans tes yeux ravissants cette lettre exquise, délicate et tendre que je relis ce soir avec tant de bonheur, ce que ta plume écrit si bien, ton regard adorable le dit avec un charme qui m'enivre. Comme j'étais fier en te voyant si belle ! Comme j'étais heureux en te voyant si tendre !
>
> V. Hugo, « Lettre à Léonie », *Correspondance*, 1845.

Rédiger des formules de politesse

10. a. Pour rédiger la formule de politesse à la fin d'une lettre, choisissez dans chaque liste le(s) mot(s) ou groupe(s) de mots adéquat(s).

Vous vous adressez à :
– un(e) ami(e) ; – un proche parent ; – quelqu'un que vous connaissez un peu ; – quelqu'un que vous ne connaissez pas du tout ; – un supérieur hiérarchique.
Adverbes : affectueusement, amicalement, cordialement, respectueusement. **Groupes verbaux** : Recevez, Veuillez agréer, Veuillez accepter. **Noms** : pensées, salutations, sentiments. **Adjectifs** : affectueux, amical, cordial, distingué, sincère, respectueux.

b. Rédigez une formule complète pour une lettre adressée à un ami ; à votre Principal(e) ; au représentant d'une administration ou d'une entreprise que vous sollicitez pour un stage.

Orthographe Conjugaison

Accorder des participes passés selon l'émetteur de la lettre

➜ Réviser les accords du participe passé – p. 358

Observer et manipuler

1. L'auteur de la lettre est-il un homme ou une femme ? Justifiez en relevant tous les participes passés qui donnent cette indication.

Je vous écris encore d'Andernach, sur les bords du Rhin, où je suis arrivé il y a trois jours. Après avoir laissé derrière moi la grande porte d'Andernach, toute criblée de trous de mitraille noircis par le temps, je me suis trouvé au bord du Rhin. Combien de temps ai-je marché ainsi absorbé dans la rêverie de toute la nature ? Je l'ignore.

D'après V. HUGO, *Le Rhin*, 1842.

2. Récrivez la lettre de l'exercice 1 en imaginant que son auteur n'est pas du même sexe ; faites toutes les modifications nécessaires.

Formuler la règle

3. Répondez aux questions suivantes.

Quelle est la règle d'accord d'un participe passé employé avec l'auxiliaire « être » ? Dans une lettre, que faut-il identifier pour accorder correctement les participes passés employés avec l'auxiliaire « être » ?

Réviser les accords du participe passé employé avec l'auxiliaire « avoir »

Observer et manipuler

4. a. Recopiez le texte : soulignez les auxiliaires dans les passages entre crochets ; encadrez les pronoms relatifs « que », entourez leur antécédent ; donnez la fonction du pronom relatif « que » dans chaque proposition subordonnée relative.
b. Justifiez la terminaison des participes passés en gras.

Ma chère Mère,
Merci beaucoup de ta lettre du 7 septembre. Ça m'a fait un tel plaisir l'autre jour de recevoir les livres [que tu avais **faits** pour nous tous] quand nous étions enfants. Ils étaient entreposés à Key West et il y avait plusieurs années [que je ne les avais pas **vus**]. [...] C'était charmant de voir ce [que tu as **écrit** dans le livre] et les photos [que mon père avait **prises**] sont presque toutes excellentes. J'espère que tu continues d'aller bien.

E. HEMINGWAY, *Lettres choisies*, trad. M. Arnaud, *« Ma chère Maman... » De Baudelaire à Saint-Exupéry, des lettres d'écrivains* © Éditions Gallimard, 2002.

Formuler la règle

5. Répondez aux questions suivantes.

Un participe passé employé avec l'auxiliaire « avoir » s'accorde-t-il avec le sujet ou avec le C.O.D. ? Dans quel cas s'accorde-t-il ?

Étudier les irrégularités du présent de l'impératif

➜ Réviser l'analyse complète du verbe – p. 326

Observer et manipuler

6. Quel est l'infinitif et le groupe de ces formes verbales conjuguées au présent de l'impératif ?
souffre – cueille – recueille – recouvre – offre – assaille – tressaille – accueille – découvre

7. Observez les formes en gras et expliquez leur terminaison. 1. Elle aime les fleurs : **cueilles**-en. 2. Ces cartes postales sont splendides : **envoies**-en plusieurs. 3. Je voudrais que tu viennes : **parles**-en à tes parents. 4. Il te faut écrire une carte : **penses**-y. 5. Cette fête sera animée : **vas**-y.

Formuler la règle

8. Répondez aux questions suivantes.

Quelle est la terminaison à la 2e personne du singulier du présent de l'impératif des verbes du 3e groupe en *-ffrir*, *-llir*, *-vrir* ? Dans quel cas ajoute-t-on un « s » à la terminaison « -e » de la 2e personne du singulier du présent de l'impératif ?

Écrire un texte sous la dictée SOCLE C1

Le Caire, 24 août 1887.

Ma chère mère,
Je suis obligé de te demander un service. Je te demande, comme il ne me reste que quelques centaines de francs, de vouloir bien me prêter une somme de cinq cents francs. Je ne t'ai rien demandé depuis sept ans, sois assez bonne pour m'accorder ceci, et ne me le refuse pas, cela me gênerait fort.
Dans tous les cas, je suis forcé d'attendre jusqu'au 15 septembre ici, il ne faudrait pas que cela m'arrive en retard.
Envoie-moi cela en une lettre adressée ainsi : Monsieur Rimbaud, au Consulat de France, Caire, Égypte.

D'après A. RIMBAUD, *Œuvres complètes, Correspondances* © Robert Laffont, 2004.

- Quels sont les participes passés dont l'accord dépend de l'émetteur de lettre ?
- Relevez les verbes conjugués au présent de l'impératif et soulignez leur terminaison.

Repérer et respecter la situation d'énonciation dans une lettre

→ La situation d'énonciation – p. 347-348

Observer et manipuler

1. a. Relevez les pronoms personnels et les déterminants possessifs employés dans la lettre suivante : à quelles personnes grammaticales sont-ils employés ?
b. Qui s'adresse à qui ?
c. Quels indices de la lettre permettent au lecteur de savoir qui se cache derrière ces pronoms personnels ?

Ma maman chérie,
Je sais que tu es maintenant de nouveau toute seule ; j'ai peur que tu n'aies un peu froid près du cœur, que tu ne sois très triste ; et je veux t'écrire aujourd'hui rien que pour te dire combien je t'aime tendrement. Il me semble que mon affection me fait si bien comprendre toutes les pensées grises qui doivent tourner autour de toi, certains jours, et te chagriner : j'aimerais que cette lettre les chasse.

A. Gide, *Correspondance avec sa mère, « Ma chère Maman... » De Baudelaire à Saint-Exupéry, des lettres d'écrivains*

2. a. Dans la lettre de l'exercice 1, à quel temps les verbes sont-ils conjugués ?
b. Relevez les adverbes de temps.
c. Les faits énoncés se situent-ils avant ou pendant le moment où l'auteur écrit ?

3. Récrivez le passage suivant de façon à retrouver la lettre écrite par le personnage de Lullaby dans une nouvelle de J.-M. G. Le Clézio. Vous commencerez par « Cher Papa... » et vous emploierez les pronoms personnels et les déterminants possessifs qui conviennent.

Elle voudrait bien qu'il vienne reprendre le réveille-matin. Il le lui avait donné avant qu'elle parte de Téhéran et sa maman et sa sœur Laurence avaient dit qu'il était très beau. Elle aussi elle le trouve très beau, mais elle croit qu'il ne lui servira plus. C'est pourquoi elle voudrait qu'il vienne le prendre. Il lui servira à nouveau. Il marche très bien ; il ne fait pas de bruit la nuit.

Formuler la règle

4. Recopiez et complétez les phrases suivantes en choisissant la bonne réponse dans les passages soulignés.

1. L'auteur d'une lettre emploie surtout des pronoms personnels de la 1re / de la 2e / de la 3e personne.
2. Le temps le plus employé dans une lettre est le présent / le passé simple / l'imparfait.
3. Il y a un lien / Il n'y a pas de lien entre ce qui est exprimé dans la lettre et le moment où elle est écrite.

Réviser les propositions subordonnées compléments d'objet

→ Réviser les propositions subordonnées compléments d'objet – p. 290

Observer et manipuler

5. Quelle est la fonction grammaticale commune à toutes les propositions subordonnées entre crochets ?
1. Je pense [que vous avez reçu ma lettre].
2. Je veux [que vous me répondiez].
3. J'affirme [que je n'ai pas reçu ta lettre].
4. Je me demande [si vous avez reçu ma lettre].

6. a. Dans l'exercice 5, quelle conjonction de subordination introduit les propositions subordonnées dans les phrases 1, 2 et 3 ? b. Comment nomme-t-on ce type de proposition subordonnée ?

7. a. Dans la phrase 4 de l'exercice 5, quelle conjonction de subordination relevez-vous ? b. Que deviendrait la proposition subordonnée si la phrase commençait par *Je me demande : « ... »* ? c. Comment nomme-t-on ce type de proposition subordonnée ?

8. Relevez des propositions subordonnées compléments d'objet dans ces extraits de lettres d'A. Rimbaud et précisez de quel type de propositions il s'agit.

1. Je suppose que vous avez transmis ma lettre à Delahaye, et que celui-ci aura pu se charger des commissions indiquées.
2. Je recommande de nouveau que les instruments de précision soient soigneusement vérifiés.
3. Désormais, je tâcherais que mes appointements vous soient payés directement en France.
4. Je compte que vos santés sont bonnes et que votre petit travail marche à votre souhait.

Formuler la règle

9. Recopiez et complétez les phrases suivantes.

La plupart des propositions subordonnées compléments d'objet sont des propositions subordonnées ... ou ... .

Oral — Raconter et exposer des histoires de lettres SOCLE C1, C4, C5

1. Raconter à partir de deux tableaux SOCLE C1, C5

SUJET 1 : Individuellement, racontez une brève histoire organisée autour des lettres représentées sur ces deux tableaux de Jan Vermeer.

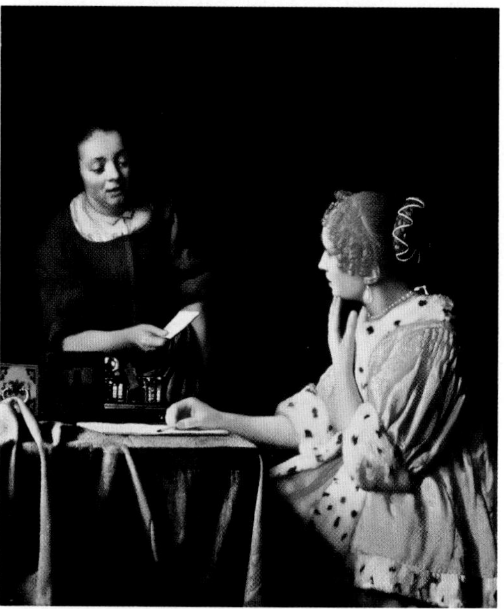

JAN VERMEER, *La Jeune Femme avec une servante tenant une lettre*, vers 1667-1668. Frick Collection, New York.

JAN VERMEER, *Jeune fille écrivant une lettre*, vers 1665. National Gallery of Art, Washington.

Préparation orale

- Collectivement :
  – décrivez les tableaux, situez leur époque, les personnages ;
  – proposez des situations, en choisissant l'ordre des scènes que vous voulez.

2. Faire un exposé à partir d'une recherche sur Internet

SUJET 2 : En binômes, après avoir cherché des informations sur les sites du musée de la Poste, de l'Art postal et de l'Histoire postale, présentez un exposé sur l'histoire de la poste en choisissant un thème.

Préparation

- **Se repérer dans un site**
  – Sur le site du Musée de la Poste (http://www.ladressemuseedelaposte.com), cherchez la rubrique « Collections » et parcourez les salles à visiter.
  – Sur le site de l'Art postal (http://artpostal.com), parcourez les rubriques « Expositions ».
  – Sur le site de l'Histoire postale (http://www.histoirepostale.com), repérez-vous grâce au « Plan du site ».
  – Faites une lecture « en diagonale » afin de repérer la (ou les) rubrique(s) qui vous intéresse(nt).
- **Dégager les informations essentielles**
  – Dans la (les) rubrique(s) retenue(s), lisez une première fois l'ensemble du texte.
  – Échangez avec votre partenaire pour dégager ce que vous avez compris.
  – Relisez le texte en faisant attention au plan de sa présentation : préparez au brouillon le plan de votre exposé ; notez quelques informations importantes.
- **Organiser l'exposé**
  – Mettez-vous d'accord sur la répartition de la parole.
  – Si cela est possible, prévoyez de projeter des images illustrant votre exposé, soit en vous connectant au site, soit en copiant ces images sur une clé USB.

Exposé

- Annoncez le titre de votre exposé.
- Notez au tableau le plan, puis les mots importants, difficiles ou techniques.
- Présentez votre exposé, en trois minutes maximum, en prenant la parole à tour de rôle et en employant un langage de niveau courant.
- Ne lisez pas votre exposé.

Écrit — Rédiger des lettres

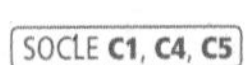

Pour les sujets 1 et 3, vous remettrez votre lettre à votre professeur dans une enveloppe.

Méthode
- Libellez votre enveloppe selon le modèle ci-contre.
- Glissez-y votre lettre et cachetez l'enveloppe.
- Que devriez-vous faire si vous deviez affranchir la lettre ?

M./Mme/Mlle Nom
00, rue …
00000 Ville

1. Rédiger un échange de lettres à partir de tableaux

SUJET 1 : Rédigez deux lettres à partir des tableaux de la page 119. Vous déterminerez si la femme en jaune écrit la première lettre ou la réponse.

Consignes d'écriture
- Respectez les éléments du tableau (personnages, époque…).
- Respectez la présentation d'une lettre privée (formules d'adresse et de politesse, date, lieu...).
- Soignez votre écriture et votre niveau de langue.
- Accordez correctement les verbes et les participes passés.

2. Rédiger une lettre ouverte

SUJET 2 : Écrivez une lettre ouverte au journal local pour dénoncer un problème ou pour réclamer quelque chose (une installation sportive ou culturelle, un espace pour les jeunes...).

Préparation
- Cherchez des arguments et classez-les du moins important au plus important.

Consignes d'écriture
- Construisez votre lettre en terminant par l'argument qui vous semble le plus fort.
- Reportez-vous aux consignes du **Sujet 3**.
- Employez des verbes conjugués au présent de l'impératif.
- Avant la formule de politesse, exprimez clairement votre demande ou votre revendication.

3. Rédiger une lettre officielle

SUJET 3 : Écrivez une lettre officielle pour une des situations suivantes :
- demander de la documentation à un office du tourisme en vue d'un voyage scolaire ;
- solliciter une entreprise afin d'effectuer une visite ;
- solliciter un tribunal pour assister à un procès ;
- contacter un organisme pour demander la venue d'un conférencier (d'une troupe de théâtre, d'un metteur en scène...) ;
- écrire à un auteur, un illustrateur, un policier pour venir parler de son travail...

Préparation
- Cherchez des arguments pour :
  - la présentation du projet, de l'équipe d'élèves, du planning ;
  - l'apport de cette action dans la vie du collège.

Consignes d'écriture 
- Écrivez d'une écriture très soignée, aérez votre texte ; si c'est possible, tapez votre texte. Dans ce cas, pensez à mettre votre texte en page (cf. encadré ci-dessous), et à le justifier : ▤.
- Respectez la présentation d'une lettre officielle ; pensez à la formule d'adresse, à la première phrase de présentation, à la formule de politesse.
- Organisez votre lettre en paragraphes distincts, selon une progression cohérente.
- Employez une langue de niveau soutenu.
- Soignez l'orthographe, en particulier les accords.

NOM prénom
Classe
Collège
Adresse

Lieu, date.

Objet :
Monsieur (Madame), …

Romans épistolaires du monde entier

J. Webster
Papa-Longues-Jambes
© Gallimard Jeunesse, 2007.
Une jeune orpheline américaine écrit à son mystérieux bienfaiteur.

J. Marsden
Lettres de l'intérieur
© L'École des loisirs, 1998.
Dans cette correspondance, quel lourd secret Tracy cache-t-elle ?

B. Peskine
Moi, Delphine, 13 ans...
© Pocket Jeunesse, 2004.
Delphine, confrontée à de lourds problèmes, écrit à Audrey pour échapper au désespoir.

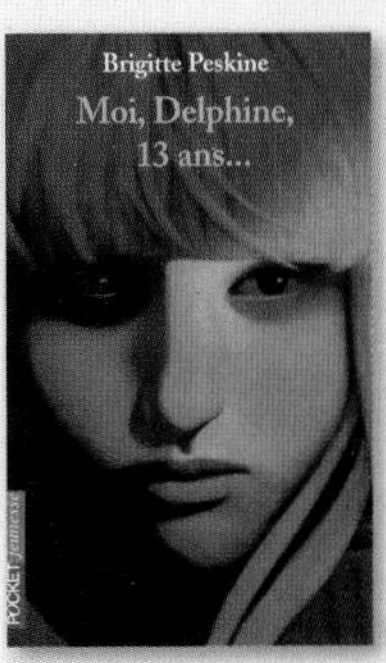

Y. Hassan et R. Hausfater-Douieb
De Sacha à Macha
© Flammarion Jeunesse, 2010.
Dans l'échange de courriels entre Sacha et Macha, quel est le secret de Sacha ?

Le cercle des lecteurs

Compte rendu de lecture sur support électronique SOCLE C4

- **Selon les instructions de votre professeur, rédigez un commentaire du roman que vous aurez lu, sous forme :**
  - d'un article rédigé en traitement de texte et envoyé en fichier joint par courrier électronique, adressé à l'adresse ou à la liste de diffusion que votre professeur vous indiquera ;
  - ou d'un article à publier sur le site Internet de votre collège ;
  - ou d'un article dans un blog créé par votre professeur.
- **Dans tous les cas, vous veillerez à :**
  - indiquer le titre, l'auteur, l'éditeur du roman choisi ;
  - présenter très brièvement le contenu du roman (Qui écrit les lettres ? Quels sont leurs liens ? Dans quelles régions du monde ? À quelle époque ?) ;
  - indiquer votre point de vue sur le roman et sur son écriture ;
  - soigner la présentation et la mise en page de votre texte, la construction des phrases, l'orthographe.

V. Massenot
Lettre à une disparue
© Hachette, 2007.
Ce roman épistolaire dénonce les atrocités commises dans les pays soumis à des dictatures.

P. Berge
T'es pas ma mère
© Actes Sud, 2002.
À vingt ans, Stéphanie reçoit de sa mère une lettre qui bouleverse sa vie.

Évaluations

Révisions

Faire le point
→ voir p. 115

Lexique
→ voir p. 116

Orthographe et conjugaison
→ voir p. 117

Grammaire
→ voir p. 118

Denis Diderot
(1713-1784)

Cet écrivain et philosophe français est surtout connu pour son rôle essentiel dans la rédaction de *L'Encyclopédie* (voir p. 208).

Lettre de Denis Diderot à Antoinette Champion

Diderot écrit à Antoinette Champion, une lingère[1] qu'il veut épouser. Il s'est rendu à Langres chez son père pour lui demander l'autorisation de se marier. Mais celui-ci l'a fait enfermer dans un monastère.

Troyes, février 1743.

Ma chère amie,

Après avoir essuyé des tourments inouïs, me voilà libre. Te le dirai-je ? Mon père avait porté la dureté jusqu'à me faire enfermer chez des moines qui ont exercé contre moi ce que la méchanceté la plus déterminée pouvait imaginer. Je me suis jeté par les fenêtres la nuit du dimanche au lundi. J'ai marché jusqu'à présent, que je viens d'atteindre le coche[2] de Troyes qui me transportera à Paris. Je suis sans linge. J'ai fait une route de trente lieues[3] à pied par un temps détestable. J'ai assez mal vécu, parce que, ne pouvant suivre la route ordinaire dans la crainte qu'on ne me poursuivît, je suis tombé dans des villages où j'ai à peine trouvé du pain et du vin. Mais heureusement j'ai quelque argent, dont j'avais eu soin de me pourvoir avant que de déclarer mes desseins[4]. Je l'ai sauvé des mains de mes geôliers, en l'enfermant dans un des coins de ma chemise.

Si tu me sais mauvais gré du peu de succès de mon voyage et que tu me le témoignes, je suis chargé de tant de chagrins, j'ai tant souffert, tant de peines m'attendent encore, que mon parti est pris : je finirai tout d'un coup. Ma mort ou ma vie dépend de l'accueil que tu me feras. Mon père est dans une fureur si grande que je ne doute point qu'il me déshérite, comme il m'en a menacé. Si je te perds encore, que me reste-t-il qui puisse m'arrêter dans ce monde ?

Je ne serais point en sûreté dans mon ancien appartement, car je ne doute point que le frère Anges[5] n'ait déjà reçu des ordres de me faire arrêter, ordres qu'il n'est que trop porté à remplir. Fais-moi donc le plaisir de me chercher une chambre garnie aux environs de chez toi ou ailleurs. J'aurais bien écrit à M. Poulain[6], mais comme je ne veux point absolument lui avoir obligation d'un service qu'il me rendrait volontiers, je te prie de ne pas manquer à ce que je te recommande. Je compte arriver lundi au soir. Je t'embrasse de tout mon cœur aussi bien que Mme Champion[7]. Quel chagrin pour elle que la nouvelle que je t'apprends ! Dérobe[8]-lui-en une partie ; peut-être y aura-t-il moyen de remédier à tout. [...]

Je suis autant et plus à toi que jamais.

Diderot.

À Troyes, mercredi,

J'oubliais de te dire qu'afin que je ne pusse me sauver, on avait pris l'inutile précaution de me couper les cheveux à moitié[9].

Je n'avais dans toute la maison qu'une seule tante pour moi. Je me suis retiré chez elle pendant tous nos démêlés. Il faut regarder le peu de linge que j'avais comme perdu ; mais je compte qu'elle m'enverra mes livres que j'ai laissés sur sa table.

1. femme chargée de l'entretien du linge.
2. grande voiture, tirée par des chevaux, qui faisait le service des voyageurs.
3. mesure de distance (une lieue = environ quatre kilomètres).
4. projets.
5. prêtre chargé de surveiller Diderot à Paris.
6. ami de Diderot.
7. mère d'Antoinette.
8. cache.
9. sans doute sur la moitié de la tête.

JEAN-BAPTISTE SANTERRE, *Jeune femme lisant une lettre à la lumière d'une bougie*, vers 1700. Musée Pouchkine, Moscou.

Comprendre le texte SOCLE C1

Une lettre

1. **a.** Quel âge Diderot a-t-il quand il écrit cette lettre ? Où est-il ? **b.** À qui cette lettre est-elle destinée ? Où cette personne se trouve-t-elle ?

2. Relevez les indicateurs de la situation d'énonciation propres à la lettre (pronoms personnels, temps des verbes, indicateurs de temps).

Les fonctions de cette lettre

3. L. 1 à 13 : **a.** Que signifie « tourment » ? Relevez d'autres mots exprimant la même idée. **b.** De quelle situation Diderot informe-t-il son interlocutrice ?

4. L. 14 à 20 : **a.** Quels sentiments Diderot éprouve-t-il ? **b.** Que menace-t-il de faire? Expliquez.

5. L. 22 à 23 : **a.** « que le frère [...] faire arrêter » : quelles sont la nature et la fonction de cette proposition subordonnée ? **b.** Quel nouveau sentiment Diderot éprouve-t-il ?

6. L. 23 à 30 : **a.** À quel mode les verbes « Fais » et « Dérobe » sont-ils conjugués ? **b.** « Dérobe-lui-en une partie » : récrivez cette phrase en supprimant le pronom « lui ». **c.** Que demande Diderot dans ce paragraphe ?

7. **a.** Comment appelle-t-on le paragraphe situé après la signature ? **b.** Ce paragraphe est-il cohérent ou décousu ? **c.** Qu'est-ce que cela révèle sur l'état d'esprit de Diderot ?

Dégager l'essentiel du texte SOCLE C1

8. En vous appuyant sur vos réponses précédentes, dites quelles sont les différentes fonctions de cette lettre.

Rédiger un texte cohérent SOCLE C1, C5

SUJET :
Rédigez la réponse d'Antoinette, dans laquelle elle fera part de ses sentiments à Diderot et lui proposera son aide.

Consignes d'écriture :
Relisez et corrigez votre brouillon en vérifiant que vous avez bien respecté :
– les codes de la lettre ;
– le contexte de la lettre à laquelle vous répondez ;
– les règles d'orthographe des accords.

Histoire des Arts SOCLE C5

A. Quels liens pourrait-on établir entre le tableau de J.-B. Santerre et la lettre de Diderot ?

B. Par quels procédés le peintre a-t-il mis en valeur la lettre ? la jeune femme ?

5

Variations sentimentales

Découvrir la poésie lyrique

Lectures : textes et images

Objectifs

Faire le point

Langue et expression

Évaluations SOCLE C1, C5 Arts

Gustav Klimt, *Musique*, 1895. Neue Pinakothek, Munich.

1. **Quel(s) instrument(s) de musique reconnaissez-vous ?**
2. **Quel(s) sentiment(s) associeriez-vous à ce tableau ? Justifiez.**

Lectures

Pour entrer dans le chapitre

- Recherchez qui étaient les Muses dans l'Antiquité.
- D'après le texte suivant, à quel art associeriez-vous la poésie « lyrique » ?

> Orphée, musicien mythologique, fils de la muse Calliope, charmait même les bêtes sauvages au son de sa lyre. Par amour pour sa femme Eurydice, tuée par la morsure d'un serpent, il n'hésita pas à descendre aux Enfers dont il charma les gardiens ; ceux-ci lui permirent de ramener Eurydice dans le monde des vivants à condition de ne pas se retourner en chemin. Hélas, Orphée leur désobéit.

JOIES ET PEINES

Avant de lire le poème

- En vous aidant de la page 386, faites une présentation la plus précise possible de la structure de ce poème (strophes, vers, rimes...).

Victor Hugo
(1802-1885)

Ce grand poète français, exilé à Guernesey pour des raisons politiques, y publie un recueil poétique : *Les Contemplations*, marqué par la mort de sa fille Léopoldine, noyée par accident dans la Seine.

Demain, dès l'aube...

Demain, dès l'aube, à l'heure où blanchit la campagne,
Je partirai. Vois-tu, je sais que tu m'attends.
J'irai par la forêt, j'irai par la montagne.
Je ne puis demeurer loin de toi plus longtemps.

Je marcherai les yeux fixés sur mes pensées,
Sans rien voir au dehors, sans entendre aucun bruit,
Seul, inconnu, le dos courbé, les mains croisées,
Triste, et le jour pour moi sera comme la nuit.

Je ne regarderai ni l'or du soir qui tombe,
Ni les voiles au loin descendant vers Harfleur[1],
Et quand j'arriverai, je mettrai sur ta tombe
Un bouquet de houx vert et de bruyère en fleur.

VICTOR HUGO, « 3 septembre 1847 », *Les Contemplations*, 1856.

1. port en bord de Seine.

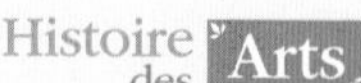

Histoire des Arts — SOCLE C5

A. a. Quelles sont les différentes composantes du dessin ?
b. Expliquez son titre.

B. Comparez le dessin avec le poème (date, éléments évoqués, couleurs, sentiments...).

VICTOR HUGO (1802-1885), *Fracta juventus (Jeunesse brisée)*. Musée Victor-Hugo, Paris.

Explorer les thèmes du lyrisme : la douleur

Vers quel rendez-vous ?

1. Dans le premier quatrain : **a.** À quelle date de l'année l'adverbe « demain » renvoie-t-il ? **b.** Le lecteur sait-il où doit se rendre le poète ?

2. a. Listez les différents paysages à parcourir.
b. Quelle est la durée prévue du voyage ?

3. a. Relevez les verbes de mouvement : quelles étapes du parcours soulignent-ils ?
b. Comment le poète se déplacera-t-il ?
c. Comment le vers 3 traduit-il le rythme de ce moyen de locomotion ? Expliquez.
d. À quel temps ces verbes sont-ils conjugués ?
e. Quel état d'esprit du poète cela traduit-il ?

4. À quel rendez-vous le poète se rend-il ? Justifiez en citant un vers.

→ Le vocabulaire de la poésie – p. 386

L'expression des sentiments

5. a. Relevez les pronoms personnels du poème.
b. Quel sentiment leur emploi traduit-il ?
c. Le poète nomme-t-il son destinataire ?

6. Quel sentiment le poète exprime-t-il dans le vers 4 ?

7. Dans le deuxième quatrain, relevez les attitudes physiques : quel sentiment révèlent-elles ?

Le pouvoir de la poésie

8. a. Le poète s'adresse-t-il à son destinataire comme à une personne vivante ou disparue ? Justifiez.
b. Quel vers révèle le sens du poème ?
c. Pourquoi le poète procède-t-il ainsi ?

9. Le « houx » et la « bruyère » sont appelés « plantes vivaces » : **a.** Quelles expansions du nom le poète a-t-il choisies pour les qualifier ?
b. Selon vous, pourquoi le poète a-t-il fait ce choix ? Expliquez.

Dégager l'essentiel SOCLE C1

› Pour quelles raisons, selon vous, Victor Hugo a-t-il écrit ce poème ?

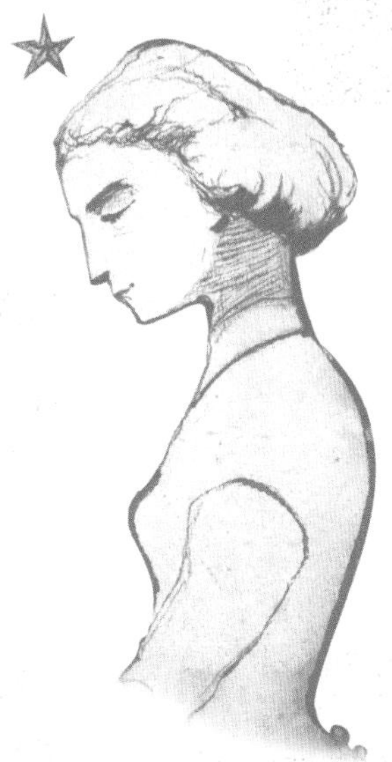

Poème en écho

Figures

Je bats comme des cartes
Malgré moi des visages,
Et, tous, ils me sont chers.
Parfois l'un tombe à terre
Et j'ai beau le chercher
La carte a disparu.
Je n'en sais rien de plus.
C'était un beau visage
Pourtant, que j'aimais bien.
Je bats les autres cartes.
L'inquiet de ma chambre,
Je veux dire mon cœur,
Continue à brûler
Mais non pour cette carte,
Qu'une autre a remplacée :
C'est un nouveau visage,
Le jeu reste complet
Mais toujours mutilé.
C'est tout ce que je sais,
Nul n'en sait d'avantage.

JULES SUPERVIELLE, *Les Amis inconnus*

1. Quels sont les points communs entre les deux poèmes ?

2. Lequel des deux poèmes préférez-vous ? Justifiez votre choix.

Avant de lire le poème

1. Rappelez les caractéristiques d'un sonnet (voir p. 386).
2. Lisez les pages 98-99 : dans quelle circonstance et à quel âge Rimbaud a-t-il écrit ce poème ?
3. *Lexique* Cherchez les sens du nom « bohème ».

Arthur Rimbaud
(1854-1891)

Voir biographie p. 98.

Ma bohème

Je m'en allais, les poings dans mes poches crevées ;
Mon paletot[1] aussi devenait idéal[2] ;
J'allais sous le ciel, Muse ! et j'étais ton féal[3] ;
Oh ! là là ! que d'amours[4] splendides j'ai rêvées !

Mon unique culotte avait un large trou.
– Petit-Poucet rêveur, j'égrenais dans ma course
Des rimes. Mon auberge était à la Grande-Ourse[5] ;
– Mes étoiles au ciel avaient un doux frou-frou[6].

Et je les écoutais, assis au bord des routes,
Ces bons soirs de septembre où je sentais des gouttes
De rosée à mon front, comme un vin de vigueur ;

Où, rimant au milieu des ombres fantastiques,
Comme des lyres, je tirais les élastiques
De mes souliers blessés, un pied[7] près de mon cœur !

Arthur Rimbaud, « Ma bohème », *Poésies*, 1870.

1. petit manteau court.
2. si usé qu'il n'était plus qu'un manteau virtuel.
3. fidèle vassal.
4. Le nom « amour » est masculin au singulier et féminin au pluriel.
5. constellation, ensemble d'étoiles.
6. léger bruit produit par un tissu.
7. au sens propre : partie du corps ; au sens abstrait : syllabe en poésie latine.

Bob Lescaux (1928-), *Le Semeur de mots*, 1990. Collection privée.

Explorer les thèmes du lyrisme : l'amour de la liberté

La bohème

1. a. Quel est le verbe répété dans le premier quatrain ? **b.** Relevez d'autres passages du poème qui font écho à ce verbe.

2. a. Quel type de phrase observez-vous dans le premier quatrain et dans les tercets ? **b.** Quel sentiment le poète exprime-t-il ainsi ?

3. Vers 6, 7 et 8 : **a.** Nommez les deux figures de style employées et expliquez oralement le sens de ces vers. **b.** Quelle vision du monde ces figures de style traduisent-elles ?

4. Quelle image de la nature A. Rimbaud donne-t-il dans le poème ? Justifiez.

5. a. D'après vos réponses précédentes, quel sens du nom « bohème » retiendriez-vous pour expliquer le titre ? **b.** Quelle est la classe grammaticale du déterminant dans le titre ? **c.** À quelle personne grammaticale le poème est-il rédigé ? **d.** Pourquoi, selon vous, A. Rimbaud a-t-il fait ces choix ?

→ Réviser les figures de style – p. 383

Poésie et liberté

6. Qu'est-ce qui inspire le poète dans : **a.** le premier quatrain ? **b.** le premier tercet ? Expliquez.

7. a. Repérez des passages du poème qui appartiennent à la langue orale. **b.** Quel effet créent-ils ?

8. a. Relevez un rejet. **b.** Pourquoi, selon vous, le poète l'a-t-il employé ?

9. Vers 13-14 : **a.** Nommez et expliquez les figures de style employées. **b.** Relevez un jeu de mots. **c.** Repérez dans le poème les associations de mots à la rime. **d.** D'après vos réponses, diriez-vous que le poète prend son art au sérieux ?

→ Le vocabulaire de la poésie – p. 386

Dégager l'essentiel SOCLE C1

› Exprimez en quelques lignes quelles formes de liberté A. Rimbaud célèbre dans ce poème.

SOCLE C5

A. À quelle(s) figure(s) de style le tableau de B. Lescaux de la p. 128 peut-il s'apparenter ? Expliquez.

B. Quels liens pouvez-vous établir entre le poème d'A. Rimbaud et ce tableau?

LEOPOLD BURTHE, *Sappho jouant de la lyre*, 1848. Musée des Beaux-Arts, Caracassone.

Poème en écho

La Musique

La musique souvent me prend comme une mer !
Vers ma pâle étoile,
Sous un plafond de brume ou dans un vaste éther[1],
Je mets à la voile ;

La poitrine en avant et les poumons gonflés
Comme de la toile,
J'escalade le dos des flots amoncelés
Que la nuit me voile ;

Je sens vibrer en moi toutes les passions
D'un vaisseau qui souffre ;
Le bon vent, la tempête et ses convulsions

Sur l'immense gouffre
Me bercent. D'autres fois, calme plat, grand miroir
De mon désespoir !

CHARLES BAUDELAIRE, « La Musique », *Les Fleurs du Mal*, 1854.

1. ciel.

1. À quoi C. Baudelaire se compare-t-il ?

2. Quel rapport pouvez-vous établir entre ce poème et celui d'A. Rimbaud ?

3. Lisez ce poème de façon à exprimer l'ivresse de la liberté.

Lectures

Avant de lire le poème

1. Observez la disposition du poème sur la page : quel type de poème reconnaissez-vous ? Justifiez. (Voir p. 386.)
2. Que savez-vous des héros mythologiques grecs Ulysse et Jason ?

Joachim du Bellay
(1522-1560)

Ce poète de la Renaissance, en mission diplomatique à Rome, rêve de rentrer chez lui, en Anjou, dans la région de la Loire.

Heureux qui, comme Ulysse…

Heureux qui[1], comme Ulysse, a fait un beau voyage,
Ou comme celui-là qui conquit la toison[2],
Et puis est retourné, plein d'usage[3] et raison,
Vivre entre ses parents le reste de son âge[4] !

Quand reverrai-je, hélas, de mon petit village
Fumer la cheminée, et en quelle saison
Reverrai-je le clos[5] de ma pauvre maison,
Qui m'est une province, et beaucoup davantage ?

Plus me plaît le séjour qu'ont bâti mes aïeux[6],
Que des palais romains le front audacieux,
Plus que le marbre dur me plaît l'ardoise[7] fine,

Plus mon Loire gaulois que le Tibre[8] latin,
Plus mon petit Liré[9] que le mont Palatin[10],
Et plus que l'air marin la douceur angevine[11].

Joachim du Bellay, Sonnet XXXI, *Les Regrets*, 1558.

1. Il est heureux, celui qui…
2. Jason, le héros antique qui conquit la Toison d'or.
3. expérience.
4. de sa vie.
5. le jardin.
6. ma maison natale.
7. l'ardoise des toits d'Anjou.
8. fleuve qui coule à Rome.
9. village natal de du Bellay.
10. une des collines de Rome.
11. d'Anjou.

Explorer les thèmes du lyrisme : la nostalgie

Le voyage

1. a. Quels sont les deux moments d'un voyage présentés par le poète dans le premier quatrain ?
b. Lequel préfère-t-il ?

2. Lisez la biographie de J. du Bellay : quels points communs peut-on établir entre Ulysse, Jason et le poète ? Expliquez.

3. a. Que décrit le poète dans le second quatrain ?
b. Quelle vision propose-t-il de ce lieu ? Expliquez.

L'expression des sentiments

4. Dans le second quatrain : **a.** Relevez un adverbe qui évoque un sentiment. **b.** Quel est le type de phrase employé ? **c.** Nommez le sentiment ainsi révélé.

5. a. Observez les tercets : à quel lieu respectif correspondent les passages en noir ? les passages en bleu ? **b.** Quels différents éléments le poète compare-t-il dans ces deux lieux ?

6. a. Lequel de ces lieux le poète préfère-t-il ? **b.** Par quel procédé grammatical souligne-t-il sa préférence ?

→ La proposition subordonnée circonstancielle de comparaison – p. 295

Dégager l'essentiel SOCLE C1

› D'après ce poème, définissez le sentiment de nostalgie.

› Par quels procédés le poète exprime-t-il cette nostalgie ?

Rédiger un texte bref SOCLE C1

En quelques lignes ou en quelques vers, comparez deux lieux, de façon à exprimer votre préférence, en établissant trois éléments de comparaison.

JEAN-BAPTISTE CAMILLE COROT, *Le Forum vu des jardins Farnèse*, XIXe siècle. Musée du Louvre, Paris.

Histoire des Arts SOCLE C5

Il existe deux adaptations de ce poème sous forme de chansons : l'une interprétée par Georges Brassens, comme musique du film *Heureux qui comme Ulysse* du réalisateur H. Colpi (1969), et l'autre par Ridan (2007).

A. En vous aidant de la **Fiche-méthode** ci-dessous, cherchez sur Internet : **a.** les paroles de ces chansons ; **b.** une vidéo du générique du film de Colpi et une vidéo du clip de Ridan.

B. Chacune de ces chansons évoque-t-elle pour vous la nostalgie ou un autre sentiment ? Expliquez.

Fiche-méthode

Chercher une information sur Internet SOCLE C4 B2i

- Pour les paroles, taper le titre du poème, le nom de l'interprète et « paroles ».
- Pour les vidéos, utiliser l'onglet « Vidéos » du moteur de recherche, taper le titre du poème, le nom de l'interprète et, pour le film, celui du réalisateur.

Poème en écho

Adieu, Meuse endormeuse…

Adieu, Meuse endormeuse et douce [à mon enfance,
Qui demeures aux prés, où tu coules tout bas.
Meuse, adieu : j'ai déjà commencé ma partance
En des pays nouveaux où tu ne coules pas.

Voici que je m'en vais en des pays nouveaux :
Je ferai la bataille et passerai les fleuves,
Je m'en vais m'essayer à de nouveaux travaux,
Je m'en vais commencer là-bas les tâches neuves.

Et pendant ce temps-là, Meuse, ignorante et douce,
Tu couleras toujours, passante accoutumée,
Dans la vallée heureuse où l'herbe vive pousse,
Ô Meuse inépuisable et que j'avais aimée. […]

CHARLES PÉGUY, *Œuvres poétiques complètes*, 1897, Bibliothèque de la Pléiade © Éditions Gallimard, 1941.

1. À qui le poème s'adresse-t-il ?

2. Qui se cache derrière le « je » du poème ? Quel sentiment cette personne éprouve-t-elle ?

3. Lisez ce poème de façon à exprimer le sentiment qu'il évoque.

Lectures

Avant de lire le poème

- ***Lexique*** a. Cherchez le sens du nom « constellation ».
b. Recherchez la définition d'un « quintil », p. 386.

Louis Aragon
(1897-1982)

Ce poète surréaliste français chante dans ses poèmes son amour pour Elsa Triolet, qu'il a rencontrée en 1928.

La constellation

Aucun mot n'est trop grand trop fou quand c'est pour elle
Je lui songe une robe en nuages filés
Et je rendrai jaloux les anges de ses ailes
De ses bijoux les hirondelles
Sur la terre les fleurs se croiront exilées[1]

Je tresserai mes vers de verre et de verveine[2]
Je tisserai ma rime au métier[3] de la fée
Et trouvère[4] du vent je verserai la vaine
Avoine verte de mes veines
Pour récolter la strophe et t'offrir ce trophée[5] […]

Et parlant de tes mains comment se peut-il faire
Que je n'en ai rien dit moi qui les aime tant
Tes mains que tant de fois les miennes réchauffèrent
Du froid qu'il fait dans notre enfer
Primevères du cœur promesses du printemps

Tes merveilleuses mains à qui d'autres rêvèrent
Téméraires blancheurs oiseaux de paradis[6]
Et que jalousement mes longs baisers révèrent
Automne été printemps hiver
Tes mains que j'aime tant que je n'en ai rien dit […]

Louis Aragon, « Cantique à Elsa », *Les Yeux d'Elsa* © Seghers, 1942.

1. éloignées de leur pays.
2. plante médicinale.
3. machine à tisser.
4. troubadour, poète du Moyen Âge.
5. objet qui témoigne d'une victoire.
6. oiseaux de Nouvelle-Guinée au plumage coloré.

Histoire des Arts SOCLE C5

A. Quelles sont les saisons évoquées dans le tableau ? De quelle manière ?

B. Quels liens pouvez-vous établir entre le poème et le tableau ? Citez deux vers à l'appui de votre réponse.

René Magritte, *Le Bouquet tout fait*, 1956. Collection privée.

Explorer les thèmes du lyrisme : l'amour

La femme aimée

1. a. Vers 1 à 8 : relevez les pronoms personnels : qui se cache derrière ces pronoms ? **b.** Quel changement de personne s'opère à partir du vers 10 ? Pourquoi, selon vous ?

2. a. Relevez et expliquez les métaphores employées pour décrire la femme : de quelles manières L. Aragon se représente-t-il la femme dans le premier quintil ? **b.** Quel lien pouvez-vous établir entre ce portrait et le titre du poème ? **c.** Quelle partie du corps de la femme est célébrée dans les deux derniers quintils ? **d.** Quel sentiment le poète exprime-t-il ?

3. a. Vers 8 : « trouvère du vent », ainsi se définit le poète : comment comprenez-vous cette expression ? **b.** Quels mots de la strophe développent cette définition ? **c.** Quel don le poète fait-il à la femme ? Pourquoi ?

Un chant à écouter

4. a. Que remarquez-vous en ce qui concerne la ponctuation ? **b.** Dans chaque strophe, quels sont les vers utilisés ? **c.** Quel est le système de rimes ? **d.** En quoi ces éléments rapprochent-ils le poème d'un chant ?

5. Relisez oralement le deuxième quintil : **a.** Quelles allitérations et assonances repérez-vous ? **b.** Quelle atmosphère ces sonorités créent-elles ?

6. a. Le rythme des vers est-il binaire ? ternaire ? **b.** Quel effet cela crée-t-il dans le poème ? **c.** Vers 3-4, dans quel ordre particulier le poète a-t-il placé les mots ? Que met-il ainsi en évidence ?

→ La situation d'énonciation – p. 348
→ Le vocabulaire de la poésie – p. 386

Dégager l'essentiel SOCLE C1

› En quoi ce poème est-il une chanson d'amour ?

RENÉ MAGRITTE, *Shéhérazade*, 1947. Collection privée.

Poème en écho

Air vif

J'ai regardé devant moi
Dans la foule je t'ai vue
Parmi les blés je t'ai vue
Sous un arbre je t'ai vue

Au bout de tous mes voyages
Au fond de tous mes tourments
Au tournant de tous les rires
Sortant de l'eau et du feu

L'été l'hiver je t'ai vue
Dans ma maison je t'ai vue
Entre mes bras je t'ai vue
Dans mes rêves je t'ai vue

Je ne te quitterai plus.

PAUL ÉLUARD, *Derniers Poèmes d'amour*, 1963 © Seghers, 2010.

1. a. Relevez des éléments qui apparentent ce poème à un chant. **b.** Quels sont les différents sens du titre ?

2. En quoi ce poème fait-il écho à celui de L. Aragon ?

Rédiger un texte bref SOCLE C1

Rédigez deux vers à propos d'une personne aimée, soit en utilisant l'allitération et l'assonance, soit en créant des métaphores.

Lecture expressive SOCLE C5

Interprétez l'un de ces deux poèmes devant la classe. Veillez à restituer la construction et la musicalité de ces poèmes lyriques.

L'HOMME FACE À LA NATURE

Avant de découvrir les tableaux et le poème

J.-J. Rousseau, en 1776-1778, a écrit *Les Rêveries du promeneur solitaire*, roman dans lequel le promeneur se laisse pénétrer par l'harmonie de la nature. Au XIXe siècle, apparaît dans les arts (en peinture, littérature, musique) le personnage du *Wanderer*, le « promeneur », en allemand, qui révèle notamment l'immensité, la démesure du paysage ou le gigantisme des montagnes.

- Nommez les peintres des tableaux de cette double page où apparaît le *Wanderer*.

WILLIAM TURNER, *Le Pont du Diable*, 1803-1804. Collection privée.

Joseph Mallord William Turner
(1775-1851)

Ce peintre britannique fut un artiste visionnaire qui influença les romantiques français. Le pont du Diable, une minuscule passerelle jetée sur le défilé du Saint-Gothard, dans les Alpes suisses, lui inspira une série d'œuvres saisissantes.

Souvenir des Alpes

[...]
La montagne se montre : – à vos pieds est l'abîme ;
L'avalanche au-dessus. – Ne vous effrayez pas ;
Prenez garde au mulet qui peut faire un faux pas.
L'œil perçant du chamois suspendu sur la cime,
Vous voyant trébucher, s'en moquerait tout bas.

Un ravin tortueux conduit à la montagne.
Le voyageur pensif prit ce sentier perdu ;
Puis il se retourna. – La plaine et la campagne,
Tout avait disparu.

Le spectre du glacier, dans sa pourpre pâlie,
Derrière lui s'était dressé.
Les chansons et les pleurs et la belle Italie
Devenaient déjà le passé.

Un aigle noir, planant sur la sombre verdure
Et regardant au loin, tout chargé de souci,
Semblait dire au désert : Quelle est la créature
Qui vient ici ?
[...]

ALFRED DE MUSSET, *Poésies nouvelles*, 1850.

CASPAR DAVID FRIEDRICH,
Le Promeneur au-dessus de la mer de brume, 1818.
Hamburger Kunsthalle, Hambourg.

Caspar David Friedrich
(1774-1840)

Ce peintre est considéré comme le chef de file de la peinture allemande romantique du XIXe siècle. Il se lia d'amitié avec C. G. Carus (1789-1869), savant et peintre romantique. Selon Friedrich, « le peintre ne doit pas peindre seulement ce qu'il voit en face de lui mais aussi ce qu'il voit en lui ».

CARL GUSTAV CARUS,
Pèlerin au sommet d'une montagne, 1818.
Saint Louis Art Museum.

Découvrir le lyrisme romantique : l'homme face au chaos des montagnes

Histoire des Arts SOCLE C5

Découvrir les œuvres

A. a. Que voyez-vous dans le tableau de W. Turner, p. 134 ? Décrivez les différents plans.
b. Quelle impression W. Turner a-t-il voulu transmettre ?
c. Pourquoi, selon vous, le pont est-il appelé « du Diable » ?
d. Quelle place les hommes occupent-ils dans le tableau ? Qu'a voulu mettre ainsi en évidence W. Turner ?

B. a. Comment l'homme est-il nommé dans le poème d'A. de Musset ?
b. À quel personnage artistique typique du XIXe siècle correspond-il ?
c. Quelle impression A. de Musset a-t-il voulu transmettre ? Justifiez.

Établir des liens entre les œuvres

C. a. Quels éléments du tableau de W. Turner retrouvez-vous dans le poème d'A. de Musset ? Citez des passages à l'appui de votre réponse. **b.** Quel sentiment commun le poème et le tableau de W. Turner traduisent-ils ?

D. Quels sont les points communs aux tableaux de C. D. Friedrich et C. G. Carus ? les différences ? Quel(s) sentiment(s) ces tableaux font-ils naître ?

E. Le sentiment inspiré par le tableau de Turner est-il le même que celui (ou ceux) inspiré(s) par les tableaux de C. D. Friedrich et C. G. Carus ? Justifiez.

F. Écoutez un extrait de la *Wanderer-Fantasie* de F. Schubert, dont le musicien disait qu'elle « pouvait être jouée par le diable ».

→ L'ABC de l'image – p. 276 et 277

Avant de lire le poème

1. *Lexique* a. Cherchez le sens des mots écrits en bleu dans le poème.
b. À quel domaine particulier appartiennent-ils ?
2. *Lexique* Cherchez le sens de « marine » en peinture.

Victor Hugo
(1802-1885)

Voir biographies p. 102 et p. 126.

Pleine mer

[...]
L'œil distingue, au milieu du gouffre où l'air sanglote,
Quelque chose d'informe et de hideux[1] qui flotte,
Un grand cachalot mort à carcasse de fer,
On ne sait quel cadavre à vau-l'eau[2] dans la mer ;
Œuf de titan[3] dont l'homme aurait fait un navire.
Cela vogue, cela nage, cela chavire ;
Cela fut un vaisseau ; l'écume aux blancs amas
Cache et montre à grand bruit les tronçons de sept mâts ;
Le colosse, échoué sur le ventre, fuit, plonge,
S'engloutit, reparaît, se meut[4] comme le songe ;
Chaos[5] d'agrès rompus, de poutres, de haubans ;
Le grand mât vaincu semble un spectre aux bras tombants ;
L'onde passe à travers ce débris ; l'eau s'engage
Et déferle en hurlant le long du bastingage,
Et tourmente des bouts de corde à des crampons
Dans le ruissellement formidable des ponts ;
La houle[6] éperdument furieuse saccage
Aux deux flancs du vaisseau les cintres[7] d'une cage
Où jadis une roue effrayante a tourné ;
Personne ; le néant, froid, muet, étonné ;
[...]

VICTOR HUGO, *La Légende des siècles*, 1859.

1. très laid.
2. au fil de l'eau, au gré du courant.
3. géant mythologique.
4. bouge.
5. grand désordre.
6. mouvement en forme d'ondes successives.
7. courbures d'une voûte.

Claude Joseph Vernet (1714-1789), *Un port maritime méditerranéen avec personnages et navires.* Collection privée.

Histoire des Arts SOCLE C5

A. Observez la marine de C. J. Vernet : que voyez-vous au premier plan, au second plan, à l'arrière-plan ?

B. Quel sentiment la composition du tableau fait-elle naître ?

C. Observez les lignes du tableau : quelle impression suggèrent-elles ?

D. Observez les couleurs et la lumière : quels éléments sont mis en relief ? Dans quel but ?

→ L'ABC de l'image – p. 276 et 277

Claude Joseph Vernet
(1714-1789)

Ce peintre, dessinateur et graveur français a représenté la nature dans ses tableaux. Il est connu pour ses marines.

Découvrir le lyrisme romantique : l'homme face aux flots déchaînés

La peinture d'une « marine »

1. a. Vers 1-2 : la vision est-elle précise ? Justifiez. **b.** Relevez dans la première moitié de l'extrait du poème un pronom démonstratif qui crée le même effet. **c.** Par quelle métaphore le vers 2 est-il repris au vers 3 ? Expliquez. **d.** Dans les vers 3 à 10, quels noms et groupes nominaux poursuivent la métaphore ? **e.** Quelle scène de marine V. Hugo donne-t-il à voir ?

2. a. Quel est le rythme du vers 6 ? **b.** Quelle figure de style repérez-vous dans les vers 6-7 ? Que cherche ainsi à traduire V. Hugo ?

3. a. Dans les vers 8 à 10, qu'expriment les verbes ? **b.** Comment certains d'entre eux sont-ils associés ? Quel est l'effet produit ?

→ Le vocabulaire de la poésie – p. 386

L'homme face à la nature

4. Vers 11-12 : **a.** Relevez les participes qui caractérisent les différents éléments du navire. Quel effet créent-ils ? **b.** Quel sentiment V. Hugo veut-il faire naître ?

5. a. Relevez, à partir du vers 13, les noms qui évoquent les flots et les verbes dont ils sont sujets. **b.** Quelle vision de la nature V. Hugo donne-t-il ?

6. a. Comment le vers 20 est-il construit ? **b.** Quelle atmosphère évoque-t-il ?

Dégager l'essentiel SOCLE C1

› Quel rapport entre l'homme et la nature V. Hugo met-il en évidence dans ce poème ?

Lectures

L'ART DE LA NUANCE

Paul Verlaine
(1844-1896)

Ce poète français est l'auteur de nombreux recueils : *Poèmes saturniens, Fêtes galantes, La Bonne Chanson, Romances sans paroles...*

Chanson d'automne

Les sanglots longs
Des violons
De l'automne,
Blessent mon cœur
D'une langueur[1]
Monotone.

Tout suffocant
Et blême[2], quand
Sonne l'heure,
Je me souviens
Des jours anciens
Et je pleure ;

Et je m'en vais
Au vent mauvais
Qui m'emporte
Deçà, delà
Pareil à la
Feuille morte

PAUL VERLAINE, *Poèmes saturniens*, 1866.

1. mélancolie. 2. très pâle.

Art poétique

De la musique avant toute chose,
Et pour cela préfère l'Impair[1]
Plus vague et plus soluble dans l'air,
Sans rien en lui qui pèse ou qui pose.

Il faut aussi que tu n'ailles point
Choisir tes mots sans quelque méprise[2] :
Rien de plus cher que la chanson grise
Où l'Indécis au Précis se joint.

C'est des beaux yeux derrière des voiles,
C'est le grand jour tremblant de midi,
C'est, par un ciel d'automne attiédi,
Le bleu fouillis des claires étoiles !

Car nous voulons la Nuance encor[3],
Pas la Couleur, rien que la nuance !
Oh ! la nuance seule fiance
Le rêve au rêve et la flûte au cor !

[...]

PAUL VERLAINE, « Art poétique », *Jadis et Naguère*, 1884.

1. le vers impair. 2. erreur. 3. En poésie, « encore » peut s'écrire « encor » ou « encores ».

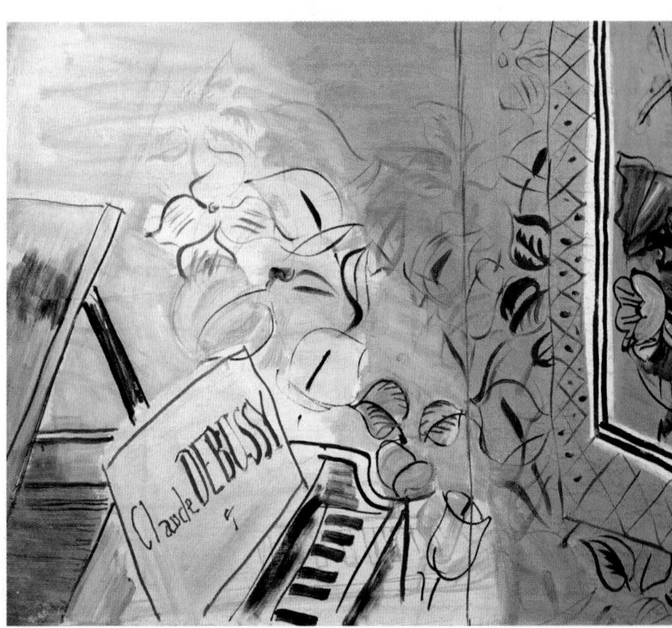

RAOUL DUFY, *Hommage à Claude Debussy*, 1952. Musée des Beaux-Arts, Le Havre.

Gaspard Hauser chante

Je suis venu, calme orphelin,
Riche de mes seuls yeux tranquilles,
Vers les hommes des grandes villes :
Ils ne m'ont pas trouvé malin.

À vingt ans un trouble nouveau,
Sous le nom d'amoureuses flammes
M'a fait trouver belles les femmes :
Elles ne m'ont pas trouvé beau.

Bien que sans patrie et sans roi
Et très brave ne l'étant guère,
J'ai voulu mourir à la guerre :
La mort n'a plus voulu de moi.

Suis-je né trop tôt ou trop tard ?
Qu'est-ce que je fais dans ce monde ?
Ô vous tous ma peine est profonde :
Priez pour le pauvre Gaspard !

PAUL VERLAINE, *Sagesse*, 1880.

Histoire des Arts SOCLE C5

Écoutez le poème « Il pleure dans mon cœur » dans *Ariettes oubliées*, mis en musique par Claude Debussy en 1885-1887 (vous trouverez des extraits sur Internet).

A. Pour quel instrument et pour quel type de voix ce morceau a-t-il été écrit ?

B. Quel est le rythme du morceau ? Quel sentiment exprime-t-il pour vous ?

Il pleure dans mon cœur…

Il pleure dans mon cœur
Comme il pleut sur la ville,
Quelle est cette langueur[1]
Qui pénètre mon cœur ?

Ô bruit doux de la pluie,
Par terre et sur les toits !
Pour un cœur qui s'ennuie
Ô le chant de la pluie !

Il pleure sans raison
Dans ce cœur qui s'écœure.
Quoi ! nulle trahison ?
Ce deuil est sans raison.

C'est bien la pire peine
De ne savoir pourquoi,
Sans amour et sans haine,
Mon cœur a tant de peine !

PAUL VERLAINE,
Romances sans paroles, 1874.

1. mélancolie.

Associer des arts : poésie et musique

Art poétique

1. Lisez p. 138 les premiers vers du poème intitulé « Art poétique » : comment expliquez-vous ce titre ?

2. a. Quelle est l'idée principale émise par le poète dans ces quatre strophes ? **b.** À travers quel art l'exprime-t-il dans les deux premiers quatrains ? Dans les deux autres ? Justifiez en citant des passages du poème.

3. Dans ce poème, P. Verlaine applique-t-il ce qu'il énonce dans les deux premiers vers ? Justifiez.

4. Dans lequel des trois autres poèmes Verlaine emploie-t-il des vers impairs ?

La musique de Verlaine

5. a. Relevez dans les trois autres poèmes les évocations musicales. **b.** Repérez une diérèse dans le poème « Chanson d'automne ». Que traduit-elle, selon vous ? **c.** Quels sont les deux principaux effets de rythme que l'on peut repérer dans ces différents poèmes ?

→ Le vocabulaire de la poésie – p. 386

Dégager l'essentiel SOCLE C1

› Comment qualifieriez-vous la musique de P. Verlaine ?

Un peintre de la nuance, Whistler

Associer des arts : peinture et poésie

James Mc Neill Whistler
(1834-1903)

Ce peintre, d'origine américaine, vécut à Paris et à Londres. Il est considéré comme l'initiateur de l'impressionnisme anglais.

L'impressionnisme

L'impressionnisme est un courant artistique qui naît dans la seconde moitié du XIXe siècle. L'invention de la photographie, en 1826-1827, a bouleversé la peinture qui jusqu'alors visait à créer une image ressemblant à la réalité. Il fallait donc inventer une nouvelle manière de représenter le monde. Les peintres impressionnistes ont fait de la lumière et de ses infinies variations le sujet de leurs tableaux. Ils ont cherché à exprimer des impressions fugitives et la mobilité par la juxtaposition de touches de couleur sur la toile. Le nom « impressionnisme » a été créé en référence au tableau de Claude Monet, *Impression, soleil levant* (1872).

Histoire des Arts SOCLE C5

A. Observez le tableau proposé : qui est le peintre ? Est-il contemporain de P. Verlaine ?

B. a. Quelles sont les couleurs dominantes ? **b.** Sont-elles contrastées ou nuancées ? **c.** Les traits sont-ils précis ou flous ?

C. a. Quel vers de l'« Art poétique » de P. Verlaine le titre de ce tableau évoque-t-il ? **b.** À quels mots du poème ce tableau peut-il faire écho ? Expliquez.

→ L'ABC de l'image – p. 276

JAMES MCNEILL WHISTLER, *Nocturne en bleu et or – Le Vieux Pont de Battersea*, 1872-1875. Tate Gallery, Londres.

La poésie lyrique

Arts et culture

- Le mot **« lyrisme »** vient du nom d'un instrument de musique, la **lyre**, dont jouait le poète et musicien Orphée dans la mythologie grecque. Dans l'Antiquité, la poésie, la musique et le chant sont intimement liés : les poèmes sont des chants rythmés, soutenus par un accompagnement musical.
- Dès l'Antiquité et ensuite à toutes les époques, les poètes ont parlé d'eux-mêmes dans leur poésie ; ils expriment de manière personnelle des sentiments ressentis par tous. La poésie lyrique associe une forme de **musicalité** à une **expérience intime du poète que chacun peut s'approprier**.
- Cette poésie développe des thèmes privilégiés tels que **l'amour**, mais également **la mort** et la **fuite du temps** ou encore le **lien de l'homme à la nature**.

Un genre littéraire

- Au **Moyen Âge**, les troubadours et trouvères célèbrent le sentiment amoureux dans leurs poèmes chantés. À la **Renaissance**, poésie et musique deviennent deux arts séparés ; les poètes français tels **P. de Ronsard** ou **J. du Bellay** expriment leurs sentiments personnels dans des poèmes aux formes fixes : sonnets, odes. Aux XVIIe et XVIIIe siècles, la poésie lyrique est très peu présente.
- Elle réapparaît fortement au début du **XIXe siècle** : de nombreux poètes romantiques tels **V. Hugo, A. de Lamartine, A. de Musset** évoquent leurs sentiments, heureux ou malheureux. Dans la seconde moitié du XIXe siècle, les poètes symbolistes **C. Baudelaire, P. Verlaine** et **A. Rimbaud** expriment, eux aussi, le sentiment amoureux.
- Au **XXe siècle**, la poésie lyrique est représentée dans des poèmes qui s'affranchissent des formes traditionnelles de la poésie, en choisissant des vers libres et en supprimant la ponctuation. Des auteurs comme **P. Éluard** et **L. Aragon** célèbrent l'amour. De manière plus récente, la poésie lyrique se retrouve dans la chanson.

ALPHONSE MARIE MUCHA, *La Poésie*, 1898. Collection Mucha Trust.

L'écriture poétique

Dans la poésie lyrique, les poètes emploient :

les marques de l'expression personnelle	– emploi de la 1re et de la 2e personnes – emploi d'indéfinis pour généraliser l'expérience du poète – emploi de phrases exclamatives	
des figures de style	– métaphore – personnification…	– comparaison
un vocabulaire particulier	– les sentiments – les sensations – l'univers féminin	– le temps et la mort – la nature
un rythme et des sonorités	– balancement rythmique (rythme binaire, ternaire) – rimes, allitérations et assonances	

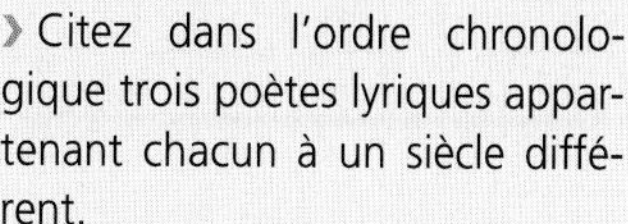

› Citez dans l'ordre chronologique trois poètes lyriques appartenant chacun à un siècle différent.

› Rédigez une brève définition de la poésie lyrique.

Explorer le vocabulaire du lyrisme

→ Réviser polysémie, synonymie et antonymie – p. 380

Synonymes et antonymes

1. a. Classez ces noms en deux groupes selon qu'ils expriment la sympathie ou l'antipathie éprouvée.
attirance – tendresse – aversion – irritation – affinité – vénération – répulsion – inimitié – attachement – hostilité – exécration – cordialité – haine – affection – ressentiment
b. Complétez les phrases en employant des noms de la liste ci-dessus.
1. Ces deux personnes ne peuvent s'entendre, elles n'ont aucune … **2.** Le poète parle de la femme aimée avec … **3.** La jalousie donne naissance à un sentiment de …

Le vocabulaire d'un sentiment

2. a. De quel sentiment les noms suivants constituent-ils le champ lexical ? inclination – passion – penchant – flamme – ardeur – ivresse – idolâtrie – feu – coup de foudre – engouement – ferveur
b. Quels sont ceux qui, de façon métaphorique, évoquent une sensation ? Laquelle ?
c. Classez en deux colonnes ces noms selon qu'ils expriment une intensité faible ou forte.

La famille d'un mot

Le nom « affection » vient du latin *affectio*, qui signifiait « sentiment » ou « tendresse ». Depuis le XVIIe siècle, ce mot signifie « tendresse ». À la famille d'« affection » se rattachent plusieurs mots :

Noms	**affectivité** : sensibilité. **affectation** : manque de naturel, attribution.
Adjectifs	**affectueux** : tendre, qui manifeste de l'affection. **affectif** : qui relève des sentiments. **affectionné** : dévoué. **affecté** : maniéré, qui manque de simplicité ; touché, peiné.
Verbes	**affectionner** : aimer, aimer faire. **affecter** : feindre, faire semblant ; attribuer ; causer de la peine. **désaffecter** : faire cesser une activité.
Adverbe	**affectueusement** : tendrement.

3. Complétez les phrases suivantes à l'aide de mots de la famille d'« affection ». Pensez à les conjuguer ou à les accorder comme il convient.
1. Les poèmes lyriques décrivent la vie … **2.** Tout en … de ne pas s'intéresser à la poésie, cet homme … les poèmes de Baudelaire. **3.** On reproche à cette dame son langage … qui manque de naturel. **4.** Ce jeune homme qui fait preuve d'une grande … se montre très … envers ses parents.

Réviser des figures de style

→ Réviser les figures de style – p. 383

La comparaison

4. a. Quels sont les points de ressemblances entre les deux groupes nominaux en gras ?
b. Quelle conjonction de subordination met en relation ces deux groupes nominaux ?

> […] je sentais **des gouttes**
> **De rosée** à mon front, comme **un vin de vigueur**.
>
> A. RIMBAUD, « Ma bohème », *Poésies*, 1870.

5. a. Avec quel autre groupe nominal chaque groupe nominal en gras est-il mis en relation?
b. Quel outil grammatical permet cette mise en relation ?

> Plus que **le marbre dur** me plaît l'ardoise fine
> Plus mon Loire gaulois que **le Tibre latin**
>
> J. DU BELLAY, « Heureux qui, comme Ulysse… », *Les Regrets*, 1558.

La métaphore

6. a. À quoi le poète compare-t-il les bras ? le regard ?

> […] Les mains dans les mains restons face à face
> Tandis que sous
> Le pont de nos bras passe
> Des éternels regards l'onde si lasse […]
>
> G. APOLLINAIRE, « Le Pont Mirabeau », *Alcools*, 1913
>

b. Quels points de ressemblances peut-on établir d'une part, entre les bras et l'élément auquel le poète les compare, d'autre part, entre le regard et l'élément auquel il le compare ?
c. Ces rapprochements sont-ils exprimés par un mot de comparaison ou sont-ils sous-entendus ?

La personnification

7. a. À qui le poète s'adresse-t-il dans les deux vers ?
b. Quels adjectifs qualifient la Meuse ?
c. Quel groupe nominal la définit ?
d. Quel statut le poète donne-t-il au fleuve ?

> […] Et pendant ce temps-là, Meuse, ignorante et douce,
> Tu couleras toujours, passante accoutumée […]
>
> C. PÉGUY, « Jeanne d'Arc, À Domrémy », *Œuvres poétiques complètes*, 1897, Bibliothèque de la Pléiade
>

Orthographe Conjugaison

Repérer des familles régulières de mots

➜ Les familles régulières de mots – p. 370

Observer et manipuler

1. a. Prononcez le nom « accord » : quelle est la consonne finale qui ne s'entend pas ? b. Retrouvez, à partir des définitions suivantes, des mots de la famille de « accord » : 1. mettre les sons d'un instrument de musique en rapport avec le diapason ; 2. instrument de musique portatif, à boutons ; 3. manque d'harmonie, mésentente.
c. En quoi ces mots peuvent-ils aider à orthographier correctement le nom « accord » ? Expliquez.

2. Observez la liste de mots suivants appartenant à la famille du mot « sommeil ».
sommeiller – ensommeiller – ensommeillement
Quelle particularité orthographique retrouvez-vous dans la majorité de ces mots ?

Formuler la règle

3. Recopiez et complétez les phrases suivantes.
Pour orthographier un mot qui comporte une consonne ... muette, il faut chercher des mots de la même ... dans lesquels cette consonne s'entend. Lorsqu'un mot comporte une consonne double, les mots de la même famille adoptent généralement la ... orthographe.

Découvrir le présent de l'indicatif des verbes du 3e groupe en *-dre*

➜ Les verbes irréguliers du 3e groupe en *-dre* – p. 360

Observer et manipuler

4. Observez la conjugaison des verbes « mordre », « rendre » et « perdre » au présent de l'indicatif.

je **mord**s	je **rend**s	je **perd**s
tu **mord**s	tu **rend**s	tu **perd**s
il, elle **mord**	il, elle **rend**	il, elle **perd**
nous **mord**ons	nous **rend**ons	nous **perd**ons
vous **mord**ez	vous **rend**ez	vous **perd**ez
ils, elles **mord**ent	ils, elles **rend**ent	ils, elles **perd**ent

a. Relevez et comparez les terminaisons pour chaque personne : que remarquez-vous ?
b. Combien de bases verbales chaque verbe comporte-t-il ?

5. a. Observez la conjugaison du verbe « prendre » au présent de l'indicatif.

je **prend**s	il, elle **prend**	vous *pren*ez
tu **prend**s	nous *pren*ons	ils, elles prennent

b. Quelles ressemblances et quelles différences notez-vous avec la conjugaison (terminaisons et bases verbales) des verbes de l'exercice 4 ?

6. Observez la conjugaison des verbes « peindre », « craindre » et « joindre » au présent de l'indicatif.

je **pein**s	je **crain**s	je **join**s
tu **pein**s	tu **crain**s	tu **join**s
il, elle **pein**t	il, elle **crain**t	il, elle **join**t
nous *peign*ons	nous *craign*ons	nous *joign*ons
vous *peign*ez	vous *craign*ez	vous *joign*ez
ils, elles *peign*ent	ils, elles *craign*ent	ils, elles *joign*ent

a. À quelle personne la terminaison de ces verbes en *-indre* varie-t-elle par rapport à celle des verbes des exercices 4 et 5 ? b. Combien de bases verbales chaque verbe comporte-t-il ? c. Quelles régularités repérez-vous dans les bases verbales de ces verbes en *-indre* ?

Formuler la règle

7. Répondez aux questions suivantes.
Au présent de l'indicatif, quelles sont les terminaisons des verbes en *-dre* ? D'où vient la difficulté dans la conjugaison de ces verbes ? Quelle est la particularité des verbes en *-indre* ?

Écrire un texte sous la dictée (SOCLE C1)

La journée heureuse

[...] Tout le miel de l'été aromatise et rôde
Dans le vent qui *se pend* aux fleurs comme un essaim.
[...] Je vais aller goûter et prendre dans mes mains
Le bois, les sources d'eaux, la haie et ses épines.
– Et, lorsque sur le bord rosissant des collines
Vous irez descendant et mourant, beau soleil,
Je reviendrai, suivant dans l'air calme et vermeil
La route du silence et de l'odeur fruitière,
Au potager fleuri, plein d'herbes familières,
Heureuse de trouver, au cher instant du soir,
Le jardin sommeillant, l'eau fraîche, et l'arrosoir...

A. de Noailles, *Le Cœur innombrable*

• Recopiez les noms masculins singuliers qui comportent une consonne finale muette. Proposez, pour chacun de ces noms, un mot de la même famille dans lequel la consonne finale s'entend.

• Relevez un mot de la famille de « sommeil ».

• Quel est l'infinitif du verbe en italique ? À quels temps et mode ce verbe est-il conjugué ? Conjuguez-le à ces mêmes temps et mode, à toutes les personnes.

Grammaire

Découvrir la fonction apposition

→ L'apposition – p. 324

Observer et manipuler

1. Dans chaque extrait : **a.** Quelle est la classe grammaticale des mots ou groupes de mots en gras ? **b.** Quel mot ou groupe de mots chacun d'eux précise-t-il ? **c.** Par quel signe de ponctuation chacun d'eux est-il séparé du mot ou du groupe de mots qu'il précise ?

Petit-Poucet rêveur, j'égrenais dans ma course
Des rimes.

A. RIMBAUD, « Ma bohème », *Poésies*, 1870.

Le colosse, **échoué sur le ventre**, fuit, plonge, [...]
Le néant, **froid**, **muet**, **étonné**.

V. HUGO, *La Légende des siècles*, 1859.

Une eau courait, **fraîche et creuse**,
Sur les mousses de velours.

V. HUGO, « Vieille chanson du jeune temps », *Les Contemplations*, 1831.

2. Recopiez les extraits suivants et rétablissez les virgules des groupes de mots mis en apposition aux groupes nominaux en gras.

Fatigué brisé vaincu par l'ennui
Marchait **le voyageur** dans la plaine altérée,
Et du sable brûlant la poussière dorée
Voltigeait devant lui.

A. DE MUSSET, « Souvenir des Alpes », *Poésies nouvelles*, 1850.

Rose droite sur ses hanches
Leva son beau bras tremblant
Pour prendre une mûre aux branches.

V. HUGO, « Vieille chanson du jeune temps », *Les Contemplations*, 1831.

Formuler la règle

3. Recopiez et complétez la phrase suivante.

La fonction apposition correspond à un ..., un ... ou un ... qui précise un nom ou un pronom dont il est séparé par une ...

Découvrir des propositions subordonnées circonstancielles

→ Les propositions subordonnées circonstancielles – p. 294 à 297

Observer et manipuler

4. **a.** Quel(s) mot(s) introdui(sen)t chaque proposition subordonnée entre crochets ?
b. Quelle est la nature de ce(s) mot(s) ?

[Puisque tout ce bonheur veut bien être le mien] [...]
Je veux, guidé par vous, beaux yeux aux flammes [douces,
Par toi conduit, ô main où tremblera ma main,
Marcher droit [...]

P. VERLAINE, *La Bonne Chanson*, 1870.

Pour obsèques, reçois mes larmes et mes pleurs,
Ce vase plein de lait, ce panier plein de fleurs,
[Afin que, vif et mort, ton corps ne soit que roses].

P. DE RONSARD, *Les Amours*, 1555.

Et [quand j'arriverai], je mettrai sur ta tombe
Un bouquet de houx vert et de bruyère en fleur

V. HUGO, *Les Contemplations*, 1831.

5. Récrivez les extraits ci-dessus : **a.** en supprimant les propositions subordonnées entre crochets ; **b.** en les déplaçant. **c.** Les extraits obtenus gardent-ils un sens ?

6. Remplacez chaque proposition subordonnée entre crochets de l'exercice 4 par un des groupes nominaux suivants.
en vue d'un corps fait de roses (complément circonstanciel de but) – à mon arrivée (complément circonstanciel de temps) – en raison de mon immense bonheur (complément circonstanciel de cause)

7. Quelle circonstance chaque proposition subordonnée entre crochets de l'exercice 4 exprime-t-elle : le temps ? le but ? la cause ?

Formuler la règle

8. Recopiez et complétez la phrase suivante.

Une proposition subordonnée circonstancielle est introduite par une conjonction de ... Elle exprime une circonstance comme la ... le ... ou le ...

Erato, muse de la poésie lyrique, 62-79 ap. J.-C. Musée du Louvre, Paris.

Rédiger des textes lyriques SOCLE C1, C4, C5

1. Composer un poème lyrique collectif

SUJET 1 : Vous allez collectivement rédiger un poème intitulé « Lyrisme ». Chaque élève écrit un distique (strophe de deux vers) sur le modèle suivant.

Vers 1 : un nom évoquant une sensation + un adjectif + un complément du nom.
Ex. : *Le cri strident d'une scie.*

Vers 2 : un sentiment + un GN ou un adjectif qualificatif ou un participe passé apposé.
Ex. : *La haine, une envie de hurler.*
Ou : *La haine, violente et acérée.*
Ou : *La haine, hérissée de pointes.*

Méthode

- Les deux vers à rédiger doivent se correspondre : la sensation doit annoncer le sentiment.
- Pensez aux cinq sens : le visuel, l'auditif, le tactile, l'olfactif, le gustatif.
- Employez le vocabulaire des sentiments.
- Variez la classe grammaticale des appositions.

Variante : à la demande de votre professeur, vos vers peuvent comporter un nombre précis de syllabes et / ou rimer.

Réalisation

- Quand chaque élève a lu ses deux vers, la classe décide de l'ordre à adopter pour les classer : par thématique de sentiments, par sensations, par ordre alphabétique…
- Le travail final peut être retranscrit en traitement de texte, en un long poème composé de distiques. B2i

2. Rédiger un poème lyrique à partir d'un tableau

SUJET 2 : Évoquez la scène représentée sur le tableau et le sentiment majeur qu'elle fait naître en vous, sous forme d'un poème, en adoptant la forme poétique et le ton de votre choix.

GEORGES SEURAT (1859-1891), *La Seine vue de la « Grande Jatte ».* The National Gallery, Londres.

Méthode

- Recherchez des mots qui vous viennent à l'esprit en regardant le tableau ; associez à ces mots des adjectifs ou des groupes nominaux en apposition.
- Vous pouvez traduire le sentiment par des sensations qui l'expriment.

Consignes d'écriture

- Employez le vocabulaire des sentiments.
- Choisissez la forme poétique qui correspond le mieux pour décrire ce sentiment.
- Employez des figures de style.
- Travaillez le rythme en fonction du ton recherché.

3. Écrire un poème à la manière de Verlaine

SUJET 3 : Ajoutez deux strophes au poème de P. Verlaine « Gaspard Hauser chante », dont l'une correspondra aux quinze ans de Gaspard et l'autre à sa vieillesse.

Méthode

- Relisez le poème p. 139.
- Vous raconterez dans chaque strophe l'expérience d'un rejet.
- Vous respecterez :
  - la personne et le temps utilisés par P. Verlaine ;
  - le nombre de vers, le type de vers ;
  - la disposition des rimes ;
  - la structure du dernier vers de chaque strophe.

Oral

Varier les tons et présenter des chansons lyriques

SOCLE C1, C4, C5

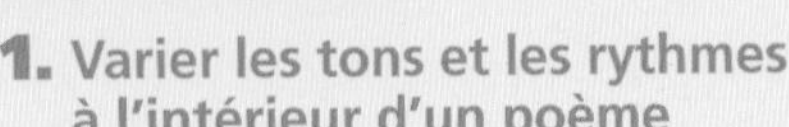

1. Varier les tons et les rythmes à l'intérieur d'un poème

SUJET 1 : Apprenez ce poème et récitez-le en variant les tons et les rythmes selon la progression du poème.

Elle passe
Prenant les cœurs un à un
Donnez les cœurs
Tous les bons cœurs
Les mauvais cœurs
Les pauvres cœurs
Elle place
Chaque cœur sur sa main
Vous n'irez jamais
Jusqu'à ses lèvres
Oh les cœurs
Les pauvres cœurs
Elle se lasse
Et met les cœurs dans son panier
Hélas
Les cœurs n'y restent guère
N'y restent pas longtemps
N'y restent pas assez
Pas même un petit printemps

G. Apollinaire, *Poèmes retrouvés, Guillaume Apollinaire, un poète* © Éditions Gallimard Folio Junior Poésie, 2002.

Jim Dine, *Petite peinture avec cœurs n° 21*, 1970. Musée national d'Art Moderne, Paris.

Méthode

- Comprendre le poème :
  – quel est le comportement de la femme dans la première strophe ?
  – quel est le sentiment exprimé par le poète dans les deux dernières strophes ?
- Varier les tons et les rythmes :
  – repérez les trois vers courts et trouvez une tonalité qui les mette en relief ;
  – entraînez-vous à lire le poème en soulignant les tons et les rythmes différents.

2. Traduire différents sentiments par le ton

SUJET 2 : Apprenez ce poème et récitez-le en employant au moins deux tons différents, selon le sentiment que vous voulez traduire.

J'ai voulu ce matin te rapporter des roses ;
Mais j'en avais tant pris dans mes ceintures closes
Que les nœuds trop serrés n'ont pu les contenir.

Les nœuds ont éclaté. Les roses, envolées
Dans le vent, à la mer s'en sont toutes allées.
Elles ont suivi l'eau pour ne plus revenir ;

La vague en a paru rouge et comme enflammée.
Ce soir, ma robe encore en est tout embaumée...
Respires-en sur moi l'odorant souvenir.

M. Desbordes-Valmore, *Poésies inédites*, 1860.

3. Présenter des chansons lyriques

SUJET 3 : Après avoir écouté une sélection de chansons sur le thème de la mer, présentez, faites écouter et commentez votre sélection, en salle informatique ou avec un ordinateur connecté à Internet dans la salle de classe.

Préparation

- Pour écouter des chansons sur le thème de la mer :
  – faites une recherche sur le site « Le Hall de la chanson », Centre national du patrimoine et de la chanson, des variétés et des musiques : http://www.lehall.com ;
  – cliquez sur « ses thématiques » et cherchez la rubrique « Chanter la mer » ;
  – consultez les neuf sous-rubriques pour sélectionner les deux chansons exprimant des sentiments liés à la mer que vous préférez ;
  – notez les noms des auteurs, compositeurs et interprètes des chansons et sélectionnez quelques informations biographiques ;
  – notez des commentaires sur le (ou les) sentiment(s) exprimé(s) et sur la manière dont le texte et la musique traduisent ce(s) sentiment(s).

Méthode

- À tour de rôle, vous viendrez présenter votre sélection, en utilisant un ordinateur, sans lire vos notes, comme si vous étiez à la radio.

Poésie lyrique

V. Hugo
Enfances
© Étonnants Classiques, Flammarion, 1996.
Une anthologie des poèmes de V. Hugo sur le thème de l'enfance.

L'Amour et l'Amitié en poésie
© Gallimard Jeunesse, 1998.
Une anthologie de poèmes inspirés par l'amour ou l'amitié.

Le cercle des lecteurs

Récital poétique

- **Lire**

Choisissez un de ces cinq recueils et lisez-le. Apprenez celui des poèmes qui vous attire le plus et préparez-vous à justifier votre choix.

- **S'entraîner à une diction expressive**

Récitez plusieurs fois le poème, en cherchant à :
– bien articuler et ne pas dire le poème trop vite ;
– mettre en valeur les mots les plus expressifs ;
– rythmer le poème en soulignant les répétitions.
Ménagez des pauses, voire des silences, si nécessaire.

- **Évaluer la prestation**

Chaque élève passe en indiquant le nom du poète, en justifiant au moins de deux manières le choix du poème retenu et en disant le texte avec expressivité.
La classe évalue la clarté de la présentation, la connaissance du poème, la diction et l'expressivité.

P. Verlaine
Poésies
© Pocket, 2009.
Un recueil pour découvrir les plus célèbres poèmes de Verlaine.

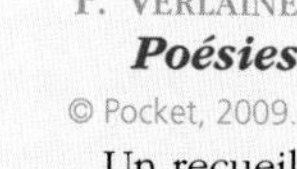

Poésie et Lyrisme
© Étonnants Classiques, Flammarion, 2007.
Une anthologie de poèmes lyriques, de l'Antiquité à nos jours.

Voyages en bohème, Baudelaire, Verlaine, Rimbaud
© Étonnants Classiques, Flammarion, 2007.
Une anthologie de poèmes pour voyager au pays de trois poètes, artistes maudits.

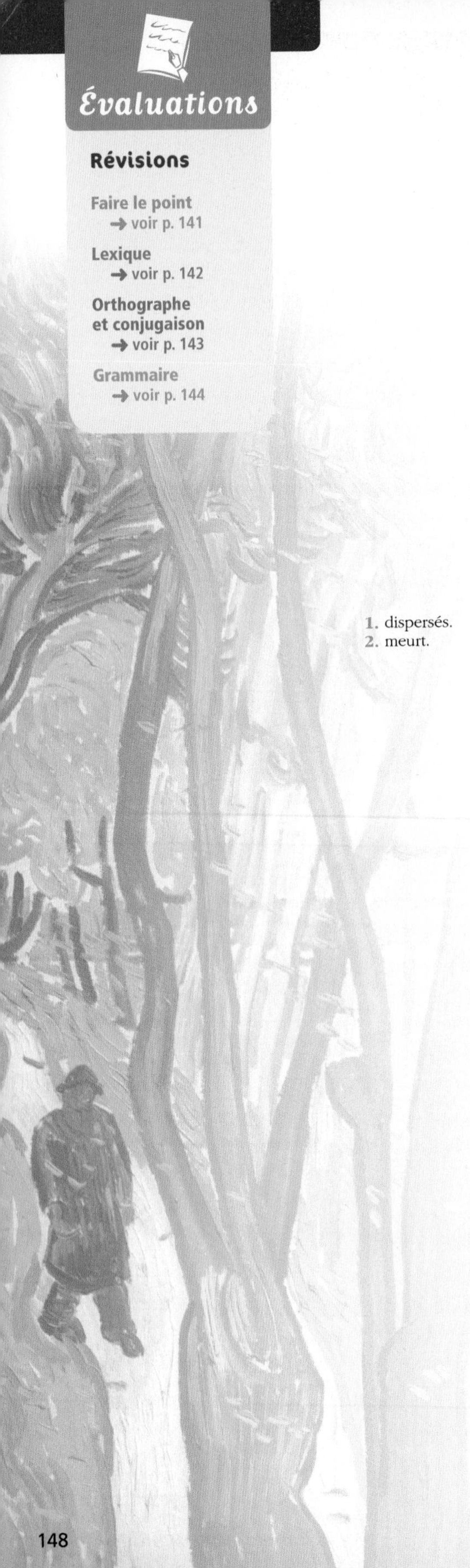

Évaluations

Révisions

Faire le point
→ voir p. 141
Lexique
→ voir p. 142
Orthographe et conjugaison
→ voir p. 143
Grammaire
→ voir p. 144

L'Automne

Salut ! bois couronnés d'un reste de verdure !
Feuillages jaunissants sur les gazons épars[1] !
Salut, derniers beaux jours ! Le deuil de la nature
Convient à la douleur et plaît à mes regards !

Je suis d'un pas rêveur le sentier solitaire,
J'aime à revoir encor, pour la dernière fois,
Ce soleil pâlissant, dont la faible lumière
Perce à peine à mes pieds l'obscurité des bois !

Oui, dans ces jours d'automne où la nature expire[2],
À ses regards voilés, je trouve plus d'attraits,
C'est l'adieu d'un ami, c'est le dernier sourire
Des lèvres que la mort va fermer pour jamais !

Ainsi, prêt à quitter l'horizon de la vie,
Pleurant de mes longs jours l'espoir évanoui,
Je me retourne encore, et d'un regard d'envie
Je contemple ses biens dont je n'ai pas joui !

[...]

A. de Lamartine, *Méditations poétiques*, 1820.

1. dispersés.
2. meurt.

Comprendre le poème SOCLE C1

L'homme face à la nature

1. Relevez les pronoms personnels : qui s'exprime dans le poème ?

2. a. Relevez les éléments de la première strophe qui correspondent au titre. Par quelles figures de style certains d'entre eux sont-ils exprimés ? Expliquez. **b.** La vision est-elle positive ou négative ? Justifiez.

3. À quel type de personnage romantique rencontré dans ce chapitre le poète fait-il penser dans la deuxième strophe ?

4. a. Dans la dernière strophe, quelles sont les deux appositions au sujet ? **b.** Le poète est-il en harmonie avec la saison ? Justifiez. **c.** En vous appuyant sur les réponses précédentes, dites quel « automne » évoque la dernière strophe.

L'expression des sentiments

5. a. Quels signes de ponctuation forte repérez-vous ? **b.** Quel sentiment est ainsi traduit ?

6. a. Quel est le vers utilisé ? **b.** Quel est le rythme commun à chaque vers ? **c.** Relevez les enjambements. **d.** Quelle atmosphère ces effets de rythme donnent-ils au poème ?

Dégager l'essentiel du poème SOCLE C1

7. En quoi ce poème est-il lyrique ?

VINCENT VAN GOGH, *La Chute des feuilles*, 1889. Rijksmuseum Vincent van Gogh, Amsterdam.

Rédiger un texte lyrique SOCLE C1, C5

SUJET :

À la manière d'A. de Lamartine, choisissez une saison ou un lieu géographique avec lequel vous vous sentez en harmonie et rédigez un texte lyrique dans lequel vous exprimerez vos sentiments.

Consignes d'écriture :

- Rédigez votre texte en vers ou en prose.
- Évoquez la saison ou le lieu.
- Exprimez votre goût pour la saison ou le lieu de votre choix.
- Employez des figures de style, une ponctuation forte.
- Choisissez un rythme en accord avec le sentiment à traduire.
- Relisez-vous à l'aide d'un dictionnaire et des tableaux de conjugaison de votre manuel.

Histoire des Arts SOCLE C5

A. Le poète et le peintre sont-ils contemporains (du même siècle) ?

B. Quels rapports pouvez-vous établir entre le poème d'A. de Lamartine et le tableau de V. van Gogh ? Expliquez.

6

Drôles de rires

Explorer des comédies aux rires grinçants

1. **Que représente ce décor de théâtre conçu pour une mise en scène de *Colombe* ? Expliquez.**

2. **D'après ces croquis de théâtre, les personnages de *Colombe* vous semblent-ils comiques ? Justifiez.**

Jean-Denis Malclès, maquette de décor et de costumes pour *Colombe*, 1962 ; montage A.-D. Naname, 2011.

Lectures

Pour entrer dans le chapitre

- Quels auteurs et pièces comiques pouvez-vous citer ?
- *Lexique* Le verbe « grincer » évoque-t-il un son agréable ou déplaisant ?

Avant de lire le texte

- *Lexique* Que signifie « badiner » ?

Alfred de Musset (1810-1857)

On ne badine pas avec l'amour a été écrit après la rupture d'Alfred de Musset avec George Sand (voir p. 100).

On ne badine pas avec l'amour

ACTE III, scène 3

CAMILLE – PERDICAN – ROSETTE

Camille et Perdican sont destinés à s'épouser, depuis leur enfance. Mais élevée dans un couvent, Camille décide de ne pas se marier. Perdican donne un double rendez-vous à Rosette, une paysanne, et à Camille, qu'il veut rendre jalouse.

[...] CAMILLE, *lisant.* – Perdican me demande de lui dire adieu, avant de partir, près de la petite fontaine où je l'ai fait venir hier. Que peut-il avoir à me dire ? Voilà justement la fontaine, et je suis toute portée[1]. Dois-je accorder ce second rendez-vous ? Ah ! (*Elle se cache derrière un arbre.*) Voilà Perdican qui approche avec Rosette, ma sœur de lait[2]. Je suppose qu'il va la quitter ; je suis bien aise de ne pas avoir l'air d'arriver la première.

Entrent Perdican et Rosette, qui s'assoient.

CAMILLE, *cachée, à part.* – Que veut dire cela ? Il la fait asseoir près de lui ? Me demande-t-il un rendez-vous pour y venir causer avec une autre ? Je suis curieuse de savoir ce qu'il lui dit.

PERDICAN, *à haute voix, de manière que Camille l'entende.* – Je t'aime, Rosette ! Toi seule au monde tu n'as rien oublié de nos beaux jours passés ; toi seule tu te souviens de la vie qui n'est plus ; prends ta part de ma vie nouvelle ; donne-moi ton cœur chère enfant ; voilà le gage de notre amour.

Il lui pose sa chaîne sur le cou.

ROSETTE. – Vous me donnez votre chaîne d'or ?

PERDICAN. – Regarde à présent cette bague. Lève-toi, et approchons-nous de cette fontaine. Nous vois-tu tous les deux, dans la source, appuyés l'un sur l'autre ? Vois-tu tes beaux yeux près des miens, ta main dans la mienne ? Regarde tout cela s'effacer. (*Il jette sa bague dans l'eau.*) Regarde comme notre image a disparu ; la voilà qui revient peu à peu ; l'eau qui s'était troublée reprend son équilibre ; elle tremble encore ; de grands cercles noirs courent à sa surface ; patience, nous reparaissons ; déjà je distingue de nouveau tes bras enlacés dans les miens ; encore une minute, et il n'y aura plus une

ALFRED DE MUSSET, *On ne badine pas avec l'amour*, mise en scène de P. Faure. Théâtre de la Croix Rousse, Lyon, 2006.

ride sur ton joli visage ; regarde ! c'était une bague que m'avait donnée Camille.

CAMILLE, *à part.* – Il a jeté ma bague dans l'eau.

PERDICAN. – Sais-tu ce que c'est que l'amour, Rosette ? Écoute ! Le vent se tait ; la pluie du matin roule en perles sur les feuilles séchées que le soleil ranime. Par la lumière du ciel, par le soleil que voilà, je t'aime ! Tu veux bien de moi, n'est-ce pas ? On n'a pas flétri ta jeunesse ? On n'a pas infiltré dans ton sang vermeil[3] les restes d'un sang affadi[4] ? Tu ne veux pas te faire religieuse ; te voilà jeune et belle dans les bras d'un jeune homme. Ô Rosette, Rosette ! sais-tu ce que c'est que l'amour ?

ROSETTE. – Hélas ! monsieur le docteur[5], je vous aimerai comme je pourrai.

PERDICAN. – Oui, comme tu pourras ; et tu m'aimeras mieux, tout docteur que je suis et toute paysanne que tu es, que ces pâles statues fabriquées par les nonnes[6], qui ont la tête à la place du cœur, et qui sortent des cloîtres[7] pour venir répandre dans la vie l'atmosphère humide de leurs cellules[8] ; tu ne sais rien ; tu ne lirais pas dans un livre la prière que ta mère t'apprend, comme elle l'a apprise de sa mère ; tu ne comprends même pas le sens des paroles que tu répètes, quand tu t'agenouilles au pied de ton lit ; mais tu comprends bien que tu pries, et c'est tout ce qu'il faut à Dieu.

ROSETTE. – Comme vous me parlez, monseigneur !

PERDICAN. – Tu ne sais pas lire ; mais tu sais ce que disent ces bois et ces prairies, ces tièdes rivières, ces beaux champs couverts de moissons, toute cette nature splendide de jeunesse. Tu reconnais tous ces milliers de frères, et moi pour l'un d'entre eux ; lève-toi, tu seras ma femme, et nous prendrons racine ensemble dans la sève du monde tout-puissant.

Il sort avec Rosette.

À suivre...

1. arrivée.
2. nourrie par la même nourrice.
3. rouge.
4. affaibli.
5. le savant (qui a étudié).
6. religieuses.
7. cour intérieure d'un couvent.
8. chambres de religieuses, ressemblant à des cellules de prison.

Une situation comique ?

Un jeu de cache-cache

1. Pourquoi Camille s'est-elle cachée ? Justifiez.

2. a. Quel pronom personnel emploie-t-elle pour désigner Perdican ? **b.** À qui ses paroles s'adressent-elles ? **c.** Que révèlent-elles de l'état d'esprit de Camille ?

3. a. Perdican sait-il que Camille est cachée ? Justifiez. **b.** Rosette sait-elle que Camille est cachée ? Justifiez.

Un dialogue à double sens

4. L. 38 à 42 : **a.** Que déclare Perdican à Rosette ? **b.** À qui d'autre ce propos est-il destiné ? Dans quelle intention ?

5. a. Quelle est la critique contenue dans les lignes 42 à 61 ? **b.** À qui ces paroles sont-elles destinées ?

Un jeu cruel ?

6. a. Pour quelles raisons Perdican jette-t-il la bague dans l'eau ? Expliquez. **b.** Qui cherche-t-il à blesser ?

7. L. 39 à 44 : **a.** Quel est le niveau de langue employé par Perdican ? Justifiez avec des mots du texte. **b.** Quel effet Perdican cherche-t-il ainsi à produire sur Rosette ?

8. a. Quel pronom personnel Rosette et Perdican emploient-ils chacun pour s'adresser à l'autre ? **b.** L. 48 à 69 : quelle est la réaction de Rosette aux propos de Perdican ? **c.** L. 50 à 61 : qu'apprécie Perdican dans la personnalité de Rosette ? **d.** L'échange entre Perdican et Rosette les place-t-il sur un plan d'égalité ?

9. Perdican se préoccupe-t-il plutôt de Rosette ou de Camille ? Justifiez.

→ La situation d'énonciation (2) : connecteurs et pronoms – p. 348

Dégager l'essentiel SOCLE C1

› Pour vous, les jeux de scène et la situation provoquent-ils ici le rire ou créent-ils un malaise ? Justifiez votre point de vue.

En scène ! SOCLE C5

- D'après la mise en scène de P. Faure, la scène paraît-elle comique ? Justifiez.
- Après un échange en classe sur des suggestions de jeu et de mise en scène, par groupes de trois, apprenez la scène et jouez-la.

Lectures

Avant de lire le texte

1. Que s'est-il passé à la fontaine dans la scène III, p. 152-153 ?
2. *Lexique* a. Que signifie le nom « inconstance » ? b. Comment est-il formé ?

Acte III, scène 6

Camille – Perdican – Rosette

Camille révèle à Rosette qu'elle a tout vu et entendu à la fontaine. Ayant découvert que Rosette croyait à la déclaration de Perdican, elle veut la détromper et lui conseille de se cacher à son tour pour éprouver la sincérité du jeune homme.

[...] Perdican. – À quoi sert de se quereller, quand le raccommodement est impossible ? Le plaisir des disputes, c'est de faire la paix.

Camille. – Êtes-vous convaincu que je ne veuille pas la faire ?

Perdican. – Ne raillez pas[1] ; je ne suis pas de force à vous répondre.

Camille. – Je voudrais qu'on me fît la cour ; je ne sais si c'est que j'ai une robe neuve, mais j'ai envie de m'amuser. Vous m'avez proposé d'aller au village, allons-y, je veux bien ; mettons-nous en bateau ; j'ai envie d'aller dîner sur l'herbe, ou de faire une promenade dans la forêt. Fera-t-il clair de lune, ce soir ? Cela est singulier, vous n'avez plus au doigt la bague que je vous ai donnée.

Perdican. – Je l'ai perdue.

Camille. – C'est donc pour cela que je l'ai trouvée ; tenez, Perdican, la voilà.

Perdican. – Est-ce possible ? Où l'avez-vous trouvée ?

Camille. – Vous regardez si mes mains sont mouillées, n'est-ce pas ? En vérité, j'ai gâté ma robe de couvent pour retirer ce petit hochet d'enfant de la fontaine. Voilà pourquoi j'en ai mis une autre, et, je vous dis, cela m'a changée ; mettez donc cela à votre doigt.

Perdican. – Tu as retiré cette bague de l'eau, Camille, au risque de te précipiter ? Est-ce un songe ? La voilà ; c'est toi qui me la mets au doigt ! Ah ! Camille, pourquoi me le rends-tu, ce triste gage d'un bonheur qui n'est plus ? Parle, coquette et imprudente fille, pourquoi pars-tu ? Pourquoi restes-tu ? Pourquoi, d'une heure à l'autre, changes-tu d'apparence et de couleur, comme la pierre de cette bague à chaque rayon de soleil ?

Camille. – Connaissez-vous le cœur des femmes, Perdican ? Êtes-vous sûr de leur inconstance, et savez-vous si elles changent réellement de pensée en changeant quelquefois de langage ? Il y en a qui disent que non. Sans doute, il nous faut souvent jouer un rôle, souvent mentir ; vous voyez que je suis franche ; mais êtes-vous sûr que tout mente dans une femme, lorsque sa langue ment ? Avez-vous bien réfléchi à la nature de cet être faible et violent, à la rigueur avec laquelle on le juge, aux principes qu'on lui impose ? Et qui sait si, forcée à tromper par le monde, la tête de ce petit être sans cervelle ne peut pas y prendre plaisir, et mentir quelquefois par passe-temps, par folie, comme elle ment par nécessité ?

Perdican. – Je n'entends rien[2] à tout cela, et je ne mens jamais. Je t'aime, Camille, voilà tout ce que je sais.

Camille. – Vous dites que vous m'aimez, et vous ne mentez jamais ?

Perdican. – Jamais.

Camille. – En voilà une qui dit pourtant que cela vous arrive quelquefois.

Elle lève la tapisserie, Rosette paraît dans le fond, évanouie sur une chaise. [...]

À suivre...

1. ne vous moquez pas de moi.
2. je ne comprends rien.

Alfred de Musset, *On ne badine pas avec l'amour*, mise en scène de J.-P. Vincent. Théâtre de la Ville, Paris, 1989.

Alfred de Musset, *On ne badine pas avec l'amour*, mise en scène d'Isabelle Ronayette. Théâtre Jean Vilar, Suresnes, 2003.

En scène ! SOCLE C5

Répétitions

- Comparez les mises en scène : quels sentiments des personnages soulignent-elles ? Justifiez.
- Proposez trois ou quatre indications que pourrait donner un metteur en scène aux acteurs pour traduire le ton à donner à la scène.
- Après un échange en classe sur vos choix de jeu et de mise en scène, par groupes de deux (plus une figurante), apprenez la scène et jouez-la.

Un dialogue comique ?

Un badinage amoureux

1. **a.** Que cherche à faire Camille au début de la scène ? **b.** Quelle est son humeur ?

2. Perdican partage-t-il l'humeur de Camille ? Expliquez.

Le jeu du mensonge et de la vérité

3. **a.** Pour désigner la bague, quelles sont les périphrases employées respectivement par Camille et par Perdican ? **b.** Quel sentiment cela révèle-t-il pour chacun d'eux ?

4. **a.** Quel changement observez-vous dans l'emploi des pronoms personnels ? **b.** Quel sentiment cela traduit-il ?

5. Que souligne Perdican en comparant Camille à la bague (l. 33 à 35) ?

6. L. 41 à 55 : **a.** Relevez le vocabulaire du mensonge : quelle place occupe-t-il dans ce passage ? **b.** Selon Camille, qui est contraint de mentir et pour quelles raisons ?

7. Qui vous semble sincère et qui vous semble dissimulateur à la fin de la scène ? Expliquez.

8. Pourquoi Rosette s'évanouit-elle à la fin de la scène ?

→ Réviser des figures de style (1) – p. 383
→ La situation d'énonciation (2) : connecteurs et pronoms – p. 348

Dégager l'essentiel SOCLE C1

› Pour vous, le dialogue de cette scène provoque-t-il le rire ou crée-t-il un malaise ? Justifiez.

Rédiger un texte bref SOCLE C1

Rosette se réveille. Imaginez le dialogue théâtral entre les trois personnages. Vous rédigerez une vingtaine de lignes maximum et respecterez la présentation d'un texte théâtral.

Lectures

Avant de lire le texte

1. ***Lexique*** « céleste » : a. Sur quel nom cet adjectif est-il formé ? b. Quelles en sont les différentes significations ?
2. Qu'appelle-t-on un « coup de théâtre » ? un « proverbe » ?

Acte III, scène 8

Camille – Perdican – Rosette

Camille, décidée à devenir religieuse, a rompu avec Perdican. Avant de repartir au couvent, elle vient prier dans une petite chapelle du château. Elle s'adresse alors à Dieu.

Un oratoire[1].

Entre Camille ; *elle se jette au pied de l'autel.* – M'avez-vous abandonnée, ô mon Dieu ? Vous le savez, lorsque je suis venue, j'avais juré de vous être fidèle ; quand j'ai refusé de devenir l'épouse d'un autre que vous, j'ai cru parler sincèrement devant vous et ma conscience, vous le savez, mon père[2] ; ne voulez-vous donc plus de moi ? Oh ! pourquoi faites-vous mentir la vérité elle-même ? Pourquoi suis-je si faible ? Ah ! malheureuse, je ne puis plus prier !

Entre Perdican.

Perdican. – Orgueil, le plus fatal des conseillers humains, qu'es-tu venu faire entre cette fille et moi ? La voilà pâle et effrayée, qui presse sur les dalles insensibles son cœur et son visage. Elle aurait pu m'aimer, et nous étions nés l'un pour l'autre ; qu'es-tu venu faire sur nos lèvres, orgueil, lorsque nos mains allaient se joindre ?

Camille. – Qui m'a suivie ? Qui parle sous cette voûte ? Est-ce toi, Perdican ?

Perdican. – Insensés que nous sommes ! Nous nous aimons. Quel songe avons-nous fait, Camille ? Quelles vaines paroles, quelles misérables folies ont passé comme un vent funeste[3] entre nous deux ? Lequel de nous a voulu tromper l'autre ? Hélas ! cette vie est elle-même un si pénible rêve : pourquoi encore y mêler les nôtres ? Ô mon Dieu ! Le bonheur est une perle si rare dans cet océan d'ici-bas ! Tu nous l'avais donné, pêcheur céleste[4], tu l'avais tiré pour nous des profondeurs de l'abîme, cet inestimable joyau ; et nous, comme des enfants gâtés que nous sommes, nous en avons fait un jouet. Le vert sentier qui nous amenait l'un vers l'autre avait une pente si douce, il était entouré de buissons si fleuris, il se perdait dans un si tranquille horizon ! Il a bien fallu que la vanité, le bavardage et la colère vinssent[5] jeter leurs rochers informes sur cette route céleste, qui nous aurait conduits à toi dans un baiser ! Il a bien fallu que nous nous fissions du mal, car nous sommes des hommes. Ô insensés ! Nous nous aimons.

Il la prend dans ses bras.

Camille. – Oui, nous nous aimons, Perdican ; laisse-moi le sentir sur ton cœur. Ce Dieu qui nous regarde ne s'en offensera pas ; il veut bien que je t'aime ; il y a quinze ans qu'il le sait.

Perdican. – Chère créature, tu es à moi !

Il l'embrasse ; on entend un grand cri derrière l'autel.

Camille. – C'est la voix de ma sœur de lait[6].

Perdican. – Comment est-elle ici ? Je l'avais laissée dans l'escalier, lorsque tu m'as fait rappeler. Il faut donc qu'elle m'ait suivi sans que je m'en sois aperçu.

Camille. – Entrons dans cette galerie ; c'est là qu'on a crié.

Perdican. – Je ne sais ce que j'éprouve ; il me semble que mes mains sont couvertes de sang.

Camille. – La pauvre enfant nous a sans doute épiés ; elle s'est encore évanouie ; viens, portons-lui secours ; hélas ! tout cela est cruel.

Perdican. – Non, en vérité, je n'entrerai pas ; je sens un froid mortel qui me paralyse. Vas-y, Camille, et tâche de la ramener. (*Camille sort.*) Je vous en supplie, mon Dieu ! ne faites pas de moi un meurtrier ! Vous voyez ce qui se passe ; nous sommes deux enfants insensés, et nous avons joué avec la vie et la mort ; mais notre cœur est pur ; ne tuez pas Rosette, Dieu juste ! Je lui trouverai un mari, je réparerai ma faute ; elle est jeune, elle sera riche, elle sera heureuse ; ne faites pas cela, ô Dieu ! Vous pouvez bénir encore quatre de vos enfants. Eh bien ! Camille, qu'y a-t-il ?

Camille rentre.

Camille. – Elle est morte. Adieu, Perdican !

Alfred de Musset, *On ne badine pas avec l'amour*, 1834.

1. petite pièce pour prier, qui se trouve dans le château.
2. désigne Dieu.
3. porteur de mort.
4. désigne Dieu.
5. subjonctif imparfait du verbe « venir ».
6. nourrie par la même nourrice.

Un dénouement de comédie ?

Vers la réconciliation ?

1. L. 1 à 32 : *Lexique* a. Relevez les mots du vocabulaire de la religion. b. Quel cadeau « Dieu » avait-il fait aux deux personnages ? c. Quel usage en ont-ils fait ?

2. L. 12 à 38 : a. Selon Perdican, quels obstacles se sont mis en travers de son amour et de celui de Camille ? b. « Nous aurions pu » : quels sont le mode et le temps de ce verbe ? Quel sentiment traduisent-ils ?

3. Qu'est-ce qui triomphe dans les lignes l. 40 à 46 : le mensonge ou la vérité ? Expliquez.

→ Réviser l'analyse complète du verbe – p. 326

Le coup de théâtre

4. Qu'est-ce qui crée le coup de théâtre final ?

5. « Il faut donc qu'elle m'ait suivi sans que je m'en sois aperçu. » (l. 50-51) : a. À quel mode et à quel temps le verbe « suivre » est-il conjugué ? b. Ce passage exprime-t-il une certitude ou une supposition ?

6. *Lexique* a. Relevez le vocabulaire de la mort dans les deux dernières répliques de Perdican. b. Quel sentiment Perdican éprouve-t-il alors ?

7. a. Pourquoi Camille prononce-t-elle la dernière réplique ? b. S'attend-on à une telle réplique à la fin d'une comédie ?

→ Le subjonctif dans les propositions subordonnées conjonctives introduites par *que* – p. 290

Dégager l'essentiel SOCLE C1

› En fonction de cette dernière scène, expliquez le proverbe qui sert de titre à la pièce.

› Selon vous, ce dénouement est-il celui d'une comédie ? Expliquez.

Rédiger un texte bref SOCLE C1

Récrivez la fin de la pièce en lui donnant une tonalité nettement comique. Vous respecterez la disposition d'un texte théâtral et indiquerez des didascalies.

Alfred de Musset, *On ne badine pas avec l'amour*, mise en scène d'Isabelle Ronayette. Théâtre Jean Vilar, Suresnes, 2003.

En scène ! SOCLE C5

- À quel passage de la scène associez-vous cette photographie de mise en scène ? Pourquoi ?
- Proposez trois ou quatre indications que pourrait donner un metteur en scène aux acteurs pour traduire le ton comique ou tragique à donner à la scène (à partir de « Il la prend dans ses bras... »).
- Après un échange en classe sur vos choix de jeu et de mise en scène, par groupes de trois, apprenez la scène et jouez-la.

JEAN-DENIS MALCLÈS, maquette de décor et costume pour *Colombe*, 1962.

Jean Anouilh
(1910-1987)

Cet auteur de théâtre français a écrit de nombreuses comédies, souvent grinçantes.

Avant de lire le texte

1. Que symbolise une colombe ?
2. ***Lexique*** Cherchez dans un dictionnaire le sens de « bouffon ».
3. ***Lexique*** Au théâtre, qu'appelle-t-on une loge de comédien ? une habilleuse ? un régisseur ?

Colombe

ACTE I

COLOMBE – JULIEN – MME ALEXANDRA

Julien, qui a épousé Colombe dont il a eu un enfant, doit partir faire son service militaire. Il vient confier sa femme et son fils à sa mère, une actrice de théâtre célèbre, qu'il n'a pas vue depuis deux ans. Celle-ci se nomme Mme Alexandra.

[...] COLOMBE, *se rapproche de Julien.* – Julien, tu sais ce que tu viens lui demander, sois aimable, je t'en supplie, sois poli. Pour le petit et pour moi.

JULIEN, *qui tend l'oreille.* – Écoute ça ! Cela souffle, cela halète, cela hisse sa vieille carcasse en haut des marches comme cela peut, pour se faire applaudir encore une fois – au lieu de tricoter comme les autres... Mais il ne faut pas croire ! En scène, c'est éternellement jeune, cela ne paraît pas tout à fait vingt ans, cela minaude, cela séduit, cela roucoule... Et c'est ma mère !

COLOMBE, *crie.* – Julien !

JULIEN, *bouffonne.* – Colombe, tiens-toi droite ! Tu vas voir paraître devant toi la vieille déesse de l'Amour de la Troisième République[1].

COLOMBE. – J'ai peur, mon chéri.

JULIEN. – D'elle ? Elle ne mord pas. Elle n'a plus de dents ! Elle n'a même plus son puma familier[2] qui l'a suivie partout pendant dix ans.

COLOMBE, *dans un souffle.* – C'est de toi que j'ai peur, Julien.

Mme Alexandra paraît, entourée de Mme Georges[3] et d'un état-major de coiffeurs, de régisseurs, de pédicures. Elle passe devant Colombe et Julien sans même les regarder et s'engouffre dans sa loge, glapissant[4] de cette voix déformée par les fausses dents qui a fait sa gloire.

1. La pièce se déroule sous la IIIe République, au début du XXe siècle, et la mère de Julien joue avec succès des rôles de grandes amoureuses, ce qui lui vaut ce surnom.
2. Mme Alexandra est un personnage excentrique qui a eu un puma comme animal domestique.
3. son habilleuse.
4. criant comme un renard.

Mme Alexandra. – Mon fils ? Inutile ! Vous lui direz que je ne veux pas le voir !

La porte de la loge se referme sur le cortège.

Julien, *est resté immobile, sidéré*[5]. *Quand Mme Alexandra a disparu, il éclate.* – Ah ! Non ! C'est trop fort ! Cette fois, je casse son théâtre !

Colombe, *tente de le retenir.* – Mon chéri, reste calme. Tu n'obtiendras rien en criant.

Julien. – Lâche-moi. Je veux crier. Il faut que je crie ou j'étouffe ! Maman ! (*Il fait irruption dans la loge et va frapper à la porte du cabinet qui est fermée. Il la secoue.*) Maman ! Ouvre-moi ! Fais-moi ouvrir tout de suite ou je casse la porte. (*Il secoue la porte en vain.*) Elle s'est enfermée dans son fromage, comme un vieux rat. Elle s'est assise sur son coffre et elle le couve. (*Il erre comme un lion en cage dans la loge en criant :*) Mme Alexandra ! Si vous ne m'ouvrez pas, je casse vos potiches en faux Chine, je lacère votre tapis genre persan, je bouffe vos plantes vertes. Ouvrez, Mme Alexandra ! Ou cela va vous coûter extrêmement cher, beaucoup plus cher que je ne veux vous demander. (*Il va crier, secouant la porte :*) Mme Alexandra, place au théâtre ! C'est la grande scène du trois[6] avec votre fils adoré. Vous allez pouvoir être une mère sublime encore une fois ! Mme Alexandra, votre public vous réclame ! Faites votre entrée ! [...]

À suivre...

5. stupéfait.
6. scène centrale d'une pièce, au troisième acte.

Des personnages comiques ?

Julien et Mme Alexandra

1. a. Par quelle classe de pronoms Julien désigne-t-il sa mère dans la première réplique : à quoi Julien assimile-t-il sa mère ? **b.** Sur quel ton prononce-t-il cette réplique ? **c.** Quel trait de caractère et quel sentiment de Julien révèle-t-elle ?

2. Quel est l'élément dominant dans le portrait que Julien brosse de sa mère (l. 1 à 13) ?

3. a. Que révèlent la réplique de Mme Alexandra et les didascalies, sur son attitude à l'égard de Julien ? **b.** Quel(s) sentiment(s) son attitude provoque-t-elle chez son fils ?

4. L. 29 à 35 : **a.** Quel nom Julien emploie-t-il pour parler à sa mère ? **b.** ***Lexique*** Relevez le vocabulaire du théâtre. **c.** Quel reproche Julien adresse-t-il à sa mère dans cette réplique ?

→ Réviser les pronoms – p. 303

Julien et Colombe

5. a. En quoi peut-on dire que Julien « bouffonne » dans sa deuxième réplique ? **b.** Quel trait de caractère le comportement de Julien révèle-t-il ? Justifiez votre réponse en citant des passages des répliques et des didascalies.

6. a. Quel sentiment ce comportement de Julien suscite-t-il chez Colombe ? **b.** L'attitude de celle-ci à l'égard de Julien est-elle en accord avec le nom qu'elle porte ? Expliquez.

Dégager l'essentiel SOCLE C1

› Pour vous, le personnage de Mme Alexandra est-il comique ou inquiétant ? Justifiez.

› Selon vous, le personnage de Julien provoque-t-il le rire, la pitié ou l'inquiétude ? Justifiez.

Rédiger un texte bref SOCLE C1

Mme Alexandra finit par sortir de sa loge. Rédigez sous forme de texte théâtral le dialogue entre Julien et elle.

En scène ! SOCLE C5

- Quels éléments du texte et du décor de J.-D. Malclès montrent que l'intrigue de cette pièce se déroule dans les coulisses d'un théâtre ?
- Jouez la dernière tirade de Julien en accentuant le ton que vous aurez choisi (comique, inquiétant, pitoyable).

Anny Duperey dans le rôle de Mme Alexandra, mise en scène de Michel Fagadau. Théâtre des Champs-Élysées.

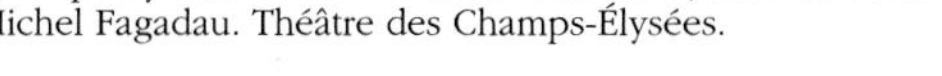

Lectures

Avant de lire le texte

1. Pour quelle raison Julien est-il venu voir sa mère au théâtre dans l'acte I ?
2. *Lexique* Que signifie « anonyme » ?
3. *Lexique* Qu'est-ce qu'une « tirade » ?

ACTE III

JULIEN – COLOMBE

Julien parti au service militaire, Colombe est devenue actrice dans la troupe de Mme Alexandra. Julien revient en permission, sans prévenir, car un vieux serviteur du théâtre lui a écrit pour lui dire que sa femme le trompait, sans lui indiquer le nom de l'amant. Il attend Colombe dans sa loge ; celle-ci arrive.

[...] JULIEN. – Inutile de nier, Colombe. J'ai des preuves. Je sais que tu as un amant. On t'a vue, on t'a suivie. On m'a écrit.

COLOMBE, *se dégage et crie, furieuse.* – Qui a osé t'écrire ?

JULIEN. – Tu vois, tu as peur. Tu te troubles. Inutile de jouer l'étonnement plus longtemps. J'ai une lettre dans ma poche où on me dit tout. Avoue maintenant.

COLOMBE. – Je veux savoir qui t'écrit !

JULIEN. – Cela ne te regarde pas.

COLOMBE. – Une lettre anonyme, bien sûr ? Tout le monde se hait dans ce métier, tout le monde se jalouse. Interroge-les comme un policier maintenant que tu as commencé, va glaner les ragots dans la loge du concierge ou dans les coulisses, tu en apprendras bien d'autres sur moi, mon pauvre homme. Ce n'est pas un amant qu'on me prêtera, c'est dix. Encore heureux si ce n'est pas des vices. La lettre anonyme, c'est leur passe-temps en attendant des rôles qu'on ne leur donne jamais. Toi qui as traîné dans les coulisses tout petit, je pensais que tu aurais appris à les connaître. Mais c'est plus facile de croire tout de suite une saleté plutôt que de faire confiance à sa femme. La première petite chipie, le premier maniaque qui pique ta jalousie imbécile et ta vanité blessée, c'est lui qui a raison. C'est lui qu'il faut croire, même s'il ne signe pas. Pas moi. (*Elle change de ton, au bord des larmes.*) Les deux ans que nous avons vécus heureux, ma fidélité quand tu étais pauvre et que je faisais ta vaisselle, cela ne compte pas, bien sûr. Tu crois que c'est la première fois, pauvre imbécile, que les hommes tournent autour de moi ? Crois-tu qu'il n'y en avait pas à chaque coin de rue, quand j'allais faire ton marché sans gants l'hiver, avec trois francs dans mon

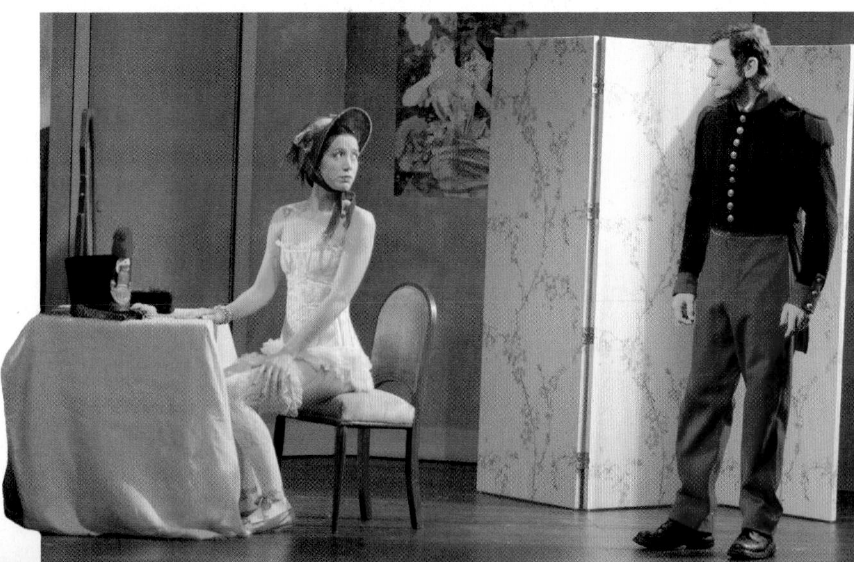

Pages 160 et 161 : JEAN ANOUILH, *Colombe*, mise en scène de Michel Fagadau. Théâtre des Champs-Élysées, Paris, 2010.

porte-monnaie, pour me proposer une autre vie plus heureuse, et les robes et les sorties et tout ce dont j'avais envie ? Si j'avais voulu te tromper avec eux, tu crois que j'aurais eu besoin d'attendre ton départ ? Je me suis toujours défendue, je t'ai toujours tout gardé, même quand il n'y avait plus rien à manger le soir à la maison, rien que la bouillie du petit, et que nous dînions, serrés l'un contre l'autre, à regarder les hirondelles sur les toits. Oublie tous ces jours-là, oublie tout et salis-moi maintenant. Oh ! Mon Dieu, que je suis malheureuse !

Elle est tombée sanglotante sur son fauteuil. Julien est resté immobile, tout bête. Il murmure.

JULIEN. – Pardon, Colombe.

COLOMBE, *dans ses larmes.* – Pardon, c'est facile. C'est fait maintenant. Je sais que tu crois n'importe qui plutôt que moi.

JULIEN. – Je veux te croire.

COLOMBE, *demande d'une petite voix indifférente, du fond de ses larmes.* – Elle était signée cette lettre ?

JULIEN. – Oui.

JEAN ANOUILH, *Colombe*, © La Table Ronde, 1951.

Un rapport de forces comique ?

L'évolution de Julien

1. **a.** Qu'est-ce ce qui caractérise les phrases employées par Julien dans ses deux premières répliques ? **b.** Quel est le pronom sujet des verbes « voir », « suivre », « écrire », « dire » ? **c.** Comment nomme-t-on ce pronom ? **d.** Pourquoi Julien l'emploie-t-il ?

2. Quel ton, selon vous, Julien emploie-t-il dans ces deux répliques ? à la fin du passage ? Justifiez.

3. « Cela ne te regarde pas » (l. 7), « Oui » (l. 39) : quelle évolution constatez-vous entre ces deux répliques ?

Le jeu de Colombe

4. **a.** Quel titre pourriez-vous donner à chacune de ces parties de la tirade de Colombe : l. 8 à 15 ; l. 15 à 18 ; l. 19 à 30 ? **b.** La construction de cette tirade est-elle une marque d'habileté ou de naïveté de la part de Colombe ? **c.** Cela correspond-il à ce que vous aviez découvert de Colombe dans l'acte I (voir p. 158) ?

5. « Je t'ai toujours *tout* gardé, même quand il n'y avait plus *rien* à manger le soir à la maison, *rien* que la bouillie du petit. » (l. 27-28) **a.** Quelle est la classe grammaticale des mots en italique ? **b.** Ces mots sont-ils synonymes ou antonymes ? **c.** Que cherche à souligner Colombe ?

6. « Tu crois *n'importe qui* plutôt que *moi.* » (l. 35)
a. Lequel des pronoms en italique est un pronom indéfini ? un pronom personnel ? **b.** Que cherche Colombe en opposant ces deux pronoms ?

7. Observez les didascalies : le comportement de Colombe est-il naturel ou joué ?

8. D'après sa dernière réplique, Colombe vous semble-t-elle sincère dans cette scène ? Expliquez.

→ Les pronoms indéfinis – p. 308

Dégager l'essentiel SOCLE C1

› Qui sort gagnant de cette scène ? Était-ce prévisible ? Expliquez.

› Le rapport entre les personnages a-t-il évolué de façon comique ou tragique au cours de la scène et par rapport à l'extrait de l'acte I (p. 158) ? Justifiez.

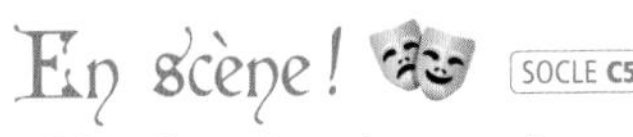

- D'après cette mise en scène, que pouvez-vous dire du personnage de Colombe et de ses rapports avec Julien dans cette scène ?
- Jouez la tirade de Colombe en accentuant le ton que vous aurez choisi.

Œuvre intégrale

L'Avare, Molière

→ *Une pièce comique ?*

Texte intégral de la pièce en ligne : http://www.site-moliere.com/pieces/avare htm ou http://www.toutmoliere.net/l-avare,43.html

Molière, *L'Avare*, mise en scène de Jérôme Savary, avec Jacques Sereys dans le rôle d'Harpagon, 1999.
En haut à droite, mise en scène de Jean-Paul Roussillon, avec Michel Aumont dans le rôle d'Harpagon, Centre national de Création d'Orléans, 1999.

 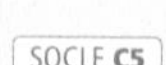

Histoire des Arts SOCLE C5

Analyser des mises en scène

A. Quelle est la couleur du costume de l'avare ?

B. Quel objet est mis en relief ? Par quels procédés ?

C. Selon vous, les metteurs en scène ont-ils choisi de faire ressortir le côté comique ou sombre de la pièce ? Expliquez.

A Entrer dans l'œuvre

À l'origine de la pièce

Pour écrire *L'Avare*, Molière s'est inspiré de *L'Aulularia* de Plaute, un auteur latin (environ 254-184 av. J.-C.). Cette pièce met en scène Euclion, un brave homme qui trouve dans sa cheminée une marmite remplie d'or (*aulularia* signifie « comédie de la marmite »). Euclion, craignant d'être volé, soupçonne tout le monde et finit par se faire dérober son trésor. Finalement Euclion accorde la main de sa fille au jeune homme qui lui restitue son trésor.

Lisez l'extrait suivant de la pièce de Molière.

ACTE I, scène 3

Harpagon – La Flèche

Harpagon. – Hors d'ici tout à l'heure[1], et qu'on ne réplique pas. Allons, que l'on détale de chez moi, maître juré filou, vrai gibier de potence.

La Flèche, *à part*. – Je n'ai jamais rien vu de si méchant que ce maudit vieillard ; et je pense, sauf correction[2], qu'il a le diable au corps.

Harpagon. – Tu murmures entre tes dents.

La Flèche. – Pourquoi me chassez-vous ?

Harpagon. – C'est bien à toi, pendard, à me demander des raisons : sors vite, que[3] je ne t'assomme.

La Flèche. – Qu'est-ce que je vous ai fait ?

Harpagon. – Tu m'as fait, que je veux que tu sortes.

La Flèche. – Mon maître, votre fils, m'a donné ordre de l'attendre.

Molière, *L'Avare*, mise en scène de Catherine Hiegel avec Denis Podalydès dans le rôle d'Harpagon. Comédie-Française, 2009-2010.

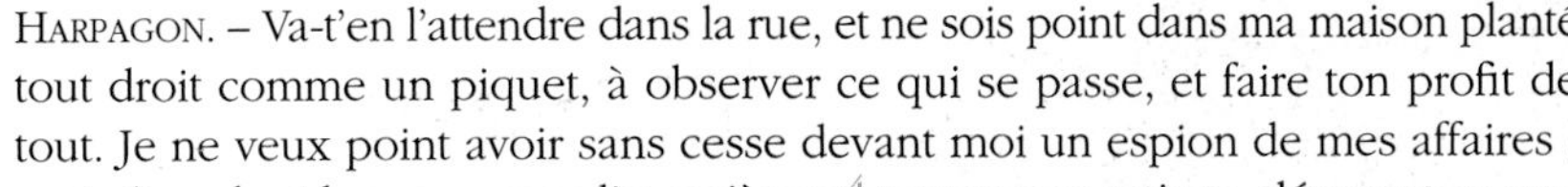

1. tout de suite.
2. sauf le respect que je vous dois.
3. avant que.
4. surveillent de près.
5. espions.
6. donnerai.
7. culotte très large, serrée aux genoux.
8. abris des choses volées.
9. qu'on ait pendu un tel voleur.

Harpagon. – Va-t'en l'attendre dans la rue, et ne sois point dans ma maison planté tout droit comme un piquet, à observer ce qui se passe, et faire ton profit de tout. Je ne veux point avoir sans cesse devant moi un espion de mes affaires ; un traître, dont les yeux maudits assiègent[4] toutes mes actions, dévorent ce que je possède, et furètent de tous côtés pour voir s'il n'y a rien à voler.

La Flèche. – Comment diantre voulez-vous qu'on fasse pour vous voler ? Êtes-vous un homme volable, quand vous renfermez toutes choses, et faites sentinelle jour et nuit ?

Harpagon. – Je veux renfermer ce que bon me semble, et faire sentinelle comme il me plaît. Ne voilà pas de mes mouchards[5], qui prennent garde à ce qu'on fait ? (*À part.*) Je tremble qu'il n'ait soupçonné quelque chose de mon argent. (*Haut.*) Ne serais-tu point homme à aller faire courir le bruit que j'ai chez moi de l'argent caché ?

La Flèche. – Vous avez de l'argent caché ?

Harpagon. – Non, coquin, je ne dis pas cela. (*À part*) . J'enrage. (*Haut.*) Je demande si malicieusement tu n'irais point faire courir le bruit que j'en ai.

La Flèche. – Hé que nous importe que vous en ayez, ou que vous n'en ayez pas, si c'est pour nous la même chose ?

Harpagon. – Tu fais le raisonneur ; je te baillerai[6] de ce raisonnement-ci par les oreilles. (*Il lève la main pour lui donner un soufflet.*) Sors d'ici encore une fois.

La Flèche. – Hé bien, je sors.

Harpagon. – Attends. Ne m'emportes-tu rien ?

La Flèche. – Que vous emporterais-je ?

Harpagon. – Viens çà, que je voie. Montre-moi tes mains.

La Flèche. – Les voilà.

Harpagon. – Les autres.

La Flèche. – Les autres ?

Harpagon. – Oui.

La Flèche. – Les voilà.

Harpagon, *désignant les chausses.* – N'as-tu rien mis ici dedans ?

La Flèche. – Voyez vous-même.

Harpagon, *tâtant le bas de ses chausses.* – Ces grands hauts-de-chausses[7] sont propres à devenir les recéleurs[8] des choses qu'on dérobe ; et je voudrais qu'on en eût fait pendre quelqu'un[9].

La Flèche, *à part.* – Ah ! Qu'un homme comme cela mériterait bien ce qu'il craint ! Et que j'aurais de joie à le voler ! [...]

Molière, *L'Avare*, 1668.

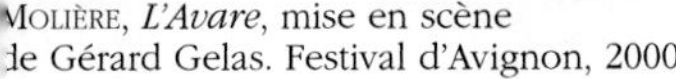

Molière, *L'Avare*, mise en scène de Gérard Gelas. Festival d'Avignon, 2000.

Lexique

Le nom « Harpagon » est formé sur le latin *harpago*, signifiant « harpon », et, au sens figuré, « rapace ». Ce mot latin est formé à partir du grec *harpagê*, « proie, rapacité », issu d'une racine indo-européenne signifiant « crochu ».

1. Quel est le point commun de ces étymologies successives ?

2. Le personnage de Molière porte-t-il bien son nom ? Expliquez.

3. En 1878, le nom propre « Harpagon » est devenu un nom commun : que signifie-t-il exactement ?

Œuvre intégrale

MOLIÈRE, *L'Avare*, mise en scène de Georges Werler. Théâtre de Cachan, 2006.

B Lire la pièce et exercer son esprit critique et sa sensibilité

Lisez la pièce individuellement et choisissez l'un des deux axes de lecture suivants, que vous travaillerez au brouillon au fur et à mesure de votre lecture.
Pour chaque axe d'étude, vous vous préparerez à répondre oralement devant la classe à la question Dégager l'essentiel.

Axe d'étude 1
Des situations inquiétantes ou amusantes ?

Reproduisez et complétez le tableau suivant.

Situations inquiétantes	Comment cela se manifeste-t-il ?	Nos des actes et des scènes
Menaces d'Harpagon sur le bonheur de ses enfants	…	…
Absence d'amour paternel	…	…
Des domestiques maltraités	…	…
Situations amusantes	…	…
La riposte des enfants	…	…
Des scènes de farce	…	…
La résistance des domestiques	…	…

Dégager l'essentiel SOCLE C1

› Selon vous, la pièce met-elle plus l'accent sur les situations amusantes ou inquiétantes ? Justifiez.

Axe d'étude 2
Le mensonge comme ressort de la pièce

1. Retrouvez quel(s) personnage(s) ment(ent) ou dissimule(nt) dans chacune des scènes suivantes.

ACTE I scène 1	Quel personnage s'est introduit dans la maison de sa bien-aimée sous la fausse identité d'un domestique pour vivre clandestinement son amour ?
ACTE I scène 2	Quels personnages vivent un amour clandestin ?
ACTE I scène 4	Quel personnage s'efforce de dissimuler sa fortune aux yeux de ses enfants ?
ACTE I scène 5	Quel personnage, pour plaire à Harpagon, fait semblant d'approuver le mariage d'Élise avec Anselme ?
ACTE II scène 1	Derrière quels personnages se cachent un emprunteur et un prêteur ?
ACTE II scène 5	Quel personnage flatte Harpagon en faisant de lui un portrait menteur ?
ACTE III scène 1	Lors de la préparation du dîner offert à Mariane, quel personnage flatte hypocritement l'avarice d'Harpagon ?
ACTE III scène 7	Quels personnages jouent les rôles de futurs beau-fils et belle-mère, sous le regard d'Harpagon à qui est adressée cette mise en scène ?
ACTE IV scène 3	Quel personnage fait croire à Cléante qu'il renonce à épouser Mariane ?
ACTE V scène 5	Quel personnage est en réalité Dom Thomas d'Alburcy ?

2. a. Quels personnages sont contraints de recourir au mensonge ? Pour quelles raisons ?
b. Quels personnages mentent délibérément ? Pour quelle raison ?

Dégager l'essentiel SOCLE C1

› La présence du mensonge rend-elle, selon vous, la pièce drôle ou inquiétante ? Justifiez.

C Gros plan sur Harpagon : analyser le caractère d'un personnage

En vous aidant de la Fiche-méthode, expliquez si Harpagon est un personnage comique ou inquiétant.

Fiche-méthode

Analyser le comique de caractère des personnages de Molière

Définir le caractère

- Repérer le personnage central de la pièce, en général le personnage éponyme (qui donne son nom à l'œuvre).
- Déterminer son principal trait de caractère, qui est un défaut ; repérer les principales manifestations de ce défaut dans la pièce.
- Déterminer un deuxième trait de caractère du personnage qui le rend plus sympathique.

Analyser la source du comique

- Montrer le ridicule du personnage : dans ses gestes ; dans ses paroles ; dans les situations dans lesquelles il se trouve.
- Déterminer les prétentions amoureuses du personnage et montrer en quoi elles sont en opposition avec un de ses traits de caractère et font ainsi naître le comique.

Un personnage vraiment comique ?

- Repérer le moment où le personnage bascule dans la folie : Qui le fait basculer ? Comment ? Quels autres personnages cette folie met-elle en danger ?
- Repérer à la fin de la pièce :
  - le retour à l'ordre pour l'entourage du personnage ;
  - l'enfermement du personnage principal dans son défaut.

Molière, *L'Avare*, mise en scène de Pierre Franck. Bordeaux, 1989.

Molière, *L'Avare*, mise en scène de Roger Planchon. Théâtre national populaire de Villeurbanne, 2000.

D Partager et rédiger des points de vue SOCLE C1

1. À partir des travaux précédents, organisez un débat pour vous demander si la pièce de *L'Avare* provoque un rire franc ou grinçant.

2. À l'issue du débat, chacun de vous rédige un paragraphe de synthèse dans lequel il (elle) présente son opinion de façon argumentée, avec quelques références à la pièce.

E Jouer un monologue SOCLE C5

Apprenez le monologue d'Harpagon (acte IV, scène 7), et jouez-le devant la classe en choisissant de traduire le côté inquiétant ou le côté comique du personnage.

Répétitions

- En vous appuyant sur les didascalies (indications scéniques en italique), travaillez les attitudes, les déplacements, les intonations.
- Trouvez un rythme qui corresponde à la ponctuation forte.
- Traduisez, au fil du monologue, l'évolution du personnage soit vers la folie terrifiante, soit vers le ridicule.
- Si vous en avez la possibilité, choisissez un costume et des accessoires qui rendent le personnage soit comique, soit terrifiant.

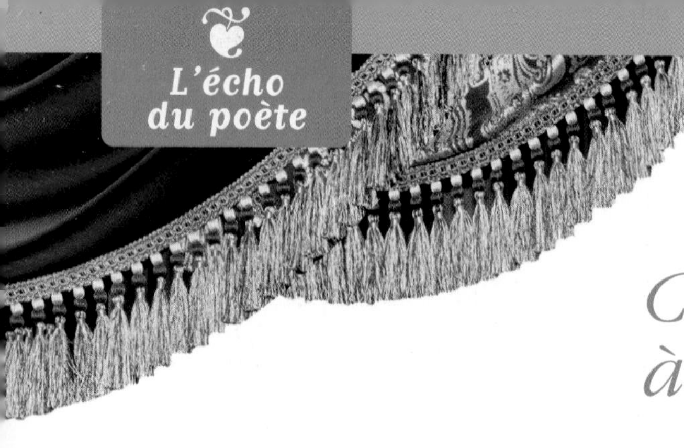

L'écho du poète

Conseils à une Parisienne

Oui, si j'étais femme, aimable et jolie,
Je voudrais, Julie,
Faire comme vous ;
Sans peur ni pitié, sans choix ni mystère,
À toute la terre
Faire les yeux doux. [...]

Je voudrais pour moi qu'il fût toujours fête,
Et tourner la tête,
Aux plus orgueilleux ;
Être en même temps de glace et de flamme,
La haine dans l'âme,
L'amour dans les yeux. [...]

Je voudrais encore avoir vos caprices,
Vos soupirs novices[1],
Vos regards savants.
Je voudrais enfin, tant mon cœur vous aime,
Être en tout vous-même...
Pour deux ou trois ans. [...]

Voyez-vous, ma chère, au siècle où nous sommes,
La plupart des hommes
Sont très inconstants[2].
Sur deux amoureux pleins d'un zèle extrême,
La moitié vous aime
Pour passer le temps. [...]

A. DE MUSSET, *Poésies nouvelles*, 1850.

1. de débutante inexpérimentée.
2. changeants.

Établir des liens entre les œuvres SOCLE C5

1. Qui le poète critique-t-il ? Quelle critique formule-t-il ?

2. Quel écho ce poème fait-il à la pièce d'A. de Musset, *On ne badine pas avec l'amour* ?

Réciter un poème SOCLE C5

3. Repérez les ruptures de tons (léger / grinçant).

4. Apprenez et dites le poème en soulignant par votre diction le mélange des tons.

JOSEPH-DÉSIRÉ COURT, *Femme au masque*, 1843. Museo Civico Revoltella, Trieste.

Faire le point

La comédie et ses nuances

Arts et culture

- La comédie remonte au Grec **Aristophane** (IVe siècle av. J.-C.), dont les pièces parfois grossières critiquent l'actualité. À Rome, au IIIe siècle av. J.-C., **Plaute**, dans des comédies parfois reprises par **Molière**, dénonce des défauts humains éternels.
- Au Moyen Âge, on joue en plein air des farces divertissantes.
- Au XVIe siècle se développe en Italie la ***commedia dell'arte***, comédie d'improvisation, dont **Molière** s'inspira.
- Au XVIIe siècle, en France, le maître de la comédie est **Molière**. L'obsession qui hante ses personnages, tels **Harpagon** dans *L'Avare*, les rend à la fois risibles pour le spectateur et odieux pour leur entourage.
- Le XVIIIe siècle est dominé par des comédies d'intrigue où perce la critique sociale (voir **Beaumarchais**, *Le Mariage de Figaro*, p. 215).
- Au XIXe siècle, de nombreuses comédies, dont les « proverbes » d'**A. de Musset**, sont créées.
- Les comédies de **J. Anouilh** (XXe siècle) mêlent fantaisie et leçons de vie parfois amères.

JEAN-DENIS MALCLÈS, maquette de costume (Mme Alexandra) pour *Colombe*, 1962.

La comédie : la diversité des comiques

- La comédie se moque des **défauts** humains pour les **corriger par le rire**. Elle peut être de pur divertissement ou provoquer un **rire grinçant**, né d'un **certain malaise du spectateur** face à ces défauts et aux souffrances qu'ils provoquent.
- Le **comique de caractère** provient de personnages au comportement excessif dû à un défaut comme l'avarice, la jalousie, l'égoïsme...
- Le **comique de mots** traduit l'opposition des personnages, parfois avec une certaine cruauté.
- Le **comique de situation** naît des manœuvres, manipulations, mensonges des personnages.
- Gestes et déplacements, très visuels, produisent le **comique de scène**.

L'écriture de la comédie

- Le comique de mots provient de jeux de mots, de répétitions, de jurons, d'onomatopées, de l'opposition de niveaux de langue, d'un ton décalé ou excessif, de l'interruption d'un personnage par un autre... : la comédie est aussi un art sonore.
- Le dialogue traduit le rapport de forces entre les personnages : le meneur de l'intrigue est aussi celui qui maîtrise la parole.
- Les didascalies renseignent le lecteur, le metteur en scène et les acteurs sur les gestes, mouvements et intonations comiques des personnages.

Je retiens l'essentiel

› Pour quelles raisons le rire de la comédie peut-il être grinçant ?

› Citez un auteur de comédies pour chacun des siècles suivants : XVIIe, XIXe, XXe.

Lexique

› Le vocabulaire des sentiments et du jugement

→ Réviser polysémie, synonymie et antonymie – p. 380

Explorer le vocabulaire des sentiments : jalousie et dépit

1. **Parmi ces deux sens du nom « jalousie », quel est celui qui convient aux comédies étudiées dans les p. 152 à 165 ?**
1. Irritation et chagrin éprouvés par crainte ou certitude de l'infidélité de l'être aimé. 2. Peine et irritation éprouvées par le désir de possession de biens (matériels ou immatériels) que d'autres détiennent ; désir, pour soi, du bien ou du bonheur d'autrui.

2. **Une « jalousie » désigne aussi des volets dont les lattes mobiles ne laissent apercevoir que partiellement l'intérieur d'une pièce : quel rapport y a-t-il entre cet objet et le sentiment de jalousie ?**

3. **Complétez les phrases suivantes en choisissant dans cette liste les verbes qui conviennent.**
crever – dévorer – miner – ronger – souffrir – torturer
1. Dans la pièce de J. Anouilh, Julien est … par la (de) jalousie à l'égard de sa femme, Colombe.
2. Ce personnage impulsif … de jalousie.

4. **Classez ces noms selon qu'ils sont synonymes ou antonymes de « dépit ».**
amertume – contentement – contrariété – courroux – déception – désappointement – froissement – joie – rancœur – ressentiment – satisfaction

5. **Cherchez le sens de chacun de ces mots exprimant des sentiments, puis employez trois d'entre eux dans des phrases qui mettent leur sens en valeur.**
contrariété – dépit – haine – indifférence – méfiance – envie – désarroi

6. **Le latin *suspicio* a donné deux noms dérivés en français : « suspicion » et « soupçon ». a. Donnez un adjectif qualificatif et un verbe formé sur chacun de ces deux radicaux. b. Employez chacun de ces noms dans une phrase qui mette son sens en valeur.**

Explorer le vocabulaire du jugement : le portrait moral

Des synonymes du mot « avare »

7. **Faites correspondre chaque synonyme du nom « avare » de la liste A à son étymologie et à sa définition dans la liste B.**
Liste A : 1. vilain. 2. ladre. 3. fesse-mathieu. 4. grippe-sou. 5. grigou.
Liste B : a. Ce nom est formé à partir du mot « grec » (les Grecs avaient la réputation d'être rusés, habiles à tromper les autres) et désigne un avare sordide.

EDME J. PIGAL, *Je l'aurai ! Tu ne l'auras pas !*, 1824.

b. Ce nom vient de « Lazare », le « lépreux » de la Bible, et désigne un avare parce que, à la manière du lépreux que l'on dit insensible de la peau, on dit l'avare indifférent à la misère des autres.
c. Ce nom vient du latin *villanus*, « un paysan » ; en raison du mépris manifesté à l'égard de cette condition sociale, le nom est devenu péjoratif et a pris le sens d'avare, sens qu'il a perdu aujourd'hui.
d. Ce nom est formé sur le verbe « gripper » qui signifie « attraper, saisir » et désigne d'abord un intermédiaire financier, puis un usurier (qui prête de l'argent à des taux très élevés), et finalement un avare qui cherche à obtenir de l'argent par tous les moyens.
e. Ce nom désigne celui qui bat saint Mathieu, le saint patron des changeurs, pour lui soutirer de l'argent, et signifie d'abord un usurier, puis un avare qui cherche à faire fructifier son argent au maximum.

Des adjectifs de niveaux de langue différents

8. **Les adjectifs suivants sont-ils antonymes ou synonymes ?**
avare – cupide – avaricieux – radin – rapace – rapiat – rat – mesquin – pingre – intéressé – chiche – regardant – parcimonieux – économe

9. **Classez les adjectifs de l'exercice 8 selon le niveau de langue auquel ils appartiennent (familier, courant ou soutenu).**

10. **Employez trois d'entre eux, chacun dans une phrase qui mettra son sens en valeur.**

Des suffixes pour former noms et verbes

11. **a. En utilisant des suffixes, formez des noms à partir des adjectifs suivants.**
avare – cupide – rapace – mesquin – économe
b. Employez chacun de ces noms dans une phrase qui mettra son sens en valeur.

12. **a. Quel est le verbe formé sur l'adjectif « économe » ? b. Ce verbe est-il synonyme du verbe « lésiner », formé sur le nom « lésine », de l'italien *lesina*, « aiguille avec laquelle des avares réparaient eux-mêmes leurs chaussures » ? Justifiez.**

Orthographe Conjugaison

Orthographier les préfixes

→ Les préfixes – p. 372

Observer et manipuler

1. a. Quel est le préfixe commun à tous ces mots ?
adapter – adopter – adoration
b. Quelle modification orthographique ce préfixe subit-il dans les mots suivants ?
ap**port** – as**sur**ance – al**lége**ment – ac**croch**age – ar**rang**er
c. Les radicaux en gras commencent-ils par une voyelle ou par une consonne ?

2. Quel est le préfixe commun aux mots de chaque liste ?
Liste A : conduire – contacter – conjuguer – confondre
Liste B : inégal – injuste – indécent – infatigable – infini

3. Quelle modification orthographique les deux préfixes étudiés dans l'exercice 2 subissent-ils dans les mots de chaque liste suivante ?
Liste A : comporter – collecter – correspondre
Liste B : impossible – illégal – irrégulier – immoral

Formuler la règle

4. Répondez à la question suivante.
Quelles modifications les préfixes *ad-*, *con-* et *in-* subissent-ils au contact d'une consonne ?

Orthographier les suffixes

→ Les suffixes – p. 374

Observer et manipuler

5. *Amoureux, heureux, capricieux, audacieux, peureux* : a. Quel suffixe repérez-vous ? b. Quelle est la classe grammaticale des mots formés ? c. Mettez ces mots au féminin.

6. a. À l'aide du suffixe repéré dans l'exercice précédent, formez de nouveaux mots à partir de ces noms.
vanité – chaleur – affection – astuce – chance – conscience
b. Employez chacun des mots obtenus dans une phrase qui en révèle le sens.

7. *Avare → avarice, négligent → négligence, inconstant → inconstance, riche → richesse.*
a. Quels suffixes observez-vous ? b. Quelle est la classe grammaticale des mots formés avec ces suffixes ?

8. a. À l'aide des suffixes repérés dans l'exercice précédent, formez de nouveaux mots à partir de ces adjectifs qualificatifs.
juste – sage – bienveillant – apparent – cohérent – compétent – vaillant – dément – patient – clément
b. Choisissez quatre de ces mots pour brosser le portrait moral d'un personnage.

Formuler la règle

9. Répondez à la question suivante.
Le suffixe ... sert à former des adjectifs qualificatifs ; les suffixes *-ice*, ..., ... ou ... servent à former des noms.

Réviser le subjonctif présent

→ Réviser l'analyse complète du verbe – p. 328

Observer et manipuler

10. a. À quel groupe chacun des verbes appartient-il ? b. Recopiez les verbes et soulignez leurs terminaisons : varient-elles selon les groupes ?

que je parle que tu parles qu'il (elle) parle que nous parlions que vous parliez qu'ils (elles) parlent	que je rie que tu ries qu'il (elle) rie que nous riions que vous riiez qu'ils (elles) rient
que je gémisse que tu gémisses qu'il (elle) gémisse que nous gémissions que vous gémissiez qu'ils (elles) gémissent	que je meure que tu meures qu'il (elle) meure que nous mourions que vous mouriez qu'ils (elles) meurent

Formuler la règle

11. Répondez aux questions suivantes.
a. Quelles sont les terminaisons du subjonctif présent ?
b. Dans quel groupe la base verbale peut-elle varier au subjonctif présent ?

Écrire un texte sous la dictée SOCLE C1

Il n'y a nul reproche possible à une pièce aussi brillante, si ce n'est que le rideau finit, **immanquablement**, par tomber. On aimerait que cela n'*arrive* pas et que tout se *poursuive*, que l'on *puisse* continuer à assister aux changements, d'abord **imperceptibles**, que produit le théâtre sur Colombe. On souhaiterait prolonger le rire, admirer encore la plume délicieuse de Jean Anouilh. [...] Une pièce, **incontestablement**, de toute beauté. www.artistikrezo.com

- Avec quel préfixe les mots en gras sont-ils formés ? Quelle modification orthographique ce préfixe subit-il ? Pourquoi ?
- À quel mode et à quel temps les verbes en italique sont-ils conjugués ?
- Relevez un adjectif formé avec le suffixe *-eux*.

Grammaire

Découvrir les emplois du subjonctif dans les propositions indépendantes et principales

→ Le subjonctif dans les propositions indépendantes – p. 341

Observer et manipuler

1. a. **À quel mode, à quel temps et à quelle personne les verbes en italique sont-ils conjugués ?**

Qu'on me *l'égorge* tout à l'heure, qu'on me lui *fasse* griller les pieds, qu'on me les *mette* dans l'eau bouillante et qu'on me les *pende* au plancher !

Molière, *L'Avare*, 1668.

b. **De quel type de phrase s'agit-il : des phrases déclaratives, interrogatives ou injonctives ?** c. **Par quel mot invariable ces phrases commencent-elles ?**

2. a. **À quel mode, à quel temps et à quelle personne les verbes en italique sont-ils conjugués ?**

La peste *soit* de l'avarice et des avaricieux ! Que la fièvre te *serre*, chien de vilain à tous les diables !

Molière, *L'Avare*, 1668.

b. **Ces phrases expriment-elles un ordre, un souhait ou une affirmation ?** c. **Comparez les deux phrases : quelles sont les deux constructions possibles ?**

3. Indiquez si les propositions indépendantes suivantes expriment un ordre ou un souhait.

Que la peste l'étouffe avec ses discrétions, le traître.
Qu'on les mène promptement chez le maréchal.
Que cela ne vous inquiète pas.

Molière, *L'Avare*, 1668.

4. Récrivez ces propositions indépendantes en employant le subjonctif à la 3e personne : a. **du singulier ;** b. **du pluriel. Faites toutes les modifications nécessaires.**

Molière, *L'Avare*, mise en scène de Roger Planchon. Théâtre national populaire de Villeurbanne, 2000.

1. Écoutez mes conseils. 2. Apportez donc ces malles immédiatement. 3. Repérez donc l'itinéraire avant de partir. 4. Agissez vite.

Formuler la règle

5. Recopiez et complétez la phrase suivante.

Dans une proposition indépendante ou principale, le subjonctif présent employé à la ... personne exprime un ... ou un ...

Découvrir les pronoms indéfinis

→ Les pronoms indéfinis – p. 308

Observer et manipuler

6. a. **Les personnes désignées par les pronoms en italique sont-elles connues ?** b. **Quelle est la fonction de tous ces pronoms ?**

1. *On* m'a écrit une lettre anonyme. 2. *Quelqu'un* m'a écrit une lettre anonyme. 3. *N'importe qui* a pu écrire cette lettre. 4. *Personne* ne peut être exclu de mes soupçons. 5. *Nul* ne peut échapper à mes soupçons. 6. Les suspects sont nombreux : *aucun* ne peut être écarté. 7. *Certains* t'accusent. 8. *Tel* est pris qui croyait prendre.

7. Les pronoms en italique désignent-ils des éléments précis ou indéfinis ?

1. Je n'ai vu *personne*. 2. Je n'ai *rien* vu. 3. Je possède un chien, j'en voudrais *un autre*. 4. J'ai *le même*. 5. Je mange *n'importe quoi*. 6. Je parle à *n'importe qui*. 7. J'ai *tout*, je ne veux *rien*. 8. *Plusieurs* sont venus.

8. Pour chacun des pronoms de l'exercice précédent, dites s'ils désignent : a. **une personne ;** b. **une chose ;** c. **un animal.**

9. Donnez la fonction de chacun des pronoms de l'exercice 7.

10. Classez les pronoms indéfinis des exercices 6 et 7, selon qu'ils expriment : a. **l'absence ;** b. **la pluralité ;** c. **la totalité.**

11. Remplacez les groupes nominaux en italique par un pronom indéfini approprié. Faites toutes les modifications nécessaires.

1. *Une certaine personne* est venue. 2. *Un homme* a divulgué cette nouvelle. 3. *Aucune action* ne permet de sauver cette personne. 4. J'ai croisé *plusieurs individus*.

Formuler la règle

12. Recopiez et complétez les phrases suivantes.

Les pronoms indéfinis désignent une ... ou une chose ... Parmi les pronoms indéfinis les plus fréquents, on peut citer : ... Les fonctions grammaticales de ces pronoms peuvent être : ...

Écrit — Rédiger des scènes de comédie

SOCLE C1, C5

1. Transposer un récit en scène de comédie

SUJET 1 : Récrivez le texte ci-contre en rétablissant un dialogue de théâtre entre Claudio et son valet Tibia.

Claudio dit à Tibia qu'il veut se venger d'un outrage[1]. Tibia s'exclame. Claudio explique que des hommes viennent murmurer des chants d'amour sous les fenêtres de sa femme ; il demande à Tibia d'aller chercher un spadassin[2]. Tibia demande pour quoi faire. Claudio dit qu'il croit que sa femme Marianne a des amants. Tibia s'étonne que Claudio croie cela. Claudio répète que personne ne passe naturellement devant sa porte, qu'il pleut des guitares et des mandolines autour de sa maison. Tibia lui demande s'il peut empêcher qu'on donne des sérénades à sa femme. Claudio répond qu'il ne le peut pas mais qu'il peut poster un homme derrière la poterne[3] et se débarrasser du premier qui entrera.

D'après A. de Musset, *Les Caprices de Marianne*, 1833.

1. une offense. 2. homme armé. 3. porte dérobée.

Méthode

- Vous soulignerez le mélange de tons, comique et grave, dans les répliques elles-mêmes ainsi que dans des didascalies.

2. Rédiger un monologue comique

SUJET 2 : En imitant le texte d'A. de Musset, rédigez un monologue qui exprime de façon comique la jalousie d'un personnage.

ACTE II, scène 2

[...] Maître Bridaine. – Cela est certain, on lui donnera encore aujourd'hui la place d'honneur. Cette chaise que j'ai occupée si longtemps à la droite du baron sera la proie du gouverneur. Ô malheureux que je suis ! Un âne bâté[1], un ivrogne sans pudeur, me relègue au bas bout[2] de la table ! Le majordome[3] lui versera le premier verre de malaga[4], et lorsque les plats arriveront à moi, ils seront à moitié froids, et les meilleurs morceaux déjà avalés ; il ne restera plus autour des perdreaux ni choux ni carottes.

A. de Musset, *On ne badine pas avec l'amour*, 1834.

1. un âne avec tout son chargement ; un ignorant. 2. extrémité de la table où sont les invités les moins importants. 3. maître d'hôtel. 4. vin doux.

Méthode

- Choisissez un personnage.
- Déterminez le motif de sa jalousie, dans une situation comique.

Critères de réussite

- Rédiger un monologue à la première personne, au futur de l'indicatif.
- Exprimer le sentiment de la jalousie.
- Employer des phrases exclamatives.
- Opposer deux niveaux de langue (courant ou soutenu, et familier).

3. Rédiger un dialogue comique

SUJET 3 : Rédigez un dialogue qui fasse ressortir le comique dans une situation grave, en vous inspirant de cet extrait.

Juliette, une jeune fille riche qui s'ennuie dans la vie, a rencontré Gustave, un voleur très fantaisiste.

[...] Gustave. – N'ayez pas peur. Une simple mesure de précaution.

Il l'a ligotée sur sa chaise, il fouille dans son sac.

Juliette. – Oh ! Ne me volez pas mon sac, il n'y a rien dedans. D'ailleurs, je vous le donne.

Gustave. – Je vous remercie, je veux simplement un mouchoir.

Juliette. – Pour quoi faire ?

Gustave. – Pour vous bâillonner. (*Il a trouvé son mouchoir qui est minuscule.*) A-t-on idée d'avoir des mouchoirs aussi petits ? Tant pis, le mien est propre.

Il le jette.

J. Anouilh, *Le Bal des voleurs*, 1932,

Préparation

- En quoi la situation est-elle grave ? comique ?

Méthode

- Cherchez une situation grave où un personnage met l'autre en danger.
- Cherchez des éléments comiques.

Critère de réussite

- Faire ressortir par les répliques et les didascalies le comique d'une situation grave.

Oral

Jouer des dialogues comiques SOCLE C1, C5

1. Improviser une dispute en faisant des variations

SUJET 1 : Pierre et Paul, deux frères, se disputent parce que Pierre a emprunté à son frère un objet qui est cher à Paul sans lui demander son autorisation. Vous vous organiserez par groupes de deux et respecterez le minutage indiqué : une minute par étape.

VARIANTE : Les protagonistes peuvent être des sœurs, des amis(es)...

Déroulement

- **Variation 1 :** improvisation réaliste. Les deux protagonistes se disputent réellement, comme on peut le faire dans la vie quotidienne.
- **Variation 2 :** reprise de la première improvisation pour faire rire, mais sans le son. Seuls les gestes expriment la situation.
- **Variation 3 :** reprise de la première improvisation, avec un défaut de prononciation pour le personnage qui accuse l'autre ; ce dernier sourit.
- **Variation 4 :** Paul croit que Pierre se moque de lui, ce qui redouble sa colère et provoque un sourire ironique chez Pierre.

Critères de réussite

- La classe évaluera la capacité du binôme à :
  - ne pas utiliser un niveau de langue familier ou vulgaire ;
  - jouer une situation de dispute clairement identifiable ;
  - ménager une répartition des rôles équitable ;
  - changer le jeu selon les consignes propres à chaque variation.

Masque de théâtre satirique, Art grec. VIe-Ve siècle av. J.-C.

2. Jouer un dialogue théâtral

SUJET 2 : Interprétez par groupes de deux cet extrait du *Ploutos* d'Aristophane. Vous veillerez à souligner la différence entre le maître et le valet, de façon à faire rire en vous moquant d'un des personnages au choix.

Chrémyle, un pauvre paysan, et son valet Carion rencontrent un aveugle qui se révèle être Ploutos, le dieu de la richesse. Ils le flattent.

CHRÉMYLE. – Par Zeus, tu es, de beaucoup, plus puissant que tout ; c'est pourquoi, personne, jamais, ne se rassasie de toi. On peut être rassasié de l'amour...

CARION. – Du pain de froment...

CHRÉMYLE. – De la musique...

CARION. – Des friandises au dessert...

CHRÉMYLE. – De l'honneur...

CARION. – Des gâteaux...

CHRÉMYLE. – Du courage...

CARION. – Des figues sèches...

CHRÉMYLE. – De l'ambition...

CARION. – Des galettes...

CHRÉMYLE. – Du commandement militaire...

CARION. – De la purée de lentilles...

CHRÉMYLE. – Mais, personne, jamais, ne se rassasie de toi. Quand on obtient treize talents[1] d'argent, on désire en obtenir plus, on en désire seize ; et si on arrive à les avoir, on en veut quarante.

ARISTOPHANE, *Ploutos*, 338 av. J.-C., trad. C. BERTAGNA.

1. monnaie athénienne.

Deux acteurs ambulants portant des masques de comédies, Art grec. Ier siècle av. J.-C. Musée du Louvre, Paris.

Brèves comédies grinçantes

M. PAGNOL
Topaze
© Fortunio Poche, Éditions de Fallois, 2004.
Dans une école privée, un professeur a bien du mal avec ses élèves.

R. KIPLING
La Comédie de la jungle
© Folio Junior Théâtre, Éditions Gallimard Jeunesse, 2001.
L'histoire de Mowgli, déchiré entre le monde des hommes et celui des animaux.

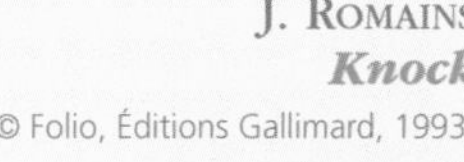

J. ROMAINS
Knock
© Folio, Éditions Gallimard, 1993.
Les agissements bien particuliers du nouveau médecin du village.

Le cercle des lecteurs

Interview d'un metteur en scène

En vous organisant par binômes, imaginez une interview entre un journaliste et un metteur en scène pour rendre compte de la pièce que vous avez lue.

Vous veillerez à :
- répartir équitablement la prise de parole ;
- présenter brièvement l'auteur et la pièce ;
- indiquer le(s) thème(s) de la pièce ;
- expliquer en quoi cette pièce est une comédie grinçante.

V. HUGO
L'Intervention
© Folio Junior Théâtre, Éditions Gallimard Jeunesse, 2002.
Un couple pauvre doit choisir entre un bonheur simple et une vie luxueuse.

A. DE MUSSET
Il faut qu'une porte soit ouverte ou fermée
© Étonnants Classiques, Flammarion, 2007.
À chaque fois qu'une porte s'ouvre ou se ferme, se joue le bonheur ou le malheur d'un personnage.

Évaluations

Révisions

Faire le point
→ voir p. 167

Lexique
→ voir p. 168

Orthographe et conjugaison
→ voir p. 169

Grammaire
→ voir p. 170

MOLIÈRE, *George Dandin*, mise en scène de C. Lidon. Théâtre 14 Jean-Marie Serreau, Paris, 1999.

George Dandin

ACTE II, scène 2

GEORGE DANDIN – ANGÉLIQUE – CLITANDRE

George Dandin, un paysan enrichi, a épousé une noble, Angélique de Sottenville, seulement intéressée par l'argent de George Dandin. Elle le trompe avec Clitandre. George Dandin en a été informé et en fait le reproche à son épouse.

[...] GEORGE DANDIN. – Je n'ignore pas qu'à cause de votre noblesse vous me tenez fort au-dessous de vous, et le respect que je vous veux dire ne regarde point ma personne. J'entends parler de celui que vous devez à des nœuds aussi vénérables[1] que le sont ceux du mariage. Il ne faut point lever les épaules, et je ne dis point de sottises.

ANGÉLIQUE. – Qui songe à lever les épaules ?

GEORGE DANDIN. – Mon Dieu ! nous voyons clair. Je vous dis encore une fois que le mariage est une chaîne à laquelle on doit porter toute sorte de respect, et que c'est fort mal fait à vous d'en user comme vous faites. Oui, oui, mal fait à vous, et vous n'avez que faire de hocher la tête, et de me faire la grimace.

ANGÉLIQUE. – Moi ! Je ne sais ce que vous voulez dire.

GEORGE DANDIN. – Je le sais fort bien, moi, et vos mépris me sont connus. Si je ne suis pas né noble, au moins suis-je d'une race où il n'y a point de reproche, et la famille des Dandins...

CLITANDRE, *derrière Angélique, sans être aperçu de Dandin.* – Un moment d'entretien.

GEORGE DANDIN. – Eh ?

ANGÉLIQUE. – Quoi ? Je ne dis mot.

GEORGE DANDIN. [...] – Le voilà qui vient rôder autour de vous.

Histoire des Arts

SOCLE C5

A. Indiquez pour la mise en scène de C. Lidon :
a. comment est rendue la différence sociale entre les deux personnages ;
b. quel rapport entre les personnages est souligné par le jeu des acteurs (gestes, placement sur la scène, expression du visage...).

B. Pour vous, cette mise en scène souligne-t-elle l'aspect sombre ou comique de la scène ? Expliquez.

ANGÉLIQUE. – Hé bien, est-ce ma faute ? Que voulez-vous que j'y fasse ?

GEORGE DANDIN. – Je veux que vous y fassiez ce que fait une femme qui ne veut plaire qu'à son mari. Quoi qu'on en puisse dire, les galants[2] n'obsèdent jamais que quand on le veut bien. Il y a un certain air doucereux qui les attire ainsi que le miel fait les mouches[3], et les honnêtes femmes ont des manières qui les savent chasser d'abord.

ANGÉLIQUE. – Moi, les chasser ? Et par quelle raison ? Je ne me scandalise point qu'on me trouve bien faite, et cela me fait du plaisir. [...] Comment ? parce qu'un homme s'avise de nous épouser, il faut d'abord que toutes choses soient finies pour nous, et que nous rompions tout commerce[4] avec les vivants ? C'est une chose merveilleuse que cette tyrannie[5] de Messieurs les maris, et je les trouve bons de vouloir qu'on soit morte à tous les divertissements, et qu'on ne vive que pour eux. Je me moque de cela, et ne veux point mourir si jeune.

GEORGE DANDIN. – C'est ainsi que vous satisfaites aux engagements de la foi[6] que vous m'avez donnée publiquement ?

ANGÉLIQUE. – Moi ? Je ne vous l'ai point donnée de bon cœur, et vous me l'avez arrachée. M'avez-vous, avant le mariage, demandé mon consentement, et si je voulais bien de vous ? Vous n'avez consulté pour cela que mon père et ma mère ; ce sont eux proprement qui vous ont épousé, et c'est pourquoi vous ferez bien de vous plaindre toujours à eux des torts que l'on pourra vous faire. Pour moi, qui ne vous ai point dit de vous marier avec moi, et que vous avez prise sans consulter mes sentiments, je prétends n'être point obligée à me soumettre en esclave à vos volontés ; et je veux jouir, s'il vous plaît, de quelque nombre de beaux jours que m'offre la jeunesse. [...]

GEORGE DANDIN. – Oui ! C'est ainsi que vous le prenez ? Je suis votre mari, et je vous dis que je n'entends pas cela.

ANGÉLIQUE. – Moi je suis votre femme, et je vous dis que je l'entends. [...]

MOLIÈRE, *George Dandin*, 1668.

1. sacrés, respectables.
2. les séducteurs.
3. comme le miel attire les mouches.
4. relation sociale.
5. pouvoir absolu.
6. parole.

Comprendre le texte SOCLE C1

Les rapports entre les personnages

1. Pourquoi George Dandin ne peut-il pas exiger le respect de sa femme ?

2. a. Relevez dans les répliques de George Dandin les groupes nominaux désignant le mariage : quelle image du mariage donnent-ils ? **b.** « On doit porter toute sorte de respect » (l. 8) : quelle est la classe grammaticale de « on » ? Pourquoi George Dandin emploie-t-il ce mot ?

3. L. 22-23 : « Il y a un certain air [...] mouches » **a.** Comment le mot « doucereux » est-il formé ? **b.** Quel est le ton de George Dandin dans ce passage ?

4. Quel nom Angélique emploie-t-elle pour qualifier : **a.** le comportement des maris avec leurs femmes (l. 25 à 31) ? **b.** sa situation face à son mari (l. 34 à 42) ? **c.** Quelle vision du mariage a-t-elle ?

Une scène comique ?

5. a. Quels sont les gestes comiques dans cette scène ? **b.** Qui les fait ? **c.** Dans quelle intention ?

6. Qu'est-ce qui crée un comique de situation ? Qui est ainsi ridiculisé ?

7. Pour quelles raisons les deux dernières répliques peuvent-elles être comiques ?

Dégager l'essentiel du texte SOCLE C1

8. Pour vous, ce passage est-il un exemple de scène au rire grinçant ? Pourquoi ?

Rédiger une scène de comédie SOCLE C1, C5

SUJET : Imaginez une scène de dispute due à la jalousie entre deux personnages, en la présentant sur un mode comique. Vous la rédigerez sous la forme d'un dialogue théâtral.

Consignes d'écriture :

- Respectez la mise en page théâtrale (didascalies comprises).
- Veillez à bien enchaîner les répliques.
- Créez plusieurs sources de comique.
- Respectez un niveau de langue courant.

7

Le Cid ou le conflit de l'amour et de l'honneur

Découvrir l'univers de la tragi-comédie

Lectures : textes et images

Objectifs

Faire le point

Langue et expression

Évaluations SOCLE C1, C5 Arts

PIERRE CORNEILLE, *Le Cid*, mises en scène de Declan Donnellan, Alain Ollivier et Brigitte Jaques-Wajeman ; montage A.-D. NANAME, 2011.

1. titre de noblesse espagnol.
2. région d'Espagne.
3. fille du roi.
4. celui qui aime et qui est aimé.
5. celui qui aime quelqu'un qui ne l'aime pas.
6. chargée de l'éducation d'une jeune fille.
7. serviteur.

1 Comparez la date de la pièce de P. Corneille et les costumes des personnages dans ces différentes mises en scène.

2 Selon vous, quels mots du titre de ce chapitre sont illustrés par ce montage ?

Lectures

Pour entrer dans le chapitre

En vous aidant de la **Fiche-méthode** p. 17, réalisez la biographie de P. Corneille.

- ***Lexique*** Cherchez le sens des adjectifs « comique » et « tragique ».
- Prenez connaissance du générique p. 177 pour répondre à ces questions :
  – À quel rang social les personnages de la pièce appartiennent-ils ? Qu'est-ce qui vous permet de répondre ?
  – « Cid » est une déformation de l'arabe *sidi*, « seigneur », ou *caïd*, « maître » : peut-on savoir d'après le générique quel personnage est le Cid ?
  – Quels sont les liens familiaux des personnages féminins avec les personnages masculins ?

Edmond Geoffroy (1804-1895), *Costume pour Don Rodrigue ou Le Cid*. Comédie-Française, Paris.

Pierre Corneille
(1606-1684)

Avant de lire le texte

- Qu'est-ce qui caractérise la présentation du texte dans la scène ci-dessous ?

Acte I, scène 1

Chimène, Elvire

Chimène
Elvire, m'as-tu fait un rapport bien sincère ?
Ne déguises-tu rien de ce qu'a dit mon père ?

Elvire
Tous mes sens à[1] moi-même en sont encor charmés :
Il estime Rodrigue autant que vous l'aimez,
Et si je ne m'abuse à lire[2] dans son âme,
Il vous commandera de répondre à sa flamme.

Chimène
Dis-moi donc, je te prie, une seconde fois
Ce qui te fait juger qu'il approuve mon choix ;
Apprends-moi de nouveau quel espoir j'en[3] dois [prendre ;
Un si charmant discours ne se peut trop entendre ;
Tu ne peux trop promettre aux feux de notre amour
La douce liberté de se montrer au jour.
Que t'a-t-il répondu sur la secrète brigue[4]
Que font auprès de toi don Sanche et don Rodrigue ?
N'as-tu point trop fait voir quelle inégalité
Entre ces deux amants me penche[5] d'un côté ?

Elvire
Non ; j'ai peint votre cœur dans une indifférence
Qui n'enfle d'aucun d'eux ni détruit l'espérance,
Et sans les voir d'un œil trop sévère ou trop doux,
Attends l'ordre d'un père à choisir un époux.
Ce respect l'a ravi, sa bouche et son visage
M'en ont donné sur l'heure un digne témoignage,
Et puisqu'il vous en faut encor faire un récit,
Voici d'eux et de vous ce qu'en hâte il m'a dit :
« Elle est dans le devoir ; tous deux sont dignes d'elle,
Tous deux formés d'un sang noble, vaillant, fidèle,
Jeunes, mais qui font lire aisément dans leurs yeux
L'éclatante vertu de leurs braves aïeux.
Don Rodrigue surtout n'a trait[6] en son visage
Qui d'un homme de cœur ne soit la haute image,
Et sort d'une maison[7] si féconde en guerriers,
Qu'ils y prennent naissance au milieu des lauriers.
La valeur de son père en son temps sans pareille,
Tant qu'a duré sa force, a passé pour merveille ;
Ses rides sur son front ont gravé ses exploits,
Et nous disent encor ce qu'il fut autrefois.
Je me promets du fils ce que j'ai vu du père ;
Et ma fille, en un mot, peut l'aimer et me plaire. »
Il allait au Conseil, dont l'heure qui pressait
A tranché ce discours qu'à peine il commençait ;
Mais à ce peu de mots je crois que sa pensée
Entre vos deux amants n'est pas fort balancée[8].
Le Roi doit à son fils élire[9] un gouverneur[10],
Et c'est lui que regarde un tel degré d'honneur :

Ce choix n'est pas douteux, et sa rare vaillance[11]
Ne peut souffrir qu'on craigne aucune concurrence.
Comme ses hauts exploits le rendent sans égal,
Dans un espoir si juste il sera sans rival ;
Et puisque don Rodrigue a résolu[12] son père
Au sortir du Conseil à proposer l'affaire,
Je vous laisse à juger s'il prendra bien son temps,
Et si tous vos désirs seront bientôt contents[13].

CHIMÈNE

Il semble toutefois que mon âme troublée
Refuse cette joie et s'en trouve accablée :
Un moment donne au sort des visages[14] divers,
Et dans ce grand bonheur je crains un grand revers.

ELVIRE

Vous verrez cette crainte heureusement déçue[15].

CHIMÈNE

Allons, quoi qu'il en soit, en attendre l'issue[16].

À suivre...

1. en. 2. en lisant. 3. de ce qu'il a dit. 4. intrigue amoureuse. 5. me fait préférer. 6. n'a pas un seul trait. 7. famille. 8. hésitante. 9. choisir. 10. précepteur. 11. son exceptionnelle vaillance. 12. décidé. 13. satisfaits. 14. aspects. 15. détrompée. 16. l'issue du Conseil.

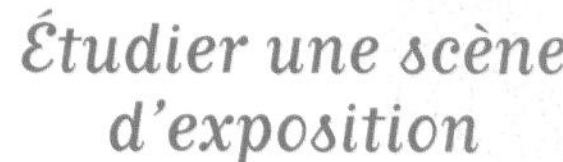

Étudier une scène d'exposition

Les personnages

1. a. Qui est Chimène ? **b.** Dans quel état d'esprit se trouve-t-elle dans les vers 1-2 et 7 à 9 ? Pourquoi ?

2. a. Qui est Elvire ? **b.** Pourquoi son temps de parole est-il plus important que celui de Chimène dans cette scène ?

3. Relevez le nom de tous les personnages cités dans la scène : qu'apprend-on sur chacun d'eux ?

L'intrigue

4. Quels sont les deux évènements importants annoncés : **a.** dans les vers 1 à 42 ? **b.** dans les vers 43 à 48 ?

5. a. Vers 25 à 28 : en quoi Rodrigue et don Sanche sont-ils semblables ? **b.** Vers 29 à 38 : à qui don Gomès donne-t-il sa préférence ? Pourquoi ?

6. D'après Elvire, qui le roi va-t-il choisir pour éduquer son fils ?

7. Quel sentiment Chimène éprouve-t-elle à la fin de la scène ? Quelle suite de l'intrigue ce sentiment laisse-t-il présager ?

Dégager l'essentiel SOCLE C1

› Quels types d'informations cette scène d'exposition livre-t-elle ?

PIERRE CORNEILLE, *Le Cid*,
mise en scène de Colette Roumanoff.
Théâtre Fontaine, Paris, 2009.

Rédiger un texte bref SOCLE C1

En vous appuyant sur le générique p. 177 ainsi que sur la scène d'exposition, imaginez une intrigue tragique en une dizaine de lignes.

Avant de lire le texte

- « La tragédie veut pour son sujet une action illustre, extraordinaire, sérieuse, [...] elle demande de grands périls pour ses héros. » (P. Corneille, *Discours de l'utilité et des parties du poème dramatique*, 1660.)
  a. Donnez un synonyme du nom « péril ».
  b. Quels sont, selon vous, les mots-clés de la définition de la tragédie par P. Corneille ?

ACTE I, scène 5

Don Gomès, le père de Chimène, a cherché querelle à don Diègue, le père de Rodrigue, car le roi a préféré ce dernier comme gouverneur.

DON DIÈGUE, DON RODRIQUE

DON DIÈGUE

Rodrigue, as-tu du cœur ?

DON RODRIQUE

Tout autre que mon père
L'éprouverait sur l'heure.

DON DIÈGUE

Agréable colère !
Digne ressentiment[1] à ma douleur bien doux !
Je reconnais mon sang à ce noble courroux[2] ;
Ma jeunesse revit en cette ardeur si prompte.
Viens, mon fils, viens, mon sang, viens réparer
[ma honte ;
Viens me venger.

DON RODRIQUE

De quoi ?

DON DIÈGUE

D'un affront si cruel,
Qu'à l'honneur de tous deux il porte un coup
[mortel :
D'un soufflet[3]. L'insolent en eût perdu la vie ;
Mais mon âge a trompé ma généreuse[4] envie ;
Et ce fer que mon bras ne peut plus soutenir,
Je le remets au tien pour venger et punir.
Va contre un arrogant éprouver ton courage :
Ce n'est que dans le sang qu'on lave un tel outrage[5] ;
Meurs ou tue. Au surplus, pour ne te point flatter,
Je te donne à combattre un homme à redouter :
Je l'ai vu, tout couvert de sang et de poussière,
Porter partout l'effroi dans une armée entière.
J'ai vu par sa valeur cent escadrons[6] rompus ;
Et pour t'en dire encor quelque chose de plus,
Plus que brave soldat, plus que grand capitaine,
C'est...

DON RODRIQUE

De grâce, achevez.

DON DIÈGUE

Le père de Chimène.

DON RODRIQUE

Le...

DON DIÈGUE

Ne réplique point, je connais ton amour ;
Mais qui peut vivre infâme[7] est indigne du jour.
Plus l'offenseur est cher, et plus grande est l'offense.
Enfin tu sais l'affront, et tu tiens la vengeance :
Je ne te dis plus rien. Venge-moi, venge-toi ;
Montre-toi digne fils d'un père tel que moi.
Accablé des malheurs où le destin me range,
Je vais les déplorer : va, cours, vole, et nous venge.

À suivre...

1. désir de vengeance. 2. colère. 3. gifle. 4. noble. 5. grave offense, atteinte à l'honneur. 6. unités de cavalerie. 7. déshonoré.

PIERRE CORNEILLE, *Le Cid*, mise en scène d'Alain Ollivier. Théâtre Gérard Philipe, 2007.

Pierre Corneille, *Le Cid*, mise en scène de Thomas Le Douarec. Théâtre Comedia, 2009.

Pierre Corneille, *Le Cid*, mise en scène de Declan Donnellan. Théâtre municipal d'Avignon, 1998.

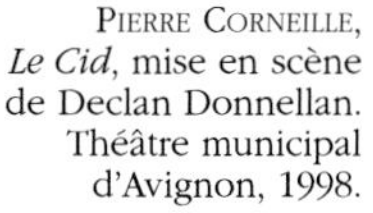

Histoire des Arts SOCLE C5

Le théâtre, art de la mise en scène

Comment, dans les trois mises en scène, le jeu des acteurs traduit-il le rapport de force entre le père et le fils ?

Aborder l'univers tragique

Une situation tragique

1. **a.** Comparez la longueur des répliques de chaque personnage : que remarquez-vous ? **b.** Quels types de phrase don Diègue emploie-t-il majoritairement ? **c.** Quel est le rapport de force entre le père et le fils ?

2. **a.** Résumez en une phrase l'enjeu de ce dialogue. **b.** Pourquoi le père fait-il appel à son fils ? Proposez deux raisons différentes (vers 1 à 12).

3. **a.** Quelles raisons don Diègue donne-t-il pour accroître l'ardeur de Rodrigue ? **b.** Pourquoi ne nomme-t-il pas tout de suite son adversaire ?

Des personnages de tragédie

4. Vers 1 à 5 : **a.** Comment comprenez-vous la réaction de Rodrigue ? **b.** Quel sentiment don Diègue éprouve-t-il devant la réaction de son fils ? Pourquoi ?

5. Quelles qualités du héros tragique les mots en bleu expriment-ils ?

6. Le père a-t-il été blessé physiquement ou moralement ? Quel est le moyen de guérir la blessure ? Justifiez votre réponse à l'aide des mots en rose.

7. **a.** ***Lexique*** Que signifie le nom « fatalité » ? **b.** Quel vers exprime cette fatalité ?

L'écriture tragique

8. **a.** Quel est le niveau de langue employé ? Répondez en citant le texte. **b.** Cela correspond-il au statut social des personnages ?

9. **a.** Vers 6-7 : quelle figure de style repérez-vous ? **b.** Pourquoi don Diègue l'emploie-t-il ?

10. **a.** « Meurs ou tue » (vers 15) : quelle figure de style reconnaissez-vous ? **b.** Citez d'autres passages qui reposent sur cette figure de style. **c.** Le père donne-t-il le choix à son fils ? Expliquez.

11. **a.** Combien de répliques le vers 22 comporte-t-il ? **b.** Quel effet sa disposition sur la page crée-t-elle ?

→ Les figures de style – p. 383-384

Dégager l'essentiel SOCLE C1

› Cette scène correspond-elle à l'univers de la tragédie défini par P. Corneille ? Expliquez.

Rédiger un texte bref SOCLE C1

Récrivez en prose et en niveau de langue courant les vers 3 à 5.

Lectures

Avant de lire le texte

1. Quel couple d'amoureux célèbres a vu son amour contrarié à cause d'un conflit entre leurs deux familles ?
2. *Lexique* Cherchez le sens du nom « dilemme ».

Acte I, scène 6

DON RODRIGUE

DON RODRIGUE

Percé jusques au fond du cœur
D'une atteinte imprévue aussi bien que mortelle,
Misérable vengeur d'une juste querelle,
Et malheureux objet[1] d'une injuste rigueur,
Je demeure immobile, et mon âme abattue
Cède au coup qui me tue.
Si près de voir mon feu[2] récompensé,
Ô Dieu, l'étrange peine !
En cet affront mon père est l'offensé,
Et l'offenseur le père de Chimène !

Que je sens de rudes combats !
Contre mon propre honneur mon amour s'intéresse[3] :
Il faut venger un père, et perdre une maîtresse[4].
L'un m'anime le cœur, l'autre retient mon bras.
Réduit au triste choix ou de trahir ma flamme,
Ou de vivre en infâme[5],
Des deux côtés mon mal est infini.
Ô Dieu, l'étrange peine !
Faut-il laisser un affront impuni ?
Faut-il punir le père de Chimène ?

Père, maîtresse, honneur, amour,
Noble et dure contrainte, aimable tyrannie[6],
Tous mes plaisirs sont morts, ou ma gloire ternie.
L'un me rend malheureux, l'autre indigne du jour.
Cher et cruel espoir d'une âme généreuse,
Mais ensemble amoureuse,
Digne ennemi de mon plus grand bonheur,
Fer[7] qui causes ma peine,
M'es-tu donné pour venger mon honneur ?
M'es-tu donné pour perdre ma Chimène ?

Il vaut mieux courir au trépas[8].
Je dois à ma maîtresse aussi bien qu'à mon père :
J'attire en me vengeant sa haine et sa colère ;
J'attire ses mépris en ne me vengeant pas.
À mon plus doux espoir l'un me rend infidèle,
Et l'autre indigne d'elle.
Mon mal augmente à le vouloir guérir ;
Tout redouble ma peine.
Allons, mon âme ; et puisqu'il faut mourir,
Mourons du moins sans offenser Chimène.

Mourir sans tirer ma raison[9] !
Rechercher un trépas si mortel à ma gloire !
Endurer que l'Espagne impute à ma mémoire[10]
D'avoir mal soutenu l'honneur de ma maison !
Respecter un amour dont mon âme égarée
Voit la perte assurée !
N'écoutons plus ce penser suborneur[11],
Qui ne sert qu'à ma peine.
Allons, mon bras, sauvons du moins l'honneur,
Puisqu'après tout il faut perdre Chimène.

Oui, mon esprit s'était déçu[12].
Je dois tout à mon père avant qu'à ma maîtresse :
Que je meure au combat, ou meure de tristesse,
Je rendrai mon sang pur comme je l'ai reçu.
Je m'accuse déjà de trop de négligence :
Courons à la vengeance ;
Et tout honteux d'avoir tant balancé[13],
Ne soyons plus en peine,
Puisqu'aujourd'hui mon père est l'offensé,
Si l'offenseur est père de Chimène.

À suivre…

1. victime. 2. mon amour. 3. prend parti contre. 4. jeune fille aimée. 5. déshonoré. 6. dure loi de l'amour. 7. épée du duel. 8. à la mort. 9. sans me venger. 10. m'accuse dans le souvenir qu'elle gardera de moi. 11. cette pensée trompeuse. 12. trompé. 13. hésité.

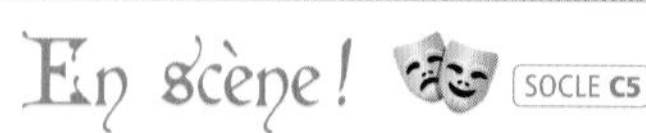

Après l'étude de cette scène, entraînez-vous à jouer devant la classe la deuxième et la troisième stance en traduisant, par votre intonation et votre jeu, le dilemme auquel est confronté Rodrigue.

Pierre Corneille, *Le Cid*,
mise en scène de Francis Huster.
Théâtre Marigny, 1994.

Comprendre un dilemme tragique

Un monologue en vers

1. D'après cette scène, rappelez ce qu'est un monologue. En vous aidant de la page 180, expliquez pourquoi Rodrigue éprouve le besoin de prononcer ce long monologue.

2. ***Lexique*** On nomme « stances » un ensemble de strophes qui ont la même structure. Observez le nombre de vers, leur longueur et la disposition des rimes : quelle est la structure des stances de Rodrigue ?

3. Quel mot est mis en valeur par sa place à la rime dans chaque stance ? Pourquoi ?

Un conflit intérieur

4. Quel est le sentiment dominant de Rodrigue dans la première stance ? Justifiez en citant le texte.

5. Par quelle métaphore l'amour est-il désigné dans les deux premières stances ?

6. Vers 4, 13, 23 : **a.** Relevez les conjonctions de coordination.
b. Quel rapport expriment-elles entre les deux sentiments éprouvés par Rodrigue ?

7. Dans la troisième stance : **a.** Quelle valeur s'oppose à l'amour de Rodrigue pour Chimène ? **b.** Relevez tous les mots exprimant cette valeur.

Une scène décisive

8. **a.** Dans quelles stances Rodrigue hésite-t-il ? **b.** Quels sont les types de phrase employés dans la dernière phrase de chacune de ces stances ?

9. **a.** À partir de la quatrième stance, quel type de phrase est employé dans la dernière phrase ? **b.** Quelle décision Rodrigue prend-il dans la quatrième stance ? **c.** Quelle est la décision finale de Rodrigue ? Est-elle dictée par l'honneur ou par l'amour ?

10. Ce monologue intérieur fait-il progresser l'intrigue ? Justifiez.

→ Les connecteurs argumentatifs – p. 345
→ Réviser la phrase – p. 282

Dégager l'essentiel SOCLE C1

› Expliquez, d'après cette scène, ce que l'on nomme un « dilemme tragique ». Que signifie, dans le langage courant, « avoir à faire un choix cornélien » ?

Lectures

Avant de lire le texte

1. Rappelez : a. qui est le Comte ; b. ce qu'il représente pour Rodrigue dans son rapport avec Chimène d'une part, avec don Diègue d'autre part.
2. *Lexique* Que signifie « oratoire » ?

ACTE II, scène 2

LE COMTE, DON RODRIGUE

DON RODRIGUE
À moi, Comte, deux mots.

LE COMTE
Parle.

DON RODRIGUE
Ôte-moi d'un doute.
Connais-tu bien don Diègue ?

LE COMTE
Oui.

DON RODRIGUE
Parlons bas ; écoute.
Sais-tu que ce vieillard fut la même vertu[1],
La vaillance et l'honneur de son temps ? le sais-tu ?

LE COMTE
Peut-être.

DON RODRIGUE
Cette ardeur que dans les yeux je porte,
Sais-tu que c'est son sang ? le sais-tu ?

LE COMTE
Que m'importe ?

DON RODRIGUE
À quatre pas d'ici je te le fais savoir.

LE COMTE
Jeune présomptueux[2] !

DON RODRIGUE
Parle sans t'émouvoir.
Je suis jeune, il est vrai ; mais aux âmes bien nées
La valeur n'attend point le nombre des années.

LE COMTE
Te mesurer à moi ! Qui t'a rendu si vain[3],
Toi qu'on n'a jamais vu les armes à la main !

À suivre...

1. le courage même. 2. orgueilleux. 3. vaniteux.

PIERRE CORNEILLE, *Le Cid*, mise en scène de Brigitte Jaques-Wajeman. Comédie-Française, 2005.

Jouer un duel oratoire

Un duel oratoire

1. a. Combien de vers cet extrait comporte-t-il ? b. Qu'est-ce que leur disposition a de particulier ? c. À quoi peut-on assimiler ce dialogue ?

2. a. Quel est le rang social des deux personnages ? b. Ont-ils le même âge ? c. À quelle personne grammaticale chacun d'eux s'adresse-t-il à l'autre ? d. Qu'est-ce que cela traduit ?

3. a. Au début de l'échange, relevez les verbes employés par Rodrigue dans ses phrases interrogatives : comment se comporte-t-il avec le Comte ? b. Quel sentiment le Comte exprime-t-il dans ses réponses ?

4. *Lexique* a. Relevez deux adjectifs par lesquels le Comte qualifie Rodrigue. b. Désignent-ils un défaut ou une qualité du personnage ? Précisez.

5. a. Vers 7 : « À quatre pas d'ici je te le fais savoir » : que propose Rodrigue ? b. En quoi est-ce tragique ?

→ Réviser les pronoms – p. 303

Dégager l'essentiel SOCLE C1

› En quoi peut-on dire que ce dialogue tragique se présente comme un duel oratoire ?

En scène ! SOCLE C5

Le théâtre, art de la mise en scène

A. Observez l'image : comment les acteurs expriment-ils les sentiments respectifs des personnages par : a. leurs attitudes ? b. leurs expressions ?

B. Par groupes de deux, répartissez-vous les rôles et apprenez votre texte.

C. Entraînez-vous à trouver le ton qui traduira au mieux la personnalité et les sentiments des deux personnages.

D. En vous inspirant de l'image, répétez votre rôle en travaillant les attitudes, les déplacements éventuels, les gestes et les expressions du visage.

Avant de lire le texte

- C'est dans la scène 4 de l'acte III que, pour la première fois dans la pièce, se rencontrent Rodrigue et Chimène. Selon vous : a. Pourquoi Corneille a-t-il tant attendu ? b. Qu'attend le spectateur de cette entrevue ?

Acte III, scène 4

Pierre Corneille, *Le Cid*, mise en scène de Declan Donnellan. Théâtre des Bouffes du Nord, 1999.

Rodrigue, pour venger l'honneur de son père, a tué le Comte en duel. Il vient proposer à Chimène qu'elle le tue.

Don Rodrigue, Chimène, Elvire

Don Rodrigue

[...]
Au nom d'un père mort, ou de notre amitié[1],
Punis-moi par vengeance, ou du moins par pitié.
Ton malheureux amant aura bien moins de peine
À mourir par ta main qu'à vivre avec ta haine.

Chimène

Va, je ne te hais point.

Don Rodrigue

Tu le dois.

Chimène

Je ne puis.

Don Rodrigue

Crains-tu si peu le blâme, et si peu les faux bruits[2] ?
Quand on saura mon crime, et que ta flamme dure,
Que ne publieront point l'envie et l'imposture[3] !
Force-les au silence, et, sans plus discourir,
Sauve ta renommée en me faisant mourir.

Chimène

Elle éclate bien mieux en te laissant la vie ;
Et je veux que la voix de la plus noire envie[4]
Élève au ciel[5] ma gloire[6] et plaigne mes ennuis[7],
Sachant que je t'adore et que je te poursuis.
Va-t'en, ne montre plus à ma douleur extrême
Ce qu'il faut que je perde, encore que je l'aime[8].
Dans l'ombre de la nuit cache bien ton départ ;
Si l'on te voit sortir, mon honneur court hasard[9].
La seule occasion qu'aura la médisance[10],
C'est de savoir qu'ici j'ai souffert[11] ta présence :
Ne lui donne point lieu d'attaquer ma vertu.

DON RODRIGUE
Que je meure !

CHIMÈNE
Va-t'en.

DON RODRIGUE
À quoi te résous-tu ?

CHIMÈNE
Malgré des feux si beaux qui troublent ma colère[12],
Je ferai mon possible à[13] bien venger mon père ;
Mais, malgré la rigueur d'un si cruel devoir,
Mon unique souhait est de ne rien pouvoir.

DON RODRIGUE
Ô miracle d'amour !

CHIMÈNE
Ô comble de misères !

DON RODRIGUE
Que de maux et de pleurs nous coûteront nos [pères !

À suivre...

1. amour. 2. les calomnies. 3. Quels bruits ne feront pas courir les jaloux et les menteurs ? 4. jalousie. 5. célèbre. 6. le respect que je me dois. 7. mon désespoir. 8. même si je l'aime encore. 9. court un danger. 10. qu'auront les gens qui disent du mal. 11. toléré. 12. mon désir de vengeance. 13. pour.

PIERRE CORNEILLE, *Le Cid*, mise en scène de Brigitte Jaques-Wajeman. Comédie-Française, 2005.

En scène ! SOCLE C5

Le théâtre, art de la mise en scène

A. Observez les mises en scène p. 185 et 186. Quel(s) sentiment(s) les comédiens expriment-ils par : **a.** leurs attitudes ? **b.** leurs gestes ? **c.** leurs expressions ?

B. Par groupes de deux, répartissez-vous les rôles et apprenez chacun(e) par cœur votre texte.

C. Entraînez-vous à trouver le ton qui traduira au mieux les sentiments des deux personnages.

D. En vous inspirant de ces mises en scènes, répétez votre rôle en travaillant les attitudes, les déplacements éventuels, les gestes et les expressions du visage.

Analyser un dialogue tragique

L'enjeu du dialogue

1. Que demande Rodrigue à Chimène ? Citez trois extraits à l'appui de votre réponse.

2. Que demande Chimène à Rodrigue par trois fois ? Répondez en citant le texte.

3. Chacun d'eux obéit-il à l'autre ? Pourquoi ?

4. Vers 23 à 24 : **a.** Quelle est la résolution de Chimène ? **b.** Est-elle dictée par l'honneur ou par l'amour ?

5. En quoi l'enjeu de ce dialogue est-il tragique ?

L'expression des sentiments

6. a. Vers 1 à 4 : quels sont les deux sentiments éprouvés par Rodrigue ? **b.** Quels sentiments Chimène éprouve-t-elle ? Répondez à partir des vers 11 à 21 et 23 à 26.

7. a. Que signifie l'expression : « Va, je ne te hais point » ? **b.** ***Lexique*** Cette figure de style, nommée la « litote », atténue en apparence le propos : pourquoi Chimène l'emploie-t-elle ?

8. a. Quels signes de ponctuation forte repérez-vous au cours de l'échange ? **b.** Qu'est-ce qui caractérise les vers 5, 22 et 27 ? Quels sentiments ces procédés traduisent-ils ?

→ Réviser la phrase – p. 285

Dégager l'essentiel SOCLE C1

› En quoi ce dialogue entre Rodrigue et Chimène est-il tragique ?

Acte IV, scène 3

Chimène crie vengeance auprès du Roi. Don Diègue suggère alors à son fils d'affronter une mort glorieuse, en repoussant les Maures (Arabes d'Afrique du Nord) qui menacent Séville. Rodrigue, parti au combat, sans en informer le Roi, remporte la victoire. À son retour, le Roi lui demande le récit de cette bataille.

Don Fernand, Don Diègue, Don Arias, Don Rodrigue, Don Sanche

Don Rodrigue

Sous moi donc cette troupe s'avance,
Et porte sur le front une mâle assurance.
Nous partîmes cinq cents ; mais par un prompt[1] renfort
Nous nous vîmes trois mille en arrivant au port,
Tant, à nous voir marcher avec un tel visage,
Les plus épouvantés reprenaient de courage !
J'en cache les deux tiers, aussitôt qu'arrivés,
Dans le fond des vaisseaux qui lors[2] furent trouvés ;
Le reste, dont le nombre augmentait à toute heure,
Brûlant d'impatience, autour de moi demeure,
Se couche contre terre, et sans faire aucun bruit
Passe une bonne part d'une si belle nuit.
Par mon commandement la garde en fait de même,
Et se tenant cachée, aide à mon stratagème ;
Et je feins hardiment d'avoir reçu de vous
L'ordre qu'on me voit suivre et que je donne à tous.
Cette obscure clarté qui tombe des étoiles
Enfin avec le flux[3] nous fait voir trente voiles ;
L'onde[4] s'enfle dessous, et d'un commun effort
Les Maures et la mer montent jusques au port.
On les laisse passer ; tout leur paraît tranquille ;
Point de soldats au port, point aux murs de la ville.
Notre profond silence abusant leurs esprits,
Ils n'osent plus douter de nous avoir surpris ;
Ils abordent sans peur, ils ancrent, ils descendent,
Et courent se livrer aux mains qui les attendent.
Nous nous levons alors, et tous en même temps
Poussons jusques au ciel mille cris éclatants.
Les nôtres, à ces cris, de nos vaisseaux répondent ;
Ils paraissent armés, les Maures se confondent,
L'épouvante les prend à demi descendus ;
Avant que de combattre ils s'estiment perdus.
Ils couraient au pillage, et rencontrent la guerre ;
Nous les pressons sur l'eau, nous les pressons sur terre,
Et nous faisons courir des ruisseaux de leur sang,
Avant qu'aucun résiste ou reprenne son rang.
Mais bientôt, malgré nous, leurs princes les rallient,
Leur courage renaît, et leurs terreurs s'oublient :
La honte de mourir sans avoir combattu
Arrête leur désordre, et leur rend leur vertu.
Contre nous de pied ferme ils tirent leurs alfanges[5],

Pierre Corneille, *Le Cid*, mise en scène de Brigitte Jaques-Wajeman. Comédie-Française, 2005.

De notre sang au leur font d'horribles mélanges.
Et la terre, et le fleuve, et leur flotte, et le port,
Sont des champs de carnage où triomphe la mort.
Ô combien d'actions, combien d'exploits célèbres
Sont demeurés sans gloire au milieu des ténèbres,
Où chacun, seul témoin des grands coups qu'il donnait,
Ne pouvait discerner où le sort inclinait !
J'allais de tous côtés encourager les nôtres,
Faire avancer les uns et soutenir les autres,
Ranger ceux qui venaient, les pousser à leur tour,
Et ne l'ai pu savoir jusques au point du jour.
Mais enfin sa clarté montre notre avantage ;
Le Maure voit sa perte, et perd soudain courage :
Et voyant un renfort qui nous vient secourir,
L'ardeur de vaincre cède à la peur de mourir.
Ils gagnent leurs vaisseaux, ils en coupent les câbles,
Poussent jusques aux cieux des cris épouvantables,
Font retraite en tumulte, et sans considérer
Si leurs rois avec eux peuvent se retirer.
Pour souffrir ce devoir leur frayeur est trop forte ;
Le flux les apporta, le reflux les remporte ;
Cependant que leurs rois, engagés parmi nous,
Et quelque peu des leurs, tous percés de nos coups,

PIERRE CORNEILLE, *Le Cid*, mise en scène de Francis Huster. Théâtre Marigny, 1994.

Disputent vaillamment et vendent bien leur vie.
À se rendre moi-même en vain je les convie :
Le cimeterre[6] au poing ils ne m'écoutent pas ;
Mais voyant à leurs pieds tomber tous leurs soldats,
Et que seuls désormais en vain ils se défendent,
Ils demandent le chef ; je me nomme, ils se rendent.
Je vous les envoyai tous deux en même temps ;
Et le combat cessa faute de combattants.
C'est de cette façon que pour votre service…

PIERRE CORNEILLE, *Le Cid*, 1636-1637.

1. rapide. 2. alors. 3. marée montante. 4. le flot. 5. sabres recourbés. 6. épée orientale.

Étudier un récit tragique

Le récit de la bataille

1. Proposez un titre pour chaque étape de ce récit : v. 1 à 6 ; v. 7 à 16 ; v. 17 à 26 ; v. 27 à 36 ; v. 37 à 52 ; v. 53 à 62 ; v. 63 à 73.

2. La tragédie classique obéissait à certaines règles : selon la règle de bienséance, il n'était pas convenable de représenter des morts sur scène ; selon la règle des unités, l'action représentée devait se situer en un seul lieu et ne durer que vingt-quatre heures. En quoi le récit de Rodrigue permet-il de respecter ces règles ?

3. ***Lexique*** Relevez : **a.** une opposition (vers 17) ; **b.** des répétitions, des énumérations (vers 41 à 52) ; **c.** deux métaphores (vers 35 à 44). **d.** Quelle image de la bataille ces figures de style contribuent-elles à créer ?

4. Quels sont les rythmes des vers 25, 43 et 62 ? Quel est l'effet produit par chacun de ces rythmes ?

→ Les figures de style – p. 383-384

Un héros épique

5. a. Quels rôles Rodrigue joue-t-il auprès des soldats ? Justifiez en citant le texte. **b.** Que souligne Rodrigue dans les vers 45 à 48 ?

6. a. Rodrigue présente-t-il les Maures comme des adversaires courageux ou lâches ? Justifiez à l'aide de mots du texte. **b.** Dans quelle intention les présente-t-il ainsi ?

7. De quelles qualités Rodrigue fait-il preuve dans le combat et avec l'ennemi ?

8. Quelle est l'évolution du personnage depuis la scène des stances (p. 182) ?

Dégager l'essentiel SOCLE C1

› Devant le roi, les rois maures captifs ont appelé Rodrigue le « Cid » ; en vous appuyant sur l'étymologie (voir p. 178), expliquez ce qui, dans ce récit, justifie ce titre.

Rédiger un texte bref SOCLE C1

Résumez ce récit avec vos propres mots.

Faire le point

Le Cid, une tragi-comédie

Arts et culture

- Le nom « tragi-comédie » est formé sur « tragédie » et « comédie ». « Tragédie » vient du grec *tragos* (« bouc ») et *oidia* (« chant ») : cela se réfère au sacrifice d'un bouc lors de la représentation ou aux compagnons de Dionysos, dieu du théâtre, qui avaient des pieds de bouc. « Comédie » vient du grec *kômos*, le cortège de Dionysos.
- Au XVIIe siècle, la tragi-comédie, pièce à rebondissements qui finit toujours bien, est à la mode. En 1636-1637, **Pierre Corneille** écrit *Le Cid*, qui connaît un triomphe.
- Mais de vives critiques s'élèvent contre la pièce : on accuse **Pierre Corneille** d'avoir plagié (copié) un auteur espagnol, **Guilhem de Castro**, qui a écrit en 1631 une pièce dans laquelle un chevalier légendaire, le *Cid Campeador* (« le seigneur qui gagne les batailles »), épouse la fille d'un homme qu'il a tué. Corneille est obligé de se défendre mais **Richelieu**, Premier ministre de l'époque, fera taire les critiques.

Illustration de DONN P. GRANE pour *Le Cid Campeador*, 1922.

Un genre littéraire

- *Le Cid* est organisé en **cinq actes**, avec une progression de la tension tragique jusqu'à l'acte III et un dénouement par étapes à partir de l'acte IV.
- L'univers du *Cid* est celui de la **noblesse** de la cour d'Espagne. Les personnages de haut rang sont accompagnés de **confidents** (gouvernante, dame de compagnie, serviteur…).
- L'intrigue repose sur un **conflit intérieur** dans lequel un personnage est déchiré **entre des valeurs nobles** : l'amour contre le devoir familial, les sentiments familiaux ou amoureux contre la raison d'État…
- Comme dans une tragédie classique qui met en scène **une seule intrigue**, généralement concentrée en **un seul lieu**, qui dure **une seule journée**, *Le Cid* obéit à ces principes que l'on nomme **la règle des trois unités**.
- **Les actes violents** (bataille, meurtre, duel, suicide) ne sont pas montrés en scène mais **racontés** dans des récits tragiques, pour suivre **la règle de la bienséance** (ex. : le duel ou le combat livrés par Rodrigue).

L'écriture de la tragi-comédie

- La pièce de Corneille est écrite en vers (en alexandrins).
- Le niveau de langue est soutenu :
  – recours à un vocabulaire abstrait : honneur, devoir, piété… ;
  – emploi de périphrases et de métaphores (feu, flamme, pour l'amour) ;
  – ordre des mots recherché, avec déplacements des compléments circonstanciels ;
  – mise en valeur de certains mots à la rime.

Je retiens l'essentiel

› Que signifie le titre de la pièce, *Le Cid* ?

› Définissez le héros cornélien.

Lexique

› Le vocabulaire des sentiments et des valeurs

Explorer le vocabulaire des sentiments

1. Classez les sentiments suivants en trois degrés d'intensité.

souffrance – affliction – angoisse – calvaire – peine – chagrin – désespoir – déchirement – détresse – désolation – consternation – tristesse

Explorer le vocabulaire des valeurs : l'honneur

→ Réviser polysémie, synonymie et antonymie – p. 380

2. Proposez un autre synonyme, puis un antonyme : bravoure – vaillance – ardeur – cœur.

3. Classez les noms suivants en deux colonnes selon qu'ils sont synonymes ou antonymes du nom « honneur ».

estime – opprobre – dignité – réputation – déshonneur – fierté – infamie – ignominie – probité – vertu

4. a. Proposez un adjectif correspondant à chacun des noms suivants : estime – dignité – honneur – générosité – infamie – vertu. **b.** Quel est l'intrus ?

5. a. Associez chaque expression de la liste A à une des significations de la liste B.

Liste A : **1.** Donner sa parole d'honneur. **2.** Mettre un point d'honneur à. **3.** Agir pour l'honneur. **4.** En l'honneur de. **5.** Être à l'honneur. **6.** Faire honneur à quelqu'un. **7.** Faire honneur à un plat. **8.** Un garçon ou une demoiselle d'honneur. **9.** Faire les honneurs d'un lieu à quelqu'un.

Liste B : **a.** Être au premier plan. **b.** Manger avec plaisir. **c.** Se conduire de façon désintéressée. **d.** Engager sa dignité, sa réputation. **e.** Recevoir quelqu'un dans un lieu et le lui faire visiter soi-même. **f.** Personne qui mène le cortège lors d'un mariage et assiste les mariés. **g.** Rendre quelqu'un fier. **h.** En hommage à, pour célébrer. **i.** S'engager oralement.

b. Choisissez trois de ces expressions et employez chacune d'elles dans une phrase où elle prendra sens.

Explorer la langue de la tragédie au XVIIe siècle

6. a. Recopiez le tableau suivant, qui présente des mots et leur sens au XVIIe siècle ; associez à chacun d'eux son sens actuel.

respiration occasionnée par une émotion – pouvoir de séduction – attention accordée aux autres – inquiétude – lassitude – surprise – peine

Mots	Sens au XVIIe siècle	Sens actuel
charme	sortilège, remède magique contre la douleur	...
ennui	désespoir	...
étonnement	stupeur produite par un coup de tonnerre	...
générosité	grandeur d'âme	...
soupir	plainte	...
tristesse	malheur	...
trouble	bouleversement	...

b. Quelle remarque générale pouvez-vous faire quant à l'évolution du sens de ces mots ?

7. a. Dans cet extrait, indiquez à quel niveau de langue appartiennent les mots en gras.

CHIMÈNE

Sire, ne **souffrez** pas que sous votre **puissance**
Règne devant vos yeux une telle **licence** ;
Que les plus **valeureux**, **avec impunité**,
Soient exposés aux coups de la **témérité** ;
Qu'un jeune audacieux triomphe de leur **gloire**,
Se baigne dans leur sang, et **brave** leur mémoire.

P. CORNEILLE, *Le Cid*, 1636-1637.

b. Récrivez la réplique de Chimène dans un niveau de langue courant ; vous écrirez le texte en prose, en modifiant l'ordre des mots si nécessaire et en utilisant pour remplacer les mots en gras les synonymes suivants. Vous conjuguerez les verbes.

permettre – honneur – défier – pouvoir – liberté – sans être punis – vaillants – audace – mon roi

PIERRE CORNEILLE, *Le Cid*, mise en scène de Brigitte Jaques-Wajeman. Comédie-Française, 2005.

Orthographe Conjugaison

L'orthographe des déterminants indéfinis

→ Quelques déterminants et pronoms indéfinis – p. 369

Observer et manipuler

1. Dans ces extraits du *Cid*, avec quel nom chaque déterminant indéfini en gras s'accorde-t-il ?

Sans moi, vous passeriez bientôt sous **d'autres** lois.
Chaque jour, **chaque** instant, pour rehausser ma gloire,
Met lauriers sur lauriers, victoire sur victoire. [...]
Un monarque entre nous met **quelque** différence.
Achève, et prends ma vie après un **tel** affront.

[...] dans une **telle** offense
J'ai pu délibérer si j'en prendrais vengeance.

À **toute** heure, en **tous** lieux, dans une nuit si sombre,
Je pense l'embrasser, et n'embrase qu'une ombre.

P. Corneille, *Le Cid*, 1636-1637.

2. a. Recopiez le tableau et placez-y dans les bonnes cases les déterminants indéfinis rencontrés dans l'exercice 1. b. Complétez en remplissant les cases restées vides lorsque cela est possible.

Masculin singulier	Féminin singulier	Masculin pluriel	Féminin pluriel
	toute		d'autres

Formuler la règle

3. Recopiez et complétez les phrases suivantes.

Un déterminant indéfini s'accorde, comme un adjectif qualificatif, avec le ... auquel il se rapporte. Certains déterminants indéfinis ne s'emploient qu'au ..., d'autres qu'au ...

Distinguer des homophones

→ Homophones lexicaux et grammaticaux – p. 376 et 378

Observer et manipuler

4. Parmi les homophones en gras, lequel est : a. une forme verbale ? b. une conjonction de coordination ? c. un déterminant possessif devant un nom pluriel ?

L'Infante
Je vous suis. Juste ciel, d'où j'attends mon remède,
Mets enfin quelque borne au mal qui me possède
Assure mon repos, assure mon bonheur.
D'un lien conjugal joindre ces deux amants,
C'est briser tous **mes** fers et finir **mes** tourments.
Mais je tarde un peu trop : allons trouver Chimène,
Et par son entretien soulager notre peine.

P. Corneille, *Le Cid*, 1636-1637.

5. a. De quels éléments le groupe de mots « c'est » est-il composé ?
b. Relevez dans le texte de l'exercice 4, un homophone de « c'est » et indiquez sa classe grammaticale.

6. a. Qu'est-ce qui distingue la graphie des homophones dans l'extrait suivant ? b. Lequel de ces deux mots peut être remplacé par « avait » ?

Don Diègue
Mon bras, qui tant de fois **a** sauvé cet empire,
Fer, jadis tant **à** craindre et qui, dans cette offense,
M'a servi de parade, et non pas de défense.

P. Corneille, *Le Cid*, 1636-1637.

7. a. Quel est l'infinitif du participe passé en gras ? b. Proposez un homophone de ce mot. Qu'est-ce qui le distingue de ce participe passé ? c. Employez cet homophone dans une phrase de votre choix.

J'ai fait ce que j'ai **dû**, je fais ce que je dois.

P. Corneille, *Le Cid*, 1636-1637.

Formuler la règle

8. Recopiez et complétez les phrases suivantes.

Pour orthographier un mot homophone, il faut s'interroger sur sa ... grammaticale. Parfois, l'ajout d'un ... distingue deux homophones de classe grammaticale différente.

Écrire un texte sous la dictée SOCLE C1

Recopiez le passage en choisissant le bon homophone ; justifiez votre choix (mode ou temps verbal, classes grammaticales...).

Le Comte
Enfin vous l'emportez, et la faveur du Roi
Vous élève en un rang qui n'était (du, due, dû, dut) [qu'à moi :
Il vous fait gouverneur du prince de Castille.

Don Diègue
Cette marque d'honneur qu'il (mais, mets, m'est, [met) dans ma famille
Montre (a, à) tous qu'il (et, ai, est, ait) juste, et fait [connaître assez
Qu'il (sait, ses, ces, s'est) récompenser les services [passés.

Le Comte
Pour grands que (soient, soi, soit) les rois, ils sont [(ceux, se, ce) que nous sommes :
Ils peuvent (ce, ceux, se) tromper comme les autres [hommes ;
Et (ce, se) choix sert de preuve (à, a) tous les [courtisans
Qu'ils savent mal payer les services présents.

P. Corneille, *Le Cid*, 1636-1637.

Grammaire

L'expression de la cause

→ Réviser les compléments circonstanciels – p. 318
→ Les propositions subordonnées circonstancielles de cause et de conséquence – p. 297

Observer et manipuler

1. Récrivez les extraits suivants du *Cid* : a. en supprimant les groupes nominaux ou verbaux en gras ; b. en déplaçant ces groupes nominaux ou verbaux prépositionnels. c. Les extraits obtenus gardent-ils un sens ?

C'est un feu qui s'éteint, **faute de nourriture**.
Moi, que jadis partout a suivi la victoire,
Je me vois aujourd'hui, **pour avoir trop vécu**,
Recevoir un affront et demeurer vaincu.

Et le combat cessa, **faute de combattants**.

P. CORNEILLE, *Le Cid*, 1636-1637.

2. Récrivez les extraits suivants du *Cid* : a. en supprimant les propositions subordonnées entre crochets ; b. en déplaçant ces propositions subordonnées. c. Les extraits obtenus gardent-ils un sens ? d. Relevez les conjonctions de subordination qui introduisent ces propositions subordonnées.

[**Comme ses hauts exploits le**[1] **rendent sans égal**],
Dans un espoir si juste il sera sans rival ;
Et [**puisque don Rodrigue a résolu son père**
Au sortir du Conseil à proposer l'affaire],
Je vous laisse à juger s'il prendra bien son temps,
Et si tous vos désirs seront bientôt contents.[2]

Adieu donc, [**puisqu'en vain je tâche à vous résoudre**][3] ;
Avec tous vos lauriers, craignez encor le foudre[4].

P. CORNEILLE, *Le Cid*, 1636-1637.

1. Rodrigue. 2. satisfaits. 3. je m'efforce de vous convaincre. 4. la colère du Roi.

3. a. Dans les extraits des exercices 1 et 2, les passages en gras ou entre crochets répondent-ils à la question « dans quel but ? » ou « à cause de quoi ? » ? b. Quelle est la fonction de ces passages : complément circonstanciel de but ? de cause ?

4. a. Retrouvez dans l'adaptation suivante des extraits du *Cid* les passages qui correspondent aux passages en gras de l'exercice 1.

1. C'est un feu qui s'éteint, parce qu'il manque de nourriture. 2. Moi, que jadis partout a suivi la victoire, comme j'ai trop vécu, je me vois aujourd'hui recevoir un affront et demeurer vaincu. 3. Et le combat cessa, puisqu'on manquait de combattants.

b. Quelle est la classe grammaticale des passages que vous avez retrouvés ?

Formuler la règle

5. Recopiez et complétez les phrases suivantes.

Un complément circonstanciel de cause peut être supprimé ou … Il répond à la question … Il peut avoir plusieurs classes grammaticales : un groupe … ou …, une …

Les connecteurs argumentatifs

→ Les connecteurs argumentatifs – p. 345

Observer et manipuler

6. a. Quelle est la classe grammaticale des mots en gras ? b. Ces mots relient-ils des mots, des propositions ou des phrases ? c. Par quel autre mot pourriez-vous remplacer le dernier « et » ? Quel rapport logique chacun de ces mots en gras exprime-t-il ?

DON DIÈGUE

Là, si tu veux mourir, trouve une belle mort ;
Prends-en l'occasion puisqu'elle t'est offerte ;
Fais devoir à ton Roi[1] son salut à ta perte ;
Mais reviens-en[2] plutôt les palmes sur le front.
Ne borne pas ta gloire à venger un affront ;
Porte-la plus avant : force par ta vaillance
Ce monarque au pardon, **et** Chimène au silence ;
Si tu l'aimes, apprends que revenir vainqueur,
C'est l'unique moyen de regagner son cœur.
Mais le temps est trop cher pour le perdre en paroles ;
Je t'arrête en discours, **et** je veux que tu voles.

P. CORNEILLE, *Le Cid*, 1636-1637.

1. fais que ton roi doive. 2. reviens de la bataille.

7. a. Qu'est-ce qu'une « connexion » en informatique ? Déduisez-en le sens du terme grammatical « connecteur ».

b. Pourquoi appelle-t-on les mots en gras de l'exercice précédent des « connecteurs argumentatifs » ?

Formuler la règle

8. Recopiez et complétez la phrase suivante.

Un connecteur argumentatif est un mot de liaison qui exprime un rapport … entre deux mots ou deux propositions ou deux phrases, comme par exemple : l'… ou l'ajout.

Écrit — Rédiger des scènes de théâtre en lien avec la tragi-comédie

SOCLE C1, C5

1. Transposer une scène de roman en scène de théâtre

SUJET 1 : Transformez cet extrait de roman en une scène de théâtre.

[La bohémienne] s'animait par degrés. Son œil s'injectait de sang et devenait terrible, ses traits se contractaient, elle frappait du pied. Il me sembla qu'elle le pressait vivement de faire quelque chose à quoi il montrait de l'hésitation. Ce que c'était, je croyais ne le comprendre que trop à la voir passer et repasser rapidement sa petite main sous son menton. J'étais tenté de croire qu'il s'agissait d'une gorge à couper et j'avais quelques soupçons que cette gorge ne fût la mienne. À tout ce torrent d'éloquence, don José ne répondit que par deux ou trois mots prononcés d'un ton bref. Alors la bohémienne lui lança un regard de profond mépris ; puis, s'asseyant à la turque dans un coin de la chambre, elle choisit une orange, la pela et se mit à la manger.

P. Mérimée, *Carmen*, 1845.

Georges Bizet, *Carmen*, mise en scène d'Adrian Noble, Paris, 2009.

Méthode

- Notez au brouillon les personnages présents dans le texte, ceux qui parlent ou non, leurs caractéristiques.
- Repérez les lieux, la situation.
- Imaginez les répliques en tenant compte de la situation, des indices fournis par le texte et en créant un véritable échange qui traduira les sentiments des personnages.

Consignes d'écriture

- Respectez la mise en page propre à une scène de théâtre.
- Rédigez les indications de mise en scène (sentiments, attitudes, gestes des personnages, décor) dans des didascalies écrites entre parenthèses.

2. Rédiger un monologue théâtral exprimant un dilemme

SUJET 2 : Vous devez choisir entre deux activités, deux projets, deux situations qui vous tiennent à cœur ; vous ne parvenez pas à vous décider. Exprimez votre dilemme dans un monologue intérieur en prose.

Préparation

- Listez au brouillon les avantages des deux activités que vous avez choisies.

Consignes d'écriture

- Traduisez la difficulté du choix par des figures de style.
- Employez des phrases exclamatives, interrogatives.
- Utilisez des connecteurs argumentatifs.

3. Rédiger une scène de conflit

SUJET 3 : Rédigez une scène de théâtre, située à notre époque, où deux personnages s'affrontent à propos d'amour ou de devoir.

Préparation

- Imaginez une situation de conflit que vous situerez à notre époque.
- Inventez des personnages. Donnez-leur des noms.

Consignes d'écriture

- Respectez la mise en page propre à une scène de théâtre.
- Employez le vocabulaire des sentiments et / ou celui de l'honneur.
- Utilisez des connecteurs argumentatifs.

Oral

Lire et parodier des textes tragiques SOCLE C1, C5

1. Lire une tirade

SUJET 1 : Entraînez-vous à lire cette tirade de don Diègue en faisant ressortir son ton tragique.

DON DIÈGUE

Ô **rage** ! ô **désespoir** ! ô **vieillesse** ennemie !
N'ai-je donc **tant** vécu que pour cette **infamie**[1] ?
Et ne suis-je **blanchi** dans les travaux **guerriers**
Que pour voir **en un jour** flétrir **tant** de lauriers ?
Mon bras qu'avec respect toute l'Espagne admire,
Mon bras, qui **tant de fois** a sauvé cet empire,
Tant de fois affermi le trône de son Roi,
Trahit **donc** ma querelle, et ne fait **rien** pour moi[2] ?
Ô **cruel** souvenir de ma **gloire** passée !
Œuvre de **tant** de jours **en un jour** effacée !

P. CORNEILLE, (I, 4) *Le Cid*, 1636-1637.

1. déshonneur. 2. ne m'est d'aucun secours.

PIERRE CORNEILLE, *Le Cid*, mise en scène de Bénédicte Budan. Théâtre Silvia Monfort, 2009.

Critères de réussite

- Accentuez les mots mis en gras dans le texte.
- Mettez en valeur les indications données par la ponctuation : exclamations, interrogations, pauses à l'intérieur des vers indiquées par des virgules.
- Faites résonner les mots à la rime et les répétitions.
- Insister sur l'anaphore (répétition en début de vers) des vers 5-6.

2. Lire un texte épique

SUJET 2 : Entraînez-vous à lire cet extrait d'un poème de Jules Barbey d'Aurevilly en faisant ressortir son ton épique.

Le Cid Campeador[1]

Un soir, dans la Sierra[2], passait **Campeador**.
Sur sa **cuirasse d'or** le **soleil** mirait **l'or**
Des derniers **flamboiements** d'une soirée [**ardente**,
Et doublait du héros la splendeur **flamboyante** !
Il n'était qu'**or** partout, du cimier[3] aux talons,
L'or des cuissards[4] froissait **l'or** des caparaçons[5],
Des rubis[6] grenadins[7] faisaient **feu** sur son [casque,
Mais ses yeux en faisaient plus encore sous son [masque...
Superbe, et de loisir[8], il allait **sans pareil**,
Et n'ayant rien à battre, il battait le **Soleil** !

J. B. D'AUREVILLY, *Poussières*, 1854.

1. le seigneur qui gagne les batailles. 2. montagne espagnole. 3. casque. 4. partie de l'armure couvrant les cuisses. 5. housse d'ornement pour les chevaux. 6. pierres précieuses. 7. de Grenade, ville espagnole. 8. à son aise.

Critère de réussite

- Faites résonner les mots en gras pour rendre le caractère guerrier du héros.

3. Parodier un texte tragique

SUJET 3 : Parodiez le récit de Rodrigue, p. 187-188, de façon comique, en vous aidant de cet extrait de sketch.

On est parti cinq cents copains à travers la garrigue. Ça sentait bon le thym, la lavande, le romarin. On entendait le pays qui nous disait : « Reviens ! Reviens ! » Mais nous on partait quand même ; à force, on était trois mille en arrivant sur la Cannebière.
En fond, bruit de cigales.

Les Inconnus, 1989.

Méthode

- Relisez les vers 3-4 du récit de Rodrigue.
- Trouvez une situation particulière, en changeant de lieu et / ou d'époque.
- Insistez sur des éléments comiques (exagération, mélange de niveaux de langue en s'interdisant la vulgarité…)
- Prévoyez des éléments de mise en scène.

Critères de réussite

- Trouvez le ton qui correspond à la situation que vous avez choisie.
- Entraînez-vous à prononcer distinctement.

Théâtre contemporain pour la jeunesse

T. Lucattini
Les Souliers rouges

Un conte d'aujourd'hui, mis en scène, dans lequel deux adolescentes sont en prise avec la pauvreté, l'errance, les trafics...

F. Pillet
Molène

Une adolescente de douze ans perdue dans un océan de solitude, au sein de sa famille...

B. Smadja
Bleu, Blanc, Gris

Lili, une jeune fille juive et arabe obligée de quitter sa Tunisie natale pour vivre en France...

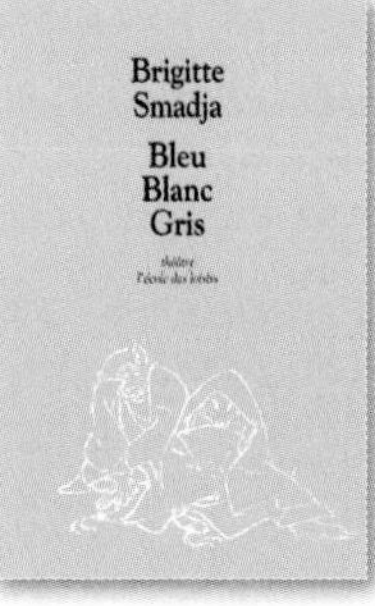

Promotion d'une pièce de théâtre

- **Organisez-vous par binômes et lisez une de ces pièces tragiques contemporaines.**
- **Réalisez une affiche annonçant la représentation de la pièce.**

Votre affiche mentionnera :
– le titre, la date de publication, le nom de l'auteur ;
– le nom de la troupe, la date et le lieu de la représentation (de votre invention) ;
– les principaux personnages et les noms des comédiens (réels ou inventés).
Illustrez votre affiche (dessin, peinture, collages...).

- **Interview d'un membre de la troupe**

En tant que metteur en scène ou comédien(ne), vous êtes invité(e) à la radio ou à la télévision pour promouvoir la pièce : imaginez l'interview et jouez-la.

H. Blutsch
Méhari et Adrien

L'étonnant voyage en side-car de deux aventuriers, au cours duquel les scènes défilent comme au cinéma.

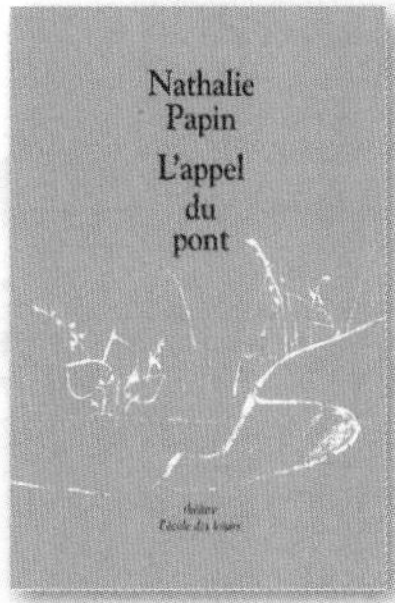

N. Papin
L'Appel du pont

Sur fond de guerre, l'amour de deux enfants issus de clans opposés.

Révisions

Faire le point
→ voir p. 189

Lexique
→ voir p. 190

Orthographe et conjugaison
→ voir p. 191

Grammaire
→ voir p. 192

Pierre Corneille, *Le Cid*, mise en scène de Brigitte Jaques-Wajeman. Comédie-Française, 2005.

Acte V, scène 7

Don Fernand, Don Diègue, Don Arias, Don Rodrigue, Don Alonse, Don Sanche, l'infante, Chimène, Leonor, Elvire

Don Fernand

[...] Le temps assez souvent a rendu légitime
Ce qui semblait d'abord ne se pouvoir sans crime.
Rodrigue t'a gagnée, et tu dois être à lui.
Mais, quoique sa valeur t'ait conquise aujourd'hui,
Il faudrait que je fusse ennemi de ta gloire
Pour lui donner sitôt le prix de sa victoire.
Cet hymen[1] différé ne rompt point une loi
Qui, sans marquer de temps, lui destine ta foi.
Prends un an, si tu veux, pour essuyer tes larmes.
Rodrigue, cependant, il faut prendre les armes.
Après avoir vaincu les Maures sur nos bords,
Renversé leurs desseins[2], repoussé leurs efforts,
Va jusqu'en leur pays leur reporter la guerre,
Commander mon armée et ravager leur terre.
À ce nom seul de Cid ils trembleront d'effroi ;
Ils t'ont nommé seigneur, et te voudront pour roi.
Mais parmi tes hauts faits[3] sois-lui toujours fidèle ;
Reviens-en, s'il se peut, encor plus digne d'elle ;
Et par tes grands exploits fais-toi si bien priser[4]
Qu'il lui soit glorieux alors de t'épouser.

Don Rodrigue

Pour posséder Chimène, et pour votre service,
Que peut-on m'ordonner que mon bras n'accomplisse ?
Quoi qu'absent de ses yeux il me faille endurer[5],
Sire, ce m'est trop d'heur[6] de pouvoir espérer.

Don Fernand

Espère en ton courage, espère en ma promesse ;
Et possédant déjà le cœur de ta maîtresse,
Pour vaincre un point d'honneur qui combat contre toi,
Laisse faire le temps, ta vaillance et ton Roi.

Pierre Corneille, *Le Cid*, 1636-1637.

1. mariage.
2. projets.
3. exploits.
4. apprécier.
5. malgré ce que je devrai supporter loin d'elle.
6. de bonheur.

Comprendre le texte SOCLE C1

Le contexte de la scène

1. Résumez brièvement ce qui s'est passé précédemment pour situer et comprendre cet extrait qui constitue le dénouement de la pièce.

2. a. Qui est don Fernand ? Citez deux vers à l'appui de votre réponse. **b.** Quel type de phrase emploie-t-il majoritairement ? Pourquoi ?

3. a. Quel est le niveau de langue employé par les différents personnages ? Proposez quelques exemples. **b.** Comment justifiez-vous ce choix de niveau de langue ?

Le discours de don Fernand

4. a. À qui don Fernand s'adresse-t-il dans les vers 1 à 9 ? **b.** Que propose-t-il ? Expliquez. **c.** Comment qualifieriez-vous ses propositions ?

5. a. Par quel connecteur argumentatif le vers 4 commence-t-il ? Quelle en est la classe grammaticale ? **b.** Vers 5 : que signifie « gloire » ici ? **c.** Quel rapport logique le connecteur établit-il entre l'amour et la gloire ? **d.** Est-ce la première fois dans la pièce ? Expliquez.

6. a. À qui don Fernand s'adresse-t-il dans les vers 10 à 20 ? **b.** Que propose-t-il ? Expliquez. **c.** Comment qualifieriez-vous ses propositions ?

Histoire des Arts SOCLE C5

Quel(s) personnage(s) chacune des deux mises en scène met-elle en valeur ? Comment pouvez-vous expliquer ces choix ?

Le personnage de Rodrigue

7. Relevez les mots qui expriment la « valeur » (vers 4) de Rodrigue.

8. a. Que signifie le nom « Cid » ? **b.** Expliquez les vers 15-16.

9. Quels sentiments Rodrigue exprime-t-il dans sa réponse ? Expliquez.

Dégager l'essentiel du texte SOCLE C1

10. En quoi ce dénouement fait-il du *Cid* une tragi-comédie et non une tragédie ?

Rédiger un texte de théâtre SOCLE C1, C5

SUJET : À la manière de P. Corneille, rédigez un extrait de scène théâtrale dans lequel un personnage exerçant l'autorité exprimera ses sages décisions à deux personnages en conflit ; vous ferez répondre l'un des personnages ou les deux. Vous pouvez choisir, par exemple, un principal de collège et deux élèves, un arbitre et deux joueurs…

Consignes d'écriture :

- Veillez à rendre compréhensible le conflit qui oppose les deux personnages.
- Rédigez votre texte en prose et dans un langage courant ou soutenu.
- Respectez la mise en page d'un texte de théâtre.
- Relisez-vous en vous aidant d'un dictionnaire et des tableaux de conjugaison de votre manuel.

PIERRE CORNEILLE, *Le Cid*, mise en scène de Denis Llorca. Théâtre de la Ville, 1972.

Cyrano de Bergerac,
Edmond Rostand

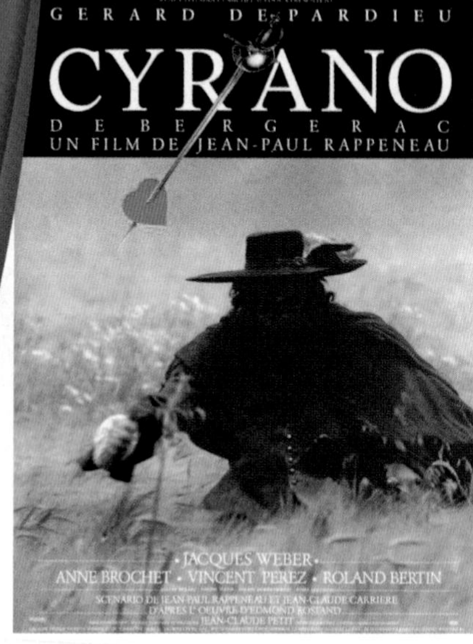

Affiche du film *Cyrano de Bergerac*, réalisé par J.-P. Rappeneau, 1990.

→ *Étudier un héros littéraire de légende*

→ *Analyser des mises en scène et des adaptations filmiques* SOCLE C5

→ *Jouer des scènes* SOCLE C1

Cet atelier vous propose deux manières de découvrir *Cyrano de Bergerac* :

– vous pouvez vous appuyer sur les extraits de la pièce proposés, les images des représentations théâtrales et les photogrammes pour réaliser les activités de jeu théâtral (rubriques *En scène !*) ;

– vous pouvez également lire l'intégralité de la pièce (en ligne à l'adresse suivante : http://abu.cnam.fr/cgi-bin/go?cyrano1), acte par acte, et tester votre lecture en répondant aux questions proposées.

De la réalité au héros de la légende

Hercule Savinien de Cyrano (1619-1655) est un poète français, contemporain de Molière, auteur de *l'Histoire comique des États et Empires de la lune*. Le titre « de Bergerac », qu'il utilise pour signer certaines de ses œuvres, ne vient pas de la ville située en Gascogne mais d'une terre possédée par sa famille en région parisienne ; il a sans doute ajouté ce titre à son nom quand il est devenu garde chez les cadets de Gascogne. Ce poète est surtout connu aujourd'hui pour avoir inspiré à Edmond Rostand le héros central de sa pièce *Cyrano de Bergerac*, qui diffère beaucoup de son modèle.

Statue de Savinien de Cyrano de Bergerac, XXIe siècle. Bergerac.

La pièce d'Edmond Rostand date de 1897. Son succès, immense en France comme à l'étranger, ne s'est jamais démenti depuis, au théâtre comme au cinéma. Le personnage de Cyrano est devenu un personnage légendaire de la littérature française. Une statue du personnage de fiction a même été érigée sur une place de la ville de Bergerac, en Dordogne.

Histoire des Arts SOCLE C5

A. À quel type de personnage (statut social, caractère) vous attendez-vous d'après la statue ?

B. B2i Visionnez sur le site de l'INA le reportage sur le tournage du film *Cyrano de Bergerac*, du réalisateur Jean-Paul Rappeneau (http://www.ina.fr/art-et-culture/cinema/video/MSC8908011996/au-mans-tournage-du-film-cyrano-de-bergerac.fr.html). **a.** De quand le film date-t-il ? **b.** Quel acteur interprète le personnage de Cyrano ? **c.** D'après les costumes, quand situez-vous la pièce ? **d.** D'après leur costume, qui sont les cadets de Gascogne ?

Une pièce à l'écriture filmique

Lisez dans la pièce les didascalies qui précèdent chaque acte.

Les décors

1. En quels lieux la pièce se déroule-t-elle ? En quoi cela convient-il bien au cinéma ?

2. Pourquoi chaque didascalie se prête-t-elle à une adaptation cinématographique ?

3. Observez les images du film de J.-P. Rappeneau (p. 199, 201, 202 et 206) : ce cinéaste vous semble-t-il fidèle aux indications de décors données dans les didascalies ? Justifiez.

Extrait du film *Cyrano de Bergerac*, réalisé par J.-P. RAPPENEAU, avec Gérard Depardieu dans le rôle de Cyrano, 1990. © Hachette Première, 1990. © Caméra One.

Extrait du film *Cyrano de Bergerac*, réalisé par J.-P. RAPPENEAU, avec Gérard Depardieu dansle rôle de Cyrano, 1990. © Hachette Première, 1990. © Caméra One.

Visionnez le début de l'acte I dans l'adaptation télévisée de Claude Barma (1960), sur le site de l'INA (http://www.ina.fr).

L'atmosphère

4. a. Quelle atmosphère règne au théâtre de l'Hôtel de Bourgogne ? **b.** Repérez des procédés cinématographiques qui mettent en valeur cette atmosphère. → L'ABC de l'image – p. 279

Un héros de cinéma

5. Quelles caractéristiques du personnage de Cyrano les images du film de J.-P. Rappeneau reproduites dans l'atelier mettent-elles en valeur ?

Un héros plein de panache

Lisez la pièce acte par acte, en suivant la progression de l'atelier.

Le portrait du héros (ACTE I)

ACTE I, scène 4

CYRANO

Ah ! non ! c'est un peu court, jeune homme !
On pouvait dire... Oh ! Dieu !... bien des choses en somme...
En variant le ton, – par exemple, tenez :
Agressif : « Moi, monsieur, si j'avais un tel nez,
Il faudrait sur-le-champ que je me l'amputasse ! »
Amical : « Mais il doit tremper dans votre tasse !
Pour boire, faites-vous fabriquer un hanap[1] ! »
Descriptif : « C'est un roc !... c'est un pic !... c'est un cap !
Que dis-je, c'est un cap ?... C'est une péninsule ! »
Curieux : « De quoi sert cette oblongue[2] capsule ?
D'écritoire[3], monsieur, ou de boîtes à ciseaux ? »
Gracieux : « Aimez-vous à ce point les oiseaux
Que paternellement vous vous préoccupâtes
De tendre ce perchoir à leurs petites pattes ? »
Truculent : « Ça, monsieur, lorsque vous pétunez[4],
La vapeur du tabac vous sort-elle du nez
Sans qu'un voisin ne crie au feu de cheminée ? »
Prévenant : « Gardez-vous, votre tête entraînée
Par ce poids, de tomber en avant sur le sol ! »
Tendre : « Faites-lui faire un petit parasol
De peur que sa couleur au soleil ne se fane ! »
Pédant : « L'animal seul, monsieur, qu'Aristophane[5]
Appelle Hippocampelephantocamélos
Dut avoir sous le front tant de chair sur tant d'os ! »
Cavalier : « Quoi, l'ami, ce croc est à la mode ?
Pour pendre son chapeau, c'est vraiment très commode ! »
Emphatique : « Aucun vent ne peut, nez magistral,
T'enrhumer tout entier, excepté le mistral ! »
Dramatique : « C'est la mer Rouge quand il saigne ! »
Admiratif : « Pour un parfumeur, quelle enseigne ! »
Lyrique : « Est-ce une conque[6], êtes-vous un triton[7] ? »
Naïf : « Ce monument, quand le visite-t-on ? »
Respectueux : « Souffrez, monsieur, qu'on vous salue,
C'est là ce qui s'appelle avoir pignon[8] sur rue ! »
Campagnard : « Hé, ardé ! C'est-y un nez ? Nanain !
C'est queuqu'navet géant ou ben queuqu'melon nain ! »
Militaire : « Pointez contre cavalerie[9] ! »
Pratique : « Voulez-vous le mettre en loterie ?
Assurément, monsieur, ce sera le gros lot ! »
Enfin parodiant Pyrame[10] en un sanglot :
« Le voilà donc ce nez qui des traits de son maître

Caricature par ORENS, *Portrait de l'acteur Coquelin*, 1905.

1. grand vase à boire au Moyen Âge.
2. plus longue que large.
3. étui contenant ce qu'il faut pour écrire.
4. « prenez du tabac » (vieilli).
5. auteur comique grec.
6. coquillage.
7. divinité marine.
8. partie avancée d'un mur.
9. Pointez votre épée contre la cavalerie ennemie.
10. personnage littéraire.

A détruit l'harmonie ! Il en rougit, le traître ! »
– Voilà ce qu'à peu près, mon cher, vous m'auriez dit
Si vous aviez un peu de lettres et d'esprit :
Mais d'esprit, ô le plus lamentable des êtres,
Vous n'en eûtes jamais un atome, et de lettres
Vous n'avez que les trois qui forment le mot : sot !
Eussiez-vous eu, d'ailleurs, l'invention qu'il faut
Pour pouvoir là, devant ces nobles galeries,
Me servir toutes ces folles plaisanteries,
Que vous n'en eussiez pas articulé le quart
De la moitié du commencement d'une, car
Je me les sers moi-même, avec assez de verve,
Mais je ne permets pas qu'un autre me les serve. […]

À suivre…

ACTE I • QUESTIONS

Lisez l'intégralité de l'acte I, puis répondez aux questions suivantes.

1. a. Quel portrait moral de Cyrano ses amis font-ils ? **b.** Comment Cyrano se comporte-t-il quand il apparaît ?

2. a. Quelle est la particularité physique de Cyrano ? **b.** Pourquoi Cyrano prononce-t-il cette célèbre tirade dans la scène 4 ?

3. Quelle révélation Cyrano fait-il à Le Bret dans la scène 5 ?

4. Qui est de Guiche ? Pourquoi Cyrano voit-il en lui un adversaire ?

Cyrano de Bergerac, mise en scène de Robert Hossein, avec J.-P. Belmondo dans le rôle de Cyrano. Théâtre Marigny, 1990.

Extrait du film *Cyrano de Bergerac*, réalisé par J.-P. Rappeneau, avec Gérard Depardieu dans le rôle de Cyrano, 1990. © Hachette Première, 1990. © Caméra One.

Dégager l'essentiel de l'acte I (SOCLE C1)

› ***Lexique*** Cherchez le sens figuré du nom « panache ».
› D'après cet acte, Cyrano vous paraît-il un personnage plein de panache ? Expliquez.

Cyrano de Bergerac, mise en scène de Denis Podalydès, avec Michel Vuillermoz dans le rôle de Cyrano. Comédie-Française, 2006.

En scène ! (SOCLE C5)

Lire

- De quelle qualité Cyrano fait-il preuve dans cette tirade dite « du nez » ?
- Cyrano fait-il rire ou pleurer dans cette tirade ?
- Pourquoi, selon vous, cette tirade est-elle travaillée dans les cours de théâtre ? Quelles performances d'acteur suppose-t-elle ?

Dire et jouer (seul(e) ou en binôme)

- ***Lexique*** Cherchez le sens des mots en bleu pour trouver les bonnes intonations.
- Imaginez un geste et / ou un déplacement pour chaque intonation.
- Exercez-vous à dire la tirade avec expressivité (en alternant les répliques si vous êtes en binôme).
- Aidez-vous des images de mises en scène de l'atelier pour camper le personnage.
- Apprenez une quinzaine de vers et récitez-les.

Écrire

- Inventez une (ou deux) paire(s) de vers sur un autre ton.

La souffrance secrète de Cyrano (ACTE II)

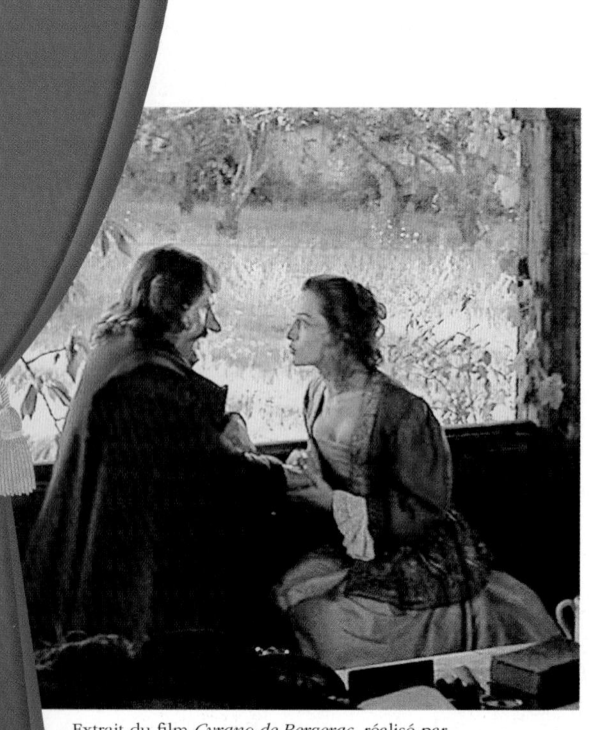

Extrait du film *Cyrano de Bergerac*, réalisé par J.-P. RAPPENEAU, avec Gérard Depardieu dans le rôle de Cyrano et Anne Brochet dans le rôle de Roxanne, 1990. © Hachette Première, 1990. © Caméra One.

ACTE II, scène 6

CYRANO, ROXANE

ROXANE, *sans quitter sa main*[1].

À présent j'ose,
Car le passé m'encouragea de son parfum !
Oui, j'ose maintenant. Voilà. J'aime quelqu'un.

CYRANO

Ah !...

ROXANE

Qui ne le sait pas d'ailleurs.

CYRANO

Ah !...

ROXANE

Pas encore.

CYRANO

Ah !...

ROXANE

Mais qui va bientôt le savoir, s'il l'ignore.

CYRANO

Ah !...

ROXANE

Un pauvre garçon qui jusqu'ici m'aima
Timidement, de loin, sans oser le dire...

CYRANO

Ah !...

ROXANE

Laissez-moi votre main, voyons, elle a la fièvre.
Mais moi j'ai vu trembler les aveux sur sa lèvre.

CYRANO

Ah !...

ROXANE, *achevant de lui faire un petit bandage avec son mouchoir.*

Et figurez-vous, tenez, que, justement
Oui, mon cousin, il sert dans votre régiment !

CYRANO

Ah !...

ROXANE, *riant.*

Puisqu'il est cadet dans votre compagnie !

CYRANO

Ah !...

ROXANE

Il a sur son front de l'esprit, du génie,
Il est fier, noble, jeune, intrépide, beau...

1. Elle lui a pris la main comme lorsqu'ils étaient enfants ; comme alors, elle y découvre une égratignure sanglante.

CYRANO, *se levant tout pâle.*

Beau !

ROXANE

Quoi ? Qu'avez-vous ?

CYRANO

Moi, rien... c'est... c'est...

Il montre sa main, avec un sourire.

C'est ce bobo.

ROXANE

Enfin, je l'aime. Il faut d'ailleurs que je vous dise[2]
Que je ne l'ai jamais vu qu'à la Comédie...

CYRANO

Vous ne vous êtes donc pas parlé ?

ROXANE

Nos yeux seuls.

CYRANO

Mais comment savez-vous, alors ?

ROXANE

Sous les tilleuls
De la place Royale, on cause... Des bavardes
M'ont renseignée...

CYRANO

Il est cadet ?

ROXANE

Cadet aux gardes.

CYRANO

Son nom ?

ROXANE

Baron Christian de Neuvillette. [...]

À suivre...

2. que je vous dise.

ACTE II • QUESTIONS

Lisez l'intégralité de l'acte II, puis répondez aux questions suivantes.

1. Que cherche à faire Cyrano dans la scène 3 ?

2. a. Quelle demande Roxane formule-t-elle à la fin de la scène 6 ? **b.** Quelle est la réponse de Cyrano ? Pourquoi répond-il ainsi ?

3. a. Pourquoi Christian craint-il de ne pas pouvoir séduire Roxane ? **b.** Quelle proposition Cyrano fait-il à Christian dans la scène 10 ?

Dégager l'essentiel de l'acte II SOCLE C1

› Qu'avez-vous appris de nouveau sur le personnage de Cyrano dans l'acte II ?

Lire

- Cet extrait de la scène 6 repose sur un quiproquo (un malentendu) : lequel ?
- En quoi les répliques de Cyrano diffèrent-elles de sa manière habituelle de s'exprimer ?
- Quel sentiment traduisent-elles ?
- Comment interprétez-vous la relation entre les deux personnages d'après les deux images de mise en scène ?

Dire et jouer

- Par binôme, imaginez les expressions du visage et les postures de Cyrano dans cette scène.
- Apprenez le texte et jouez-le en soulignant la montée de l'émotion ressentie par Cyrano.

FRANCO ALFANO, *Cyrano de Bergerac*, opéra inspiré de la pièce d'E. Rostand. Direction : Petrika Ionesco. Théâtre du Châtelet, 2009.

Le sacrifice (ACTE III)

Cyrano de Bergerac, mise en scène de Gilles Bouillon. Cartoucherie, Théâtre de la Tempête, 2010.

ACTE III • QUESTIONS

Lisez l'intégralité de l'acte III, puis répondez aux questions suivantes.

1. a. Que craint Roxane ? **b.** De quoi réussit-elle à convaincre de Guiche dans la scène 2 ?

2. a. Christian parvient-il à séduire Roxane dans la scène 5 ? Pourquoi ? **b.** Quelles solutions Cyrano fournit-il à Christian d'une part dans la scène 6, d'autre part dans la scène 7 ?

3. a. Dans la scène 13, pourquoi et comment Cyrano protège-t-il Roxane et Christian ? **b.** Par quel coup de théâtre l'acte III se termine-t-il ?

4. Quels sentiments contradictoires Cyrano éprouve-t-il dans cet acte ?

ACTE III, scène 7

ROXANE, CHRISTIAN, CYRANO, *d'abord caché sous le balcon.*

ROXANE, *entrouvrant sa fenêtre.*

Qui donc m'appelle ?

CHRISTIAN

Moi.

ROXANE

Qui, moi ?

CHRISTIAN

Christian.

ROXANE, *avec dédain.*

C'est vous ?

CHRISTIAN

Je voudrais vous parler.

CYRANO, *sous le balcon, à Christian.*

Bien. Bien. Presque à voix basse.

ROXANE

Non ! Vous parlez trop mal. Allez-vous-en !

CHRISTIAN

De grâce !...

ROXANE

Non ! Vous ne m'aimez plus !

CHRISTIAN, *à qui Cyrano souffle ses mots.*

M'accuser, – justes dieux !
De n'aimer plus... quand... j'aime plus !

ROXANE, *qui allait refermer sa fenêtre, s'arrêtant.*
Tiens, mais c'est mieux !

CHRISTIAN, *même jeu.*
L'amour grandit bercé dans mon âme inquiète.
Que ce... cruel marmot prit pour... barcelonnette[1] !

ROXANE, *s'avançant sur le balcon.*
C'est mieux ! – Mais, puisqu'il est cruel, vous fûtes sot
De ne pas, cet amour, l'étouffer au berceau !

CHRISTIAN, *même jeu.*
Aussi l'ai-je tenté, mais tentative nulle ;
Ce... nouveau-né, Madame, est un petit... Hercule.

ROXANE
C'est mieux !

CHRISTIAN, *même jeu.*
De sorte qu'il... strangula[2] comme rien...
Les deux serpents... Orgueil et... Doute.

ROXANE, *s'accoudant au balcon.*
Ah ! C'est très bien.
Mais pourquoi parlez-vous de façon peu hâtive ?
Auriez-vous donc la goutte à l'imaginative[3] ?

CYRANO, *tirant Christian sous le balcon et se glissant à sa place.*
Chut ! Cela devient trop difficile !

ROXANE
Aujourd'hui...
Vos mots sont hésitants. Pourquoi ?

CYRANO, *parlant à mi-voix, comme Christian.*
C'est qu'il fait nuit,
Dans cette ombre, à tâtons, ils cherchent votre oreille.

ROXANE
Les miens n'éprouvent pas difficulté pareille.

CYRANO
Ils trouvent tout de suite ? Oh ! cela va de soi,
Puisque c'est dans mon cœur, eux, que je les reçois ;
Or, moi, j'ai le cœur grand, vous, l'oreille petite.
D'ailleurs vos mots à vous descendent : ils vont plus vite,
Les miens montent, Madame : il leur faut plus de temps !

ROXANE
Mais ils montent bien mieux depuis quelques instants.

CYRANO
De cette gymnastique, ils ont pris l'habitude !

ROXANE
Je vous parle en effet d'une vraie altitude !

CYRANO
Certes, et vous me tueriez si de cette hauteur
Vous me laissiez tomber un mot dur sur le cœur ! [...]

À suivre...

1. petit berceau. 2. étrangla. 3. maladie qui immobiliserait l'imagination.

En scène ! SOCLE C5

Dire et jouer

- Quelle mise en scène préférez-vous ? Pourquoi ?
- Par groupes de trois, répétez cet extrait de la scène 7 en traduisant les jeux de scène et les déplacements :
  – Cyrano, muet au début, est cependant très présent sur scène ;
  – Cyrano souffle les paroles à Christian, qui hésite.
  – Cyrano prend finalement la parole.
- Inspirez-vous des mises en scène pour camper vos personnages.

Cyrano de Bergerac, mise en scène de Pino Micol. Théâtre Dejazet, 1997.

Dégager l'essentiel de l'acte III SOCLE C1

› Pourquoi et comment Cyrano se sacrifie-t-il au profit de Christian dans cet acte ?

Cyrano sur le champ de bataille (ACTE IV)

Extrait du film *Cyrano de Bergerac*, réalisé par J.-P. RAPPENEAU, 1990. © Hachette Première, 1990. © Caméra One.

En scène ! SOCLE C5

Jouer

- Imaginez comment disposer sur scène les personnages (cadets, Cyrano et Christian) et quelles attitudes leur faire adopter pour composer un « tableau » qui évoque un bivouac (campement provisoire).

ACTE IV • QUESTIONS

Lisez l'intégralité de l'acte IV, puis répondez aux questions suivantes.

1. Scène 1 : **a.** Comment le siège de la ville d'Arras est-il suggéré dans les répliques et les didascalies ? **b.** De quoi Christian et les cadets de Gascogne souffrent-ils ?

2. Quel risque Cyrano prend-il dans la scène 2 ? Pour quelle raison ?

3. Quels sont les deux coups de théâtre des scènes 5 et 6 ?

4. Quels éléments rendent tragiques les scènes 7 à 10 : pour Christian ? pour Cyrano ?

Dégager l'essentiel de l'acte IV SOCLE C1

› Qu'est-ce qui rend Cyrano héroïque dans l'acte IV ?

La « généreuse imposture » (ACTE V)

FRANCO ALFANO, *Cyrano de Bergerac*, opéra inspiré de la pièce d'E. Rostand. Direction : Petrika Ionesco. Théâtre du Châtelet, 2009.

Roxane a donné à lire à Cyrano la dernière lettre qu'elle a reçue de Christian.

ACTE V, scène 5

ROXANE, CYRANO

ROXANE, *troublée.*

Comme vous la lisez, – cette lettre !

La nuit vient insensiblement.

CYRANO

« Et je crie :

« Adieu !... »

ROXANE

Vous la lisez...

CYRANO

« Ma chère, ma chérie,

Mon trésor...

ROXANE, *rêveuse.*
D'une voix...

CYRANO
« Mon amour... »

ROXANE
D'une voix...

Elle tressaille.

Mais... que je n'entends pas pour la première fois !

Elle s'approche tout doucement, sans qu'il s'en aperçoive, passe derrière le fauteuil se penche sans bruit, regarde la lettre. – L'ombre augmente.

CYRANO
« Mon cœur ne vous quitta jamais une seconde,
Et je suis et serai jusque dans l'autre monde
Celui qui vous aima sans mesure, celui... »

ROXANE, *lui posant la main sur l'épaule.*
Comment pouvez-vous lire à présent ? Il fait nuit.

(Il tressaille, se retourne, la voit là tout près, fait un geste d'effroi, baisse la tête. Un long silence. Puis, dans l'ombre complètement venue, elle dit avec lenteur, joignant les mains.)

Et pendant quatorze ans, il a joué ce rôle
D'être le vieil ami qui vient pour être drôle !

CYRANO
Roxane !

ROXANE
C'était vous.

CYRANO
Non, non, Roxane, non !

ROXANE
J'aurais dû deviner quand il disait mon nom !

CYRANO
Non ! ce n'était pas moi !

ROXANE
C'était vous !

CYRANO
Je vous jure...

ROXANE
J'aperçois toute la généreuse imposture :
Les lettres, c'était vous...

CYRANO
Non !

ROXANE
Les mots chers et fous,
C'était vous...

CYRANO
Non ! [...]

EDMOND ROSTAND, *Cyrano de Bergerac*, 1897.

En scène ! SOCLE C5

Dire et jouer

- Que révèle la mise en scène ci-dessus sur l'état de santé de Cyrano ?
- Pour le personnage de Cyrano, trouvez une voix pour la lecture de la lettre et une autre pour les paroles ; tenez compte de son état physique.
- Pour le personnage de Roxane, traduisez la montée de l'émotion au fur et à mesure de la découverte de la vérité.

ACTE V • QUESTIONS

Lisez l'intégralité de l'acte V, puis répondez aux questions suivantes.

1. Combien d'années se sont écoulées depuis l'acte IV ? Qu'est devenue Roxane ?

2. Pourquoi Cyrano arrive-t-il en retard à son rendez-vous hebdomadaire avec Roxane ?

3. Roxane aime-t-elle toujours Christian ? Justifiez.

4. Dans l'extrait de la scène 5, que découvre peu à peu Roxane ?

5. Quel est le dénouement de la pièce ?

Dégager l'essentiel de l'acte V

SOCLE C1

› Expliquez l'expression employée par Roxane : « la généreuse imposture ».

Je retiens l'essentiel

› Pour quelles raisons le personnage de Cyrano fait-il figure de légende ?

› Pour quelles raisons, selon vous, cette pièce a-t-elle donné lieu à de nombreuses adaptations cinématographiques ?

Arts & pouvoirs

Combats d'écrivains et d'artistes au Siècle des lumières

→ *Comprendre des textes critiques et des caricatures*

→ *Étudier le vocabulaire de la critique sociale*

→ *Établir des liens entre des œuvres littéraires et artistiques* SOCLE C5

Les écrivains et les artistes du Siècle des lumières

Au XVIIIe siècle, les penseurs veulent répandre les « lumières » de la raison et du savoir auprès du plus grand nombre. L'*Encyclopédie* de Diderot et de d'Alembert est le reflet de cette volonté. Des écrivains comme Montesquieu, Voltaire et Beaumarchais critiquent le pouvoir absolu des monarques, rêvent d'un monde plus juste, plus libre, dénoncent l'esclavage. Ils risquent d'être emprisonnés à la Bastille, comme l'ont été Voltaire ou Beaumarchais, et sont contraints d'user de détours pour pouvoir être publiés. D'autre part, artistes (Greuze, Chardin, Mozart) et écrivains mettent en valeur les gens simples. Ces combats contre la société d'Ancien Régime se manifestent dès le début du siècle et se poursuivent jusqu'à la Révolution, qui s'est fortement inspirée des idées de Montesquieu, Voltaire, Diderot, Rousseau ou Beaumarchais.

Rédiger et présenter une biographie

En vous aidant de la **Fiche-méthode** de la page 17, rédigez la biographie d'un des écrivains représentés sur cette page : Diderot, Montesquieu, Beaumarchais, Voltaire, Rousseau. Présentez cet auteur à la classe.

JEAN HUBER, *Un dîner de philosophes*, vers 1772. Voltaire Fondation, Oxford.

Lexique

Lumières • Courant de pensée européen au XVIIIe siècle selon lequel le progrès est lié à la raison, la liberté, la tolérance et l'instruction.

Philosophe • Ami de la sagesse.

SOCLE C5

Un dîner de philosophes

A. Comment le peintre a-t-il mis en valeur Voltaire ?

B. De quels sujets ces philosophes peuvent-ils débattre ?

Lire et pratiquer différents langages SOCLE C5

En vous appuyant sur le texte p. 208 et sur la frise ci-dessous, expliquez en quoi les écrivains et les artistes du Siècle des lumières ont influencé le cours de l'Histoire.

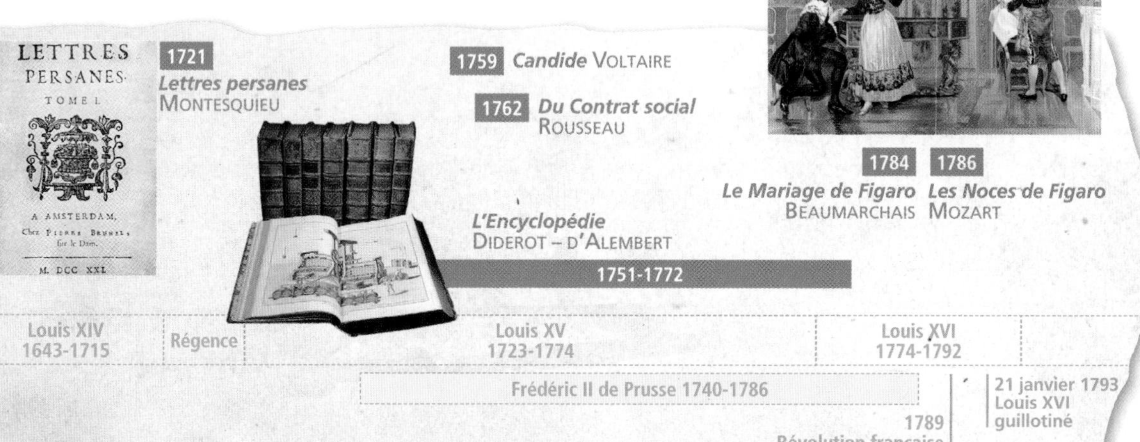

Le combat contre l'esclavage

On nomme « commerce triangulaire » un trafic très florissant aux XVIIe et XVIIIe siècles : les négriers emportaient d'Europe des armes et des objets de pacotille (sans valeur) avec lesquels ils achetaient en Afrique, auprès des chefs de tribus, des « Nègres », comme on disait alors. Ils entassaient ceux-ci sur des bateaux pour les vendre comme esclaves aux planteurs d'Amérique. Avec l'argent récolté, ils achetaient café, sucre et coton qu'ils vendaient en Europe à un prix élevé.

Colliers d'esclaves, vers 1790. National Maritime Museum, Greenwich.

TRA

TRAITE DES NÈGRES (*Commerce d'Afrique*), c'est l'achat des Nègres que font les Européens sur les côtes d'Afrique, pour employer ces malheureux dans leurs colonies en qualité d'esclaves. Cet achat de Nègres, pour les réduire en esclavage, est un négoce qui viole la religion, la morale, les lois naturelles, et tous les droits de la nature humaine.

DE JAUCOURT, Article « TRAITE DES NÈGRES », 1766.

Le droit d'esclavage est nul, non seulement parce qu'il est illégitime, mais parce qu'il est absurde et ne signifie rien. Ces mots, *esclavage* et *droit*, sont contradictoires ; ils s'excluent mutuellement.

JEAN-JACQUES ROUSSEAU, *Du contrat social*, 1762.

Les Nègres seraient trop heureux en Amérique si l'Européen les traitait avec la même équité[1] ; mais comme il ne voit dans ces malheureux que des instruments de travail, sa conduite envers eux dépend uniquement de l'utilité qu'il en tire ; il mesure sa justice par son profit.

JEAN-JACQUES ROUSSEAU, *Émile et Sophie ou les Solitaires*, 1780.

1. justice.

L'Esclave agenouillé « Ne suis-je pas un homme et un frère ? », XVIIIe siècle. Hull City Museums and Art Galleries, Wilberforce House.

Établir des liens entre les œuvres (SOCLE C5)

1. Qui est rendu responsable de l'esclavage ? Répondez en citant les textes.
2. Quelle est l'opinion de ces auteurs sur l'esclavage ?
3. Quel message la peinture ci-contre délivre-t-elle ?

Le Nègre[1] de Surinam[2]

En approchant de la ville, ils[3] rencontrèrent un nègre étendu par terre, n'ayant plus que la moitié de son habit, c'est-à-dire d'un caleçon de toile bleue ; il manquait à ce pauvre homme la jambe gauche et la main droite. « Eh, mon Dieu ! lui dit Candide en hollandais, que fais-tu là, mon ami, dans l'état horrible où je te vois ? – J'attends mon maître, monsieur Vanderdendur, le fameux négociant, répondit le nègre. – Est-ce M. Vanderdendur, dit Candide, qui t'a traité ainsi ? – Oui, monsieur, dit le nègre, c'est l'usage. On nous donne un caleçon de toile pour tout vêtement deux fois l'année. Quand nous travaillons aux sucreries, et que la meule nous attrape le doigt, on nous coupe la main ; quand nous voulons nous enfuir, on nous coupe la jambe : je me suis trouvé dans les deux cas. C'est à ce prix que vous mangez du sucre en Europe. Cependant, lorsque ma mère me vendit dix écus patagons[4] sur la côte de Guinée[5], elle me disait : « Mon cher enfant, bénis nos fétiches, adore-les toujours, ils te feront vivre heureux ; tu as l'honneur d'être esclave de nos seigneurs les blancs, et tu fais par là la fortune de ton père et de ta mère. » Hélas ! je ne sais pas si j'ai fait leur fortune, mais ils n'ont pas fait la mienne. Les chiens, les singes, les perroquets sont mille fois moins malheureux que nous. Les fétiches[6] hollandais qui m'ont converti me disent tous les dimanches que nous sommes tous enfants d'Adam, blancs et noirs. Je ne suis pas généalogiste ; mais si ces prêcheurs disent vrai, nous sommes tous cousins issus de germains[7]. Or vous m'avouerez qu'on ne peut pas en user avec ses parents d'une manière plus horrible. [...]

VOLTAIRE, *Candide*, 1759.

1. Ce mot n'a pas de sens péjoratif ici. 2. Guyane hollandaise, en Amérique du Sud. 3. Candide et son valet Cacambo. 4. monnaie du peuple (réel ou imaginaire ?) de Patagonie. 5. pays d'Afrique de l'Ouest. 6. prêtres. 7. frères.

Porter un regard critique SOCLE C5

1. a. Quel est l'état physique de l'esclave ? b. Quel sentiment Voltaire veut-il provoquer chez le lecteur ?

2. a. Qui s'exprime dans les passages en bleu ? b. Pourquoi Voltaire a-t-il fait parler ce personnage ?

3. a. Qui s'exprime dans le passage en rouge ? b. Quelle responsabilité ce personnage a-t-il dans la situation de l'esclave ? c. Comparez les passages soulignés : quelle évolution du personnage révèlent-ils ?

4. Expliquez en quoi ce texte dénonce le commerce triangulaire.

L'embarquement des esclaves. Lithographie du XIXe siècle.

La contestation du pouvoir absolu

Louis XIV dans les *Lettres persanes*

Dans ce roman épistolaire, Montesquieu fait parler un Persan qui visite la France.

Usbek à Ibben

À Smyrne

Le roi de France[1] est vieux. Nous n'avons point d'exemple dans nos histoires d'un monarque qui ait si longtemps régné. On dit qu'il possède à un très haut degré le talent de se faire obéir : il gouverne avec le même génie sa famille, sa cour, son état. […]

J'ai étudié son caractère, et j'y ai trouvé des contradictions qu'il m'est impossible de résoudre : par exemple, il a un ministre qui n'a que dix-huit ans, et une maîtresse[2] qui en a quatre-vingts ; il aime sa religion, et il ne peut souffrir ceux qui disent qu'il la faut observer à la rigueur ; quoiqu'il fuie le tumulte des villes, et qu'il se communique peu, il n'est occupé depuis le matin jusqu'au soir qu'à faire parler de lui ; il aime les trophées et les victoires, mais il craint autant de voir un bon général à la tête de ses troupes qu'il aurait sujet de le craindre à la tête d'une armée ennemie. Il n'est, je crois, jamais arrivé qu'à lui d'être en même temps comblé de plus de richesses qu'un prince n'en saurait espérer, et accablé d'une pauvreté qu'un particulier ne pourrait soutenir. […]

De Paris, le 7 de la lune de Maharram, 1713.

1. Louis XIV (1638-1715). 2. Madame de Maintenon.

MONTESQUIEU, *Lettres persanes*, XXXVII, 1721.

1. Le premier paragraphe comporte-t-il une critique ou un éloge ? Expliquez.
2. Quelle critique le deuxième paragraphe contient-il ?
3. Pourquoi Montesquieu fait-il parler un Persan ?

Frédéric II et Voltaire au château de Sans-souci, gravure de C. RÖCHLING, vers 1900.

Lettre de Voltaire : Frédéric II, un despote éclairé ?

À la demande de Frédéric II de Prusse, Voltaire vit depuis trois ans à la cour, à Berlin, auprès de celui qu'il pensait être un roi philosophe. Il écrit à sa nièce.

[…] Je ne songe qu'à déserter[1] honnêtement, à prendre soin de ma santé, à vous revoir, à oublier ce rêve de trois années.

*Je vois bien qu'*on a pressé l'orange *; il faut penser à sauver l'écorce. Je vais me faire, pour mon instruction, un petit dictionnaire à l'usage des rois.*

Mon ami *signifie* mon esclave.

Mon cher ami *veut dire* vous m'êtes plus qu'indifférent.

Entendez par je vous rendrai heureux, je vous souffrirai tant que j'aurai besoin de vous.

Soupez avec moi ce soir *signifie* je me moquerai de vous ce soir.

*Le dictionnaire peut être long ; c'est un article à mettre dans l'*Encyclopédie.

Sérieusement, cela serre le cœur. […] Arracher un homme à sa patrie par les promesses les plus sacrées, et le maltraiter avec la malice la plus noire ! Que de contrastes ! Et c'est là l'homme qui m'écrivait tant de choses philosophiques, et que j'ai cru philosophe ! […]

Lettre datée de Berlin, 18 décembre 1752.

1. fuir.

1. Qui se cache derrière le pronom indéfini « on » (l. 3) ?
2. Expliquez la phrase : « Je vois bien … l'écorce. » (l. 3)
3. Frédéric II se comporte-t-il en « despote éclairé » (voir p. 213) ?

Caricatures de Louis XVI

Lexique

Le vocabulaire de la politique

1. « Politique » (grec : *polis*, « la ville ») : donnez des mots de la même famille ainsi que leur définition.

2. a. Associez à chacun des mots de la liste A, le(s) mot(s) grec(s) ou latin(s) de la liste B dont il est issu :
Liste A : aristocratie – civique – démocratie – despote – monarchie – république.
Liste B : *despotès* (grec : « maître ») – *monos* (grec : « seul ») – *civis* (latin : « citoyen ») – *cratein* (grec : « gouverner ») – *aristos* (grec : « le meilleur ») – *res* (latin : « chose ») – *archein* (grec : « commander ») – *publica* (latin : « publique ») – *dèmos* (grec : « peuple »).

b. Donnez la définition de chacun des mots de la liste A.

c. Les philosophes des lumières ont cru que les rois pouvaient être des « despotes éclairés » : expliquez cette expression.

Caricature de Louis XVI, 1791. Paris, BnF.

Histoire des Arts SOCLE C5

A. Dans le *Roman de Renart* et dans les *Fables* de La Fontaine, quel animal représentait le roi ? Quelle caractéristique du roi était ainsi symbolisée ?

B. Quelle est la date de ces caricatures ? Pourquoi cette date est-elle importante à relever ?

C. En latin, le radical *capr-* sert à former les noms désignant une chèvre ou un bouc ; ce radical a donné l'adjectif français « capricieux » : que dénonce la caricature de Louis XVI et de Marie-Antoinette en couple de caprins ?

Caricature de Louis XVI et de Marie-Antoinette, 1791. Paris, BnF.

Établir des liens entre les œuvres SOCLE C5

1. Quelles ruses Montesquieu et Voltaire ont-ils employées pour contester le pouvoir absolu des rois ?

2. En quoi les documents de cette double page reflètent-ils les idées du Siècle des lumières ?

La critique sociale

Vocabulaire et caricatures

Lexique

Le vocabulaire de la critique sociale

1. a. Quels sont les trois états (milieux sociaux) de l'Ancien Régime ? **b.** « Naissance », « bien né », « grands », « rang » : lequel des trois états ces mots désignent-ils ?

2. Le suffixe nominal *-té* provient du suffixe abstrait latin *-tas*, qui signifie « le fait d'être ». Utilisez ce suffixe pour former un nom à partir de chacun des adjectifs suivants : libre – égal – fraternel – humain – citoyen.

Gravure du XVIIIe siècle. BnF, Paris.

Gravure du XVIIIe siècle. Musée Carnavalet, Paris.

Histoire des Arts

Porter un regard critique sur des documents SOCLE C5

A. a. Repérez sur chaque caricature quel personnage représente chacun des trois états et en quelle position il se trouve. **b.** Qui prononce la légende dans chacune de ces gravures ?

B. Que dénonce la première gravure ?

C. La seconde gravure se situe-t-elle, selon vous, avant ou après 1789 ? Justifiez votre réponse.

Connaître les principaux droits de l'homme et du citoyen SOCLE C6

D. Quel mot de la devise de la République française ces caricatures annoncent-elles ? Expliquez.

Figaro, un valet révolutionnaire

Les Noces de Figaro, W. A. MOZART, mise en scène par J.-L. Martinoty, Théâtre des Champs-Élysées, Paris, 2009.

Histoire des Arts

Établir des liens entre les œuvres SOCLE C5

A. Où la scène du *Mariage de Figaro* se situe-t-elle ? Pourquoi l'auteur a-t-il fait ce choix ?

B. Qui Figaro critique-t-il ? Quelle critique formule-t-il ?

C. Pourquoi, selon vous, la tirade de Figaro ne figure-t-elle pas dans l'opéra de Mozart ?

D. Pourquoi l'opéra de Mozart passe-t-il pour « révolutionnaire » ?

Du *Mariage de Figaro* de Beaumarchais...

À Séville, en Espagne, le valet Figaro doit épouser Suzanne. Mais il croit que son maître, le comte Almaviva, a donné un rendez-vous galant à la jeune fille.

FIGARO. – Non, monsieur le Comte, vous ne l'aurez pas... vous ne l'aurez pas. Parce que vous êtes un grand seigneur, vous vous croyez un grand génie !... Noblesse, fortune, un rang, des places, tout cela rend si fier ! Qu'avez-vous fait pour tant de biens ? Vous vous êtes donné la peine de naître, et rien de plus. Du reste, homme assez ordinaire ; tandis que moi, morbleu ! perdu dans la foule obscure, il m'a fallu déployer plus de science et de calculs, pour subsister seulement, qu'on n'en a mis depuis cent ans à gouverner toutes les Espagnes.

BEAUMARCHAIS, *Le Mariage de Figaro* (V, III), 1784.

... aux *Noces de Figaro* de Mozart

Les Noces de Figaro est le premier des trois opéras que Mozart écrivit avec Lorenzo da Ponte. Le livret est tiré de la pièce de Pierre-Augustin Caron de Beaumarchais, *Le Mariage de Figaro*, qui, parce qu'elle mettait en scène un valet qui se révoltait contre son maître, avait été interdite par la censure pendant plusieurs années. En Autriche, la représentation de la pièce en allemand avait aussi été interdite par l'empereur Joseph II et c'est en éliminant les traits de satire politique trop saillants[1] que Mozart et son librettiste[2] obtinrent des autorités la permission d'en faire un opéra. [...] Même s'ils sont atténués, les conflits de classes n'en sont pas moins présents et s'expriment parfois avec une violence plus grande que dans l'original. [...]

Les Noces de Figaro a été créé au Burgtheater de Vienne, le 1er mai 1786. La création parisienne eut lieu le 20 mars 1793, salle Porte Saint-Martin, dans une adaptation française de Beaumarchais lui-même.

Source : Opéra de Paris, Saison 2010-2011.

1. forts. 2. auteur des paroles.

Le peuple, un nouveau sujet en peinture

Jean-Siméon Chardin, *La Blanchisseuse*, vers 1730. Musée de l'Ermitage, Saint-Pétersbourg.

Les scènes de genre

Ce sont des peintures qui représentent des scènes contemporaines de l'artiste, prises sur le vif. Représentant la réalité quotidienne, elles étaient considérées en France comme moins nobles que les portraits royaux et aristocratiques ou que les grands tableaux historiques. Ce type de peinture se poursuit au XIXe siècle (voir *Atelier de lecture Un cœur simple*, p. 40 à 47).

Histoire des Arts SOCLE C5

A. La composition

a. Les personnages sont-ils placés au premier plan ou à l'arrière-plan ? b. Dans quelle figure géométrique les personnages du tableau de Greuze s'inscrivent-ils ? Quels éléments du tableau de Chardin s'inscrivent dans la même forme géométrique ? c. Les personnages sont-ils mis en valeur ou font-ils partie du décor ? Expliquez.

B. La lumière

Dans chaque tableau : a. D'où la lumière provient-elle ? b. Que met-elle en valeur ? Comment ? c. L'éclairage crée-t-il une atmosphère : vive ? sereine ? tragique ? douce ? violente ?

C. Des scènes de genre

a. À quel état (milieu social) les personnages appartiennent-ils ? b. Quelle scène de la vie quotidienne chaque tableau représente-t-il ? c. Observez le décor et les vêtements : s'en dégage-t-il une impression de misère ou de simplicité ? Expliquez. d. Observez les gestes, les lignes (courbes ou droites ?) : les personnages donnent-ils l'impression d'être en action ou immobiles ? Justifiez.

→ L'ABC de l'image – p. 276-277

Jean-Baptiste Greuze, *Les Œufs cassés*, 1756. The Metropolitan Museum of Art, New York.

Porter un regard critique sur des documents SOCLE C5

En quoi ces deux scènes de genre témoignent-elles du nouveau regard porté sur la société au XVIIIe siècle ?

Vers l'épreuve d'évaluation d'Histoire des Arts

→ *Établir des liens entre les œuvres* SOCLE C5

Comparez ce texte et cette caricature à l'ensemble du dossier et expliquez s'ils sont représentatifs du Siècle des lumières. Aidez-vous pour cela des questions ci-dessous.

ANONYME, *Mademoiselle des Faveurs à la promenade à Londres*. Musée Carnavalet, Paris.

Rica à Rhédi

À Venise

Je trouve les caprices de la mode, chez les Français, étonnants. Ils ont oublié comment ils étaient habillés cet été ; ils ignorent encore plus comment ils le seront cet hiver. Mais, surtout, on ne saurait croire combien il en coûte à un mari pour mettre sa femme à la mode.

Que me servirait de te faire une description exacte de leur habillement et de leurs parures ? Une mode nouvelle viendrait détruire tout mon ouvrage, comme celui de leurs ouvriers, et, avant que tu eusses reçu ma lettre, tout serait changé.

Une femme qui quitte Paris pour aller passer six mois à la campagne en revient aussi antique que si elle s'y était oubliée trente ans. Le fils méconnaît le portrait de sa mère, tant l'habit avec lequel elle est peinte lui paraît étranger ; il s'imagine que c'est quelque Américaine qui y est représentée, ou que le peintre a voulu exprimer quelqu'une de ses fantaisies.

Quelquefois, les coiffures montent insensiblement, et une révolution les fait descendre tout à coup. Il a été un temps que leur hauteur immense mettait le visage d'une femme au milieu d'elle-même. Dans un autre, c'étaient les pieds qui occupaient cette place : les talons faisaient un piédestal qui les tenait en l'air. Qui pourrait le croire ? Les architectes ont été souvent obligés de hausser, de baisser et d'élargir leurs portes, selon que les parures des femmes exigeaient d'eux ce changement, et les règles de leur art ont été asservies à ces caprices. [...]

Il en est des manières et de la façon de vivre comme des modes : les Français changent de mœurs selon l'âge de leur roi. Le monarque pourrait même parvenir à rendre la nation grave, s'il l'avait entrepris. Le Prince imprime le caractère de son esprit à la Cour ; la Cour à la Ville ; la Ville aux provinces. L'âme du souverain est un moule qui donne la forme à toutes les autres.

De Paris, le 8 de la lune de Saphar, 1717.

MONTESQUIEU, *Lettres persanes*, XCIX, 1721.

Porter un regard critique sur des documents SOCLE C5

Le texte

A. Sous quelle forme le texte de Montesquieu se présente-t-il ? Qui en est le narrateur ?

B. a. Quelle est la critique contenue dans les quatre premiers paragraphes ? **b.** Sur quelle figure de style cette caricature est-elle fondée ? **c.** Cette critique remet-elle en question l'organisation de la société ?

C. a. Quelle est la critique contenue dans le dernier paragraphe ? **b.** Est-elle de la même nature que la précédente ? Justifiez.

La caricature

D. À quelle partie du texte cette caricature fait-elle écho ? Par quel moyen le dessinateur a-t-il tourné la scène en ridicule ?

9

Destins romanesques au XIXe siècle

Étudier des personnages de roman et leur évolution

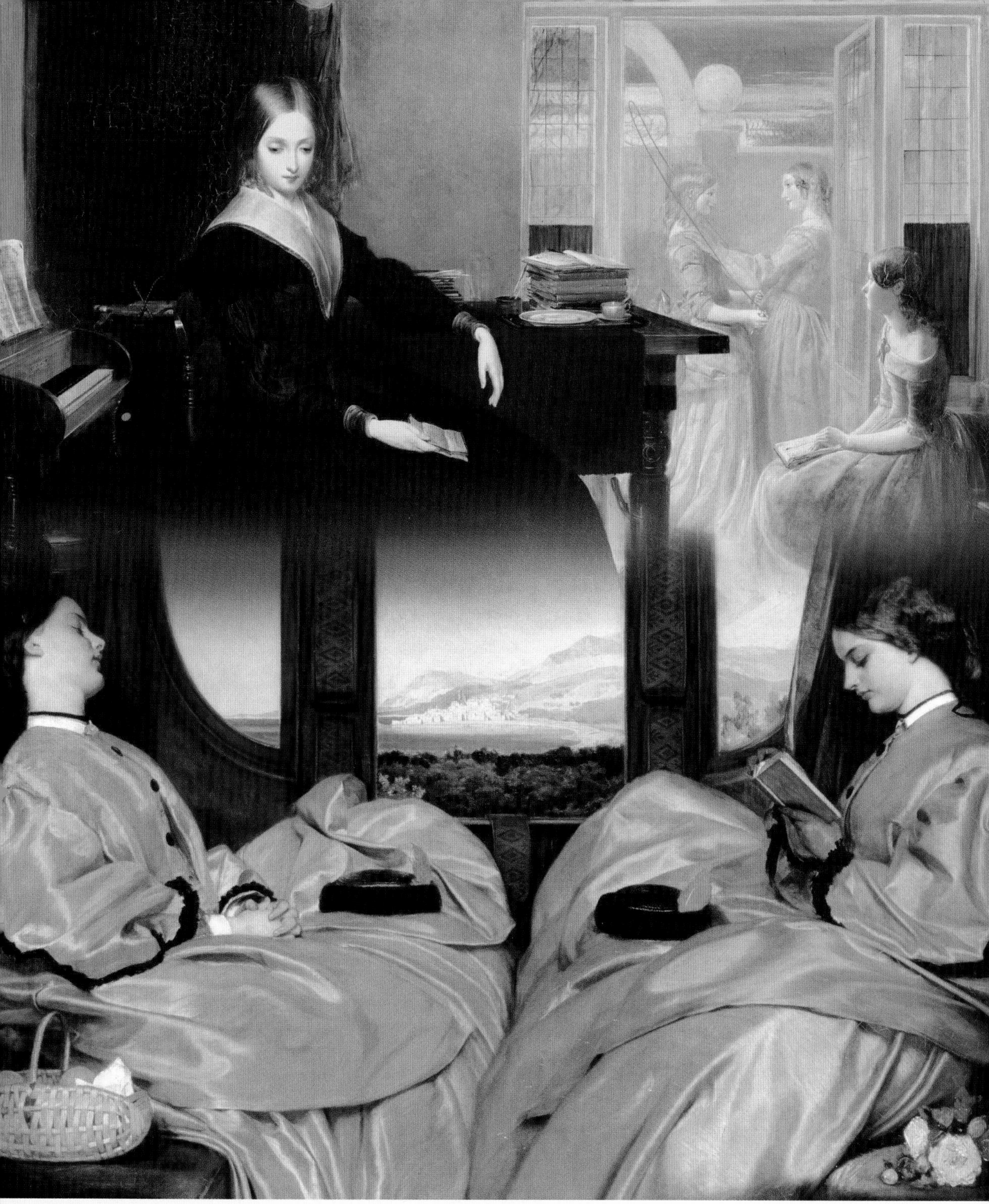

R. REDGRAVE, *La Gouvernante*, 1844. Coll. privée. A. EGG, *Les Compagnes de voyage*, 1862. Birmingham Museums and Art Galleries, Birmingham ; montage A.-D. NANAME, 2011.

1. **Quel(s) lien(s) établissez-vous entre la partie inférieure et la partie supérieure du montage ?**
2. **À travers quels éléments le montage évoque-t-il l'univers des romans ?**
3. **Quels sont les points communs entre les différents personnages ?**

Lectures

Pour entrer dans le chapitre

- Quels romans du Moyen Âge pouvez-vous citer ? Que signifiait « roman » au Moyen Âge ?
- « Romanesque » a deux sens : 1. qui est propre au roman ; 2. qui fait appel à l'imagination, aux sentiments.
« Héros » et « héroïne » désignent : 1. quelqu'un qui accomplit des exploits ; 2. le personnage principal d'une œuvre de fiction.
Comment vous imaginez-vous des « héroïnes romanesques » ?

Avant de lire le texte

- ***Lexique*** Cherchez le sens des mots suivants : « une apostrophe », « fourbe », « une initiation » (du latin *initium*, « début »).

Charlotte Brontë
(1816-1855)

Cette romancière anglaise, orpheline à huit ans, est placée dans une pension où elle sera très malheureuse, avant de devenir institutrice, puis professeur d'anglais. Son roman, *Jane Eyre*, qui connut un vif succès dès sa publication, est en grande partie le récit de sa vie.

JANE EYRE, C. Brontë

Jane Eyre face à Mrs Reed

Jane Eyre, orpheline de ses deux parents, est recueillie par son oncle, Mr Reed. À la mort de ce dernier, Jane doit affronter l'hostilité de Mrs Reed et de ses enfants, Eliza, Georgiana et John. Pour leur échapper, Jane demande à être placée en pension ; mais lors du rendez-vous avec le directeur de cet établissement, Mrs Reed brosse un effroyable portrait de Jane, en soulignant son goût pour le mensonge. La scène suivante se situe après le départ du directeur.

J'avais *besoin* de parler. J'avais été cruellement foulée aux pieds[1], je devais réagir ; mais comment ? Quelle force avais-je pour me venger de mon adversaire ? Je rassemblai toute mon énergie pour lancer cette apostrophe acerbe[2] :

« Je ne suis pas fourbe : si je l'étais, je dirais que je vous aime, mais je déclare que je ne vous aime pas ; il n'y a personne au monde que je déteste plus que vous, si ce n'est John Reed ; quant à ce livre sur la menteuse, vous pourrez le donner à votre fille Georgiana, c'est elle qui ment et non pas moi. »

Les mains de Mrs Reed demeuraient toujours inactives sur son ouvrage[3], mais ses yeux de glace continuaient à fixer froidement les miens.

« Qu'avez-vous encore à dire ? » demanda-t-elle, d'un ton qu'on prend ordinairement avec un adversaire d'âge adulte plutôt qu'avec un enfant.

Ces yeux, cette voix soulevèrent en moi toute mon antipathie. Secouée des pieds à la tête, toute frémissante sous l'effet d'une excitation incoercible[4], je continuai :

« Je suis contente que vous ne soyez pas de ma famille : de ma vie je ne vous appellerai plus jamais ma « tante » ; quand je serai grande je n'irai jamais vous voir ; si quelqu'un me demande si je vous aimais, de quelle façon vous m'avez traitée, je répondrai que votre seul souvenir me fait mal, que vous m'avez traitée avec une abominable cruauté.

– Comment osez-vous affirmer cela, Jane Eyre ?

– Comment je l'ose, Mrs Reed ? Comment je l'ose ? Parce que c'est la *vérité*. Vous croyez que je suis insensible, que je puis vivre sans un peu d'affection, mais cela m'est impossible ; vous n'avez aucune pitié. Je me rappellerai jusqu'au jour de ma mort comment vous m'avez rejetée – rejetée avec dureté et violence – dans la chambre rouge, enfermée à clef malgré mon angoisse, tandis que, suffoquant de douleur, je criai : “Pitié ! Pitié ! Tante Reed”. Et

1. humiliée.
2. violente.
3. travail de couture ou de tricot.
4. qu'on ne peut pas arrêter.
5. exploser de joie.

cette punition, vous me l'avez infligée parce que votre méchant fils m'avait frappée, jetée par terre sans motif. Je ferai le récit de tout cela à qui me questionnera. On vous prend pour une bonne personne, mais vous ne l'êtes pas, vous avez le cœur dur. C'est *vous* qui êtes fourbe ! »

Avant d'avoir achevé cette réplique, mon âme avait commencé à s'épanouir, à exulter[5] ; j'éprouvais un sentiment de liberté, de triomphe, bien singulier. Il me semblait qu'un lien venait de se rompre au cours de cette lutte et que j'allais jouir d'une liberté inespérée.

À suivre…

M.S. ORR,
illustration pour *Jane Eyre*, 1921.
George G. Harrap & Compagny.

Suivre l'héroïne d'un roman d'initiation : l'enfant

Le personnage de Jane

1. L. 1 à 3 : quel sentiment Jane éprouve-t-elle ? Justifiez.

2. L. 4 à 7 : a. Quels noms et pronoms sont mis en valeur ? Par quelles constructions de phrase ? b. Relevez une construction identique dans la dernière réplique de Jane.

3. L. 15 à 31 : a. Relevez des mots exprimant la souffrance de Jane. b. Quels reproches l'enfant adresse-t-elle à sa tante ?

4. Que révèle ce passage du caractère de Jane ?

Un dialogue décisif

5. Quel nom la narratrice emploie-t-elle pour désigner sa tante dans le premier paragraphe ?

6. a. Quelle place le discours direct occupe-t-il dans ce récit ? Pourquoi, selon vous, l'auteur a-t-il rapporté les paroles ainsi ? b. Qui mène ce dialogue ? Est-ce normal ? Justifiez. c. Relevez un groupe nominal qui indique la façon dont Jane s'exprime : quel état d'esprit traduit-il ?

7. a. L. 8 : le verbe « demeurer » est-il un verbe attributif (d'état) ou un verbe d'action ? b. Que révèle son emploi sur l'attitude de Mrs Reed ? c. Le discours de Jane est-il efficace ? Justifiez.

8. a. Quel sentiment Jane éprouve-t-elle à la fin de cette scène ? Justifiez. b. Quel rôle cette scène a-t-elle joué dans la relation entre les personnages ?

→ Réviser le discours direct – p. 350
→ Réviser les fonctions par rapport au verbe – p. 314

Dégager l'essentiel SOCLE C1

› Quel portrait moral de Jane ce passage brosse-t-il ?
› À quoi l'héroïne s'initie-t-elle dans cette scène ?

Rédiger un texte bref SOCLE C1

Jane, au sortir de cette scène, rencontre sa cousine Georgiana. Racontez brièvement leur affrontement, en alternant récit et dialogue. Employez la première personne du singulier et des verbes de parole ; respectez les temps du récit au passé et la ponctuation du diaglogue.

Lectures

Avant de lire le texte

1. Comment peut-on qualifier l'enfance de Jane Eyre d'après le texte précédent ?
2. Jane était-elle une enfant soumise ou rebelle ?

Jane Eyre face à Mr Rochester

Jane, devenue institutrice, entre au service de Mr Rochester qui l'emploie comme préceptrice (professeur particulier) pour éduquer Adèle, sa protégée.

« J'aurais plaisir à vous faire sortir de votre réserve[1], à vous connaître davantage. Parlez-moi donc. »

Au lieu de parler, je me mis à sourire ; et ce sourire n'avait rien d'aimable, rien de soumis.

« Parlez, insista-t-il.

– Mais de quoi, monsieur ?

– De ce que vous voudrez, je laisse le sujet, la manière de le traiter, entièrement à votre choix. »

En conséquence, je demeurai assise sans rien dire : « S'il espère que je vais parler pour le simple plaisir de parler et me faire valoir, il verra qu'il s'est trompé en s'adressant à moi », pensai-je.

Joan Fontaine et Orson Welles dans *Jane Eyre*, film de Robert Stevenson, 1944.

« Êtes-vous muette, Miss Eyre ? »

Je restai silencieuse. Il pencha légèrement la tête vers moi, et, d'un coup d'œil rapide, pénétra mon regard.

« Entêtée ? dit-il ; contrariée ? Ah, cela se comprend. J'ai présenté ma requête[2] d'une manière absurde, presque insolente. Miss Eyre, je vous demande pardon. Sachez, une fois pour toutes, que je n'ai pas l'intention de vous traiter comme une inférieure, c'est-à-dire (en se reprenant) que je prétends seulement à la supériorité qui doit résulter d'une différence d'âge de vingt ans et d'une expérience qui me donne sur vous l'avance d'un siècle. Celle-ci est légitime, et *j'y tiens*[3] [...]. Et c'est en vertu de cette supériorité et de cela seul que je vous prie d'avoir la bonté de me parler un peu, de changer le cours de mes pensées [...]. »

Il avait daigné donner une explication, presque une excuse ; cette condescendance[4] ne me laissa pas insensible, et je voulus lui en donner la preuve.

« S'il est en mon pouvoir de vous distraire, monsieur, j'y suis toute disposée, mais je ne puis pas choisir moi-même un sujet de conversation, ne sachant pas ce qui vous intéresse. Posez-moi des questions, et j'y répondrai de mon mieux.

– Bien ; tout d'abord, voulez-vous reconnaître avec moi que j'ai le droit d'être un peu autoritaire, brusque parfois, même exigeant, pour les raisons que je vous ai données ; à savoir que je suis assez vieux pour être votre père, que j'ai livré combat au cours de multiples expériences avec maints[5] hommes de tous pays, que j'ai roulé ma bosse sur la moitié du globe, tandis que vous viviez tranquillement avec les mêmes personnes, dans une même maison ?

– Comme vous voudrez, monsieur.

– Ce n'est pas une réponse, ou plutôt c'est une réponse exaspérante, elle est trop évasive ; répondez-moi clairement.

– Il me semble, monsieur, que vous n'avez pas le droit de me donner des ordres, simplement parce que vous êtes plus âgé que moi, ou parce que vous avez voyagé davantage ; ce droit à la supériorité dépend de l'usage que vous avez fait de votre temps et de votre expérience.

– Hum ! C'est vite dit. [...] Il faut donc que vous acceptiez néanmoins de recevoir mes ordres de temps en temps, sans être froissée ou blessée par le ton de commandement. Y consentez-vous ? »

Je souris, songeant en moi-même : « Mr Rochester est vraiment bizarre, il semble oublier qu'il me donne trente livres[6] par an pour recevoir ses ordres. »

« Le sourire est très bien, dit-il, saisissant instantanément son expression passagère, mais il faut aussi parler.

– Je me disais, monsieur, que bien peu de maîtres s'inquiéteraient de savoir si leurs subalternes[7] salariés sont, ou non, vexés ou blessés par leurs ordres. »

Charlotte Brontë, *Jane Eyre*, 1847, trad. C. Maurat © Le Livre de Poche, 1964.

1. retenue, discrétion.
2. demande.
3. en français dans le texte anglais.
4. ici, amabilité.
5. de nombreux.
6. unité de monnaie anglaise.
7. inférieurs, subordonnés.

Suivre l'héroïne d'un roman d'initiation : la jeune fille

Les rapports entre les personnages

1. a. Quel est le rapport hiérarchique entre Mr Rochester et Jane ?
b. « J'aurais », « Parlez » (l. 1-2) : à quel mode chaque verbe est-il conjugué ?
c. Quelles indications ces deux modes donnent-ils sur l'attitude de Mr Rochester ?

2. L. 16 à 28 : **a.** Sur quoi Mr Rochester fonde-t-il sa supériorité ?
b. Mr Rochester se montre-t-il autoritaire dans cette réplique ? Justifiez.

3. L. 37 à la fin : **a.** Quel droit Mr Rochester revendique-t-il ? **b.** Sur quels arguments se fonde-t-il ?

4. a. Quels sont les deux types de phrase dominants employés par Mr Rochester de la ligne 37 à la fin ?
b. L'emploi de ces deux types de phrase révèle-t-il que Mr Rochester cherche à imposer son point de vue ou qu'il respecte Jane ? Justifiez.

5. L'attitude de Mr Rochester à l'égard de Jane ressemble-t-elle à ce qu'elle a connu dans son enfance ? Expliquez.

L'évolution de Jane

6. a. Par quelle autre conjonction de coordination peut-on remplacer « et », l. 3 ? **b.** Quel rapport logique est ainsi exprimé ? **c.** La réaction de Jane à la demande de Mr Rochester surprend-elle le lecteur ? Expliquez.

7. Pourquoi et comment l'attitude de Jane évolue-t-elle à partir de la ligne 29 ?

8. a. Dans le dialogue, Jane se comporte-t-elle en subordonnée ou traite-t-elle Mr Rochester en égal ? Expliquez.
b. Quelle qualité ses propos révèlent-ils ? Justifiez.

9. a. Le sourire de Jane à la fin de la scène est-il de même nature qu'au début ? Expliquez. **b.** Quel jugement porte-t-elle sur son maître ?

→ Les connecteurs argumentatifs – p. 345

Dégager l'essentiel SOCLE C1

› Expliquez en quoi ce dialogue avec Mr Rochester constitue une étape dans la vie de Jane.
› À quoi Jane s'initie-t-elle dans ce passage ?

Rédiger un texte bref SOCLE C1

Rédigez en quelques lignes le portrait physique de Mr Rochester, que vous insérerez après « Je restai silencieuse » (l. 13). Vous commencerez par « J'observai mon interlocuteur... » Vous emploierez l'imparfait de l'indicatif.

Auguste Leroux, illustration pour *Eugénie Grandet*. Éditions F. Ferroud, 1911. Maison de Balzac, Paris.

Honoré de Balzac
(1799-1850)

Ce romancier réaliste français a rédigé un vaste ensemble de romans nommé *La Comédie humaine*.

Avant de lire le texte

- « Eugénie » vient du grec *eugenia*, « la bien-née » : comment imaginez-vous le destin d'un personnage portant ce prénom ?

EUGÉNIE GRANDET, H. de Balzac

Les préparatifs pour Charles

Avec sa mère et la vieille servante Nanon, Eugénie Grandet vit à Saumur en pays de Loire une vie monotone et économe sous le toit de son père, particulièrement avare, quand arrive de Paris son cousin Charles.

Eugénie, mue[1] par une de ces pensées qui naissent au cœur des jeunes filles quand un sentiment s'y loge pour la première fois, quitta la salle pour aller aider sa mère et Nanon. Si elle avait été questionnée par un confesseur[2] habile, elle lui eût sans doute avoué[3] qu'elle ne songeait ni à sa mère ni à Nanon, mais qu'elle était travaillée par un poignant désir d'inspecter la chambre de son cousin pour s'y occuper de son cousin, pour y placer quoi que ce fût, pour obvier[4] à un oubli, pour y tout prévoir, afin de la rendre, autant que possible, élégante et propre.

Eugénie se croyait déjà seule capable de comprendre les goûts et les idées de son cousin. En effet, elle arriva fort heureusement pour prouver à sa mère et à Nanon, qui revenaient pensant avoir tout fait, que tout était à faire.

Elle donna l'idée à la grande Nanon de bassiner[5] les draps avec la braise du feu ; elle couvrit elle-même la vieille table d'un napperon, et recommanda bien à Nanon de changer le napperon tous les matins. Elle convainquit sa mère de la nécessité d'allumer un bon feu dans la cheminée, et détermina Nanon à monter, sans en rien dire à son père, un gros tas de bois dans le corridor.

Elle courut chercher dans des encoignures[6] de la salle un plateau de vieux laque[7] qui venait de la succession de feu[8] le vieux monsieur de La Bertellière, y prit également un verre de cristal à six pans[9], une petite cuiller dédorée[10], un flacon antique où étaient gravés des amours[11], et mit triomphalement le tout sur un coin de la cheminée. Il lui avait plus surgi d'idées en un quart d'heure qu'elle n'en avait eu depuis qu'elle était au monde.

« Maman, dit-elle, jamais mon cousin ne supportera l'odeur d'une chandelle[12]. Si nous achetions de la bougie ?... »

Elle alla, légère comme un oiseau, tirer de sa bourse l'écu de cent sous qu'elle avait reçu pour ses dépenses du mois.

« Tiens, Nanon, dit-elle, va vite.

– Mais, que dira ton père ? Cette objection terrible fut proposée par madame Grandet en voyant sa fille armée d'un sucrier de vieux Sèvres[13] rapporté du château de Froidfond par Grandet.

– Et où prendras-tu donc du sucre ? Es-tu folle ?

– Maman, Nanon achètera aussi bien du sucre que de la bougie.

– Mais ton père ?

– Serait-il convenable que son neveu ne pût boire un verre d'eau sucrée ? D'ailleurs, il n'y fera pas attention.

– Ton père voit tout », dit madame Grandet en hochant la tête.

1. poussée.
2. prêtre à qui on avoue ses fautes.
3. elle aurait avoué.
4. remédier.
5. chauffer avec un instrument en métal contenant des braises.
6. renfoncements.
7. recouvert de vernis noir ou rouge.
8. se dit d'une personne décédée.
9. taillé avec six côtés.
10. qui a perdu sa dorure.
11. petits personnages mythologiques.
12. sorte de bougie de mauvaise qualité.
13. en porcelaine de Sèvres.

Nanon hésitait, elle connaissait son maître.

« Mais va donc, Nanon, puisque c'est ma fête ! »

Nanon laissa échapper un gros rire en entendant la première plaisanterie que sa jeune maîtresse eût jamais faite, et lui obéit.

À suivre…

Suivre l'évolution sentimentale de l'héroïne : l'éveil des sentiments

Un portrait en action

1. **a.** L. 1 à 23 : quel est le sujet de la plupart des verbes ?
b. Relevez les verbes des propositions principales dans les lignes 12 à 17 : s'agit-il de verbes d'action ou de verbes d'état (attributifs) ?
c. Quelle est l'impression ainsi créée ?

2. **a.** Dans le premier paragraphe, relevez les compléments circonstanciels de but.
b. Quel est l'effet créé ?

3. Dans le troisième paragraphe, quelle atmosphère Eugénie veut-elle donner à la chambre ?

4. L. 18 à 23 : relevez les expansions du nom qualifiant les objets apportés par Eugénie : quel effet recherche-t-elle ?

5. À partir de la ligne 24 :
a. Quelles sont les nouvelles exigences d'Eugénie ?
b. Sont-elles conformes aux habitudes de la maison ? Pourquoi ?

→ Réviser les compléments circonstanciels – p. 320
→ Réviser les fonctions par rapport au nom – p. 322

L'éveil des sentiments

6. Relevez : **a.** dans le premier paragraphe, un groupe nominal complément circonstanciel de temps ; **b.** dans tout le texte, trois indicateurs de temps. **c.** Que révèlent-ils à propos d'Eugénie ?

7. Quel sentiment d'Eugénie le deuxième paragraphe dévoile-t-il ?

8. Dans le quatrième paragraphe : **a.** relevez un adverbe de manière. **b.** Quelle est la figure de style employée ? **c.** Quel sentiment d'Eugénie traduit-elle ?

9. L. 26-27 : relevez une figure de style. Quel sentiment traduit-elle ?

10. À l'égard de qui Eugénie fait-elle preuve d'audace dans toute cette scène ? Relevez deux passages du texte à l'appui de votre réponse.

→ Les figures de style – p. 383-384

Dégager l'essentiel SOCLE C1

› À quel sentiment Eugénie s'éveille-t-elle ? Cela a-t-il une influence sur sa personnalité ? Justifiez.

Rédiger un texte bref SOCLE C1

Charles, le soir, remercie Mme Grandet pour l'installation de sa chambre. Eugénie, présente, en est émue. Racontez brièvement la scène.

AUGUSTE LEROUX, illustration pour *Eugénie Grandet*. Éditions F. Ferroud, 1911. Maison de Balzac, Paris.

Avant de lire le texte

1. Qu'avez-vous retenu à propos des personnages d'Eugénie et de Charles ?
2. *Lexique* Cherchez le sens de « péché », « sacrilège ».

Le prêt d'or à Charles

Le cousin Charles a appris le suicide de son père dû à sa ruine. Eugénie a lu en cachette des lettres de Charles qui font état de son besoin d'argent.

Eugénie s'avança, posa le flambeau sur la table et dit d'une voix émue :

« Mon cousin, j'ai à vous demander pardon d'une faute grave que j'ai commise envers vous ; mais Dieu me le pardonnera, ce péché, si vous voulez l'effacer.

– Qu'est-ce donc ? dit Charles en se frottant les yeux.

– J'ai lu ces deux lettres. »

Charles rougit.

« Comment cela s'est-il fait ? reprit-elle, pourquoi suis-je montée ? En vérité, maintenant je ne le sais plus. Mais je suis tentée de ne pas trop me repentir d'avoir lu ces lettres, puisqu'elles m'ont fait connaître votre cœur, votre âme et...

– Et quoi ? demanda Charles.

– Et vos projets, la nécessité où vous êtes d'avoir une somme...

– Ma chère cousine...

– Chut, chut, mon cousin, pas si haut, n'éveillons personne. Voici, dit-elle en ouvrant la bourse, les économies d'une pauvre fille qui n'a besoin de rien. Charles, acceptez-les. Ce matin, j'ignorais ce qu'était l'argent, vous me l'avez appris, ce n'est qu'un moyen, voilà tout. Un cousin est presque un frère, vous pouvez bien emprunter la bourse de votre sœur. »

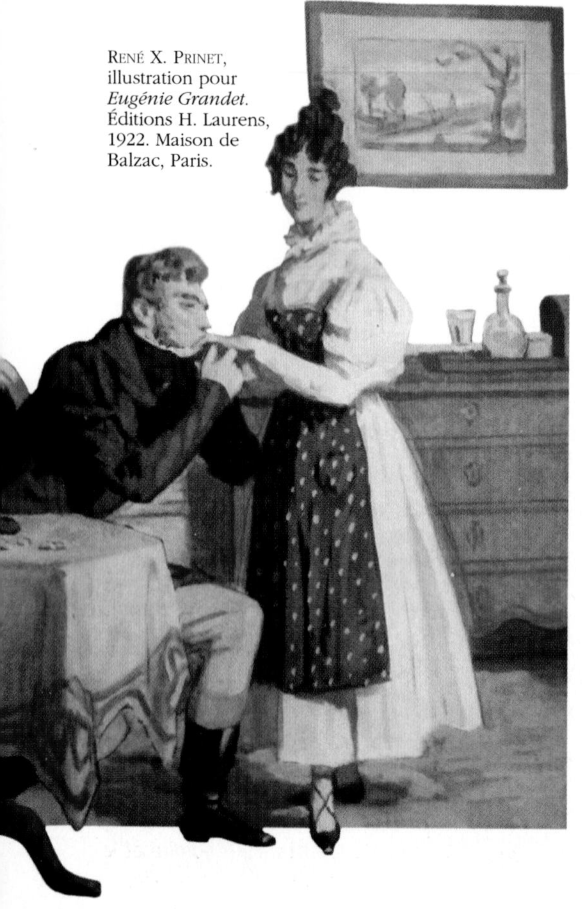

René X. Prinet, illustration pour *Eugénie Grandet*. Éditions H. Laurens, 1922. Maison de Balzac, Paris.

Eugénie, autant femme que jeune fille, n'avait pas prévu des refus, et son cousin restait muet.

« Eh ! bien, vous refuseriez ? » demanda Eugénie dont les palpitations retentirent au milieu du profond silence.

L'hésitation de son cousin l'humilia ; mais la nécessité dans laquelle il se trouvait se représenta plus vivement à son esprit, et elle plia le genou.

« Je ne me relèverai pas que vous n'ayez pris cet or ! dit-elle. Mon cousin, de grâce, une réponse ?... Que je sache si vous m'honorez, si vous êtes généreux, si... »

En entendant le cri d'un noble désespoir, Charles laissa tomber des larmes sur les mains de sa cousine, qu'il saisit afin de l'empêcher de s'agenouiller. En recevant ces larmes chaudes, Eugénie sauta sur la bourse, la lui versa sur la table.

« Eh bien, oui, n'est-ce pas ? dit-elle en pleurant de joie. Ne craignez rien, mon cousin, vous serez riche. Cet or vous portera bonheur ; un jour vous me le rendrez ; d'ailleurs, nous nous associerons ; enfin je passerai par toutes les conditions que vous m'imposerez. Mais vous devriez ne pas donner tant de prix à ce don. »

Charles put enfin exprimer ses sentiments.

« Oui, Eugénie, j'aurais l'âme bien petite, si je n'acceptais pas. Cependant, rien pour rien, confiance pour confiance.

– Que voulez-vous, dit-elle effrayée.

– Écoutez, ma chère cousine, j'ai là... Il s'interrompit pour montrer sur la commode une caisse carrée enveloppée d'un surtout[1] de cuir. Là, voyez-vous, une chose qui m'est aussi précieuse que la vie. Cette boîte est un présent de ma mère. Depuis ce matin je pensais que, si elle pouvait sortir de sa tombe, elle vendrait elle-même l'or que sa tendresse lui a fait prodiguer dans ce nécessaire[2] ; mais, accomplie par moi, cette action me paraîtrait un sacrilège. »

Eugénie serra convulsivement la main de son cousin en entendant ces derniers mots.

« Non, reprit-il après une légère pause, pendant laquelle tous deux ils se jetèrent un regard humide, non, je ne veux ni le détruire, ni le risquer dans mes voyages. Chère Eugénie, vous en serez dépositaire. Jamais ami n'aura confié quelque chose de plus sacré à son ami. Soyez-en juge. »

Il alla prendre la boîte, la sortit du fourreau[3], l'ouvrit et montra tristement à sa cousine émerveillée un nécessaire où le travail donnait à l'or un prix bien supérieur à celui de son poids.

« Ce que vous admirez n'est rien, dit-il en poussant un ressort qui fit partir un double fond. Voilà ce qui, pour moi, vaut la terre entière. » Il tira deux portraits, deux chefs-d'œuvre de madame de Mirbel[4], richement entourés de perles.

À suivre...

1. élément protecteur, qui recouvre.
2. coffret contenant divers objets nécessaires.
3. étui.
4. mère de Charles.

Suivre l'évolution sentimentale de l'héroïne : le temps de la confiance

Des marques de confiance

1. a. De quel « péché » Eugénie s'accuse-t-elle ? b. À quel vocabulaire ce terme appartient-il ? Quel trait de caractère d'Eugénie ce mot révèle-t-il ?

2. a. Quelle proposition Eugénie fait-elle à Charles ? b. Quelle circonstance donne à cette proposition un caractère secret ?

3. a. Pourquoi, selon vous, Charles hésite-t-il à accepter ? b. Comment Eugénie procède-t-elle pour le convaincre ? c. Que révèle son geste sur sa relation avec Charles ?

4. a. Pourquoi la boîte de Charles est-elle « précieuse », au sens propre et au sens figuré ? b. Quel « sacrilège » Charles se refuse-t-il à commettre ? c. Quelle marque de confiance Charles donne-t-il à Eugénie ?

➜ Réviser la polysémie – p. 360

Des sentiments mutuels ?

5. a. Quel signe de ponctuation conclut plusieurs répliques ? b. Que révèle-t-il de l'état d'esprit des personnages ?

6. Quels sentiments successifs Eugénie éprouve-t-elle ? Justifiez à l'aide du texte.

7. L. 37 à 40 : a. Quel est le temps des verbes ? b. Que révèle l'emploi de ce temps sur les pensées d'Eugénie ?

8. Charles est-il touché par les sentiments d'Eugénie ? Justifiez.

9. « Ils se jetèrent un regard humide » l. 53-54 : a. Que signifie cette phrase ? b. Quelle relation entre les personnages traduit-elle ?

10. a. Quel mot Charles emploie-t-il à la fin du texte pour qualifier sa relation avec Eugénie ? b. Ce terme vous semble-t-il correspondre aux sentiments de la jeune fille ? Expliquez.

Dégager l'essentiel SOCLE C1

› Quelle étape cette scène représente-t-elle dans l'évolution sentimentale d'Eugénie ?

Rédiger un texte bref SOCLE C1

Eugénie rapporte dans sa chambre le coffret de la mère de Charles. Elle l'admire et le cache en songeant à Charles. Racontez en exprimant les sentiments de la jeune fille.

Lectures

Avant de lire le texte

- En fonction de l'extrait précédent, imaginez-vous une fin heureuse ou malheureuse à l'amour d'Eugénie pour Charles ? Pourquoi ?

La lettre de Charles

Sept ans ont passé. Mme et M. Grandet sont morts ; Charles, parti chercher fortune dans des contrées lointaines, n'a pas donné de ses nouvelles quand, enfin, Eugénie reçoit une lettre de Paris.

Elle lut toute la lettre que voici.

« Ma chère cousine, [...] vous m'avez porté bonheur, je suis revenu riche, et j'ai suivi les conseils de mon oncle, dont la mort et celle de ma tante viennent de m'être apprises par monsieur des Grassins[1]. La mort de nos parents est dans la nature, et nous devons leur succéder. J'espère que vous êtes aujourd'hui consolée. Rien ne résiste au temps, je l'éprouve. Oui, ma chère cousine, malheureusement pour moi, le moment des illusions est passé. Que voulez-vous ! En voyageant à travers de nombreux pays, j'ai réfléchi sur la vie. D'enfant que j'étais au départ, je suis devenu homme au retour. Aujourd'hui, je pense à bien des choses auxquelles je ne songeais pas autrefois. Vous êtes libre, ma cousine, et je suis libre encore ; rien n'empêche, en apparence, la réalisation de nos petits projets ; mais j'ai trop de loyauté dans le caractère pour vous cacher la situation de mes affaires. Je n'ai point oublié que je ne m'appartiens pas ; je me suis toujours souvenu dans mes longues traversées[2] du petit banc de bois... »

Eugénie se leva comme si elle eût été sur des charbons ardents, et alla s'asseoir sur une des marches de la cour.

« ...du petit banc de bois où nous nous sommes juré de nous aimer toujours, du couloir, de la salle grise, de ma chambre en mansarde, et de la nuit où vous m'avez rendu, par votre délicate obligeance, mon avenir plus facile. Oui, ces souvenirs ont soutenu mon courage, et je me suis dit que vous pensiez toujours à moi comme je pensais souvent à vous, à l'heure convenue entre nous. [...] Aussi, ne veux-je pas trahir une amitié sacrée pour moi ; non, je ne dois point vous tromper. Il s'agit, en ce moment, pour moi, d'une alliance[3] qui satisfait à toutes les idées que je me suis formées sur le mariage. L'amour, dans le mariage, est une chimère[4]. [...] Or, déjà se trouve entre nous une différence d'âge qui, peut-être, influerait plus sur votre avenir, ma chère cousine, que sur le mien. Je ne vous parlerai ni de vos mœurs, ni de votre éducation, ni de vos habitudes, qui ne sont nullement en rapport avec la vie de Paris, et ne cadreraient sans doute point avec mes projets ultérieurs. Il entre dans mes plans de tenir un grand état de maison[5], de recevoir beaucoup de monde, et je crois me souvenir que vous aimez une vie douce et tranquille. [...] Aujourd'hui je possède quatre-vingt mille livres[6] de rentes. Cette fortune me permet de m'unir à la famille d'Aubrion, dont l'héritière, jeune personne de dix-neuf ans, m'apporte en mariage son nom, un titre[7], la place de gentilhomme honoraire de la chambre de Sa Majesté, et une position des plus brillantes. Je vous avouerai, ma chère cousine, que je n'aime pas le moins du monde mademoiselle d'Aubrion ; mais, par son alliance, j'assure à mes enfants une situation sociale dont un jour les avantages seront incalculables. [...] Vous voyez, ma cousine, avec quelle bonne foi[8] je vous expose l'état de mon cœur, de mes espérances et de ma fortune. [...] »

1. le banquier de la famille Grandet.
2. voyages en bateau.
3. un mariage.
4. un projet illusoire.
5. d'avoir un mode de vie luxueux.
6. unité de monnaie.
7. titre de noblesse.
8. sincérité.

AUGUSTE LEROUX, illustration pour *Eugénie Grandet*. Éditions F. Ferroud, 1911. Maison de Balzac, Paris.

9. papier envoyé par la poste qui sert de moyen de paiement.
10. qui voit clair.
11. qui annonce l'avenir.
12. vers Dieu.

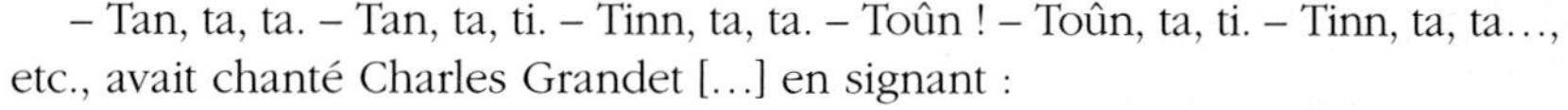

– Tan, ta, ta. – Tan, ta, ti. – Tinn, ta, ta. – Toûn ! – Toûn, ta, ti. – Tinn, ta, ta…, etc., avait chanté Charles Grandet […] en signant :

« Votre dévoué cousin, Charles. »

« Tonnerre de Dieu ! C'est y mettre des procédés », se dit-il. Et il avait cherché le mandat[9] et il avait ajouté ceci :

« *P. S.* Je joins à ma lettre un mandat sur la maison des Grassins de huit mille francs à votre ordre, et payable en or, comprenant intérêts et capital de la somme que vous avez eu la bonté de me prêter. J'attends de Bordeaux une caisse où se trouvent quelques objets que vous me permettrez de vous offrir en témoignage de mon éternelle reconnaissance. Vous pouvez renvoyer par la diligence mon nécessaire à l'hôtel d'Aubrion, rue Hillerin-Bertin. » […]

Épouvantable et complet désastre. Le vaisseau sombrait sans laisser ni un cordage, ni une planche sur le vaste océan des espérances. […] Eugénie après avoir lu cette horrible lettre, […] jeta ses regards au ciel, en pensant aux dernières paroles de sa mère, qui, semblable à quelques mourants, avait projeté sur l'avenir un coup d'œil pénétrant, lucide[10] ; puis, Eugénie se souvenant de cette mort et de cette vie prophétique[11], mesura d'un regard toute sa destinée. Elle n'avait plus qu'à déployer ses ailes, tendre au ciel[12], et vivre en prières jusqu'au jour de sa délivrance.

– Ma mère avait raison, dit-elle en pleurant. Souffrir et mourir.

Honoré de Balzac, *Eugénie Grandet*, 1833.

Pierre Brissaud, illustration pour *Eugénie Grandet*. Éditions Blaizot-Kieffer, 1913. Maison de Balzac, Paris.

Suivre l'évolution sentimentale de l'héroïne : le temps des révélations

La lettre et ses révélations

1. Quels points communs entre Eugénie et Charles le début de la lettre souligne-t-il ?

2. L. 19 à 21 : relevez les deux adverbes de temps. Que révèlent-ils ?

3. a. Selon Charles, sa cousine et lui aspirent-ils au même genre de vie ? Justifiez en citant des expressions du texte. b. Que cherche à démontrer Charles dans cette lettre ?

4. a. Quels arguments Charles donne-t-il pour justifier son mariage ? b. Quels traits de caractère cela révèle-t-il ?

5. a. L. 41 à 45 : « avait chanté », « avait cherché », « avait ajouté » : à quels temps et mode ces verbes sont-ils conjugués ? Quand ces actions se situent-elles par rapport à la lecture de la lettre ? b. Que révèle l'intervention du narrateur sur l'état d'esprit de Charles en train de signer ?

6. Le lecteur peut-il croire à la « bonne foi » de Charles évoquée à la ligne 39 ? Expliquez.

7. À quoi le post-scriptum fait-il allusion ?

→ Réviser l'analyse complète du verbe – p. 326

L'évolution sentimentale d'Eugénie

8. Quel espoir le début de la lettre fait-il naître chez Eugénie ? Justifiez.

9. a. Quelles métaphores décrivent le sentiment d'Eugénie à la fin de sa lecture ? b. Quel est ce sentiment ?

10. a. Selon vous, qu'avait pu prédire madame Grandet ? b. De quelle qualité avait-elle fait preuve ? c. Eugénie pouvait-elle partager cette qualité ?

11. Quelle est désormais la « destinée » d'Eugénie ?

Dégager l'essentiel SOCLE C1

› Expliquez quel a été l'apprentissage sentimental d'Eugénie au fil des trois extraits du roman.

Rédiger un texte bref SOCLE C1

Expliquez en quoi cette lettre est une « horrible lettre ».

Œuvre intégrale

La Fille du capitaine, A. Pouchkine

→ *Étudier un roman historique et ses personnages romanesques*

A La biographie de l'auteur

Alexandre Pouchkine (1799-1837)

Ce poète et romancier russe devient fonctionnaire en 1816. Mais, à cause de ses poèmes peu respectueux à l'égard du tsar (empereur) Alexandre Ier, il est muté, pour ainsi dire exilé, dans une lointaine province. À partir de 1826, le nouveau tsar Nicolas Ier le rappelle à la cour à Saint-Pétersbourg avec une condition : ne plus écrire contre la religion et le gouvernement. Le tsar lui-même contrôlera ses écrits. C'est le début d'une relation complexe entre l'écrivain et le tsar. Pouchkine mourra dans un duel d'honneur.

Pouchkine s'était documenté sur la révolte de Pougatchov (voir p. 231) pour réaliser un ouvrage historique. Finalement, en admirateur des romans historiques de l'Écossais Walter Scott, il écrit en 1836 sur ce sujet un roman, *La Fille du capitaine*, considéré comme un des premiers chefs-d'œuvre de la littérature russe.

1. À quel siècle Pouchkine a-t-il vécu ?
2. Quels sont ses rapports avec le pouvoir politique ?

B Un roman russe

Avant de lire ce roman dépaysant, prenez connaissance des éléments suivants pour mieux vous repérer.

Des personnages russes

La famille Griniov :

– le père : Andreï (André) Pétrovitch Griniov, noble campagnard, officier supérieur à la retraite ;
– la mère : Advotia Vassilievna Griniova ;
– le fils : Piotr (Pierre) Andreïtch ou Andreïevitch (fils d'André) Griniov ;
– le vieux serf (serviteur appartenant à la famille) chargé de veiller sur Piotr : Savélitch.

La famille Mironov :

– le père : le capitaine, officier subalterne (inférieur), Ivan Kouzmitch Mironov ;
– la mère : Vassilissa Igorovna (ou Egorovna) Mironova ;
– la fille : Maria Ivanovna Mironova (surnommée Macha) ;
– la servante de la famille : Palachka.

La famille du pope :

– le pope (prêtre dans la religion chrétienne orthodoxe) : le père Guévassime ;
– la femme du pope : Akoulina Pamphilovna.

Les autres personnages :

– le gentilhomme rencontré à l'auberge de Simbirsk, sur la route d'Orenbourg : Ivan Ivanovitch Zourine ;
– l'officier en poste à Orenbourg : Alexis Ivanitch Chvabrine ;
– le Cosaque[1] Pougatchov (voir p. 231).

1. appartenant à un des peuples de Russie.

1. a. Combien de prénoms utilise-t-on pour nommer quelqu'un en russe ? b. Comment forme-t-on le nom de famille d'une femme ?
2. Quels sont les personnages qui ont une fonction sociale caractéristique de la société russe de l'époque ?

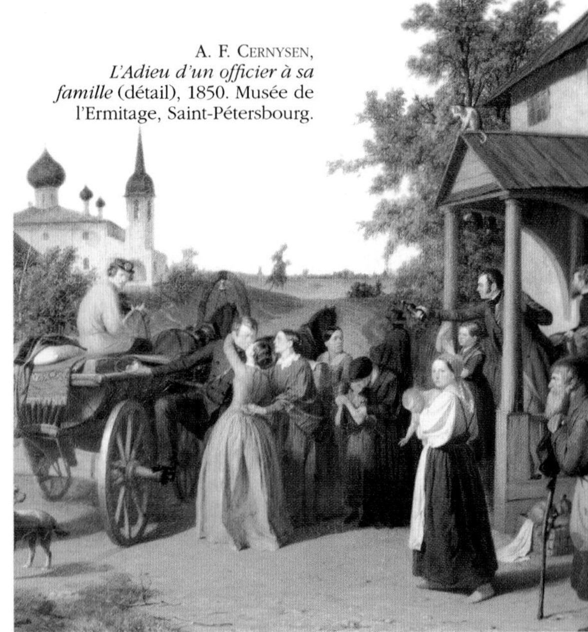

A. F. Cernysen, *L'Adieu d'un officier à sa famille* (détail), 1850. Musée de l'Ermitage, Saint-Pétersbourg.

Un épisode de l'histoire russe : la révolte de Pougatchov (ou Pougatchev)

Le Cosaque Pougatchov a mené au XVIIIe siècle une insurrection pour renverser la tsarine (impératrice) de Russie, Catherine II, et pour exterminer la noblesse. Il s'est proclamé tsar, sous le nom de Pierre III, et avec ce titre usurpé, il a soulevé les Cosaques Yaïk (peuple de la basse Volga), puis des Bachkirs musulmans le rejoignent. En mars 1774, la ville d'Orenbourg est prise d'assaut ; les serfs se révoltent contre leurs maîtres et se joignent aussi à Pougatchov. L'armée russe finit par réagir et par libérer Orenbourg. Quant aux Cosaques, ils abandonnent Pougatchov, car ils refusent d'être associés à des serfs. En septembre 1774, après une défaite, Pougatchov est pris par l'armée russe et décapité puis exposé en public.

HANS ANDREAS J. HILLERS (1750-1817), *Temelyan Pougatchov*. Gravure de H. A. J. HILLERS, fin du XVIIIe siècle.

Lisez le roman.

Lexique

- **une isba** : petite maison russe en bois.
- **une kibitka** (ou troïka) : traîneau pour le voyage sur la neige.
- **un moujik** : un paysan russe.
- **un rouble** : monnaie russe.
- **un samovar** : sorte de grande bouilloire pour faire chauffer le thé.
- **la steppe** : étendue désertique.
- **un touloupe** ou **une pelisse** : manteau formé d'une peau de mouton retournée pour se protéger du froid.
- **une verste** : unité russe de distance, équivalant à environ un kilomètre.

C Un roman historique

La révolte de Pougatchov, un événement historique

1. Relevez dans le roman quatre ou cinq informations concernant la révolte de Pougatchov qui correspondent à la réalité historique.

Pougatchov, personnage du roman

2. Dans quels chapitres le narrateur rencontre-t-il Pougatchov ? Pour chacun de ces chapitres, indiquez en une phrase quel rôle Pougatchov joue dans la vie du héros.

Le point de vue de Pouchkine

3. Selon vous, le narrateur donne-t-il de Pougatchov une image positive, négative ou nuancée ? Expliquez et justifiez à l'aide du texte.

4. En quoi la biographie d'A. Pouchkine explique-t-elle le jugement sur Pougatchov porté par le narrateur ?

Dégager l'essentiel SOCLE C1

› Proposez une brève définition du roman historique.

D Un couple romanesque

1. En vous aidant de la **Fiche-méthode** ci-dessous, faites l'analyse des personnages de Piotr (Pierre) et de Maria.

2. En quoi, dans le dernier chapitre, le comportement de Macha et l'issue de l'intrigue peuvent-il être qualifiés de « romanesques » ?

3. En vous appuyant en particulier sur les chapitres 5, 10, 11, 12 et 13 du roman, expliquez en quoi le destin du couple évoque l'amour courtois du chevalier et de sa dame, que vous avez étudié en classe de 5e.

Dégager l'essentiel SOCLE C1

› Expliquez brièvement en quoi le destin de ce couple est romanesque.

Fiche-méthode

Analyser un personnage de roman

Sa « carte d'identité »

- Son âge.
- Sa famille.
- Son milieu social.
- Son métier ou sa fonction sociale.

Son portrait physique

- Le personnage est-il décrit par le narrateur ? par les autres personnages ?
- Quelles sont ses caractéristiques physiques essentielles ?

Son portrait moral

- Ses traits de caractère.
- Son évolution éventuelle.

Le héros de l'intrigue

- Quels obstacles le héros (l'héroïne) rencontre-t-il (elle) ?
- Fait-il (elle) preuve de courage ou de lâcheté ? À quelles occasions ?

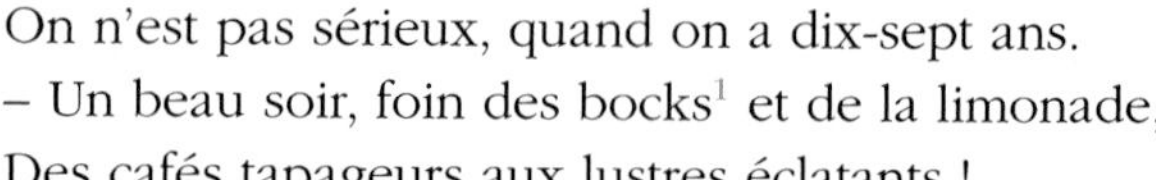

Roman

Marc Chagall, *La Promenade*, 1917.
Musée de l'Ermitage, Saint-Pétersbourg.

I

On n'est pas sérieux, quand on a dix-sept ans.
– Un beau soir, foin des bocks[1] et de la limonade,
Des cafés tapageurs aux lustres éclatants !
– On va sous les tilleuls verts de la promenade.

Les tilleuls sentent bon dans les bons soirs de juin !
L'air est parfois si doux, qu'on ferme la paupière ;
Le vent chargé de bruits, – la ville n'est pas loin, –
A des parfums de vigne et des parfums de bière...

II

– Voilà qu'on aperçoit un tout petit chiffon
D'azur sombre, encadré d'une petite branche,
Piqué d'une mauvaise étoile, qui se fond
Avec de doux frissons, petite et toute blanche[2]...

Nuit de juin ! Dix-sept ans ! – On se laisse griser.
La sève[3] est du champagne et vous monte à la tête...
On divague ; on se sent aux lèvres un baiser
Qui palpite là, comme une petite bête...

III

Le cœur fou Robinsonne[4] à travers les romans,
– Lorsque, dans la clarté d'un pâle réverbère,
Passe une demoiselle aux petits airs charmants,
Sous l'ombre du faux-col[5] effrayant de son père...

Et, comme elle vous trouve immensément naïf,
Tout en faisant trotter ses petites bottines,
Elle se tourne, alerte et d'un mouvement vif...
– Sur vos lèvres alors meurent les cavatines[6]...

IV

Vous êtes amoureux. Loué jusqu'au mois d'août.
Vous êtes amoureux. – Vos sonnets la font rire.
Tous vos amis s'en vont, vous êtes mauvais goût.
– Puis l'adorée, un soir, a daigné vous écrire... !

– Ce soir-là,... – vous rentrez aux cafés éclatants,
Vous demandez des bocks ou de la limonade...
– On n'est pas sérieux, quand on a dix-sept ans
Et qu'on a des tilleuls verts sur la promenade.

Arthur Rimbaud, « Roman », *Poésies*, 1870.

Établir des liens entre les œuvres SOCLE C5

1. Pourquoi ce poème peut-il s'apparenter à un « roman » d'initiation (voir p. 233) ?

2. En quoi son organisation ressemble-t-elle à celle d'un roman ?

Réciter un poème SOCLE C5

3. Marquez fortement la ponctuation expressive du poème.

4. Soulignez par votre diction les variations d'intonation selon les différents sentiments du poète.

1. adieu, les chopes de bière.
2. Le ciel est comparé à un morceau de tissu décoré d'étoiles.
3. des arbres.
4. part à l'aventure comme Robinson.
5. col raide ajouté à la chemise et porté par les bourgeois.
6. notes de musique.

Faire le point

Le roman et ses personnages au XIXe siècle

Arts et culture

- Au XIXe siècle, le roman devient un genre littéraire majeur, destiné à un large public. L'adjectif « romanesque » prend deux sens : « propre au roman » ou « digne de figurer dans un roman car faisant appel à l'imagination, aux sentiments passionnés ».
  - En France, les romanciers les plus importants sont alors : **H. de Balzac**, **V. Hugo** (Chapitre 10), **É. Zola** (Dossier 11), mais aussi **A. Dumas**, **G. Flaubert** (Atelier de lecture, p. 40 à 47), **G. de Maupassant** (Chapitre 1), **G. Sand**… On peut citer **A. Pouchkine** pour la Russie et les sœurs **Brontë** pour le roman anglais.
  - La **femme** et l'**enfant** deviennent les héros de nombreux romans : Eugénie Grandet ; Jane Eyre ; la petite Fadette ; Fantine, Cosette, Gavroche dans *Les Misérables* (Chapitre 10) ; Denise dans *Au Bonheur des Dames* (Dossier 11).
  - Aux XXe et XXIe siècles, le roman fait l'objet de nombreuses adaptations (films, séries télévisées, bandes dessinées, comédies musicales, publicités).

PIERRE BRISSAUD, illustration pour *Eugénie Grandet*. Éditions Blaizot-Kieffer, 1913. Maison de Balzac, Paris.

Un genre littéraire

- Le roman est centré sur un **héros**, souvent **éponyme** (qui donne son nom au titre).
- Le héros romanesque, **personnage** le plus souvent **ordinaire** dans sa vie sociale, devient extraordinaire par son **destin**, nourri de passions et d'ambitions.
- Le lecteur **s'identifie** facilement à ce héros qui a une véritable identité (familiale, sociale), et dont le caractère et les sentiments sont analysés avec précision.
- Le roman du XIXe siècle revêt des formes très diverses :
  – **romans d'initiation** ou **d'apprentissage** qui racontent l'évolution sentimentale et / ou sociale du personnage (*Eugénie Grandet*, *Jane Eyre*) ;
  – **romans d'aventures**, dont les **romans historiques** qui mêlent personnages fictifs et historiques (*La Fille du capitaine*) ;
  – **romans sociaux** qui, à travers le héros, peignent la société de leur temps : *La Petite Fadette* de **G. Sand**, *Les Misérables* de **V. Hugo** (Chapitre 10), les romans d'**É. Zola**, comme *Au Bonheur des Dames* (Dossier 11).

L'écriture romanesque

- Chaque romancier a un style particulier, mais l'écriture romanesque insère généralement dans le récit :
  – des descriptions précises pour définir le cadre de vie de l'époque ;
  – des portraits pour construire le personnage et le donner à voir ;
  – des dialogues pour donner vie aux personnages et animer le récit.
- L'écriture romanesque a recours au vocabulaire :
  – des sentiments, pour peindre la psychologie des personnages ;
  – de la société et des périodes historiques évoquées.

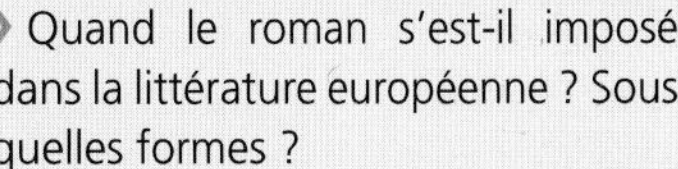

Je retiens l'essentiel

› Quand le roman s'est-il imposé dans la littérature européenne ? Sous quelles formes ?

› Quelle brève définition du héros romanesque pouvez-vous donner ?

Lexique

› Le vocabulaire du portrait

Explorer le vocabulaire du portrait physique

La silhouette

1. Gros ou maigre ? Classez ces adjectifs qualificatifs en deux colonnes. charnu – chétif – décharné – dodu – grassouillet – hâve – large – osseux – rebondi – squelettique

2. Classez ces adjectifs en deux listes de synonymes. mince – massif – svelte – élancé – large – trapu

Le visage

3. Dessinez un visage d'homme et légendez-le à l'aide de ces noms. ailes du nez – arcades – favoris – fossettes – pommettes – tempes

4. Classez en deux colonnes ces adjectifs qualifiant le teint. blafard – blême – fané – frais – gris – livide – radieux – terne – terreux – vermeil

5. Le nez. Parmi ces adjectifs qualificatifs, quels sont ceux qui sont synonymes, ceux qui sont antonymes ? aquilin – camus – crochu – épaté – épais – camard – effilé

6. La chevelure. Classez ces adjectifs qualificatifs pour qu'ils désignent des cheveux de moins en moins raides. bouclés – crépus – frisés – lisses – ondulés – souples

7. Le regard. Quels adjectifs qualificatifs emploieriez-vous pour qualifier un regard agréable ? Un regard désagréable ? chaleureux – charmeur – doux – hautain – perfide – réconfortant – sournois – torve

La voix

8. Parmi ces adjectifs qualificatifs, quels sont ceux qui sont synonymes, ceux qui sont antonymes ? aigu – aigre-doux – fluet – grave – perçant – rauque

9. Récrivez les phrases suivantes, en remplaçant les verbes *avoir* et *être* par un de ces verbes : *surmonter, encadrer, souligner, rehausser, illuminer, assombrir*. (Ex. *Elle avait des cheveux noirs et raides, et un visage ovale.* → *Des cheveux noirs et raides encadraient son visage ovale.*)
1. Elle avait une épaisse chevelure courte et un visage très carré. 2. Ses cheveux étaient bouclés et son visage était tout en rondeur. 3. Elle avait de longs cheveux noirs et un teint pâle. 4. Ses yeux étaient bleus et sa peau mate. 5. Il avait des sourcils bien dessinés et des yeux perçants.

René X. Prinet, illustration pour *Eugénie Grandet*. Éditions H. Laurens, 1922. Maison de Balzac, Paris.

Explorer le vocabulaire du portrait moral

10. Dans ce portrait de Mme Grandet, relevez, en indiquant leur classe grammaticale, les mots décrivant : a. sa laideur ; b. sa bonté. Quelles sont les figures de style dans les passages en italique ?

Madame Grandet était une femme sèche et maigre, *jaune comme un coing*[1], gauche, lente ; une de ces femmes qui semblent faites pour être tyrannisées. Elle avait de gros os, un gros nez, un gros front, de gros yeux, et offrait, au premier aspect, *une vague ressemblance avec ces fruits cotonneux qui n'ont plus ni saveur ni suc*. Ses dents étaient noires et rares, sa bouche était ridée, et son menton affectait la forme dite en galoche.

H. de Balzac, *Eugénie Grandet*, 1833.

1. fruit de couleur jaune.

11. Quels sont les adjectifs qualificatifs à utiliser pour peindre un personnage odieux ou, au contraire, gentil ? angélique – avenant – brutal – affable – cordial – fourbe – méprisant – accueillant – suspicieux

12. Dans chaque liste, relevez les synonymes de :
LISTE A. **souriant** : boudeur – radieux – renfrogné – rayonnant – épanoui – maussade – jovial
LISTE B. **volontaire** : velléitaire – décidé – résolu – indécis – irrésolu – opiniâtre
LISTE C. **calme** : excité – placide – tranquille – posé – exalté – impassible – impavide – enthousiaste – serein

13. Quels verbes caractérisent un être a. coléreux ? b. actif ? s'activer – s'affairer – brandir – gesticuler – s'ingénier à – invectiver – ranger – trottiner – vociférer

14. Employez les verbes *gesticuler, s'ingénier à, invectiver, vociférer*, chacun dans une phrase de portrait qui mette son sens en évidence.

15. a. Cherchez le sens de *angélique, inaltérable, piété*. b. Relevez les adjectifs et les GN qui expliquent pourquoi Mme Grandet se faisait « respecter », ceux qui expliquent pourquoi elle se faisait « plaindre ».

C'était une excellente femme, une vraie La Bertellière. Une douceur angélique, une résignation d'insecte tourmenté par des enfants, une piété rare, une inaltérable égalité d'âme, un bon cœur, la faisaient universellement plaindre et respecter.

H. de Balzac, *Eugénie Grandet*, 1833.

Orthographe

→ Les accords complexes sujet / verbe – p. 354

Repérer un sujet

Observer et manipuler

1. **a.** Relevez dans le texte suivant les sujets des verbes en gras et indiquez pour chacun s'il s'agit : **a.** d'un sujet inversé ; **b.** d'un sujet séparé du verbe par un groupe de mots. Justifiez chaque terminaison verbale. **c.** Dans quels cas emploie-t-on des sujets inversés ? **d.** Quelle est la fonction de chacun des groupes de mots en italique ?

Soudain, Mr Brocklehust cligna de l'œil et, *d'un ton rapide*, **dit** :

« Miss Temple, quelle **est** cette élève aux cheveux roux et bouclés ? »

Et le directeur, *pâle et tremblant de colère*, **désigna** cet affreux objet du bout de sa canne.

« C'est Julia Severn, **répondit** tranquillement Miss Temple.

– Julia Severn, mademoiselle ! Pourquoi cette élève, au mépris des règles de l'école, **porte**-t-elle des cheveux bouclés ? »

D'après C. Brontë, *Jane Eyre*, 1847.

2. **a.** De quels éléments les groupes sujets en gras sont-ils constitués ? **b.** Avec lequel de ces éléments le verbe s'accorde-t-il ?

1. **Les cheveux de Julia** sont bouclés. 2. **Le directeur des études** n'accepte pas cette entorse à la règle. 3. **Les mensonges de Mrs Reed** n'ont pas impressionné Jane.

Formuler la règle

3. Recopiez et complétez les phrases suivantes.

Dans les phrases interrogatives ou après des verbes introducteurs de dialogue, le sujet peut être .... Le nom ou le pronom sujet peut être séparé du verbe par un groupe de mots mis en ..., par un ... circonstanciel, ou par un nom ... du nom.

Distinguer sujet et complément d'objet

Observer et manipuler

4. **a.** Recopiez les phrases en soulignant d'une couleur les pronoms personnels sujets, d'une autre, les pronoms personnels COD ou COI (ou COS).
b. Où les pronoms compléments sont-ils placés ? Quelle difficulté orthographique leur place crée-t-elle ?

1. Il me menaçait souvent. 2. Je le vis un livre à la main. 3. Il me saisit par les cheveux. 4. Je lui tins tête. 5. Elle ne te mentait pas.

5. Récrivez les phrases en remplaçant les groupes nominaux en gras par un pronom personnel.

1. Je détestais **ce garçon**. 2. Tu adressais des reproches à **Mrs Reed**. 3. Les membres de la famille Reed traitaient **Jane** de menteuse. 4. Elle tenait tête à **ces cousins**.

Formuler la règle

6. Recopiez et complétez les phrases suivantes.

Il ne faut pas confondre le sujet avec un pronom ... complément d'objet, placé ... le sujet et le verbe. Le verbe s'accorde avec ..., même s'il est séparé de celui-ci par un pronom personnel.

Accorder un verbe avec un pronom relatif

Observer et manipuler

7. **a.** Quel est le pronom relatif sujet ? **b.** Quel rôle l'antécédent souligné joue-t-il dans l'accord du verbe de la proposition subordonnée relative entre crochets ?

1. C'est Georgiana [qui ment]. 2. C'est toi [qui as menti]. 3. Jane affronte ceux [qui la maltraitent]. 4. Vous [qui me martyrisez], vous me le paierez.

8. Accordez les verbes en italique.

1. C'étaient Mme Grandet et Nanon qui (*servir*, imparfait) de confidentes à Eugénie. 2. Vous qui me (*tenir*, présent) tête, vous serez punie. 3. Ils nous ont trahis, nous qui les (*aider*, plus-que-parfait). 4. Le père Grandet voulut voir les louis d'or qui (*constituer*, imparfait) la dot d'Eugénie.

Formuler la règle

9. Répondez à la question suivante.

Avec quel mot accorde-t-on un verbe dont le sujet est le pronom relatif « qui » ?

Écrire un texte sous la dictée SOCLE C1

Justifiez l'accord de chaque verbe en gras en relevant son sujet.

Je n'avais jamais vu de visages qui **ressemblaient** aux leurs et pourtant leurs traits me semblaient familiers. Sur une petite table, **brûlait** une chandelle ; deux gros livres en cuir **étaient disposés** à côté. Tout était tranquille. Aussi lorsqu'une voix rompit enfin ce curieux silence, ne **laissai**-je rien échapper.

« Hannah, **voulez**-vous aller surveiller le feu du petit salon ? » **demanda** l'une des jeunes filles.

La femme assez âgée, aux airs de paysanne, **se leva** et, lentement, **ouvrit** une porte qui **grinça**. Je l'**entendis** tisonner un feu.

Elle revint aussitôt et, de son tablier, **essuya** ses yeux. Les deux jeunes filles, graves auparavant, **avaient** maintenant l'air triste.

D'après C. Brontë, *Jane Eyre*, 1847.

Distinguer les verbes transitifs et intransitifs

→ Les verbes transitifs et intransitifs – p. 331

Observer et manipuler

1. a. Quelle différence de construction des verbes repérez-vous dans les couples de phrases suivants ?
1. a. Jane parle. b. Jane parle *à sa tante*.
2. a. Mrs Reed écoute. b. Mrs Reed écoute *Jane*.
3. a. Jane rêve. b. Jane rêve *d'un avenir meilleur*.
b. Quelle est la fonction de chacun des groupes de mots en italique ?
c. Les verbes des phrases b. sont nommés « transitifs » : qu'est-ce que cela signifie ?
d. Les verbes des phrases a. sont employés de façon « intransitive » : qu'est-ce que cela signifie ?

2. a. Les verbes suivants peuvent-ils être suivis d'un complément d'objet ?
aller – atterrir – dormir – marcher – sortir – venir
b. S'agit-il de verbes transitifs ou intransitifs ?

3. Récrivez les phrases suivantes de façon à employer les verbes en gras de façon transitive.
1. Face à sa fenêtre, elle **songe** ou elle **lit**.
2. Accoudée à la table, elle **mange** et elle **boit**.
3. De caractère patient, elle sait **écouter**.

Formuler la règle

4. Recopiez et complétez les phrases suivantes.

Certains verbes ne sont jamais suivis d'un complément d'objet : ce sont les verbes .... Quand un verbe est suivi d'un COD ou d'un COI, c'est un verbe .... Certains verbes transitifs peuvent être employés de façon ....

Repérer les verbes attributifs (d'état)

→ Réviser les fonctions par rapport au verbe – p. 314

Observer et manipuler

5. a. Pourriez-vous remplacer les verbes en gras par le verbe *être* ?
b. Quelle est la fonction des groupes de mots en italique ?
1. Jane **semblait** *résolue*. 2. Elle ne **paraissait** pas *soumise*. 3. Eugénie **demeurait** *indécise*. 4. Elle **devint** *rouge de confusion*.

Formuler la règle

6. Répondez à la question suivante.

À quelles conditions peut-on dire d'un verbe qu'il est attributif ?

Réviser le discours direct : le dialogue dans le récit

→ Réviser le discours direct – p. 350

Observer et manipuler

7. Dans ce récit : a. Quels signes de ponctuation marquent la présence d'un dialogue ? b. Quels verbes introduisent le dialogue ? c. Quelle(s) place(s) occupent-ils par rapport au passage de discours direct ?

Le patron s'approcha de mon guide :
« Tiens, tiens, lui dit-il, te voilà encore dans nos parages ! D'où le bon Dieu t'amène-t-il ? »
Mon guide cligna de l'œil d'un air entendu et répondit :
« Eh, bien que font les nôtres ?
– Ah oui, les nôtres ! », répondit le patron, continuant la conversation.

D'après A. Pouchkine, *La Fille du capitaine,* 1836.

8. Dans le texte de l'exercice précédent, quel est le temps qui prédomine : a. dans le récit ? b. dans les passages en discours direct ? Justifiez.

9. Ces verbes introducteurs de parole indiquent-ils une intonation forte ou faible ?
chuchoter – crier – hurler – murmurer – s'exclamer – susurrer – vociférer

10. Quels verbes indiquent : a. une réponse, b. une intervention dans un dialogue ?
couper – glisser – répliquer – interrompre – intervenir – répondre – jeter – lancer – rétorquer

11. Récrivez ce passage de dialogue entre Maria Ivanovna et un narrateur à la première personne, en y insérant des verbes de dialogue autres que *dire* ; vous varierez la place de ces verbes.

« Moi, je n'aime pas Alexis Ivanitch. Il me répugne.
– Et que croyez-vous, Maria Ivanovna ? Lui plaisez-vous ou non ? »
Maria Ivanovna hésita et rougit.
« Il me semble que je lui plais.
– Pourquoi donc le pensez-vous ?
– Parce qu'il m'a demandée en mariage.
– En mariage ! Il vous a demandée en mariage ? Quand donc ?
– L'an dernier, deux mois avant votre arrivée.
– Et vous l'avez repoussé ? »

D'après A. Pouchkine, *La Fille du capitaine,* 1836.

Formuler la règle

12. Répondez à la question suivante.

Quelles règles faut-il respecter pour insérer un dialogue dans un récit ?

Écrit — Raconter en insérant des portraits et des dialogues

SOCLE C1, C5

1. Raconter en insérant un portrait

SUJET 1 : Imaginez une scène où un personnage en rencontre un autre qui va le marquer. Vous ferez un portrait de ce second personnage et vous évoquerez l'effet qu'il produit sur le premier.

Préparation

- Définissez la situation de la rencontre et le personnage rencontré.
- Définissez l'impression dominante à donner au portrait de ce personnage et l'effet qu'il produit sur le premier.
- Dressez une liste d'adjectifs qualificatifs et de verbes d'action pour qualifier le second personnage.
- Cherchez des comparaisons et des métaphores pour le caractériser.

Critères de réussite

- Bien relier le portrait au récit, en utilisant des verbes de perception (vue et/ou ouïe).
- Présenter le second personnage selon le point de vue du premier.
- Exprimer la réaction et les sentiments du premier personnage lors de cette rencontre.

2. Raconter en insérant un dialogue

SUJET 2 : Le narrateur vient se présenter à ses nouveaux voisins. Poursuivez ce récit en y insérant un dialogue.

Je fus ravi de voir « la maîtresse de maison ». [...] Je m'inclinai et j'attendis, pensant qu'elle me prierait de prendre un siège. Elle me regarda, rejetée en arrière sur sa chaise, et resta immobile et muette.

« Rude temps, remarquai-je [...]. »

E. Brontë, *Les Hauts de Hurlevent*, 1850, trad. P. Leyris © Robert Laffont, Bouquins, 1990.

Critères de réussite

- Tenir compte des éléments du texte à poursuivre.
- Imaginer une atmosphère pour cette scène de prise de contact.
- Alterner passages de récit et de dialogue.
- Respecter la présentation d'un dialogue dans un récit.
- Employer un niveau de langue courant dans le récit et dans le dialogue.

3. Raconter à partir d'un tableau en insérant des portraits et un dialogue

R. Redgrave, *La Gouvernante*, 1844. Collection privée.

SUJET 3 : À partir du tableau ci-contre, imaginez une scène dans laquelle vous insérerez un bref portrait de deux des personnages et inventerez un dialogue entre eux.

Préparation

- Repérez les éléments du tableau que vous devrez respecter (époque, décor, vêtements, personnages...).

Critères de réussite

- Insérer des portraits qui correspondent au tableau.
- Ne pas commettre d'anachronismes.
- Respecter la présentation d'un dialogue dans un récit.
- Employer un niveau de langue courant dans le récit et le dialogue.

Oral — Imaginer, présenter et jouer des personnages

SOCLE C1, C5

1. Faire des portraits-devinettes

SUJET 1 : À tour de rôle, en deux ou trois minutes maximum, présentez le portrait d'une personnalité ou d'un personnage historique, sans dire son nom.

Méthode

- Choisissez quelques caractéristiques physiques et morales de ce personnage.
- Définissez quelques éléments qui permettent de l'identifier (son métier, ses exploits…).

Critères de réussite

- Dévoiler de qui il s'agit, de manière progressive, en allant du plus général au plus caractéristique.
- Employer un langage courant.

2. Jouer un dialogue pour présenter un personnage

SUJET 2 : Deux personnes se rencontrent et parlent d'un(e) absent(e) : par groupes de deux, jouez cette scène.

Préparation

- Choisissez le personnage absent qui pourrait être un(e) camarade de classe, un professeur, un parent, un entraîneur sportif, un(e) artiste, un personnage de fiction, un personnage historique…
- Définissez les caractéristiques de ce personnage : des traits physiques, moraux, des informations sur sa santé, ses études, ses préoccupations…
- Définissez la situation : qui incarnez-vous (qui êtes-vous) par rapport à cet absent ?
- Répartissez-vous la parole : qui va dire quoi ? Qui va interroger l'autre ? Quand ?

Critères de réussite

- Votre dialogue doit s'enchaîner sans temps mort.
- Il doit présenter l'absent(e) par un jeu de questions / réponses entre vos deux personnages.
- Vos camarades doivent comprendre qui est cet (ou cette) absent(e) et ce qui le (ou la) caractérise.
- Comme au théâtre, vous devez regarder votre interlocuteur mais aussi le public.

3. Jouer une scène de dispute extraite d'un roman

SUJET 3 : En tenant compte des indications de ton et de jeu données par les passages de récit et par la ponctuation des répliques, jouez par groupes de deux cette scène extraite d'*Eugénie Grandet*.

« Ma fille, lui dit Grandet, vous allez me dire où est votre trésor […]. »
Eugénie fit un signe de tête négatif.

« Vous l'aviez encore le jour de votre fête, hein ? » Eugénie, devenue aussi rusée par amour que son père l'était par avarice, réitéra le même signe de tête.

« Mais l'on n'a jamais vu pareil entêtement, ni vol pareil, dit Grandet d'une voix qui alla crescendo et qui fit graduellement retentir la maison. Comment ! Ici, dans ma propre maison, chez moi, quelqu'un aura pris ton or ! Le seul or qu'il y avait ! Et je ne saurai pas qui ? […] Vous l'avez donné à quelqu'un, hein ? »

Eugénie fut impassible.

« A-t-on vu pareille fille ! Est-ce moi qui suis votre père ? Si vous l'avez placé, vous en avez un reçu...

– Étais-je libre, oui ou non, d'en faire ce que bon me semblait ? Était-ce à moi ?

– Mais tu es un enfant.

– Majeure. »

Abasourdi par la logique de sa fille, Grandet pâlit, trépigna, jura ; puis trouvant enfin des paroles, il cria :

« Maudit serpent de fille ! Ah ! Mauvaise graine, tu sais bien que je t'aime, et tu en abuses. Elle égorge son père ! »

H. de Balzac, *Eugénie Grandet*, 1833.

Préparation

- Repérez les indications sur les réactions des personnages qui pourraient servir de didascalies.
- Cherchez le sens des mots soulignés afin d'ajuster votre jeu.

Critères de réussite

- Restituer :
  - les émotions des personnages ;
  - l'évolution de leur rapport de force ;
  - le rythme du dialogue.

Aventures et héros romanesques

A. DUMAS
Le Bagnard de l'opéra
© Classiques & contemporains, Magnard, 2001.
Le passé secret d'un élégant aristocrate, au XIXe siècle.

T. GAUTIER
Le Capitaine Fracasse
© Petits Classiques, Larousse, 2004.
Les aventures d'une troupe de comédiens ambulants.

C. DICKENS
Oliver Twist
© Le Livre de Poche Jeunesse, 2008.
La vie aventureuse d'un jeune orphelin, à Londres, au XIXe siècle.

W. SCOTT
Ivanhoé
© Le Livre de Poche Jeunesse, Hachette, 2009.
Au Moyen Âge, un jeune noble saxon, cherche à conquérir le pouvoir pour son peuple.

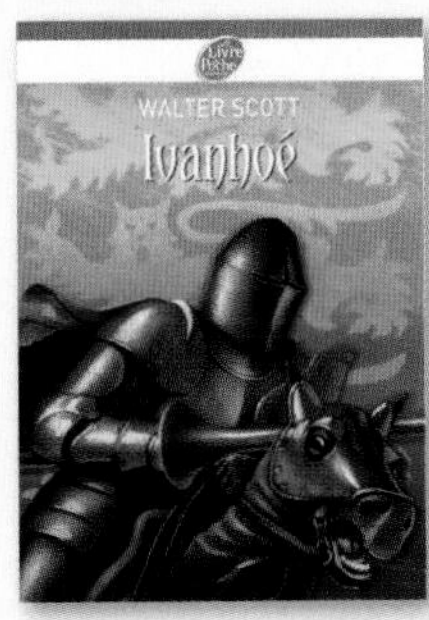

V. HUGO
Bug Jargal
© La Petite Collection, Bleu autour, 2006.
Récit d'une révolte d'esclaves à Saint-Domingue.

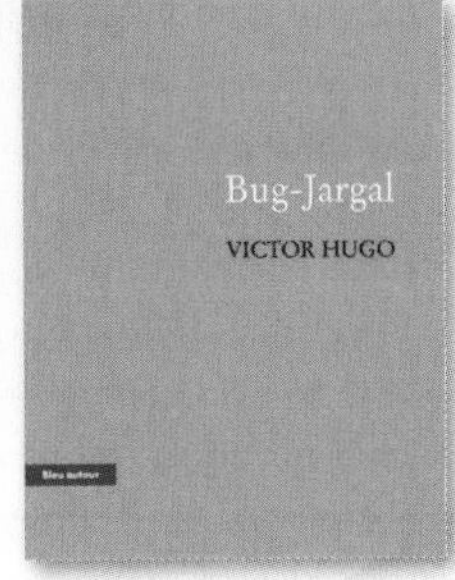

Le cercle des lecteurs

Réalisation d'une « fleur de lecture »

- Pour rendre compte de la lecture du roman choisi, réalisez sous la forme de votre choix (dessin, sculpture, montage...), une « fleur de lecture » et préparez-vous à présenter oralement votre fleur.
- Dans le pistil, vous placerez ce qui vous a le plus marqué(e) et dans les pétales, les autres éléments qui vous ont plu ou marqué(e).
- Vous pouvez vous intéresser à l'intrigue, au héros ou à l'héroïne, à un ou à plusieurs des autres personnages, à l'époque ou au lieu où se déroule l'histoire, au style de l'écrivain...

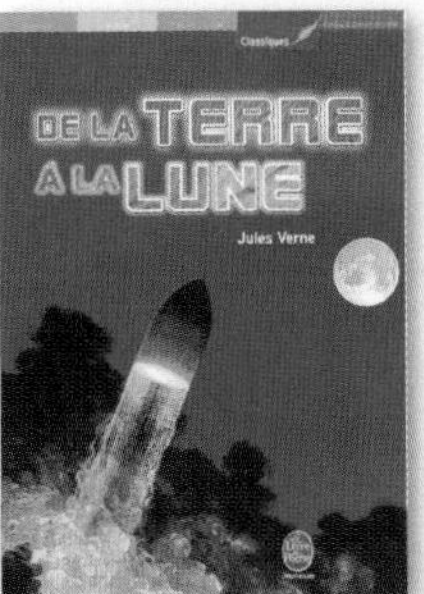

J. VERNE
De la Terre à la Lune
© Le Livre de Poche Jeunesse, Hachette, 2005.
Roman de science-fiction relatant l'envoi sur la Lune d'un obus habité par trois hommes.

Évaluations

Révisions

Faire le point
→ voir p. 233

Lexique
→ voir p. 234

Orthographe
→ voir p. 235

Grammaire
→ voir p. 236

JEAN-FRANÇOIS MILLET, *La Fileuse, chevrière auvergnate*, 1868. Musée d'Orsay, Paris.

La Petite Fadette

Landry et son frère jumeau sont de jeunes paysans du Berry dont la famille jouit d'une bonne réputation. Landry s'est lié avec la petite Fadette, qui passe plus ou moins pour une sorcière. Comme elle lui a rendu service, il se sent obligé de lui témoigner sa reconnaissance.

« Demande-moi donc une chose qui puisse se donner tout de suite, et que je ne sois pas obligé de te reprendre.

– Eh bien, dit la Fadette d'une voix claire et sèche, il en sera comme vous le souhaitez, besson[1] Landry. Je vous ai offert votre pardon[2], et vous n'en voulez point. À présent, je vous réclame ce que vous m'avez promis, qui est d'obéir à mon commandement, le jour où vous en serez requis. Ce jour-là, ce ne sera pas plus tard que demain à la Saint-Andoche, et voici ce que je veux : vous me ferez danser trois bourrées[3] après la messe, deux bourrées après vêpres, et encore deux bourrées après l'Angélus[4], ce qui fera sept. Et dans toute votre journée, depuis que vous serez levé jusqu'à ce que vous soyez couché, vous ne danserez aucune autre bourrée avec n'importe qui, fille ou femme. Si vous ne le faites, je saurai que vous avez trois choses bien laides en vous : l'ingratitude,

1. jumeau.
2. je vous ai pardonné.
3. danses paysannes du centre de la France.
4. la messe, les vêpres et l'Angélus : trois services religieux du dimanche.

la peur et le manque de parole. Bonsoir, je vous attends demain pour ouvrir la danse, à la porte de l'église. »

Et la petite Fadette, que Landry avait suivie jusqu'à sa maison, tira la corillette[5] et entra si vite que la porte fut poussée et recorillée[6] avant que le besson eût pu répondre un mot.

Landry trouva d'abord l'idée de la Fadette si drôle qu'il pensa à en rire plus qu'à s'en fâcher. « Voilà, se dit-il, une fille plus folle que méchante, et plus désintéressée qu'on ne croirait, car son paiement ne ruinera pas ma famille. » Mais, en y songeant, il trouva l'acquit[7] de sa dette plus dur que la chose ne semblait. La petite Fadette dansait très bien ; il l'avait vue gambiller dans les champs ou sur le bord des chemins, avec les pâtours[8], et elle s'y démenait comme un petit diable, si vivement qu'on avait peine à la suivre en mesure. Mais elle était si peu belle et si mal attifée, même les dimanches, qu'aucun garçon de l'âge de Landry ne l'eût fait danser, surtout devant du monde. C'est tout au plus si les porchers[9] et les gars qui n'avaient point encore fait leur première communion la trouvaient digne d'être invitée, et les belles de campagne n'aimaient point à l'avoir dans leur danse. Landry se sentit donc tout à fait humilié d'être voué à une pareille danseuse ; et quand il se souvint qu'il s'était fait promettre au moins trois bourrées par la belle Madelon, il se demanda comment elle prendrait l'affront qu'il serait forcé de lui faire en ne les réclamant point.

GEORGE SAND, *La Petite Fadette*, 1849.

5. verrou.
6. verrouillée à nouveau.
7. le paiement.
8. dans le Berry, terme qui désignait les bergers.
9. ceux qui gardent les porcs : ils étaient mal considérés.

Comprendre le texte SOCLE C1

La petite Fadette

1. À quel milieu social la petite Fadette appartient-elle ? Relevez dans le texte des indices à l'appui de votre réponse.

2. Relevez dans le texte les adjectifs qualifiant la petite Fadette, en les classant selon qu'ils contribuent à son portrait physique ou moral.

3. a. Relevez à la ligne 22 deux verbes employés de façon intransitive. **b.** Quelle qualité de la petite Fadette révèlent-ils ?

4. a. Relevez le sujet du verbe « trouvaient » (l.28). **b.** Quel jugement les personnages ainsi désignés portent-ils sur la petite Fadette ? **c.** Ce jugement a-t-il de la valeur ? Justifiez.

Landry face à la petite Fadette

5. a. Quel accord les deux personnages ont-ils passé précédemment ? **b.** Quelle demande la petite Fadette formule-t-elle dans cet extrait ?

6. L. 20 : « désintéressée » : **a.** Expliquez ce mot. **b.** Relevez dans le dernier paragraphe d'autres mots du même champ lexical. **c.** Quelle place Landry accorde-t-il à l'argent ?

7. L. 19 : « Voilà [...] une fille plus folle que méchante » : récrivez cette phrase en employant un verbe attributif.

8. Quel sentiment Landry éprouve-t-il à la fin du texte ? Pourquoi ? Relevez des mots du texte à l'appui de votre réponse.

Dégager l'essentiel du texte SOCLE C1

9. La petite Fadette a-t-elle raison d'envisager « l'ingratitude, la peur et le manque de parole » (l. 12-13) de Landry ? Justifiez votre réponse.

Rédiger un texte cohérent SOCLE C1, C5

SUJET : Landry, de retour chez lui, demande conseil à son frère jumeau, Sylvain. Rédigez la scène en y insérant un dialogue et un bref portrait de la petite Fadette.

Histoire des Arts SOCLE C5

A. Pour quelles raisons peut-on rapprocher la peinture de J.-F. Millet et le roman de G. Sand ?

B. Comment le personnage est-il mis en valeur dans le tableau de J.-F. Millet ? Quelle impression se dégage de ce personnage ?

C. Cette jeune femme ressemble-t-elle, pour vous, à la petite Fadette ? Justifiez.

10

Les Misérables, une œuvre toujours actuelle

Rencontrer des héros populaires

Lectures : textes et images

Objectifs

L'écho du poète

Faire le point

Langue et expression

Évaluations SOCLE C1, C5 Arts

Les Misérables à l'affiche de l'Imperial Theater, New York, 1995 ; vue de Picadilly, Londres ; gravure de G. Brion pour *Les Misérables*, 1865 ; M. Bouquet (Javert), V. Bordelet (Cosette) et L. Ventura (Jean Valjean) dans *Les Misérables* de R. Hossein, 1982 ; E. Delacroix, *La Liberté guidant le peuple* (détail), 1830, Musée du Louvre, Paris ; montage A.-D. Naname, 2011.

1 À quoi voyez-vous que le roman de Victor Hugo est une œuvre toujours actuelle ?

2 Quelles hypothèses de lecture pouvez-vous formuler à partir des personnages représentés au premier plan ?

Pour entrer dans le chapitre

- À quel univers cette publicité fait-elle penser ? Justifiez à l'aide de différents éléments.
- La publicité explique-t-elle qui est Jean Valjean ?
- Comparez cette publicité et la photographie : qui est l'homme représenté sur ces deux documents ?

Victor Hugo, photographie de la *Galerie contemporaine*, vers 1874. Coll. privée.

Découvrir *Les Misérables* de Victor Hugo

À propos des *Misérables*, Victor Hugo (1802-1885) a écrit : « Ma conviction est que ce livre sera un des principaux sommets, sinon le principal de mon œuvre. » Dans ce roman, il dénonce le sort que la société de son temps réserve aux plus pauvres. Ses personnages sont devenus légendaires : Jean Valjean, le repris de justice qui sort du bagne ; Fantine, la pauvre ouvrière obligée d'abandonner sa fille Cosette ; Cosette, la petite fille battue ; les horribles Thénardier, ses bourreaux ; Gavroche, leur fils, le gamin livré aux rues de Paris ; et, face à eux, la figure inquiétante du policier Javert.

1. En quoi ce texte de présentation des *Misérables* vous aide-t-il à comprendre l'accroche publicitaire ?
2. En quoi la publicité ci-dessus révèle-t-elle que Victor Hugo est toujours populaire ?

Avant de lire le texte

1. En vous servant de la **Fiche-méthode** p. 17 et des p. 102 et 126, rédigez la biographie de Victor Hugo.
2. ***Lexique*** Cherchez le sens des noms : « bagne », « forçat », « galérien ».

DE JEAN VALJEAN À M. MADELEINE

Jean Valjean et Mgr Myriel

Dans les premiers jours du mois d'octobre 1815, une heure environ avant le coucher du soleil, un homme qui voyageait à pied entrait dans la petite ville de Digne[1]. Les rares habitants qui se trouvaient en ce moment à leurs fenêtres ou sur le seuil de leurs maisons regardaient ce voyageur avec une sorte d'inquiétude. Il était difficile de rencontrer un passant d'un aspect plus misérable. C'était un homme de moyenne taille, trapu et robuste, dans la force de l'âge. Il pouvait avoir quarante-six ou quarante-huit ans. Une casquette à visière de cuir rabattue cachait en partie son visage brûlé par le soleil et le hâle[2] et ruisselant de sueur. Sa chemise de grosse toile jaune, rattachée au col par une petite ancre d'argent, laissait voir sa poitrine velue ; il avait une cravate tordue en corde, un pantalon de coutil[3] bleu, usé et râpé, blanc à un genou, troué à l'autre, une vieille blouse grise en haillons, rapiécée à l'un des coudes d'un morceau de drap vert cousu avec de la ficelle, sur le dos un sac de soldat fort plein, bien bouclé et tout neuf, à la main un énorme bâton noueux, les pieds sans bas dans des souliers ferrés, la tête tondue et la barbe longue.

1. ville de Haute-Provence.
2. l'air.
3. tissu en fil ou en coton.

Jean Valjean, gravure colorisée d'après la gravure de GUSTAVE BRION, 1862.

La sueur, la chaleur, le voyage à pied, la poussière, ajoutaient je ne sais quoi de sordide à cet ensemble délabré[4]. [...]

À Digne, le voyageur finit par sonner à la porte de l'évêque de la ville. Voici ce qu'il lui déclare.

« Je m'appelle Jean Valjean. Je suis un galérien. J'ai passé dix-neuf ans au bagne. Je suis libéré depuis quatre jours et en route pour Pontarlier[5] qui est ma destination. Quatre jours que je marche depuis Toulon[6]. Aujourd'hui, j'ai fait douze lieues[7] à pied. Ce soir, en arrivant dans ce pays, j'ai été dans une auberge, on m'a renvoyé à cause de mon passeport jaune[8] que j'avais montré à la mairie. [...] Je suis très fatigué, douze lieues à pied, j'ai bien faim. Voulez-vous que je reste ?

– Madame Magloire, dit l'évêque, vous mettrez un couvert de plus. »

L'homme fit trois pas et s'approcha de la lampe qui était sur la table. « Tenez, reprit-il, comme s'il n'avait pas bien compris, ce n'est pas ça. Avez-vous entendu ? Je suis un galérien. Un forçat. Je viens des galères. » Il tira de sa poche une grande feuille de papier jaune qu'il déplia. « Voilà mon passeport. Jaune, comme vous voyez. Cela sert à me faire chasser de partout où je vais. Voulez-vous lire ? Je sais lire, moi. J'ai appris au bagne. Il y a une école pour ceux qui veulent. Tenez, voilà ce qu'on a mis sur le passeport : "Jean Valjean, forçat libéré, natif de... – cela vous est égal... – Est resté dix-neuf ans au bagne. Cinq ans pour vol avec effraction. Quatorze ans pour avoir tenté de s'évader quatre fois. Cet homme est très dangereux." Voilà ! Tout le monde m'a jeté dehors. Voulez-vous me recevoir, vous ? Est-ce une auberge ? Voulez-vous me donner à manger et à coucher ? Avez-vous une écurie ?

– Madame Magloire, dit l'évêque, vous mettrez des draps blancs au lit de l'alcôve. »

VICTOR HUGO, *Les Misérables* (première partie, II, 1 et 3), 1862.

4. en très mauvais état.
5. ville située dans le Doubs.
6. ville du bord de la Méditerranée.
7. Une lieue représente environ quatre kilomètres.
8. document d'identité remis aux anciens galériens.

Définir le héros et sa quête : une rencontre décisive

Le portrait du voyageur

1. a. Qui présente le personnage au lecteur (l. 1 à 17) ? **b.** Quel sentiment ceux qui regardent ce personnage éprouvent-ils ?

2. Quelle est l'impression dominante donnée par les vêtements de ce personnage (l. 5 à 15) ? Justifiez votre réponse en citant des mots du texte.

3. Relevez deux adjectifs qualifiant le physique du personnage.

4. a. Qui prononce les paroles des lignes 18 à 24 et 26 à 37 ? **b.** Quels renseignements ces paroles fournissent-elles ? **c.** Quels en sont les destinataires ? **d.** Pourquoi, selon vous, V. Hugo fait-il parler directement ce personnage ?

→ Réviser le discours direct – p. 350

Jean Valjean et l'évêque

5. Quels sont les traits de caractère de Jean Valjean révélés dans les lignes 26 à 37 ?

6. L. 18 à 39 : qu'est-ce qui caractérise le comportement de l'évêque lorsque Jean Valjean arrive chez lui ?

7. Les comportements de Jean Valjean et de l'évêque sont-ils surprenants ? Expliquez.

Dégager l'essentiel SOCLE C1

› En quoi Jean Valjean est-il un « misérable » ?

› Pourquoi cette rencontre est-elle décisive pour Jean Valjean ?

Rédiger un texte bref SOCLE C1

Un peu plus tard dans la soirée, Mme Magloire reproche à l'évêque d'accueillir Jean Valjean sous son toit : imaginez la scène et la réponse de l'évêque. Vous alternerez récit et dialogue.

Avant de lire le texte

• Qu'est-ce qu'une « galère » aux XVIIIe et XIXe siècles ?

La jeunesse de Jean Valjean

Jean Valjean était d'une pauvre famille de paysans de la Brie. Dans son enfance, il n'avait pas appris à lire. Quand il eut l'âge d'homme, il était émondeur[1] à Faverolles. Sa mère s'appelait Jeanne Mathieu ; son père s'appelait Jean Valjean ou Vlajean, sobriquet[2] probablement, et contraction de *Voilà Jean*. [...] Son père, émondeur comme lui, s'était tué en tombant d'un arbre. Il n'était resté à Jean Valjean qu'une sœur plus âgée que lui, veuve, avec sept enfants. [...]

Il arriva qu'un hiver fut rude. Jean n'eut pas d'ouvrage. La famille n'eut pas de pain. Pas de pain. À la lettre[3]. Sept enfants !

Un dimanche soir, Maubert Isabeau, boulanger sur la place de l'Église, à Faverolles, se disposait à se coucher, lorsqu'il entendit un coup violent dans la devanture grillée et vitrée de sa boutique. Il arriva à temps pour voir un bras passé à travers un trou fait d'un coup de poing dans la grille et dans la vitre. Le bras saisit un pain et l'emporta. Isabeau sortit en hâte ; le voleur s'enfuyait à toutes jambes ; Isabeau courut après lui et l'arrêta. Le voleur avait jeté le pain, mais il avait encore le bras ensanglanté. C'était Jean Valjean.

Cela se passait en 1795. Jean Valjean fut traduit devant les tribunaux du temps « pour vol avec effraction la nuit dans une maison habitée ». [...] Jean Valjean fut déclaré coupable. [...] Il fut condamné à cinq ans de galères.

VICTOR HUGO, *Les Misérables* (première partie, II, 6), 1862.

ANONYME, illustration pour *Les Misérables*. Coll. Kharbine Tapabor.

1. personne qui taille les arbres.
2. surnom.
3. réellement, plus une miette de pain à manger.

Définir le héros et sa quête : son passé

1. a. Quelle est l'origine sociale du héros ? b. Quels sont les différents malheurs qui l'accablent ainsi que sa famille ?

2. a. Résumez la scène rapportée par V. Hugo. b. Quand se situe-t-elle par rapport à celle de l'extrait précédent ?

3. Quel portrait du personnage se dégage de cette scène ?

4. Quel effet sur le lecteur la dernière phrase produit-elle ?

5. a. Quelle phrase du texte la gravure illustre-t-elle ? b. Quel sentiment le boulanger semble-t-il éprouver ? c. Est-ce en conformité avec le texte de V. Hugo ? Justifiez.

Dégager l'essentiel SOCLE C1

› La façon dont l'auteur présente le passé de Jean Valjean rend-il le personnage sympathique ? Justifiez.

Rédiger un texte bref SOCLE C1

• Racontez la scène en adoptant le point de vue de Jean Valjean. Vous commencerez par « Un dimanche soir... ».

• B2i Rédigez un court texte explicatif qui présente les conditions de vie dans les bagnes. Pour vos recherches, vous pouvez consulter les sites suivants :

– http://www.netmarine.net/forces/operatio/toulon/bagne.htm

– http://www.bagne-guyane.com

Avant de lire le texte

- Rappelez ce que vous avez appris sur Jean Valjean.

Le père Madeleine

Vers la fin de 1815, un homme, un inconnu, était venu s'établir dans la ville et avait eu l'idée de substituer, dans cette fabrication [de bijoux d'imitation], la gomme laque à la résine[1]. [...] En moins de trois ans, l'auteur de ce procédé était devenu riche, ce qui est bien, et avait tout fait riche autour de lui, ce qui est mieux. Il était étranger au département. De son origine, on ne savait rien ; de ses commencements, peu de chose.

On contait qu'il était venu dans la ville avec fort peu d'argent, quelques centaines de francs tout au plus.

C'est de ce mince capital, mis au service d'une idée ingénieuse, [...] qu'il avait tiré sa fortune et la fortune de tout ce pays. À son arrivée à Montreuil-sur-Mer[2], il n'avait que les vêtements, la tournure et le langage d'un ouvrier.

Il paraît que, le jour même où il faisait obscurément son entrée dans la petite ville de Montreuil-sur-Mer, à la tombée d'un soir de décembre, le sac au dos et le bâton d'épine à la main, un gros incendie venait d'éclater à la maison commune. Cet homme s'était jeté dans le feu, et avait sauvé, au péril de sa vie, deux enfants qui se trouvaient être ceux du capitaine de gendarmerie ; ce qui fait qu'on n'avait pas songé à lui demander son passeport. Depuis lors, on avait su son nom. Il s'appelait le père Madeleine. [...]

On l'a vu, le pays lui devait beaucoup, les pauvres lui devaient tout [...] ; ses ouvriers en particulier l'adoraient, et il portait cette admiration avec une sorte de gravité mélancolique. Quand il fut constaté riche, « les personnes de la société » le saluèrent, et on l'appela dans la ville monsieur Madeleine ; ses ouvriers et les enfants continuèrent de l'appeler le père Madeleine, et c'était la chose qui le faisait le mieux sourire. À mesure qu'il montait, les invitations pleuvaient sur lui. « La société » le réclamait. [...] On lui fit mille avances. Il refusa.

VICTOR HUGO, *Les Misérables* (première partie, V, 1 et 2), 1862.

1. La gomme laque, résine sécrétée par des insectes et utilisée comme vernis, a remplacé la résine des pins, plus chère.
2. ville du Pas-de-Calais.

Les Misérables de ROBERT HOSSEIN avec Lino Ventura dans le rôle de Jean Valjean, 1982.

Définir le héros et sa quête : sa métamorphose

Un personnage énigmatique

1. a. Par quels noms ou pronoms le personnage est-il désigné ?
b. Renseignent-ils précisément le lecteur ?

2. a. Que sait-on du personnage ?
b. Relevez trois éléments qui soulignent la part de mystère du personnage.
c. Les circonstances de son arrivée ont-elles contribué à dévoiler ou à cacher son identité ? Expliquez.

3. Qui se cache derrière le père Madeleine ? Relevez dans le texte trois indices qui permettent de répondre.

➜ Réviser les classes de mots – p. 300

Une métamorphose

4. a. En quoi le parcours du père Madeleine est-il une métamorphose ? **b.** Quelles qualités du personnage révèle-t-il ?

5. a. Quel milieu social l'expression « la société » désigne-t-elle ? **b.** Comment « la société » juge-t-elle M. Madeleine ? Citez le texte à l'appui de vos réponses.

6. Quelle attitude M. Madeleine a-t-il vis-à-vis : **a.** des ouvriers ? **b.** de « la société » ? **c.** Comment l'expliquez-vous ?

Dégager l'essentiel SOCLE C1

› Analysez l'évolution du personnage de Jean Valjean en M. Madeleine dans les trois extraits étudiés. Expliquez ce qui a provoqué un changement en lui.

Lectures

JAVERT FACE À M. MADELEINE

Gustave Brion, illustration pour *Les Misérables*, 1862. Maison de Victor Hugo, Paris.

Avant de lire le texte

- *Lexique* Cherchez le sens des adjectifs : « stoïque », « austère », « funeste ».

Le policier Javert[1]

La face humaine de Javert consistait en un nez camard[2], avec deux profondes narines vers lesquelles montaient sur ses deux joues d'énormes favoris[3]. On se sentait mal à l'aise la première fois qu'on voyait ces deux forêts et ces deux cavernes. Quand Javert riait, ce qui était rare et terrible, ses lèvres minces s'écartaient, et laissaient voir, non seulement ses dents, mais ses gencives, et il se faisait autour de son nez un plissement épaté et sauvage comme sur un mufle de bête fauve. Javert sérieux était un dogue[4] ; lorsqu'il riait, c'était un tigre. Du reste, peu de crâne, beaucoup de mâchoire, les cheveux cachant le front et tombant sur les sourcils, entre les deux yeux un froncement central permanent comme une étoile de colère, le regard obscur, la bouche pincée et redoutable, l'air du commandement féroce. […]

Il était stoïque, sérieux, austère ; rêveur triste ; humble et hautain comme les fanatiques. Son regard était une vrille[5]. Cela était froid et cela perçait. Toute sa vie tenait dans ces deux mots : veiller et surveiller. […] Il avait la conscience de son utilité, la religion de ses fonctions, et il était espion comme on est prêtre. Malheur à qui tombait sous sa main ! Il eût arrêté son père s'évadant du bagne. […]

Toute la personne de Javert exprimait l'homme qui épie et qui se dérobe. […] On ne voyait pas son front qui disparaissait sous son chapeau, on ne voyait pas ses yeux qui se perdaient sous ses sourcils, on ne voyait pas son menton qui plongeait dans sa cravate, on ne voyait pas ses mains qui rentraient dans ses manches, on ne voyait pas sa canne qu'il portait sous sa redingote. Mais, l'occasion venue, on voyait tout à coup sortir de toute cette ombre, comme d'une embuscade, un front anguleux et étroit, un regard funeste, un menton menaçant, des mains énormes et un gourdin[6] monstrueux. […]

Javert était comme un œil toujours fixé sur M. Madeleine.

Victor Hugo, *Les Misérables* (première partie, V, 5), 1862.

1. Policier qui a connu Jean Valjean au bagne de Toulon et qui se retrouve en poste à Montreuil-sur-Mer. 2. aplati. 3. touffes de barbe sur les joues. 4. chien féroce. 5. outil à percer le bois. 6. bâton gros et court.

Cerner la figure de l'opposant : son portrait

Le portrait physique

1. Dans le premier paragraphe : a. Relevez toutes les métaphores et comparaisons ; b. Quelle est l'impression dominante du portrait physique ? c. Quels traits de caractère sont ainsi dévoilés ?

2. Quelles figures de style identifiez-vous dans le troisième paragraphe ? Quelle impression créent-elles ?

→ Les figures de style – p. 383-384

Le portrait moral

3. L. 12 à 24 : quelles sont les caractéristiques morales du personnage ?

4. Quels indices renseignent sur le métier de Javert ?

5. Peut-il y avoir entente entre Javert et Jean Valjean ? Justifiez votre réponse.

Dégager l'essentiel SOCLE C1

› En quoi ce portrait permet-il de comprendre le rôle d'opposant exercé par Javert dans le roman ?

Avant de lire le texte

• ***Lexique*** Cherchez le sens des noms : « louis », « dilemme ».

L'accident du père Fauchelevent

À Montreuil-sur-Mer dont Jean Valjean est devenu le maire, sous le nom de M. Madeleine, un attroupement se fait autour du père Fauchelevent, à qui il est arrivé un accident.

Georges Jeanniot, illustration pour *Les Misérables*, 1887. Maison de Victor Hugo, Paris.

« Écoutez, reprit Madeleine, il y a encore assez de place sous la voiture pour qu'un homme s'y glisse et la soulève avec son dos. Rien qu'une demi-minute, et l'on tirera le pauvre homme. Y a-t-il ici quelqu'un qui ait des reins et du cœur ? Cinq louis d'or à gagner ! »

Personne ne bougea dans le groupe.

« Dix louis », dit Madeleine.

Les assistants baissaient les yeux. Un d'eux murmura :

« Il faudrait être diablement fort. Et puis, on risque de se faire écraser !

– Allons ! recommença Madeleine, vingt louis ! » Même silence.

« Ce n'est pas la bonne volonté qui leur manque », dit une voix.

M. Madeleine se retourna, et reconnut Javert.

Il ne l'avait pas aperçu en arrivant. Javert continua :

« C'est la force. Il faudrait être un terrible homme pour faire la chose de lever une voiture comme cela sur son dos. »

Puis, regardant fixement M. Madeleine, il poursuivit en appuyant sur chacun des mots qu'il prononçait :

« Monsieur Madeleine, je n'ai jamais connu qu'un seul homme capable de faire ce que vous demandez là. »

Madeleine tressaillit[1].

Javert ajouta avec un air d'indifférence, mais sans quitter des yeux Madeleine :

« C'était un forçat.

– Ah ! dit Madeleine.

– Du bagne de Toulon. »

Madeleine devint pâle.

Victor Hugo, *Les Misérables* (première partie, V, 6), 1862.

1. trembla.

Cerner la figure de l'opposant : son rôle dans l'intrigue

1. Qu'est-il arrivé au père Fauchelevent ?

2. ***Lexique*** L. 4 : que signifie : « quelqu'un qui ait des reins et du cœur » ? Les mots « reins » et « cœur » sont-ils employés au sens propre ou au sens figuré ?

3. a. Que propose M. Madeleine ?
b. Comment l'assistance réagit-elle ? Pourquoi ?

→ Réviser polysémie, synonymie et antonymie – p. 380

4. a. À qui Javert s'adresse-t-il ? b. Comment désigne-t-il successivement la personne capable de sauver le père Fauchelevent ? c. Quel but Javert poursuit-il ainsi ?

5. a. Javert parvient-il à son but ? Justifiez. b. Face à quel dilemme met-il M. Madeleine ?

Dégager l'essentiel SOCLE C1

› Quel rôle Javert joue-t-il dans cette péripétie ?

Rédiger un texte bref SOCLE C1

Imaginez en une quinzaine de lignes la suite de ce texte en faisant alterner récit et dialogue.

TROIS FIGURES DE MISÉRABLES

Avant de lire le texte

- ***Lexique*** Cherchez le sens des mots : « barbier », « napoléons », « bains ».

Fantine

Fantine,
gravure anonyme.

Fantine, une ouvrière de M. Madeleine, a confié sa fille, Cosette, aux Thénardier, un couple d'aubergistes qu'elle croit honnêtes.

Les Thénardier [...] lui écrivirent que sa petite Cosette était toute nue par le froid qu'il faisait, qu'elle avait besoin d'une jupe de laine, et qu'il fallait au moins que la mère envoyât dix francs pour cela. Elle reçut la lettre, et la froissa dans ses mains tout le jour. Le soir elle entra chez un barbier qui habitait le coin de la rue, et défit son peigne. Ses admirables cheveux blonds lui tombèrent jusqu'aux reins.

« Les beaux cheveux ! s'écria le barbier.

– Combien m'en donneriez-vous ? dit-elle.

– Dix francs.

– Coupez-les. »

Elle acheta une jupe de tricot et l'envoya aux Thénardier. Cette jupe fit[1] les Thénardier furieux. C'était de l'argent qu'ils voulaient. [...]

Les Thénardier réclament à Fantine de l'argent pour soigner Cosette soi-disant malade. Fantine se fait arracher deux dents en échange de deux pièces d'or.

Le lendemain matin, [...] Marguerite[2] [...] regarda Fantine qui tournait vers elle sa tête sans cheveux. Fantine depuis la veille avait vieilli de dix ans.

« Jésus ! fit Marguerite, qu'est-ce que vous avez, Fantine ?

– Je n'ai rien, répondit Fantine. Au contraire. Mon enfant ne mourra pas de cette affreuse maladie, faute de secours. Je suis contente. »

En parlant ainsi, elle montrait à la vieille fille deux napoléons qui brillaient sur la table.

« Ah, Jésus Dieu ! dit Marguerite. Mais c'est une fortune ! Où avez-vous eu ces louis d'or ?

– Je les ai eus, répondit Fantine. »

En même temps elle sourit. La chandelle éclairait son visage. C'était un sourire sanglant. Une salive rougeâtre lui souillait le coin des lèvres, et elle avait un trou noir dans la bouche. Les deux dents étaient arrachées.

Elle envoya les quarante francs à Montfermeil.

Victor Hugo, *Les Misérables* (première partie, V, 10), 1862.

1. rendit.
2. amie de Fantine avec qui elle partage sa chambre.

Analyser des personnages symboliques : la mère héroïque

1. En quoi Fantine est-elle la victime des Thénardier ?

2. Les Thénardier parviennent-ils à leur but ? Expliquez.

3. a. Comment Fantine parvient-elle à payer ? b. De quelle qualité fait-elle ainsi preuve ?

4. Que révèlent les paroles de Fantine à propos de ses sentiments ?

5. a. Que révèle l'expression « sourire sanglant » (l. 23-24) ? b. Quel sentiment envers Fantine V. Hugo fait-il naître chez le lecteur ? Comment ?

Dégager l'essentiel SOCLE C1

› En quoi Fantine fait-elle partie des « misérables » ? Justifiez.

JEAN GEOFFROY (1853-1924), *Jean Valjean et Cosette.* Maison de Victor Hugo, Paris.

Avant de lire le texte

- Cosette signifie « petite chose » : que suggère ce prénom ?

Cosette

M. Madeleine, découvert par Javert, fuit Montreuil pour récupérer Cosette, comme il l'a promis à Fantine mourante. De nuit, les Thénardier ont envoyé la fillette chercher du pain et de l'eau.

Des sanglots lui serraient la gorge, mais elle n'osait pas pleurer, tant elle avait peur de la Thénardier, même loin. C'était son habitude de se figurer toujours que la Thénardier était là.

Cependant elle ne pouvait pas faire beaucoup de chemin de la sorte, et elle allait bien lentement. Elle avait beau diminuer la durée des stations et marcher entre chaque le plus longtemps possible, elle pensait avec angoisse qu'il lui faudrait plus d'une heure pour retourner ainsi à Montfermeil et que la Thénardier la battrait. Cette angoisse se mêlait à son épouvante d'être seule dans le bois la nuit. Elle était harassée de fatigue et n'était pas encore sortie de la forêt. Parvenue près d'un vieux châtaignier qu'elle connaissait, elle fit une dernière halte plus longue que les autres pour se bien reposer, puis elle rassembla toutes ses forces, reprit le seau et se remit à marcher courageusement. Cependant le pauvre petit être désespéré ne put s'empêcher de s'écrier : « Ô mon Dieu ! mon Dieu ! »

En ce moment, elle sentit tout à coup que le seau ne pesait plus rien. Une main, qui lui parut énorme, venait de saisir l'anse et la soulevait vigoureusement. Elle leva la tête. Une grande forme noire, droite et debout, marchait auprès d'elle dans l'obscurité.

C'était un homme qui était arrivé derrière elle et qu'elle n'avait pas entendu venir. Cet homme, sans dire un mot, avait empoigné l'anse du seau qu'elle portait.

Il y a des instincts pour toutes les rencontres de la vie. L'enfant n'eut pas peur.

VICTOR HUGO, *Les Misérables* (deuxième partie, III, 5), 1862.

Analyser des personnages symboliques : l'enfant martyre

Une enfant martyre

1. a. Quelles sont les deux difficultés que rencontre Cosette ? **b.** Comment y fait-elle face ?

2. L. 1 à 15 : relevez les mots exprimant le sentiment éprouvé par Cosette : comment ce sentiment évolue-t-il ?

Une rencontre inespérée

3. L. 18 à 21 : **a.** Comment le personnage est-il nommé ? Pourquoi ? **b.** À travers les yeux de qui la rencontre est-elle décrite ? Pourquoi, selon vous ? **c.** Pour quelles raisons cet inconnu évoque-t-il Jean Valjean au lecteur ?

4. a. Quelles sont les paroles prononcées par Cosette ? **b.** Quel rôle l'inconnu semble-t-il amené à jouer ?

5. Comment les sentiments de l'enfant évoluent-ils ?

6. Quelle relation entre les personnages l'image traduit-elle ?

Dégager l'essentiel SOCLE C1

› Que révèle ce passage sur le sort de Cosette ?

Rédiger un texte bref SOCLE C1 

Lisez la suite de ce texte en vous rendant sur le site www.inlibroveritas.net (*Les Misérables*, Tome II, Livre troisième, Chapitre 7) et résumez-la en quelques lignes.

Avant de lire le texte

En 1830, le roi Charles X limite les libertés. Paris se révolte alors durant trois jours, les 27, 28 et 29 juillet 1830, journées appelées depuis les « Trois Glorieuses ». Des barricades sont dressées dans les rues, près de la cathédrale Notre-Dame. Après ces journées d'insurrection particulièrement violentes, Charles X abdique et s'enfuit en Angleterre. Louis-Philippe devient roi des Français.

- Qui dresse les barricades en 1830 ? Pourquoi ?

Eugène Delacroix, *La Liberté guidant le peuple* (détail), 1830. Musée du Louvre, Paris.

Gavroche

Gavroche, le fils des Thénardier, âgé de douze ans, vit seul à Paris, où il se débrouille pour trouver à se nourrir et à se loger. En 1830, il rejoint les étudiants et le peuple sur les barricades élevées dans les rues de Paris.

Gavroche, complètement envolé et radieux, s'était chargé de la mise en train. Il allait, venait, montait, descendait, remontait, bruissait[1], étincelait. Il semblait être là pour l'encouragement de tous. Avait-il un aiguillon[2] ? oui, certes, sa misère ; avait-il des ailes ? oui, certes, sa joie. Gavroche était un tourbillonnement. On le voyait sans cesse, on l'entendait toujours. Il remplissait l'air, étant partout à la fois. C'était une espèce d'ubiquité[3] presque irritante ; pas d'arrêt possible avec lui. L'énorme barricade le sentait sur sa croupe[4]. Il gênait les flâneurs, il excitait les paresseux, il ranimait les fatigués, il impatientait les pensifs, mettait les uns en gaîté, les autres en haleine, les autres en colère, tous en mouvement, piquait un étudiant, mordait un ouvrier ; se posait, s'arrêtait, repartait, volait au-dessus du tumulte et de l'effort, sautait de ceux-ci à ceux-là, murmurait, bourdonnait, et harcelait tout l'attelage ; mouche de l'immense Coche[5] révolutionnaire[6].

Le mouvement perpétuel était dans ses petits bras et la clameur perpétuelle dans ses petits poumons :

« Hardi ! encore des pavés ! encore des tonneaux ! encore des machins ! où y en a-t-il ? Une hottée[7] de plâtras pour me boucher ce trou-là. C'est tout petit, votre barricade. Il faut que ça monte. Mettez-y tout, flanquez-y tout, fichez-y tout. »

Victor Hugo, *Les Misérables* (quatrième partie, XII, 4), 1862.

1. rendait un son confus. 2. pointe de fer. 3. capacité d'être présent en plusieurs lieux à la fois. 4. dos d'un animal. 5. attelage. 6. allusion à la fable de La Fontaine « Le coche et la mouche ». 7. contenu d'une hotte, panier d'osier.

Analyser des personnages symboliques : le gamin des rues

1. a. Quels sont les deux qualificatifs apposés à « Gavroche » dans la première phrase ? b. Relevez des passages qui leur font écho.

2. L. 2 : a. Quelle figure de style reconnaissez-vous ? b. Repérez d'autres passages comportant cette figure de style. c. Quel est le point commun de tous les verbes ? d. À quel temps sont-ils conjugués ? Quelle est la valeur de ce temps ? e. Quelle caractéristique du personnage est ainsi mise en relief ?

3. L. 13-14 : relevez la double répétition. Quelle caractéristique de Gavroche souligne-t-elle ?

4. a. Quelles figures de style et quels effets de rythme repérez-vous dans les paroles de Gavroche ? b. Quels types de phrase utilise-t-il ? Justifiez. c. Quelles caractéristiques de Gavroche sont ainsi soulignées ?

5. a. À quel milieu social Gavroche appartient-il ? b. Quel niveau de langue emploie-t-il ? Justifiez.

→ Réviser des figures de style (1) – p. 383

Dégager l'essentiel SOCLE C1

› Le nom du personnage de V. Hugo est devenu un nom commun : quel type d'enfant Gavroche représente-t-il ?

Eugène Delacroix, *La Liberté guidant le peuple*, 1830. Musée du Louvre, Paris.

Étudier un tableau allégorique

Histoire des Arts SOCLE C5

A. a. Quelles sont les lignes dominantes dans la moitié inférieure du tableau : verticales, horizontales, obliques ? Que représentent-elles ? **b.** Quelles sont les lignes dominantes dans la moitié supérieure du tableau ? Quelle figure géométrique forment-elles ? Qu'expriment-elles ?

B. Quels sont les personnages mis en valeur ? Comment ?

C. Observez et commentez les oppositions de couleurs : que mettent-elles en valeur ? Expliquez.

D. a. Quelle particularité le nom « Liberté » présente-t-il dans le titre du tableau ? **b.** Observez la jeune femme : en quoi se distingue-t-elle des autres personnages ? **c.** Que représente-t-elle ? D'après le personnage de cette femme, expliquez ce qu'est une allégorie.

E. a. De quel personnage du tableau V. Hugo s'est-il inspiré pour la figure de Gavroche ? Justifiez. **b.** Pour quelle valeur les personnages, dont le gamin de Paris, combattent-ils ?

→ L'ABC de l'image – p. 276

Rédiger un texte bref à partir d'un tableau SOCLE C1, C5

Décrivez le gamin du tableau au cœur de l'action.

Consignes :

- Relevez dans le texte de V. Hugo les adjectifs qualificatifs qui pourraient convenir au gamin du tableau.
- ***Lexique*** Employez les mots et expressions : « brandir », « exhorter », « gravir », « ranimer » (le courage), « se dresser », « surgir », « vociférer », « tout droit », « le pied ferme », « pistolet au poing ». Vérifiez, si nécessaire, leur sens dans un dictionnaire.

Melancholia[1]

Où vont tous ces enfants dont pas un seul ne rit ?
Ces doux êtres pensifs que la fièvre maigrit ?
Ces filles de huit ans qu'on voit cheminer seules ?
Ils s'en vont travailler quinze heures sous des meules[2] ;
Ils vont, de l'aube au soir, faire éternellement
Dans la même prison le même mouvement.
Accroupis sous les dents d'une machine sombre,
Monstre hideux qui mâche on ne sait quoi dans l'ombre,
Innocents dans un bagne, anges dans un enfer,
Ils travaillent. Tout est d'airain[3], tout est de fer.
Jamais on ne s'arrête et jamais on ne joue.
Aussi quelle pâleur ! la cendre est sur leur joue.
Il fait à peine jour, ils sont déjà bien las.
Ils ne comprennent rien à leur destin, hélas ! […]

Victor Hugo, *Les Contemplations*, 1856.

1. sentiment de tristesse. 2. machines à broyer. 3. de bronze.

Établir des liens entre les œuvres SOCLE C5

1. De quels textes de ce chapitre pouvez-vous rapprocher ce poème ? Pourquoi ?

2. Quelle dénonciation commune V. Hugo fait-il dans *Les Misérables* et dans ce poème ?

3. Quel sentiment V. Hugo veut-il faire naître chez ses lecteurs ?

Réciter un poème SOCLE C5

4. Efforcez-vous de traduire par le rythme et l'intonation la volonté de dénoncer de V. Hugo.

Gavarni, *Le Ramoneur*, vers 1840. Maison de Balzac, Paris.

Faire le point

Les Misérables, un monument de la littérature

Arts et culture

- La rédaction des *Misérables* occupe **Victor Hugo** de 1845 à 1862 (date de la publication de l'œuvre, en dix volumes).
- Dès sa parution, ce roman fait l'objet d'une vive admiration. Il devient vite un mythe grâce à des images populaires d'abord, puis grâce aux nombreux films et comédies musicales qui l'ont adapté.
- Cette œuvre est non seulement un **roman d'aventures**, un **roman d'amour**, **policier** et **historique**, mais aussi une **épopée sociale**.
- *Les Misérables* n'est pas un roman pessimiste : il raconte l'évolution morale du bagnard Jean Valjean, victime de la société, qui s'élève progressivement vers la bonté et la sainteté.

Un genre littéraire

Les Misérables.
Dessin de Victor Hugo.
Carnet, 1864-1865. BnF, Paris.

- Le roman comprend cinq parties ; quatre d'entre elles sont dominées, chacune, par la figure de l'un des héros : **Fantine** (ouvrière de M. Madeleine alias Jean Valjean), **Cosette** (sa fille), **Marius** (l'étudiant épris de démocratie, futur mari de Cosette), **Jean Valjean** (le personnage principal qui assure l'unité de l'œuvre).
- Ce roman est une **dénonciation** : « [...] Tant qu'il y aura sur la terre ignorance et misère, des livres de la nature de celui-ci pourront ne pas être inutiles », écrit **Victor Hugo**.
  – Jean Valjean **combat les fatalités et les injustices de la société** ;
  – Fantine illustre « la **déchéance de la femme par la faim** » ;
  – Cosette et Gavroche sont deux **enfants qui souffrent** ;
  – Les Thénardier, un couple impitoyable de brutes, représentent le **peuple inculte** ;
  – L'inspecteur Javert représente une **police** qui traque les **misérables hors-la-loi**.
- Le roman *Les Misérables* a une **dimension mythique**, on peut y voir une sorte de **conte de fées moderne** avec :
  – Jean Valjean dans le rôle du **héros chevaleresque** qui se métamorphose et qui sauve Fauchelevent, Cosette, Javert, Marius ;
  – Javert qui **s'oppose au héros** tout au long du roman ;
  – Cosette, l'**enfant malheureuse** qui perd sa bonne mère puis est livrée à une marâtre, Mme Thénardier, avant d'être transformée en **« princesse » moderne** par Jean Valjean.

L'écriture du roman

- L'écriture des *Misérables* se caractérise par :
  – des informations et descriptions précises (contexte historique) ;
  – des portraits-types ;
  – des images (métaphores et comparaisons) ;
  – une écriture poétique qui présente les personnages comme des héros d'épopée (procédés d'emphase et hyperboles).

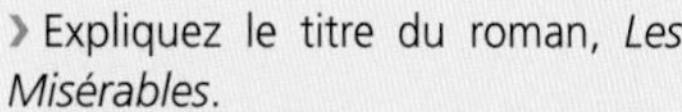

Je retiens l'essentiel

SOCLE C1

› Expliquez le titre du roman, *Les Misérables*.

› Pourquoi cette œuvre connaît-elle toujours un grand succès ?

Lexique

› Le vocabulaire de la misère et du bonheur
› L'hyperbole et l'emphase

Explorer le vocabulaire de la misère et du bonheur

1. Voici trois sens de l'adjectif « misérable » : qui manque de ressources ; qui suscite la pitié ; digne de mépris.
a. Quel est le sens de cet adjectif dans chacune des trois phrases suivantes ?
1. Fantine a vécu une fin misérable, pour sauver sa fille. 2. Cette femme misérable habite une pièce sans chauffage. 3. Madame Thénardier a commis des actes misérables envers Cosette.
b. Auquel de ces trois sens rattachez-vous l'adverbe « misérablement » ? c. Pour lequel de ces trois sens l'adjectif « miséreux » est-il synonyme de « misérable » ? d. Expliquez le nom « misérabilisme ».

2. Classez en deux colonnes les adjectifs suivants, selon qu'ils sont synonymes ou antonymes de « misérable » : indigent – nécessiteux – nanti – pauvre – désargenté – riche – démuni – aisé – fortuné – opulent – ruiné – appauvri.

3. a. Recopiez et complétez la grille afin de retrouver des synonymes de l'adjectif « heureux ».

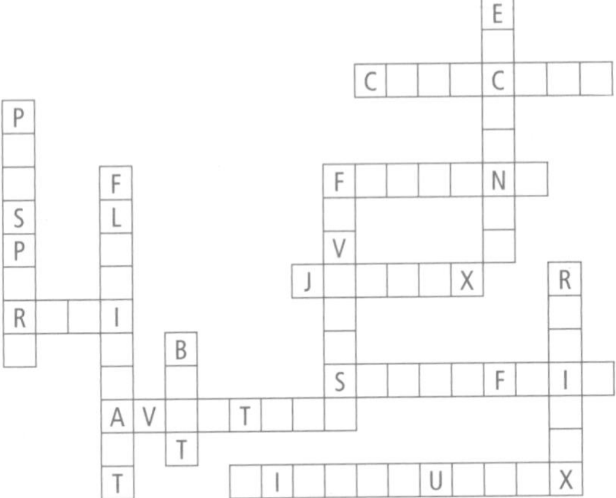

b. Employez trois de ces adjectifs, chacun dans une phrase qui mettra son sens en valeur.

Explorer l'hyperbole et l'emphase

→ Les figures de style (2) – p. 384

4. a. Relevez dans la deuxième phrase le groupe nominal qui reprend le groupe nominal en gras ; celui qui reprend le groupe nominal en italique.
b. Les groupes nominaux relevés sont appelés « hyperboles » (du grec *huperbolê*, « excès ») : quelle définition proposeriez-vous pour cette figure de style ?

La face humaine de Javert consistait en un nez camard, avec **deux profondes narines** vers lesquelles montaient sur ses deux joues *d'énormes favoris*. On se sentait mal à l'aise la première fois qu'on voyait ces deux forêts et ces deux cavernes.

V. Hugo, *Les Misérables*, 1862.

5. a. Observez les deux phrases suivantes.

1. La misère enveloppa et étreignit peu à peu **ce triste groupe**. **2.** C'était **un triste groupe** que la misère enveloppa et étreignit peu à peu.

V. Hugo, *Les Misérables*, 1862.

b. Dans quelle phrase le groupe nominal en gras vous semble-t-il mis en relief ? Comment ? c. On qualifie cette deuxième phrase d'« emphatique » : d'après cet exemple, qu'est-ce qu'une phrase emphatique ?

6. Repérez les procédés de mise en relief dans les phrases emphatiques suivantes, extraites des *Misérables*.

1. À sa sortie du bagne, il y avait dix-neuf ans qu'il n'avait versé une larme. **2.** Lui, cette pauvre force épuisée, il combat l'inépuisable. **3.** La nuit descend, voilà des heures qu'il nage, ses forces sont à bout. **4.** La mer, c'est l'immense misère.

D'après V. Hugo, *Les Misérables*, 1862.

Affiche de Raoul Vion, 1912. Maison de Victor Hugo, Paris.

Orthographe Conjugaison

Les adverbes en *-ment*

→ L'adverbe en *-ment* – p. 312

Observer et manipuler

1. Expliquez comment les adverbes se forment à partir d'un adjectif terminé par : **a.** une voyelle ; **b.** une consonne : comique – comiquement ; joli – joliment ; solide – solidement ; ferme – fermement ; vrai – vraiment ; sérieux – sérieusement ; direct – directement ; doux – doucement ; gras – grassement.

2. a. Quelle voyelle commune à l'adjectif et à l'adverbe repérez-vous dans ces couples adjectifs / adverbes : *constant / constamment ; vaillant / vaillamment* ? **b.** Quelle différence faites-vous entre l'orthographe de ces adverbes et celle des adverbes de l'exercice 1 ?

3. a. En quoi la formation des adverbes suivants ressemble-t-elle à celle des adverbes de l'exercice 2 : *prudent / prudemment ; intelligent / intelligemment* ? **b.** Prononcez ces adverbes : quelle particularité remarquez-vous ?

Formuler la règle

4. Recopiez et complétez les phrases suivantes.

En règle générale, pour former un adverbe de manière, on ajoute le suffixe ... au féminin de l'... ; quand un adjectif se termine par une voyelle, on ajoute le suffixe ... au ... de l'adjectif. Quand un adjectif se termine par *-ant*, l'adverbe se termine par ... ; quand un adjectif se termine par *-ent*, l'adverbe s'écrit ... et se prononce [amɑ̃].

Des verbes difficiles

→ Les verbes irréguliers du 3e groupe – p. 360 et 362

Observer et manipuler

5. Identifiez les modes et les temps de ces formes des verbes « courir » et « mourir » : à quels modes et temps la base verbale de ces verbes prend-elle deux *r* ?
nous courons – tu mourrais – je courrai – il courrait – tu mourus – ils courront – vous mouriez – elles couraient – elles coururent – ils mourraient – vous mourrez

6. Devant quelle lettre le ***i*** de la base verbale des verbes en *-aître* prend-il un accent circonflexe ?
je parais – il connaît – tu naissais – ils disparaîtront – elle comparaît – vous reparaissez – nous paraîtrons – nous naissons

7. a. Observez les tableaux de conjugaison, p. 390 à 396 : quelles sont les terminaisons de tous les verbes proposés sur ces pages, au présent de l'indicatif, aux trois personnes du pluriel ? **b.** Recopiez et complétez le tableau ci-dessous en y reportant les formes dont les terminaisons sont irrégulières.
nous faisons – vous êtes – nous disons – vous avez – ils disent – vous faites – elles ont – nous allons – ils vont – vous dites – ils font – vous allez – nous sommes – nous avons – ils sont

	nous	vous	ils
aller			*vont*
avoir			
dire			
être			
faire			

Formuler la règle

8. Recopiez et complétez les phrases suivantes.

La base verbale des verbes « mourir » et « courir » prend deux *r* au ... de ... et au présent du .... Les verbes en *-aître* prennent un accent circonflexe sur le *i* de la base verbale quand celui-ci est suivi d'un .... Au présent de l'indicatif, aux trois personnes du pluriel, les verbes « aller », « avoir », « dire », « être » et « faire » présentent certaines terminaisons irrégulières : ....

Écrire un texte sous la dictée SOCLE C1

Recopiez le texte en orthographiant correctement les adverbes en gras et en conjuguant les verbes entre parenthèses au présent de l'indicatif.

Jean Valjean a refusé de rendre à un petit Savoyard[1] une pièce qui avait roulé sous son pied.

Il rencontra un prêtre qui était à cheval. Il alla à lui et lui dit **ard**[amɑ̃] :

« Monsieur le curé, avez-vous vu passer un enfant ?

– Non, dit le prêtre. » [...]

Il tira **prud**[amɑ̃] deux pièces de cinq francs de sa sacoche et les remit **vaill**[amɑ̃] au prêtre.

« Monsieur le curé, voici pour vos pauvres. Monsieur le curé, c'est un petit d'environ dix ans qui a une marmotte, je crois, et une vielle[2]. [...]

– Je ne l'ai point vu.

– Petit-Gervais ? Il n'est point des villages d'ici ? Pouvez-vous me dire ?

– Si c'est comme vous (dire), mon ami, c'est un petit enfant étranger. Cela passe dans le pays. On ne les (connaître) pas. »

Jean Valjean prit **viol**[amɑ̃] deux autres écus de cinq francs qu'il donna au prêtre.

D'après *Les Misérables*, 1862.

1. originaire de Savoie. 2. instrument de musique.

Grammaire

Le subjonctif dans les propositions subordonnées

➜ La proposition subordonnée conjonctive – p. 290
➜ Les propositions subordonnées circonstancielles de temps, de but – p. 295-296

Observer et manipuler

1. a. Chaque verbe en gras est-il un verbe de déclaration ? de volonté ? de crainte ?
b. Quel est le mode du verbe dans chaque proposition subordonnée entre crochets ?
1. Les Thénardier **affirment** [que Cosette est malade]. 2. Fantine **souhaite** [que sa fille guérisse]. 3. Fantine **craint** [que sa fille ne guérisse pas]. 4. Javert **dit** [que M. Madeleine est un ancien forçat]. 5. Javert **exige** [que Fantine soit punie].

2. a. Chaque verbe en gras est-il un verbe de déclaration ou de pensée ?
b. À quelle forme (affirmative ou négative) la proposition qui contient ce verbe est-elle employée ?
c. Dans quels cas le verbe de la proposition subordonnée conjonctive peut-il être conjugué à l'indicatif ou au subjonctif ?
1. Fantine **pense** [que sa fille est malade]. 2. Fantine ne **pense** pas [que les Thénardier ont (aient) menti]. 3. Fantine **pense**-t-elle [que les Thénardier ont (aient) menti] ?

3. a. Par quelle conjonction de subordination chaque proposition subordonnée circonstancielle entre crochets est-elle introduite ?
b. Quelles sont les deux circonstances exprimées ?
c. Quel est le mode du verbe dans chaque proposition subordonnée ?
1. Jean Valjean éprouve de la haine [jusqu'à ce qu'il fasse la connaissance de Mgr Myriel]. 2. [Avant que Jean Valjean ne devienne M. Madeleine], il a beaucoup souffert. 3. M. Madeleine récupère Cosette [afin qu'elle soit heureuse].

4. Conjuguez les verbes entre parenthèses au présent du subjonctif et précisez la circonstance exprimée.
1. Jean Valjean soulève la charrette afin que Fauchelevent (être) sauvé. 2. Avant que Fantine ne (mourir), M. Madeleine lui promet de lui ramener Cosette. 3. Jean Valjean porte Marius jusqu'à ce qu'il (sortir) des égouts. 4. L'évêque veut que Mme Magloire (mettre) la table. 5. Javert ne croit pas que Jean Valjean (pouvoir) s'échapper.

Formuler la règle

5. Recopiez et complétez les phrases suivantes.
Les propositions subordonnées conjonctives introduites par « que » comportent obligatoirement un verbe conjugué au subjonctif quand elles complètent un verbe de ... ou de ... Une proposition subordonnée conjonctive introduite par « que », complétant un verbe de pensée employé à la forme ... ou dans une phrase de type ..., comporte un verbe qui peut être conjugué aux modes ... ou ... Les conjonctions de subordination de temps, « avant que » et ... et de but, « pour que » et ... sont suivies d'un verbe conjugué au mode ...

La forme pronominale

➜ La forme pronominale – p. 333

Observer et manipuler

6. Dans quelles phrases le sujet en gras et le pronom personnel souligné représentent-ils : a. la même personne ou la même chose ? b. une personne ou une chose différente ?
1. **M. Madeleine** se demande s'il pourra échapper à l'inspecteur Javert.
2. **Votre professeur** vous a montré un extrait du film *Les Misérables*.
3. **Le roman** s'intitule *Les Misérables*.
4. **Nous** nous captivons pour les aventures de Jean Valjean.
5. **Le professeur** nous conseille de lire un autre roman de Victor Hugo.
6. Mme Thénardier est odieuse avec Cosette : **elle** lui donne des coups.
7. **Tu** t'intéresses à l'histoire de Jean Valjean.

7. a. Conjuguez le verbe « se demander » au présent de l'indicatif à toutes les personnes, sur le modèle : *je me demande, tu...* **b. Les deux pronoms personnels qui précèdent le verbe représentent-ils la même personne ou deux personnes différentes ?**

Formuler la règle

8. Recopiez et complétez la phrase suivante.
On dit qu'un verbe est à la forme pronominale lorsque le sujet et le pronom personnel complément qui précède le verbe représentent ...

Les Misérables, comédie musicale d'A. Boublil et C. M. Schönberg. Barbican Theatre, Londres, 2010.

Écrit — Rédiger un portrait, insérer un récit selon un point de vue

SOCLE C1, C5

1. Rédiger un portrait en illustrant un trait de caractère

SUJET 1 : En prenant exemple sur l'extrait proposé, rédigez le portrait d'un personnage de votre choix en faisant ressortir son principal trait de caractère.

Les lecteurs ont peut-être, dès sa première apparition, conservé quelque souvenir de cette Thénardier **grande**, blonde, **rouge**, **grasse**, **charnue**, **carrée**, **énorme** et agile ; elle tenait, nous l'avons dit, **de la race de ces sauvagesses colosses qui se cambrent dans les foires avec des pavés pendus à leur chevelure**. Elle faisait tout dans le logis, les lits, les chambres, la lessive, la cuisine, la pluie, le beau temps, **le diable**. Elle avait pour tout domestique Cosette ; une souris au service d'**un éléphant**. **Tout tremblait au son de sa voix**, les vitres, les meubles et les gens. Son **large visage**, criblé de taches de rousseur, avait **l'aspect d'une écumoire**. Elle avait **de la barbe**. C'était **l'idéal d'un fort de la halle[1] habillé en fille. Elle jurait splendidement ; elle se vantait de casser une noix d'un coup de poing.**

V. Hugo, *Les Misérables*, 1862.

1. personne très robuste qui transporte des marchandises.

Les Misérables, comédie musicale d'A. Boublil et C. M. Schönberg. Barbican Theatre, Londres, 2010.

Préparation

- Observez les passages en gras : quel est le trait de caractère mis en évidence ? Par quelles figures de style ?

Consignes d'écriture

- Choisissez un trait de caractère marquant de votre personnage.
- Veillez à proposer des éléments qui souligneront ce trait de caractère, notamment des figures de style comme la comparaison, la métaphore, l'hyperbole ou l'emphase.

2. Insérer un récit dans un dialogue en respectant un point de vue

SUJET 2 : Rédigez des passages de récit que vous intercalerez à l'intérieur du dialogue suivant, extrait des *Misérables*. Vous choisirez soit le point de vue de Cosette, soit celui de Jean Valjean.

Cosette, envoyée de nuit chercher de l'eau à la source par Mme Thénardier, rencontre pour la première fois Jean Valjean.

L'homme lui adressa la parole. Il parlait d'une voix grave et presque basse.

« Mon enfant, c'est bien lourd pour vous ce que vous portez là. »

Cosette leva la tête et répondit :

« Oui, monsieur.

– Donnez, reprit l'homme. Je vais vous le porter. »

Cosette lâcha le seau. L'homme se mit à cheminer près d'elle.

« C'est très lourd en effet », dit-il entre ses dents. Puis il ajouta :

« Petite, quel âge as-tu ?

– Huit ans, monsieur.

– Et viens-tu de loin comme cela ?

– De la source qui est dans le bois.

– Et est-ce loin où tu vas ?

– À un bon quart d'heure d'ici. »

V. Hugo, *Les Misérables*, 1862.

Préparation

- Rappelez-vous ce que vous avez appris de chacun des personnages ; listez leurs caractéristiques physiques et leurs principaux traits de caractère.

Consignes d'écriture

- Si vous choisissez le point de vue de Cosette, exprimez les sentiments de la fillette et présentez Jean Valjean tel qu'il lui apparaît.
- Si vous choisissez le point de vue de Jean Valjean, exprimez les sentiments du héros et présentez Cosette telle qu'elle lui apparaît.
- Insérez les passages narratifs et descriptifs en plusieurs endroits, pour faire alterner dialogue et récit.
- Pensez à introduire chaque étape du portrait par une phrase qui la justifie. Par exemple : *Cosette leva la tête pour regarder l'inconnu. Il était…*

Oral

Commenter et présenter des images

SOCLE C1, C5

1. Commenter une image

SUJET 1 : Choisissez celle des images qui, pour vous, rend le mieux compte du personnage de Cosette. Décrivez oralement l'image et justifiez votre choix.

ÉMILE-ANTOINE BAYARD (1837-1891), illustration des *Misérables*. BnF, Paris.

EDMOND BACOT, *Cosette et son seau*, 1862-1863. Maison de Victor Hugo, Paris.

Préparation

- Trouvez un ordre pour décrire l'image, en partant du principe que vos interlocuteurs n'ont pas l'image sous les yeux et qu'ils doivent se la représenter par votre seule description.
- Listez des arguments pour justifier votre choix ; gardez les plus convaincants pour la fin.

Critères de réussite

- Exprimez-vous sans lire vos notes.
- Adoptez un ton convaincant.

2. Créer et présenter une publicité

SUJET 2 : En vous inspirant de la publicité p. 244, créez et présentez oralement une affiche publicitaire dans laquelle vous ferez intervenir un personnage des *Misérables*.

Préparation

- Choisissez un personnage des *Misérables* et listez ses principales caractéristiques.
- Choisissez un objet ou un service que ce personnage pourrait faire valoir dans une publicité.
- Réalisez votre affiche : image (dessin, photographie, collage…) et texte, si possible en interdisciplinarité avec votre professeur d'arts plastiques.

Présentation

- Présentez votre affiche à la classe en expliquant votre démarche et en justifiant vos choix.
- Entraînez-vous à parler oralement sans notes, de manière audible et claire.

Littérature de jeunesse, romans sociaux

A.-L. Bondoux
Le Temps des Miracles
© Millésime, Bayard Jeunesse, 2009.
Le périple de réfugiés fuyant la guerre de Géorgie pour atteindre la France.

Y.-M. Clément
Le Prix de la liberté
© Le Livre de Poche Jeunesse, Hachette Jeunesse, 2006.
Récit d'esclavages modernes dans un pays nord-africain indéfini.

P. Delerm
En pleine lucarne
© Folio Junior, Éditions Gallimard Jeunesse, 2009.
L'insertion difficile, en France, d'un jeune Turc passionné de football.

Le cercle des lecteurs

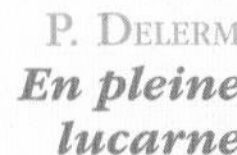

Rédaction d'un article de magazine

– Lisez un de ces romans sociaux de littérature de jeunesse.

– Rédigez un article de magazine d'une vingtaine de lignes dans lequel vous indiquerez en quoi le livre est un roman social (qui montre des problèmes sociaux) et pourquoi il faut le lire ou non.

– Choisissez un titre pour votre article.

– Rédigez un chapeau de présentation avec une écriture différente du reste de l'article.

– Présentez votre article en colonnes, comme dans un magazine.

– Si possible, réalisez votre article avec un traitement de texte. B2i

– Intégrez une iconographie (dessin, photographie, collage...) en lien avec votre article.

– Affichez en classe ou au C.D.I. les trois articles les plus convaincants.

B. Lowery
La Cicatrice
© J'ai lu, 1999.
Un roman sur le thème de la différence et du regard des autres.

S. Gordon
En attendant la pluie
© Folio Junior, Éditions Gallimard Jeunesse, 1998.
Comment un enfant noir et un enfant blanc peuvent-ils rester amis dans l'Afrique du Sud de l'apartheid ?

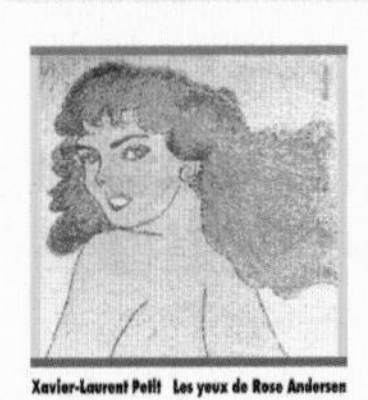

X.-L. Petit
Les Yeux de Rose Andersen
© Medium, L'Ecole des Loisirs, 2003.
Une famille mexicaine s'exile vers la grande ville pour tenter d'échapper à la misère.

Évaluations

Révisions

Faire le point
→ voir p. 255

Lexique
→ voir p. 256

Orthographe et conjugaison
→ voir p. 257

Grammaire
→ voir p. 258

Jean Valjean et Marius dans les égouts

Sur la barricade de Gavroche, ont combattu côte à côte, sans se connaître, Jean Valjean et Marius qui est amoureux de Cosette. Après l'assaut donné à la barricade et après la mort de Gavroche, Jean Valjean fuit les militaires en passant par les égouts et en emportant Marius, qui est blessé.

Jean Valjean avait repris sa marche et ne s'était plus arrêté.

Cette marche était de plus en plus laborieuse. Le niveau de ces voûtes varie ; la hauteur moyenne est d'environ cinq pieds six pouces, et a été calculée pour la taille d'un homme ; Jean Valjean était forcé de se courber pour ne pas heurter Marius à la voûte ; il fallait à chaque instant se baisser, puis se redresser, tâter sans cesse le mur. La moiteur des pierres et la viscosité[1] du radier[2] en faisaient de mauvais points d'appui, soit pour la main, soit pour le pied. Il trébuchait dans le hideux fumier de la ville. Les reflets intermittents des soupiraux[3] n'apparaissaient qu'à de très longs intervalles, et si blêmes[4] que le plein soleil y semblait clair de lune ; tout le reste était brouillard, miasme[5], opacité[6], noirceur. Jean Valjean avait faim et soif ; soif surtout ; et c'est là, comme la mer, un lieu plein d'eau où l'on ne peut boire. Sa force, qui était prodigieuse, on le sait, et fort peu diminuée par l'âge, grâce à sa vie chaste[7] et sobre, commençait pourtant à fléchir. La fatigue lui venait, et la force en décroissant faisait croître le poids du fardeau. Marius, mort peut-être, pesait comme pèsent les corps inertes. Jean Valjean le soutenait de façon que la poitrine ne fût pas gênée et que la respiration pût toujours passer le mieux possible. Il sentait entre ses jambes le glissement rapide des rats. Un d'eux fut effaré au point de le mordre. Il lui venait de temps en temps par les bavettes[8] des bouches de l'égout un souffle d'air frais qui le ranimait.

Il pouvait être trois heures de l'après-midi quand il arriva à l'égout de ceinture[9]. [...] Jean Valjean, avec la douceur de mouvements qu'aurait un frère pour son frère blessé, déposa Marius sur la banquette de l'égout. La face sanglante de Marius apparut sous la lueur blanche du soupirail comme au fond d'une tombe. Il avait les yeux fermés, les cheveux appliqués aux tempes comme des pinceaux séchés dans de la couleur rouge, les mains pendantes et mortes, les membres froids, du sang coagulé au coin des lèvres. Un caillot de sang s'était amassé dans le nœud de la cravate ; la chemise entrait dans les plaies, le drap de l'habit frottait les coupures béantes de la chair vive. Jean Valjean, écartant du bout des doigts les vêtements, lui posa la main sur la poitrine ; le cœur battait encore. Jean Valjean déchira sa chemise, banda les plaies le mieux qu'il put et arrêta le sang qui coulait [...].

Victor Hugo, *Les Misérables* (cinquième partie, III, 4), 1862.

1. caractère gluant.
2. surface d'un sol.
3. ouvertures donnant de la lumière à un sous-sol.
4. pâles.
5. mauvaise odeur.
6. absence de visibilité.
7. sage.
8. lamelles de fonte.
9. qui fait le tour de Paris.

Jean Gabin dans *Les Misérables* de Jean-Paul Le Chanois, 1958.

Histoire des Arts SOCLE C5

A. Comparez les deux photographies de films : quels sont leurs points communs ? Quels aspects du texte mettent-ils en lumière ?

B. Observez les mains des personnages dans le film de J.-P. Le Chanois : que peuvent-elles symboliser ?

C. Selon vous, quel sentiment chacun des deux interprètes de Jean Valjean a-t-il cherché à exprimer ? Cela correspond-il à votre lecture du texte ? Expliquez.

Gérard Depardieu dans *Les Misérables* de Josée Dayan, 2000.

Comprendre le texte SOCLE C1

Une entreprise périlleuse

1. a. Où l'action se passe-t-elle ? **b.** Ce lieu est-il accueillant ou hostile ? Justifiez en relevant des éléments dans les lignes 2 à 20.

2. L. 11 à 13 : **a.** Quelles sont les deux figures de style que vous repérez ? **b.** Quelle impression confirment-elles ?

3. a. L. 2 à 20 : quel est le temps dominant ? Quelle en est la valeur ici ? **b.** Dans le second paragraphe, qu'est-ce qui rend l'épreuve difficile pour Jean Valjean ? Proposez plusieurs éléments de réponse.

Un misérable héroïque

4. En quoi la situation de Jean Valjean est-elle celle d'un « misérable » ? Expliquez en citant des expressions du texte.

5. a. Quel acte héroïque Jean Valjean accomplit-il ?
b. De quelles qualités physique et morale fait-il preuve ? Justifiez.

6. L. 23 à 36, quelles sont les couleurs dominantes ? Que symbolisent-elles ?

Dégager l'essentiel du texte SOCLE C1

7. Le personnage de Jean Valjean dans cet extrait vous apparaît-il conforme à ce que vous en avez appris au fil des textes ? Expliquez.

Rédiger un texte cohérent SOCLE C1, C5

SUJET : À la manière de V. Hugo, imaginez une scène dans laquelle un personnage se conduira de manière héroïque.

Consignes d'écriture :

- Présentez rapidement la situation.
- Décrivez le cadre de l'action.
- Montrez votre personnage en action.
- Rédigez votre texte au présent ou au passé.
- Employez des figures de style propres à souligner l'héroïsme de votre personnage.

11 Dossier Histoire des arts

Arts, ruptures, continuités

Au Bonheur des Dames ou la peinture de la modernité

→ *Entrer dans l'univers d'un roman de Zola par des parcours Internet* B2i SOCLE C5

→ *Comprendre le roman et ses personnages*

→ *Établir des liens entre le roman et d'autres formes d'art* SOCLE C5

Un cadre nouveau : un grand magasin parisien

 **Parcours Internet**

La méthode de Zola

Avant de lire le roman, découvrez les dossiers préparatoires de Zola sur le site de la BnF, dans l'exposition consacrée au roman *Au Bonheur des Dames* (http://expositions.bnf.fr/zola/bonheur/dossierprep/index.htm).

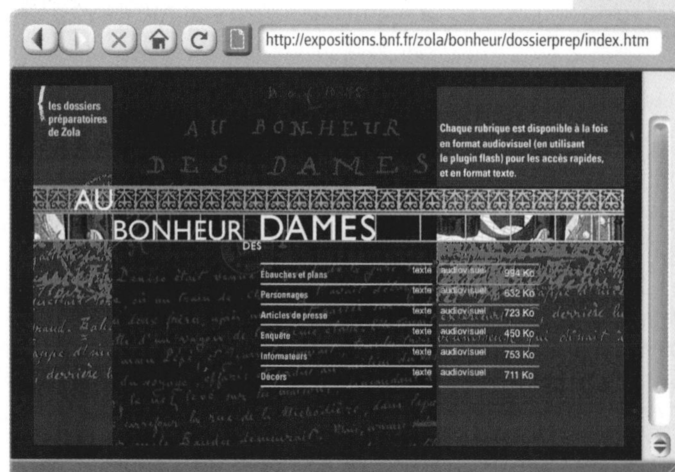

Consultez les six rubriques ; lisez les textes, consultez les documents iconographiques et audiovisuels pour répondre aux questions suivantes.

1. Comment Zola a-t-il procédé :
– pour élaborer son plan ? Quels sont les temps forts de ce plan ?
– pour construire ses personnages ?
– pour mener son enquête ?
– pour créer le décor du roman ?

2. a. De quel magasin réel Zola s'est-il inspiré ?
b. Feuilletez le dossier et relevez les noms d'autres grands magasins de la fin du XIXe siècle.

Camille Pissarro, *L'Avenue de l'Opéra, soleil, matinée d'hiver en 1898 à Paris*, 1898. Musée des Beaux-Arts, Reims.

« En voilà un magasin ! »

Denise était venue à pied de la gare Saint-Lazare, où un train de Cherbourg l'avait débarquée avec ses deux frères, après une nuit passée sur la dure banquette d'un wagon de troisième classe. Elle tenait par la main Pépé, et Jean la suivait, tous les trois brisés du voyage, effarés et perdus au milieu du vaste Paris, le nez levé sur les maisons, demandant à chaque carrefour la rue de la Michodière, dans laquelle leur oncle Baudu demeurait. Mais, comme elle débouchait enfin sur la place Gaillon, la jeune fille s'arrêta net de surprise.

– Oh ! dit-elle, regarde un peu, Jean ! [...] En voilà un magasin ! [...]

– *Au Bonheur des Dames*, lut Jean avec son rire tendre de bel adolescent, qui avait eu déjà une histoire de femme à Valognes. Hein ? c'est gentil, c'est ça qui doit faire courir le monde !

Mais Denise demeurait absorbée devant l'étalage de la porte centrale. Il y avait là, au plein air de la rue, sur le trottoir même, un éboulement de marchandises à bon marché, la tentation de la porte, les occasions qui arrêtaient les clientes au passage. Cela partait de haut, des pièces de lainage et de draperie, mérinos, cheviottes, molletons, tombaient de l'entresol, flottantes comme des drapeaux, et dont les tons neutres, gris ardoise, bleu marine, vert olive, étaient coupés par les pancartes blanches des étiquettes.

Émile Zola, *Au Bonheur des Dames*, Chapitre I, 1883.

Charles Marville (1816-1878), *Rue de la Michodière*. Musée Carnavalet, Paris.

1. a. Où la scène se situe-t-elle ? b. De quand le roman date-t-il ?
2. a. À travers le regard de quels personnages le lecteur découvre-t-il le magasin *Au Bonheur des Dames* ? b. Quel effet ce magasin produit-il sur les personnages ? Pourquoi ? c. Expliquez ce que peut signifier le nom du magasin.
3. Observez le tableau de C. Pissarro : à quel groupe nominal du texte fait-il écho ?
4. D'après la photographie, décrivez la rue où loge le personnage de Baudu.

Affiche pour les magasins Crespin Dufayel. XIXe siècle. Musée des Arts décoratifs, Paris.

Histoire des Arts SOCLE C5

Le baron Haussmann (1809-1891), préfet de la Seine de 1853 à 1870, a dirigé les transformations de Paris sous le Second Empire en élaborant un vaste plan de travaux de rénovation : il a fait ouvrir de larges boulevards et a imposé un style architectural prestigieux pour les immeubles qui caractérisent encore une partie de Paris.

1. Quel personnage incarne le baron Haussmann dans le roman ?

2. Quelles caractéristiques du Paris du Second Empire É. Zola évoque-t-il dans ce passage ?

Le Paris d'Haussmann

Cependant, tout le quartier causait de la grande voie qu'on allait ouvrir, du nouvel Opéra à la Bourse, sous le nom de rue du Dix-Décembre. Les jugements d'expropriation[1] étaient rendus, deux bandes de démolisseurs attaquaient déjà la trouée, aux deux bouts, l'une abattant les vieux hôtels de la rue Louis-le-Grand, l'autre renversant les murs légers de l'ancien Vaudeville ; et l'on entendait les pioches qui se rapprochaient, la rue de Choiseul et la rue de la Michodière se passionnaient pour leurs maisons condamnées. Avant quinze jours, la trouée devait les éventrer d'une large entaille, pleine de vacarme et de soleil.

Mais ce qui remuait le quartier plus encore, c'étaient les travaux entrepris au *Bonheur des dames*. On parlait d'agrandissements considérables, de magasins gigantesques tenant les trois façades des rues de la Michodière, Neuve-Saint-Augustin et Monsigny. Mouret, disait-on, avait traité avec le baron Hartmann, président du Crédit Immobilier, et il occuperait tout le pâté de maisons, sauf la façade future de la rue du Dix-Décembre, où le baron voulait construire une concurrence au Grand-Hôtel.

ÉMILE ZOLA, *Au Bonheur des Dames*, Chapitre VIII, 1883.

1. procédure pour expulser quelqu'un de chez lui.

B2i › Parcours Internet

L'architecture du magasin

Pour mieux comprendre le roman, visionnez l'architecture du magasin. Pour cela, consultez la rubrique « Le grand magasin », de l'exposition de la BnF (http://expositions.bnf.fr/zola/bonheur/borne/accueil.htm). Passez lentement la souris sur les différents étages ; quand une partie s'affiche en orange, cliquez sur le dessin pour accéder à l'image détaillée ; cliquez alors sur la loupe en bas à droite pour agrandir l'image (dans certaines configurations, la loupe permet d'écouter le passage du roman correspondant à chaque partie du magasin).

Qu'est-ce qui caractérise l'architecture des grands magasins au XIXe siècle : à l'extérieur ? à l'intérieur ?

Paris, la ville lumière

De l'autre côté de la chaussée, le *Bonheur des Dames* allumait les files profondes de ses becs de gaz. Et [Denise] se rapprocha, attirée de nouveau et comme réchauffée à ce foyer d'ardente lumière. [...] À cette heure de nuit, avec son éclat de fournaise, le *Bonheur des Dames* [...] flambait comme un phare, il semblait à lui seul la lumière et la vie de la cité.

ÉMILE ZOLA, *Au Bonheur des Dames*, Chapitre I, 1883.

Histoire des Arts SOCLE C5

A. Qu'est-ce qui caractérise la composition et les couleurs de ce tableau de C. Pissarro ?

B. En quoi ce tableau illustre-t-il chacun des deux extraits du roman ?

→ L'ABC de l'image – p. 276

CAMILLE PISSARRO, *Boulevard Montmartre, effet de nuit*, 1897. National Gallery, Londres.

Des personnages modernes

Les personnages, âme du magasin

Le couple central
Octave Mouret, le directeur du magasin,
Denise Baudu, la vendeuse.

L'entourage de Mouret
Le baron Hartmann,
Mme Desforges, Vallagnosc.

Les boutiquiers
La famille Baudu,
M. Bourras.

Le monde du *Bonheur des Dames*

Les chefs du personnel
Bourdoncle, Bouthemont, l'homme, le père Jouve.

Les vendeurs
Deloche, Favier, Hutin,
Mignot, Robineau.

Les vendeuses
Denise Baudu, Mme Aurélie,
Pauline Cugnot, Clara Prunaire.

Les clientes
Mme Desforges,
Mme de Boves,
Mme Marty,
Mme Bourdelais.

1. a. Quels sont les deux types de « dames » qui apparaissent dans le roman ? **b.** Listez les personnages féminins : quels sont les deux personnages qui semblent avoir un rôle important ?

2. En quoi le couple central peut-il évoquer des personnages de contes de fées ?

Les vendeuses

Puis, [Denise] passa l'uniforme de son rayon, une robe de soie noire, qu'on avait retouchée pour elle, et qui l'attendait sur le lit. Cette robe était encore un peu grande, trop large aux épaules. Mais elle se hâtait tellement, dans son émotion, qu'elle ne s'arrêta point à ces détails de coquetterie. Jamais elle n'avait porté de la soie. [...]

Ces demoiselles [étaient] vêtues de leur soie réglementaire, promenant leurs grâces marchandes, sans jamais s'asseoir sur la douzaine de chaises réservées aux clientes seules. Toutes avaient, entre deux boutonnières du corsage, comme piqué dans la poitrine, un grand crayon qui se dressait, la pointe en l'air ; et l'on apercevait, sortant à demi d'une poche, la tache blanche du cahier de notes de débit. Plusieurs risquaient des bijoux, des bagues, des broches, des chaînes ; mais leur coquetterie, le luxe dont elles luttaient, dans l'uniformité imposée de leur toilette, était leurs cheveux nus, des cheveux débordants, augmentés de nattes et de chignons quand ils ne suffisaient pas, peignés, frisés, étalés.

ÉMILE ZOLA, *Au Bonheur des Dames*, Chapitre IV, 1883.

JEAN BÉRAUD (1849-1935),
La Modiste sur les Champs-Élysées.
Collection privée.

1. À quoi reconnaît-on les vendeuses dans le magasin ?

2. Leur apparence est-elle celle de femmes du peuple ? Expliquez.

3. Comparez la modiste de J. Béraud et les vendeuses d'É. Zola.

Les clientes

Et, à cette heure dernière, au milieu de cet air surchauffé, les femmes régnaient. Elles avaient pris d'assaut le magasin, elles y campaient comme en pays conquis, ainsi qu'une horde envahissante, installée dans la débâcle des marchandises. Les vendeurs, assourdis, brisés, n'étaient plus que leurs choses, dont elles disposaient avec une tyrannie de souveraines. De grosses dames bousculaient le monde. Les plus minces tenaient de la place, devenaient arrogantes. Toutes, la tête haute, les gestes brusques, étaient chez elles, sans politesse les unes pour les autres, usant de la maison tant qu'elles pouvaient, jusqu'à en emporter la poussière des murs.

Émile Zola, *Au Bonheur des Dames*, Chapitre IX, 1883.

Edgar Degas, *Chez la modiste*, 1882.
Art Institute, Chicago.

Madame Marty demeurait seule avec sa fille, dans la crise finale de la vente. Elle ne pouvait s'en détacher, lasse à mourir, retenue par des liens si forts, qu'elle revenait toujours sur ses pas, sans besoin, battant les rayons de sa curiosité inassouvie. [...] Maintenant, Madame Marty avait la face animée et nerveuse d'une enfant qui a bu du vin pur. Entrée les yeux clairs, la peau fraîche du froid de la rue, elle s'était lentement brûlé la vue et le teint, au spectacle de ce luxe, de ces couleurs violentes, dont le galop continu irritait sa passion. Lorsqu'elle partit enfin, après avoir dit qu'elle paierait chez elle, terrifiée par le chiffre de sa facture, elle avait les traits tirés, les yeux élargis d'une malade.

Émile Zola, *Au Bonheur des Dames*, Chapitre IX, 1883.

1. Quelle est la métaphore filée dans le premier extrait sur les clientes ? Quelle image moderne des femmes donne-t-elle ?

2. Quelle image des clientes modernes É. Zola donne-t-il à travers le personnage de Mme Marty ? Quel danger le magasin leur fait-il courir ?

3. L'image de la cliente que donne le tableau d'E. Degas est-elle identique à celle que suggère le texte d'É. Zola ? Justifiez.

Mouret, un homme d'affaires inventif

Mouret [...], nuit et jour, se creusait la tête, à la recherche de trouvailles nouvelles. Déjà, voulant éviter la fatigue des étages aux dames délicates, il avait fait installer deux ascenseurs, capitonnés de velours. Puis, il venait d'ouvrir un buffet, où l'on donnait gratuitement des sirops et des biscuits, et un salon de lecture, une galerie monumentale, décorée avec un luxe trop riche, dans laquelle il risquait même des expositions de tableaux. Mais son idée la plus profonde était, chez la femme sans coquetterie, de conquérir la mère par l'enfant ; il ne perdait aucune force, spéculait[1] sur tous les sentiments, créait des rayons pour petits garçons et fillettes, arrêtait les mamans au passage, en offrant aux bébés des images et des ballons. Un trait de génie que cette prime des ballons, distribuée à chaque acheteuse, des ballons rouges, à la fine peau de caoutchouc, portant en grosses lettres le nom du magasin, et qui, tenus au bout d'un fil, voyageant en l'air, promenaient par les rues une réclame vivante !

À suivre...

1. tirait profit de.

Affiche publicitaire *À la Place Clichy*, vers 1895. Musée Carnavalet, Paris.

La grande puissance était surtout la publicité. Mouret en arrivait à dépenser par an trois cent mille francs de catalogues, d'annonces et d'affiches. Pour sa mise en vente des nouveautés d'été, il avait lancé deux cent mille catalogues, dont cinquante mille à l'étranger, traduits dans toutes les langues. Maintenant, il les faisait illustrer de gravures, il les accompagnait même d'échantillons, collés sur les feuilles. C'était un débordement d'étalages, le *Bonheur des Dames* sautait aux yeux du monde entier, envahissait les murailles, les journaux, jusqu'aux rideaux des théâtres. Il professait que la femme est sans force contre la réclame, qu'elle finit fatalement par aller au bruit.

Du reste, il lui tendait des pièges plus savants, il l'analysait en grand moraliste. Ainsi, il avait découvert qu'elle ne résistait pas au bon marché, qu'elle achetait sans besoin, quand elle croyait conclure une affaire avantageuse ; et, sur cette observation, il basait son système des diminutions de prix, il baissait progressivement les articles non vendus, préférant les vendre à perte, fidèle au principe du renouvellement rapide des marchandises. Puis, il avait pénétré plus avant encore dans le cœur de la femme, il venait d'imaginer « les rendus » [...]. « Prenez toujours, madame : vous nous rendrez l'article, s'il cesse de vous plaire. »

Émile Zola, *Au Bonheur des Dames*, Chapitre IX, 1883.

Albert Guillaume, *Au Bonheur des Dames*, 1906, dans la revue satirique *Le Rire*.

1. Quelles sont les « trouvailles » commerciales de Mouret ?

2. Quels supports publicitaires invente-t-il ? Lesquels retrouve-t-on sur l'illustration ci-dessous parue dans *Le Figaro* du 25 décembre 1885 ?

3. Résumez les deux « pièges plus savants » imaginés par Mouret.

Extrait de l'album du *Figaro*, 1885. Musée Carnavalet, Paris.

B2i **Parcours Internet**

La publicité

Rendez-vous sur « Le feuilletoir des publicités » de Jules Chéret, à l'adresse suivante : http://expositions.bnf.fr/zola/bonheur/feuil/cheret/index.htm

Observez dans les affiches les couleurs, la mise en page, la place du texte : quelles ressemblances entre les affiches remarquez-vous ?

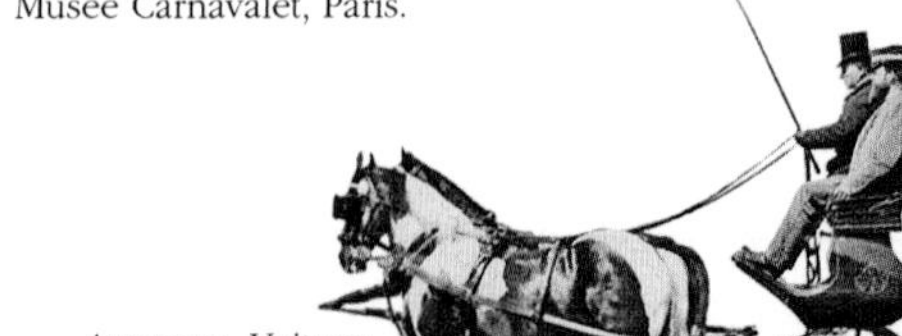

Anonyme, Voiture à cheval de livraison, fin du XIXe siècle. Coll. Selva, Paris.

La trame du roman

Pour une lecture autonome du roman

Au fil de votre lecture des chapitres, dont votre professeur vous indiquera le rythme, complétez les phrases dans le tableau ci-dessous sur un document qu'il (elle) vous fournira, afin de suivre les trois rubriques qui constituent la trame du roman.

La trame du roman

	Le roman du magasin *Au Bonheur des Dames*	Le parcours de Denise	L'histoire d'amour entre Denise et Mouret
1	Présentation extérieure du magasin.	Denise se présente au magasin.	
2	Mouret expose ses idées sur le commerce.	Denise est recrutée par … .	Denise et Mouret charmés par un échange de regards.
3	Mouret expose ses projets … .		
4	La grande vente des … d'hiver.	Première journée de Denise au magasin.	
5	La vie secrète des … .	Denise est convoquée par Mouret à propos de … .	Mouret éprouve un sentiment de … pour Denise.
6	Morte-saison. Vie des vendeurs.	Denise … par le second de Mouret.	… de Mouret devant cette décision qu'il entérine cependant.
7	Projet d'agrandissement, rachat du petit commerce de … , guerre économique avec … .	Denise, employée chez Robineau, … de retravailler chez Mouret.	Mouret rencontre Denise et, troublé, … son renvoi.
8	… du magasin.	Denise … chez Mouret avec un … salaire.	
9	… du nouveau magasin, Mouret explique sa politique … .	Denise … par Mouret.	Denise, troublée, résiste aux avances de Mouret.
10	L'inventaire.		Denise, amoureuse de Mouret, refuse … .
11	L'essayage. Création d'un commerce concurrent grâce à Mme … .		Mme Desforges … de Denise.
12	Construction de … .	Denise, nommée première, conseille à Mouret … .	Denise refuse les avances de Mouret qui est … des vendeurs.
13	… des petits commerçants qui se sont révoltés contre Mouret.		Denise … entre son amour pour Mouret et sa compassion pour les petits commerçants.
14	… de la nouvelle façade.		Denise finit par avouer son amour à Mouret qui … .

11 Dossier Histoire des arts

Une écriture visuelle en lien avec les arts de l'époque

Une écriture impressionniste

C'était l'exposition des ombrelles. Toutes ouvertes, arrondies comme des boucliers, elles couvraient le hall, de la baie vitrée du plafond à la cimaise de chêne verni. Autour des arcades des étages supérieurs, elles dessinaient des festons ; le long des colonnes, elles descendaient en guirlandes ; sur les balustrades des galeries, jusque sur les rampes des escaliers, elles filaient en lignes serrées ; et, partout, rangées symétriquement, bariolant les murs de rouge, de vert et de jaune, elles semblaient de grandes lanternes vénitiennes, allumées pour quelque fête colossale. Dans les angles, il y avait des motifs compliqués, des étoiles faites d'ombrelles à trente-neuf sous, dont les teintes claires, bleu pâle, blanc crème, rose tendre, brûlaient avec une douceur de veilleuse.

ÉMILE ZOLA, *Au Bonheur des Dames*, Chapitre IX, 1883.

CLAUDE MONET, *Essai de figure en plein air : femme à l'ombrelle tournée vers la droite*, 1886. Musée d'Orsay, Paris.

Histoire des Arts SOCLE C5

A. Quel peintre a réalisé ce tableau ? Cherchez quelques informations à son sujet.

B. Qu'est-ce qui caractérise cette peinture impressionniste : des contours nets ou flous ? De petites touches ou de grands aplats de couleurs ?

C. Quelles sont les couleurs dominantes du tableau ?

D. Quel rôle le peintre a-t-il accordé à la lumière ?

E. Quels liens pouvez-vous établir entre ce tableau et l'extrait du roman ci-dessus ?

→ L'ABC de l'image – p. 276

Une écriture métaphorique

Du dehors ne venaient plus que les roulements des derniers fiacres, au milieu de la voix empâtée de Paris, un ronflement d'ogre repu, digérant les toiles et les draps, les soies et les dentelles, dont on le gavait depuis le matin. À l'intérieur, sous le flamboiement des becs de gaz, qui, brûlant dans le crépuscule, avaient éclairé les secousses suprêmes de la vente, c'était comme un champ de bataille encore chaud du massacre des tissus. Les vendeurs, harassés de fatigue, campaient parmi la débâcle de leurs casiers et de leurs comptoirs, que paraissait avoir saccagés le souffle furieux d'un ouragan.

ÉMILE ZOLA, *Au Bonheur des Dames*, chapitre IV, 1883.

1. a. Quelle métaphore filée chaque ensemble de mots d'une même couleur met-il en évidence ?
b. Quelle image du magasin ce réseau de métaphores donne-t-il à voir ?

Une écriture qui annonce le cinéma

[Mouret et Bourdoncle] suivirent d'abord la galerie de la rue Neuve-Saint-Augustin, que le blanc occupait d'un bout à l'autre. Rien d'anormal ne les frappa, ils passèrent lentement au milieu des commis respectueux. Puis, ils tournèrent dans la rouennerie et la bonneterie, où le même ordre régnait. [...]

Lorsque madame Desforges levait les yeux, c'était le long des escaliers, sur les ponts volants, autour des rampes de chaque étage, une montée continue et bourdonnante, tout un peuple en l'air, voyageant dans les découpures de l'énorme charpente métallique. [...]

[Mouret] s'arrêta en haut de l'escalier central, il regarda longtemps l'immense nef, où s'écrasait son peuple de femmes. [...]

ÉMILE ZOLA, *Au Bonheur des Dames*, Chapitres II, IX et XIV, 1883.

1. Lequel de ces trois courts extraits est construit comme : **a.** un travelling ; **b.** une plongée ; **c.** une contre-plongée ?

2. Expliquez quelle est l'impression créée par chacune de ces techniques d'écriture.

→ L'ABC de l'image – p. 274 et 279

Vers l'épreuve d'évaluation d'Histoire des Arts

→ *Analyser des documents proposés par le jury*

Le blanc[1]

Le foyer de clarté rayonnait surtout de la galerie centrale, aux rubans et aux fichus[2], à la ganterie et à la soie. Les comptoirs disparaissaient sous le blanc des soies et des rubans, des gants et de fichus. Autour des colonnettes de fer, s'élevaient des bouillonnés de mousseline[3] blanche, noués de place en place par des foulards blancs. Les escaliers étaient garnis de draperies blanches, des draperies de piqué[4] et de basin[5] alternées, qui filaient le long des rampes, entouraient les halls, jusqu'au second étage ; et cette montée du blanc prenait des ailes, se pressait et se perdait, comme une envolée de cygnes. Puis, le blanc retombait des voûtes, une tombée de duvet, une nappe neigeuse en larges flocons : des couvertures blanches, des couvre-pieds blancs, battaient l'air, accrochés, pareils à des bannières d'église ; de longs jets de guipure[6] traversaient, semblaient suspendre des essaims de papillons blancs, au bourdonnement immobile.

ÉMILE ZOLA, *Au Bonheur des Dames*, Chapitre XIV, 1883.

1. linge de maison. 2. foulards. 3. tissu très léger. 4. coton épais. 5. étoffe mêlant coton et fil. 6. dentelle.

En vous aidant de ce que vous avez appris dans le dossier, montrez en quoi ce tableau et cet extrait du roman relèvent de l'art impressionniste.

CLAUDE MONET, *Femmes au jardin, à Ville d'Avray*, 1867. Musée d'Orsay, Paris.

Préparation

- Relisez, p. 140, le paragraphe sur la peinture impressionniste.

Méthode

- Situez les deux œuvres dans leur époque et dans leur contexte.
- Étudiez :
  – l'écriture de l'extrait ;
  – la lumière et les couleurs du tableau.

L'ABC de l'image

comme angle de prise de vue

En prenant comme référence la ligne d'horizon, si :

- on regarde un personnage d'en haut, c'est une **plongée** ❶ ;
- on se place à sa hauteur, c'est un **plan frontal** ❷ ;
- on le regarde d'en bas, c'est une **contre-plongée** ❸.

2

3

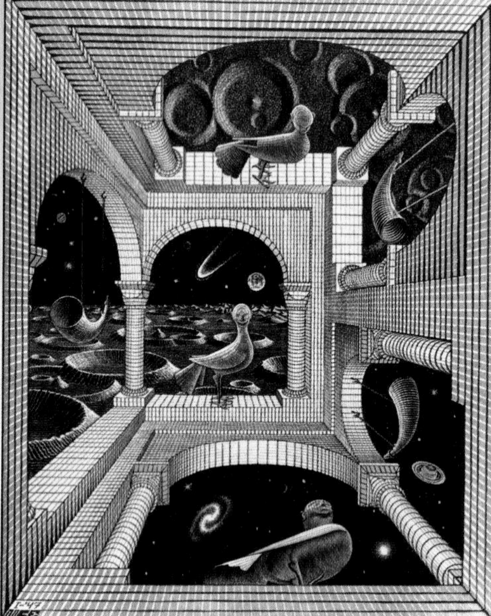

MAURITS CORNELIS ESCHER, *Un autre monde*, 1947.

Exercice 1

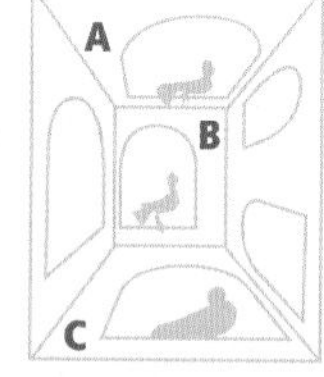

1. Recopiez et complétez : L'oiseau A est vu en ..., le B en ... et le C en ... .
2. En quoi ces trois angles de prise de vue expliquent-ils le titre de la gravure ?

Exercice 2

1. Quel est l'angle de prise de vue utilisé par C. Monet ?
2. Pourquoi, selon vous, le peintre a-t-il choisi cet angle de vue ?

CLAUDE MONET, *Boulevard des Capucines*, 1873. Nelson-Atkins Museum of Art, Kansas City.

comme cadrage

On appelle **cadrage** l'action de placer des éléments à l'intérieur du cadre d'une image fixe ou mobile.

- Le **champ** est l'espace contenu dans une image.
- Le **hors-champ** est ce qui n'est pas montré, ce qui est en dehors du cadre de l'image.
- Le **contre-champ** est l'espace diamétralement opposé au champ.

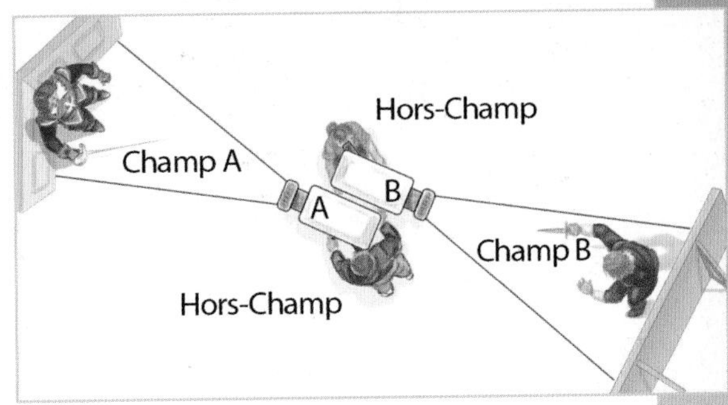

Exercice 3

Parmi les éléments suivants, *la lampe, la tête du personnage, sa main droite, son buste, ses pieds, son coude gauche* : **a.** lesquels sont dans le champ de la caméra ; **b.** lesquels sont hors-champ ?

Exercice 4

1. Quels personnages E. Degas a-t-il représenté dans le cadre de l'image ?
2. Dans la partie supérieure du tableau, qu'est-ce que le peintre a laissé hors-champ ? Pourquoi, selon vous, le peintre a-t-il fait ce choix ?
3. Qui pourrait se trouver en contre-champ du tableau ? Pourquoi, selon vous, le peintre a-t-il fait ce choix ?

Edgar Degas,
L'Orchestre de l'opéra, 1868.
Musée d'Orsay, Paris.

ARNOLD BÖCKLIN, *L'Île des morts*, 1883. Alte Nationalgalerie, Berlin.

comme composition

On appelle **composition** l'organisation des éléments sur une image. La composition fait intervenir :

- des **lignes** (droites et / ou courbes) ;
- des **plans** : **premier plan** (à l'avant de l'image), **deuxième plan**, **troisième plan**..., **arrière-plan** (au fond de l'image).

Exercice 5

1. Dans le tableau d'A. Böcklin, que voit-on au premier plan ? au second plan ?
2. Comment les lignes droites et courbes s'organisent-elles ? Quelle impression créent-elles ?

comme lumière

Un tableau offre souvent un **contraste** entre des **zones d'ombre** et de **lumière**. La lumière souligne l'élément majeur du tableau. Un contraste marqué d'ombre et de lumière se nomme un **clair-obscur**. La **source de lumière** peut se trouver dans le champ du tableau ou bien hors-champ.

Exercice 6

1. Dans *L'Île des morts*, peut-on dire d'où vient la lumière ?
2. Quels éléments du tableau se trouvent dans l'ombre ? dans la lumière ?
3. Pourquoi le peintre a-t-il fait ces choix ?

comme couleurs

On peut classer les couleurs en :

- **couleurs chaudes** qui évoquent le feu, le soleil (jaune, orange, rouge, rose, marron) ;
- **couleurs froides** qui évoquent l'eau, la glace (bleu, vert).
- Les **couleurs limites** (le vert-jaune, le violet) sont classées chaudes ou froides, par contraste avec leur environnement : le violet paraîtra chaud à côté d'un bleu, froid à côté d'un orange.
- Le **noir** est constitué de l'ensemble des autres couleurs.

Lorsque les couleurs **s'opposent**, elles créent des **effets de contrastes**.

Un dégradé de couleurs dans une teinte donnée se nomme un **camaïeu de couleurs**.

Exercice 7

1. Comment les couleurs s'organisent-elles dans le tableau ci-dessus ? Expliquez.
2. Quelle atmosphère cette organisation crée-t-elle ?

P comme **perspective**

La **perspective** est le procédé qui permet de représenter en deux dimensions une vision d'un espace en trois dimensions. Elle permet de distinguer les **différents plans** d'une image, du **premier plan** à l'**arrière-plan**.

Différents procédés permettent de donner l'illusion de la profondeur dans une image en deux dimensions.

En voici quelques exemples :

GUSTAVE CAILLEBOTTE, *Pont de l'Europe*, 1876. Musée du Petit Palais, Genève.

↑ perspective par **lignes de fuite** : le tracé du trottoir et celui de la rambarde, accentué par l'ombre, donnent l'illusion d'une profondeur.

← perspective par **superposition** : les personnages du premier plan masquent en partie ceux des autres plans.

CLAUDE MONET, *Le Déjeuner*, 1868. Städel Museum, Francfort.

↓ perspective par **tailles relatives** : la servante du premier plan est représentée plus grande que celle à l'arrière-plan.

JEAN SIMÉON CHARDIN, *La Pourvoyeuse*, 1739. Musée du Louvre, Paris.

↓ perspective par le **flou à l'arrière-plan** : l'imprécision de l'arrière-plan, par opposition à la netteté du premier plan, crée un effet de profondeur.

JOSEPH MALLORD WILLIAM TURNER, *Soleil levant dans la brume*, 1807. The National Gallery, Londres.

EMANUEL DE WITTE, *Intérieur avec femme au clavecin*, 1665-1670. Musée Boijmans van Beuningen, Rotterdam.

Exercice 8

1. Nommez et expliquez les procédés traduisant la perspective dans le tableau de de Witte.
2. Quelle caractéristique de cet intérieur la perspective souligne-t-elle ?

P comme **plan**

Pour déterminer l'**échelle des plans**, on prend comme référence la place occupée par le corps humain dans l'image.

• **Plan d'ensemble**
Très large, il situe le(s) personnage(s) dans le décor.

• **Plan moyen**
Il montre le(s) personnage(s) en pied.

• **Plan rapproché**
Il cadre le(s) personnage(s) jusqu'au nombril ou à mi-cuisse (plan américain, en référence à l'arme des westerns).

• **Gros plan**
Il montre une partie du corps.

• **Très gros plan**
Il se concentre sur un détail.

Extrait de « Première neige » Guy de Maupassant, *Les Contes en BD*, scénario et dessins de Muriel Sevestre © Éditions Petit à Petit, 2007.

Exercice 9

1. À l'aide de l'échelle des plans, nommez le plan de chaque vignette de cette bande dessinée.
2. Quel effet sur le lecteur le dessinateur cherche-t-il à produire par cette succession de plans ?

comme **proportion**

On appelle **proportions** les rapports de longueur ou de surface entre des éléments d'une même image. Sur le modèle de proportion ci-dessous, la hauteur totale du corps vaut environ sept fois et demie la taille de la tête, une jambe mesure environ trois têtes.

La **caricature** attaque son modèle en **modifiant les proportions** de son corps.

Exercice 10

1. En quoi la caricature d'A. Dumas ne respecte-t-elle pas les proportions habituelles ?
2. Quel est le message de cette caricature ?

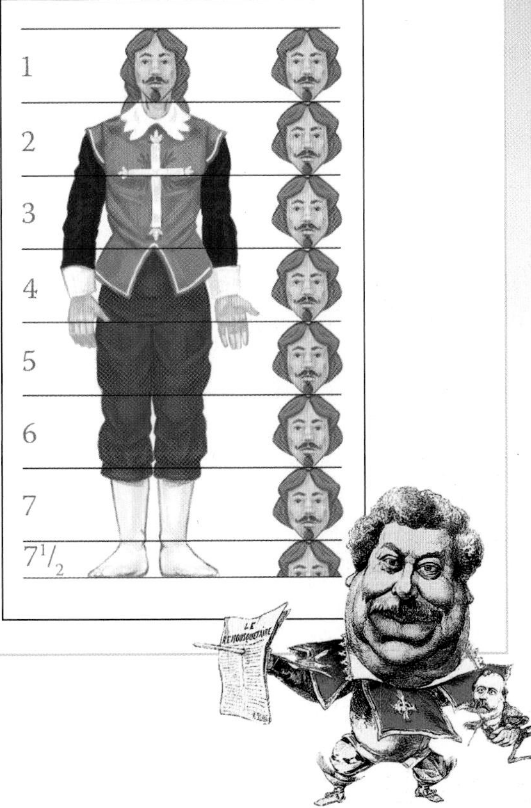

ANDRÉ GILL, caricature d'Alexandre Dumas pour *La Lune*, XIXe siècle.

comme **travelling**

Un **travelling** est une prise d'images effectuée lors d'un déplacement de la caméra sur des rails :

- de gauche à droite ou de droite à gauche, **travelling latéral** ;
- de haut en bas ou de bas en haut, **travelling vertical** ;
- d'arrière en avant, **travelling avant** ;
- d'avant en arrière, **travelling arrière**.

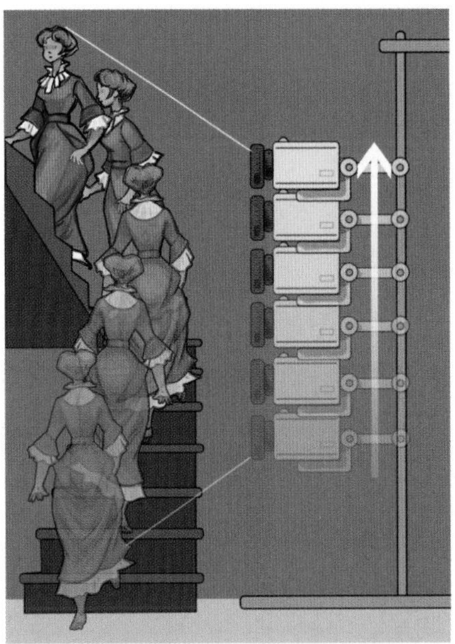

Exercice 11

Quelle sorte de travelling est représentée sur l'image ?

comme **zoom**

Un **zoom** est un **déplacement rapide d'un plan d'ensemble vers un gros plan**. Il permet le recadrage vers un élément (**zoom avant**) ou la découverte d'éléments hors-champ par l'élargissement du cadre (**zoom arrière**).

Grammaire

› Les classes grammaticales et les fonctions

› L'analyse de la phrase

› Les classes de mots

› Les fonctions grammaticales

› La grammaire du verbe

› Initiation à la grammaire du texte

› Initiation à la grammaire de l'énonciation

Orthographe

› Orthographe grammaticale

› Orthographe lexicale

› Homonymes et homophones

Lexique

Tableaux de conjugaison

Tableau des classes grammaticales et des fonctions

La classe grammaticale est l'identité d'un mot. La fonction est le rôle du mot dans la phrase.

> *Je vois le bateau blanc.*

	Classe grammaticale	Fonction
Je	pronom personnel	sujet du verbe *voir*
bateau	nom	COD du verbe *voir*
blanc	adjectif qualificatif	épithète du nom *bateau*

Un dictionnaire renseigne sur la (ou les) classe(s) grammaticale(s) d'un mot, mais pas sur sa fonction qui varie selon les phrases.

Les classes grammaticales

- En général, un mot a une seule classe grammaticale.

> *bateau* (nom)
> *je* (pronom personnel)

- Il existe des mots qui ont plusieurs classes grammaticales, par exemple *le*.

> ***le*** *bateau* (article)
> *Je* ***le*** *vois* (pronom personnel).

Voici la liste des classes grammaticales de mots traitées dans le manuel de 4ᵉ : en noir, les classes grammaticales au programme de 4ᵉ ; en bleu, les révisions de 6ᵉ et de 5ᵉ.

Certaines classes grammaticales de mots sont variables (en genre, en nombre, en personne…) :

- **les verbes**
- **les noms**
- **les pronoms :**
  - personnels
  - possessifs
  - démonstratifs
  - relatifs
  - interrogatifs
  - indéfinis
  - exclamatifs
- **les adjectifs qualificatifs**
- **les articles**
- **les déterminants :**
  - démonstratifs
  - possessifs
  - interrogatifs
  - indéfinis
  - exclamatifs

Certaines classes grammaticales de mots sont invariables :

- **les adverbes :**
  - de négation
  - d'interrogation
  - exclamatifs
- **les conjonctions de coordination**
- **les prépositions**
- **les interjections**
- **les onomatopées**

Les fonctions

Voici la liste des fonctions traitées dans le manuel de 4ᵉ : en noir, les fonctions au programme de 4ᵉ ; en bleu, les révisions de 6ᵉ et de 5ᵉ.

- Fonctions à partir d'un verbe :
  - **sujet**
  - **complément essentiel :**
    complément d'objet direct (COD)
    complément d'objet indirect (COI)
    complément d'objet second (COS)
  - **attribut du sujet** pour les verbes d'état (attributifs)
  - **complément d'agent** pour les verbes à la voix passive
- Fonctions à partir de la phrase :
  - **complément circonstanciel de :**
    lieu, manière, moyen, but, temps, cause, conséquence, comparaison (proposition subordonnée)
- Fonctions à partir d'un nom :
  - **épithète**
  - **complément du nom**
  - **complément de l'antécédent** (pour la proposition subordonnée relative)
  - apposition
- Fonctions à partir d'un adjectif :
  - **complément de l'adjectif**

Écrire

À propos de cette image, rédigez deux phrases. Précisez la classe grammaticale et la fonction de quatre mots.

GUSTAVE CAILLEBOTTE, *Canotier en chapeau haut de forme*, 1877-1878. Collection privée.

Réviser la phrase

Consolider les acquis

> La phrase

Ex. 1 et 2

• La phrase est constituée d'un ou plusieurs mots qui forme(nt) une unité de sens.

• Elle commence par une majuscule et se termine par un signe de ponctuation forte : un point, un point d'interrogation ou un point d'exclamation. Une pause forte permet de la délimiter à l'oral.

> *Je lis des nouvelles.*
> *Lis-tu des nouvelles ?*
> *Tu lis beaucoup !*

> La phrase verbale

Ex. 3, 4, 7 et 11

• Le plus souvent, la phrase est organisée autour d'un verbe noyau : c'est la phrase verbale. Elle peut se réduire à un verbe conjugué à l'impératif.

> *Il avance.*
> *Avance.*

> La phrase non verbale

Ex. 3 à 6

• Il existe des phrases qui ne sont pas organisées autour d'un verbe : ce sont les phrases non verbales.

• Certaines se réduisent à :

– une interjection ;
> *Hélas !*

– une onomatopée ;
> *Vlan !*

– une apostrophe ;
> *Monsieur !*

– un mot-phrase.
> *Non.*

• Quand elles s'organisent autour d'un nom noyau, ce sont des phrases nominales. On les trouve notamment dans les articles de dictionnaires, comme titres d'œuvres ou d'articles, ou sur des panneaux de signalisation.

> Les **Contes** de la bécasse.
> ***Silence*** *!*
> ***Défense*** *de marcher sur la pelouse.*

> La phrase simple

Ex. 8 et 9

• La phrase simple s'organise autour d'un seul verbe, conjugué à un mode personnel.

> *Javert* ***impressionne****.*
> *Il* ***impressionne*** *le public.*

• La majorité des phrases non verbales sont des phrases simples.

> La phrase complexe

Ex. 8 à 10

• La phrase complexe comporte au moins deux propositions.

• Une proposition est un ensemble de mots organisés autour d'un verbe généralement conjugué, qu'on nomme « noyau verbal ». Une phrase complexe comporte autant de propositions que de noyaux verbaux.

> *[Javert* ***est*** *un policier] [qui* ***impressionne*** *le peuple].*
proposition 1 — proposition 2

• Une phrase complexe peut comporter un nom noyau et une ou plusieurs proposition(s).

> *[Quel homme, ce* ***Javert****] [qui* ***impressionne*** *le peuple] et [qui* ***épie*** *Jean Valjean].*
nom noyau 1 — proposition 2 — proposition 3

• **Attention !** Le sujet ou le verbe de la deuxième proposition peut être sous-entendu, comme dans les propositions suivantes.

> *[Les Thénardier* ***sont*** *odieux] et [(ils)* ***mentent*** *à Fantine].*
> *[Jean Valjean* ***souffre****], [Fantine (souffre) aussi].*

S'exercer

1. a. Repérez le verbe, puis son sujet, puis les compléments, puis les autres éléments. b. Formez des phrases correctes en rétablissant l'ordre des mots et les majuscules. *

1. naufragé le plage sur échoua la. **2.** terrifiante sa séparaient trois me pas de silhouette. **3.** face toi avais à une tu enfant. **4.** lui œil couvrait tissu un bandeau en l'.

2. Recopiez ce texte en soulignant les verbes noyaux et en rétablissant les majuscules et les points. Vous devez retrouver cinq phrases. *

Guillaume avait deux filles l'aînée mademoiselle Virginie était tout le portrait de sa mère madame Guillaume se tenait très droite sur la banquette de son comptoir sans grâce elle ornait habituellement sa tête d'un bonnet ses gestes avaient quelque chose des mouvements saccadés d'un télégraphe.

D'après H. de Balzac, *La Maison du Chat-qui-pelote*, 1829.

3. a. Recopiez les phrases suivantes en soulignant le mot (verbe ou nom) autour duquel elles s'organisent. b. Quelles sont celles qui pourraient être des titres d'articles de presse ? S'agit-il de phrases verbales ou nominales ? *

1. Victor Hugo dénonce les misères du peuple. **2.** Les lettres de madame de Sévigné, une véritable chronique du XVIIe siècle. **3.** À l'abordage ! **4.** Les philosophes du Siècle des lumières combattent l'esclavage. **5.** Risque d'emprisonnement. **6.** Grand succès pour cette nouvelle fantastique. **7.** Lisez ce roman social. **8.** Magistrale adaptation filmique de *Cyrano*.

4. Dites si les phrases suivantes sont verbales ou non verbales. Justifiez en vous servant de la leçon. *

1. Ouverture de la chasse. **2.** Quel étrange tableau qui attire le regard. **3.** Meilleurs sentiments. **4.** Qu'il prenne le premier bateau. **5.** Curieux végétal, cette plante dont les feuilles se ferment le soir !

5. Transformez ces phrases verbales en phrases nominales pour en faire des titres d'articles de presse.

Le volcan est entré en éruption à Pompéi.
> Éruption du volcan à Pompéi.

1. Il découvre une statue de couleur noire. **2.** L'obélisque de Louxor a été installé à Paris. **3.** Il flâne dans les rues de la cité silencieuse. **4.** Ce lieu est idéal pour des aventures fantastiques. **5.** Cette nouvelle raconte l'histoire d'une malédiction.

6. Transformez ces phrases verbales en phrases nominales. *

1. Les premières éoliennes sont construites en mer. **2.** Un bus parisien est équipé de télévisions. **3.** Les gens les plus pauvres d'Afrique et d'Asie sont privés d'eau potable. **4.** Des sites Internet répondent aux questions de la science. **5.** Des pompiers inspectent une maison inondée. **6.** De nombreux sites et monuments seront ouverts gratuitement au public à l'occasion des Journées du patrimoine.

7. Transformez ces phrases nominales en phrases verbales. *

1. Découverte de fossiles de caïmans géants. **2.** Ouverture prochaine d'un chantier de fouilles. **3.** Pêche miraculeuse en Amazonie. **4.** Reprise de la chasse à la baleine au Japon. **5.** Réintroduction d'animaux d'Afrique en Amérique.

8. Recopiez ce texte, en écrivant en noir les phrases simples, en bleu les phrases complexes. *

La grande ferme paraissait attendre là-bas, au bout de la voûte des pommiers. [...] Comme un serpent, la suite des invités s'allongeait à travers la cour. Les premiers, atteignant la maison, brisaient la chaîne, s'éparpillaient, tandis que là-bas il en entrait toujours par la barrière ouverte. Les fossés maintenant étaient garnis de gamins et de pauvres, curieux ; et les coups de fusil ne cessaient pas, éclatant de tous les côtés à la fois, mêlant à l'air une buée de poudre et cette odeur qui grise comme de l'absinthe[1].

G. de Maupassant, *Les Contes de la bécasse*, 1883.

1. boisson alcoolisée.

9. a. Relevez une phrase simple. b. Recopiez les phrases complexes en délimitant les propositions. *

À peine arrivée en Romagne, Vanina crut voir que l'amour de la patrie ferait oublier à son amant tout autre amour. La fierté de la jeune Romaine s'irrita. Elle essaya en vain de se raisonner ; un noir chagrin s'empara d'elle ; elle se surprit à maudire la liberté. [...] Bientôt ses larmes coulèrent ; mais c'était de honte de s'être abaissée jusqu'aux reproches.

Stendhal, *Vanina Vanini*, 1829.

10. Recopiez les phrases complexes en délimitant les propositions. *

En ce moment, quelqu'un dans la rue s'approcha de la fenêtre comme pour regarder dans sa chambre, et passa aussitôt. [...] La porte s'ouvrit, et une femme vêtue de blanc s'avança dans sa chambre. Hermann s'imagina que c'était sa vieille nourrice, et il se demanda ce qui pouvait l'amener à cette heure de la nuit ; mais la femme en blanc, traversant la chambre avec rapidité, fut en un moment au pied de son lit, et Hermann reconnut la comtesse.

A. S. Pouchkine, *La Dame de pique*, 1834.

Écrire

11. Répondez à ces questions en rédigeant des phrases verbales.

1. Par quoi une phrase se termine-t-elle ? **2.** Quelles sont les marques du pluriel pour un nom ? **3.** Pourquoi le passé antérieur se range-t-il parmi les temps composés ? **4.** Combien de groupes de verbes compte-t-on ? **5.** Quel verbe irrégulier pouvez-vous citer ?

Consolider les acquis

Dans une phrase complexe, les propositions peuvent être reliées par trois procédés : la juxtaposition, la coordination ou la subordination.

> Les propositions juxtaposées

Ex. 13, 16 et 18

• Deux propositions sont juxtaposées quand elles sont reliées par une virgule, un point-virgule ou deux-points. Elles restent indépendantes l'une de l'autre.
> *[Les Thénardier **sont** odieux] ; [ils **mentent** à Fantine].*

> Les propositions coordonnées

Ex. 12 à 16 et 18

• Deux propositions sont coordonnées si elles sont reliées par une conjonction de coordination (*mais, ou, et, donc, or, ni, car*) ou un adverbe de liaison (*puis, ensuite, cependant, au contraire*...). Elles restent indépendantes l'une de l'autre.
> *[Les Thénardier **sont** odieux] car [ils **mentent** à Fantine].*

> Les propositions subordonnées

Ex. 12, 16 et 17

• Une proposition est subordonnée à une autre proposition, principale ou subordonnée, quand elle est reliée à cette proposition par une conjonction de subordination (*quand, lorsque, dès que, comme, parce que, pour que, afin que, de telle sorte que*...) ou un pronom relatif (*qui, que*...).
> *[Les Thénardier **sont** odieux] [parce qu'ils **mentent** à Fantine] [qu'ils **exploitent**].*

proposition principale — proposition subordonnée — proposition subordonnée

• Une proposition subordonnée ne peut pas s'employer seule, comme une phrase simple. Par exemple, les propositions *[parce qu'ils mentent à Fantine]* ou *[qu'ils exploitent]* ne peuvent pas constituer une phrase simple.

• Une proposition subordonnée peut avoir des natures et des fonctions différentes.

S'exercer

12. Relevez : a. une phrase complexe comportant deux propositions indépendantes coordonnées (entourez la conjonction de coordination) ; b. deux phrases complexes comportant une proposition principale et une proposition subordonnée. *

Laure leva la tête, regarda Ginevra d'un air attendri, et leurs figures s'épanouirent en exprimant une même affection. Un faible sourire anima les lèvres de l'Italienne qui paraissait songeuse. [...] On eût dit d'une reine dans sa cour. Elle ne donna aucune attention au profond silence qui régnait.

H. de Balzac, *La Vendetta*, 1830.

13. a. Recopiez le texte en séparant les propositions par des crochets. b. Entourez l'élément qui les coordonne ou les juxtapose. **

Arrivé près de la pyramide, Lucien cassa une branche de chêne vert, jeta d'abord la pierre, puis la branche ; puis enfin il fit avec le pouce un signe de croix rapide. Au bout de dix minutes, à peu près, nous entendîmes un dernier hurlement, et presque aussitôt Diamante, la tête et la queue basse, passa près de nous, piqua une pointe d'une centaine de pas, et se remit à faire son métier d'éclaireur.

D'après A. Dumas, *Les Frères corses*, 1844.

14. Transformez ces couples de phrases simples en phrases complexes, en utilisant les sept conjonctions de coordination. Faites les modifications nécessaires. *

1. Les cloisons de la maison furent achevées au début de l'automne. Les chambres furent meublées. **2.** Une cheminée fut établie dans l'une des chambres. Elle fonctionnait difficilement. **3.** Les tuiles du toit avaient été solidement fixées. Le vent soufflait fort dans la région. **4.** On avait prévu de planter des fleurs pour agrémenter le jardin. Les travaux durèrent très tard dans la saison. La plantation n'eut pas lieu. **5.** Les maçons n'avaient pas prévu de grandes ouvertures. Ils n'avaient pas construit de balcon. **6.** Les travaux furent terminés en hâte. La famille devait déménager impérativement. **7.** Une lourde porte en bois de chêne fut amenée. Une porte en bois de hêtre, je ne sais plus.

15. Imaginez une proposition coordonnée à ajouter à chacune des propositions suivantes. Vous utiliserez : *car, donc, puis, ensuite, mais.* *

1. Les nouvelles fantastiques me plaisent... **2.** La Vénus d'Ille est maléfique... **3.** Les élèves débutent en classe la lecture des *Contes* d'Hoffmann... **4.** Le prince Prospero réunit ses amis dans un château... **5.** L'horloge d'ébène sonne les douze coups de minuit...

16. a. Recopiez le texte en délimitant chaque proposition par des crochets. b. Indiquez pour chaque proposition si elle est juxtaposée, coordonnée ou subordonnée. * *

Mme Aubain voulait faire de sa fille une personne accomplie ; et, comme Guyot ne pouvait lui montrer ni l'anglais ni la musique, elle résolut de la mettre en pension chez les Ursulines de Honfleur. L'enfant n'objecta rien. Félicité soupirait, trouvant Mme Aubain insensible. Puis elle songea que sa maîtresse, peut-être, avait raison. Enfin, un jour, une vieille tapissière[1] s'arrêta devant la porte ; et il en descendit une religieuse qui venait chercher Mademoiselle.

G. Flaubert, *Un cœur simple*, 1877.

1. voiture légère, ouverte sur les côtés et couverte par un toit.

17. Imaginez une proposition subordonnée à ajouter à chacune des propositions de l'exercice 15. *

Écrire

18. Racontez la scène illustrée par l'image de la page 286. Veillez à donner du rythme à votre récit en employant des propositions courtes, juxtaposées ou coordonnées. Vous présenterez les costumes avec des phrases complexes, en délimitant les propositions par des crochets.

Consolider les acquis

> Les quatre types de phrase

Ex. 19, 24 et 29

La phrase	sert à	se termine par	
déclarative	livrer une information	un point	> *Paul aime le fantastique.*
injonctive	exprimer un ordre, une défense ou un conseil	un point ou un point d'exclamation (ordre fort)	> *Découvre le fantastique.* > *Découvre donc le fantastique !*
interrogative	poser une question	un point d'interrogation	> *Paul aime-t-il le fantastique ?*
exclamative	exprimer un sentiment fort	un point d'exclamation	> *J'aime le fantastique !*

• La phrase exclamative se combine avec chacun des trois autres types.
> *Tu lis ! Lis ! Deviendrais-tu amateur de lecture !*

> La phrase injonctive

Ex. 20 et 21

• Elle utilise plusieurs constructions :
– un verbe à l'impératif : > *Ne fume pas !*
– un verbe à l'infinitif : > *Ne pas fumer.*
– un verbe au futur de l'indicatif : > *Vous ne fumerez pas !*
– un nom ou un groupe nominal : > *À l'abordage ! Défense d'afficher.*
– une onomatopée : > *Stop !*

> La phrase interrogative

Ex. 19, 22 et 23

• L'interrogation totale porte sur l'ensemble de la phrase ; on y répond par « oui », « non » ou « si ». Elle présente trois constructions selon le niveau de langue :
– familier : > *Tu viens avec nous ?*
– courant : > *Est-ce que tu viens avec nous ?*
– soutenu : > *Viens-tu avec nous ? Le pilote ne vient-il pas avec nous ?*

• L'interrogation partielle porte sur un élément de la phrase. Elle peut être introduite par des mots différents : > ***Que** voulez-vous ? **Où** allez-vous ?*

> Les formes de phrase

Ex. 25 à 28

• Une phrase peut être à la forme affirmative ou négative quel que soit le type de cette phrase.
> *Il aime le fantastique. Il **n'**aime **pas** le fantastique.*

• Une phrase est à la forme négative quand la négation porte sur le verbe de la proposition principale.
> *Je ne **dis** pas que j'apprécie.* (phrase négative) > *Je **dis** que je n'apprécie pas.* (phrase affirmative)

• Il existe différents adverbes de négation qui traduisent :
– l'intensité de la négation : *ne... pas, ne... point, ne... pas du tout, ne... que* ;
– la négation d'une quantité : *ne... rien, ne... personne, ne... pas... ni, ne... ni... ni, ne... pas non plus, ne... guère.*

• **Orthographe :** ne pas confondre « on » dans une phrase affirmative et « on n' » dans une phrase négative.
> ***On** a lu ce livre. **On n'**a **pas** lu ce livre.*

S'exercer

19. a. Relevez les phrases déclaratives. b. Relevez les phrases interrogatives exprimant une interrogation totale. c. Relevez le mot interrogatif d'une phrase exprimant une interrogation partielle. d. Relevez une phrase exclamative. Avec quel autre type de phrase se combine-t-elle ? *

– Vous ne me chassez pas ? [...] Vous ne me tutoyez pas ! [...] Vous êtes de dignes gens. D'ailleurs j'ai de l'argent. Je paierai bien. Pardon, monsieur l'aubergiste, comment vous appelez-vous ? Je paierai tout ce qu'on voudra. Vous êtes un brave homme. Vous êtes aubergiste, n'est-ce pas ?
– Je suis, dit l'évêque, un prêtre qui demeure ici.

V. Hugo, *Les Misérables*, 1862.

20. Transposez cette « leçon d'astronomie » en employant le présent de l'impératif pour la communiquer : a. à votre ami(e) ; b. à votre professeur. *

1. Choisir un endroit dégagé. **2.** Se placer loin des lampadaires. **3.** Éviter les nuits de pleine lune. **4.** Se munir d'une paire de jumelles. **5.** Repérer à l'œil nu une étoile. **6.** La viser avec un télescope. **7.** L'apercevoir et l'observer patiemment.

21. Récrivez les phrases de l'exercice 20 en variant les constructions injonctives. *

22. a. Quel est le niveau de langue de chacune de ces phrases interrogatives ? b. Classez les phrases en interrogations totales et partielles. *

1. Est-ce que tu as lu ce roman ? **2.** Où tu en es dans ta lecture ? **3.** Quand tu dois rendre le livre ? **4.** Est-ce que vous appréciez la lecture des *Misérables* ? **5.** Pourquoi ces romans nous touchent ? **6.** Comment cet élève rendra compte de sa lecture ? **7.** Est-ce que les nouvelles fantastiques vous plaisent ?

23. Transformez les phrases de l'exercice 22 en phrases de niveau soutenu. *

24. a. Quel type de phrase reconnaissez-vous majoritairement ? b. Quel sentiment d'Harpagon est ainsi traduit ? c. Quels sont les autres types de phrase avec lesquels ces phrases se combinent ? *

Harpagon : Au voleur ! au voleur ! à l'assassin ! au meurtrier ! Justice, juste Ciel ! je suis perdu, je suis assassiné ! On m'a dérobé mon argent. [...] Qui est-ce ? Arrête ! Rends-moi mon argent, coquin... (*Il se prend lui-même le bras.*) Ah ! c'est moi ! Mon esprit est troublé, et j'ignore où je suis, qui je suis et ce que je fais. Hélas ! mon pauvre argent, mon pauvre argent, mon cher ami !

Molière, *L'Avare*, IV, 7, 1668.

25. Transformez ces phrases affirmatives en phrases négatives, en remplaçant chaque élément en gras par son antonyme. Faites les modifications nécessaires. * *

1. Il a **toujours** aimé voyager. **2.** Cet inventeur est connu **partout**. **3.** Ce navigateur a **déjà** fait le tour du monde à la voile. **4.** **Toutes** les lettres ont été envoyées. **5.** Les romans de Jules Verne s'adressent à **tout le monde**. **6.** Ce chercheur découvre **tout** du premier coup.

26. Transformez les phrases affirmatives en phrases négatives en utilisant les négations *ne... guère, ne... point, ne... plus, ne... goutte, ne... que.* * *

1. Le spectre ... arrivait ... avant minuit. **2.** Le suspect a avoué : il ... a ... rien à ajouter. **3.** Cette fille ... lit ... des nouvelles fantastiques. **4.** Le brouillard est dense, on ... y voit ... . **5.** Madame de Sévigné ... est ... heureuse loin de sa fille.

27. Transformez les phrases suivantes en phrases négatives, en remplaçant le pronom *il* ou *elle* par *on*. *

1. Il a décidé de lire une histoire fantastique. **2.** Elle a trouvé l'île de Robinson sur la carte. **3.** Elle a rédigé une lettre d'amour. **4.** Il interroge les personnes présentes. **5.** Elle aura l'occasion de visiter la Normandie.

Écrire

28. Rédigez deux définitions pour chacun de ces mots, en employant : a. une phrase affirmative ; b. une phrase négative.
un roman > Un roman raconte une histoire. Un roman ne raconte pas toujours des faits vrais.
un récit d'aventures • un spectre • un misérable • une tragédie

29. Décrivez l'image en utilisant plusieurs types de phrase.

Molière, *L'Avare*, mise en scène Colette Roumanoff, Théâtre Fontaine, 2005.

Consolider les acquis

> La phrase à la voix passive

Ex. 30 à 36

- Une phrase est à la voix passive lorsque le sujet n'accomplit pas l'action exprimée par le verbe.

> *Marius fut transporté par Jean Valjean.* (Ce n'est pas le sujet *Marius* qui fait l'action de *transporter*.)

- Le verbe de la phrase passive est conjugué à la voix passive ; il est constitué de l'auxiliaire *être* et du participe passé. Le temps et le mode du verbe sont ceux de son auxiliaire (voir p. 332).

> *Marius fut transporté par Jean Valjean.* (*fut* = auxiliaire au passé simple > *fut transporté* = verbe au passé simple)

- Seule une phrase active comportant un verbe transitif suivi d'un COD peut se transformer en phrase passive ; le COD devient le sujet du verbe à la voix passive.

> *Jean Valjean* ***transporta*** *Marius.* > *Marius* ***fut transporté*** *par Jean Valjean.*
verbe à la voix active COD — sujet verbe à la voix passive

- La phrase à la voix passive complète se compose ainsi :

sujet + verbe à la voix passive + préposition (*par*, *de*) + complément d'agent.
> *Marius* *fut transporté* *par* *Jean Valjean.*

- **Attention !** Ne pas confondre une phrase à la voix passive avec une phrase à la voix active dont le verbe forme ses temps composés avec l'auxiliaire *être*. Seule la phrase passive peut être transformée en phrase à la voix active.

> *Il est renversé par la charrette.* (verbe *renverser* au présent de la voix passive) → *La charrette le renverse.*
≠ *Il est passé par Paris.* (verbe *passer* au passé composé de la voix active)

S'exercer

30. Conjuguez les verbes à la voix passive au temps de l'indicatif indiqué. Attention à l'accord du participe passé. *
1. Il (féliciter, **présent**) pour sa gentillesse. **2.** Elle (applaudir, **passé composé**) pour sa prestation. **3.** Nous (saisir, **imparfait**) de peur face à ce spectre. **4.** Vous (surprendre, **futur simple**) par le mécanisme de cet engin. **5.** Les plans du bateau (décrire, **passé composé**) par l'architecte.

31. Transformez ces phrases en phrases passives. Attention au temps de l'auxiliaire. *
1. Harpagon cache soigneusement la cassette. **2.** Cléante a surmonté des difficultés. **3.** Frosine organisa la rencontre entre Harpagon et Mariane. **4.** Des serviteurs porteront les plats.

32. Quelles phrases sont à la voix passive ? *
1. Les promeneurs sont revenus par les bois. **2.** Elle a été encouragée par une de ses amies. **3.** La fillette est restée au village. **4.** Cette publicité a été lancée au printemps dernier. **5.** Le chat est sorti par la fenêtre grande ouverte. **6.** Les dialogues de cette pièce sont interprétés avec brio.

33. **a.** Recopiez les propositions qui sont à la voix passive. **b.** Soulignez le sujet des verbes à la voix passive. **

De chaque côté de la porte s'avançaient les rameaux de deux pommiers rabougris. Trois allées parallèles, séparées par des carrés dont les terres étaient maintenues au moyen d'une bordure en buis, composaient ce jardin qui était protégé par l'ombre de grands tilleuls. Des framboisiers occupaient la partie avant tandis qu'à l'arrière se dressait un noyer dont les branches étaient alourdies par les fruits.

D'après H. de Balzac, *Eugénie Grandet*, 1833.

34. Transformez les phrases suivantes à la voix passive. Pensez à l'accord du participe passé. *
1. Les Françaises ont remporté le tournoi de basket. **2.** On a vendu le tableau le plus cher du monde. **3.** Une panne géante d'ascenseur a paralysé la vie d'un grand magasin. **4.** Des archéologues ont découvert une momie.

35. Transformez les phrases nominales en phrases verbales à la voix passive. Vous conjuguerez les verbes à l'indicatif : **a.** au présent ; **b.** au passé composé ; **c.** au passé simple. *
1. Lâcher d'un couple d'ours dans les Pyrénées. **2.** Transport des animaux en camion. **3.** Ouverture de la cage. **4.** Découverte d'un nouveau territoire par les animaux. **5.** Constitution d'un attroupement de journalistes.

Écrire

36. Décrivez en quelques phrases, à la voix passive, le costume de Cyrano représenté sur l'image.

Émile Bourgier, Constant Coquelin dans le costume de Cyrano de Bergerac, 1898. Collection Jacques Lorcey.

Réviser la proposition subordonnée relative

Consolider les acquis

> Définition

Ex. 1, 3 et 4

• Une proposition subordonnée relative est une expansion du nom comme l'épithète, le complément du nom ou l'apposition. C'est une proposition qui complète un nom, ou un groupe nominal, ou un pronom, appelé antécédent.

> *Le fantôme longe un manoir* ***qui est entouré de grilles****.*
antécédent : *un manoir* ; prop. subordonnée relative : ***qui est entouré de grilles***

• La proposition subordonnée relative est un élément du groupe nominal.

> *Le fantôme longe un manoir* ***qui est entouré de grilles****.*
groupe nominal : *un manoir qui est entouré de grilles*

• Un même antécédent peut être complété par plusieurs propositions subordonnées relatives.

> *Le manoir* ***qui est entouré de grilles*** *et* ***dont la cheminée fume*** *est hanté.*

> Construction

Ex. 2, 5 et 8

• La proposition subordonnée relative est introduite par un pronom relatif (voir leçon p. 303). Elle comporte un verbe conjugué. Elle suit le plus souvent un antécédent.

> *Le promeneur découvre un manoir* ***qu'il ne connaît pas****.*

• Il arrive fréquemment que la proposition subordonnée relative coupe une autre proposition.

> *[Le promeneur [****qui visite****] découvre un manoir.]*
proposition principale

> *[Quand le promeneur [****qui visite****] entre dans le manoir], [un cri retentit].*
proposition subordonnée conjonctive — proposition principale

> Fonction grammaticale

Ex. 3

• Comme la proposition subordonnée relative complète un nom nommé « antécédent », sa fonction est d'être complément de l'antécédent.

> *Le promeneur* ***qui observe les environs*** *découvre un manoir.*
complément de l'antécédent *promeneur*

> Rôle

Ex. 1, 6 et 8

• Une proposition subordonnée relative permet d'éviter la répétition du nom qu'elle complète.

> *Un promeneur découvre un manoir.* ***Ce promeneur*** *s'appelle Hoffmann.*
> *Un promeneur [****qui*** *s'appelle Hoffmann] découvre un manoir.*

• Dans un texte, les subordonnées relatives enrichissent les noms ou les groupes nominaux qu'elles complètent : elles apportent une précision, une description ou une explication.

> *Un promeneur* ***qui était perdu*** *et* ***que la fatigue gagnait*** *aperçut un manoir.*

> Attention !

Ex. 7

• Ne pas confondre la proposition subordonnée relative introduite par le pronom relatif *que*, complétant un nom, avec la proposition subordonnée conjonctive introduite par la conjonction de subordination *que*, la reliant à un verbe dont elle est COD (voir p. 290).

> *Le manoir* ***que le promeneur a vu*** *était terrifiant.*
prop. subordonnée relative

> *Le promeneur annonce à ses amis* ***que le manoir était terrifiant****.*
prop. subordonnée conjonctive

• Pour l'accord du pronom relatif sujet avec le verbe, voir p. 354.

S'exercer

1. a. Recopiez chaque nom en gras avec la subordonnée relative qui le complète. b. Ces propositions subordonnées relatives apportent-elles une précision, une description ou une explication ? *

J'avais pour guide un **paysan** qui marchait à mon côté, par un tout petit chemin, sous une voûte de **sapins** dont le vent déchaîné tirait des hurlements. Entre les cimes, je voyais courir des nuages en déroute, des **nuages** éperdus qui semblaient fuir devant une épouvante.

G. de Maupassant, *Les Contes de la bécasse*, 1883.

2. Parmi ces subordonnées relatives, trouvez celle qui complète chaque nom en gras : a. *qu'ils devaient jouer devant le monde* ; b. *où il fit les plus grandes choses* ; c. *qui s'était passée dans son cabinet.* *

Au lendemain de la **scène** de violence ..., il [Nantas] avait eu avec le baron Danvilliers une entrevue ; et, sur les conseils de son père, Flavie avait consenti à rentrer au domicile conjugal. Mais les époux ne s'adressaient plus la parole en dehors de la **comédie** ... . Ce fut l'**époque** de son existence ... .

É. Zola, *Nantas*, 1878.

3. a. Relevez les propositions subordonnées relatives qui complètent les mots en gras. b. Quelle est la fonction de ces propositions subordonnées ? *

Quand les deux yeux fermés, en un soir chaud d'automne,
Je respire l'odeur de ton sein chaleureux,
Je vois se dérouler des **rivages** heureux
Qu'éblouissent les feux d'un soleil monotone ;

Une **île** paresseuse où la nature donne
Des arbres singuliers et des fruits savoureux ;
Des **hommes** dont le corps est mince et vigoureux,
Et des **femmes** dont l'œil par sa franchise étonne.

C. Baudelaire, *Les Fleurs du mal*, 1857.

4. Relevez les groupes nominaux comportant une proposition subordonnée relative. *

1. Le père Maurice trouva chez lui une vieille voisine qui était venue causer avec sa femme tout en cherchant de la braise pour allumer son feu. **2.** La Grise portait sans effort son double fardeau, couchant les oreilles et rongeant son frein, comme une fière et ardente jument qu'elle était. **3.** La Grise fit un écart en dressant les oreilles, puis revint sur ses pas et se rapprocha du buisson, où quelque chose [...] l'avait d'abord effrayée. **4.** Les grandes flaques d'eau dont les clairières sont semées exhalaient des vapeurs.

G. Sand, *La Mare au diable*, 1846.

5. a. Recopiez ce texte en ajoutant les pronoms relatifs qui manquent : *qui* (2 fois), *que*, *où*, *auxquelles*. b. Soulignez les propositions subordonnées relatives. c. Encadrez le nom complété par chaque subordonnée. * *

Quand le soleil atteignit un pan de mur, d'... tombaient des plantes aux feuilles épaisses à couleurs changeantes, des rayons d'espérance illuminèrent l'avenir pour Eugénie, ... désormais se plut à regarder ce pan de mur, ses fleurs pâles, ses clochettes bleues et ses herbes fanées, ... se mêla un souvenir gracieux comme ceux de l'enfance. Le bruit ... chaque feuille produisait dans cette cour sonore, en se détachant de son rameau, donnait une réponse aux secrètes interrogations de la jeune-fille, ... serait restée là, pendant toute la journée, sans s'apercevoir de la fuite des heures.

D'après H. de Balzac, *Eugénie Grandet*, 1833.

6. Transformez les couples de phrases en une seule phrase comportant une proposition subordonnée relative. * *

1. Je retournai chasser à Virelogne. À Virelogne, on pêche des écrevisses, des truites et des anguilles. **2.** On trouvait souvent des bécassines dans les hautes herbes. Les hautes herbes poussaient sur les bords des minces cours d'eau. **3.** J'aperçus une chaumière en ruines. J'avais vu cette chaumière pour la dernière fois, en 1869, propre, vêtue de vignes, avec des poules devant la porte.

D'après G. de Maupassant, *La Mère Sauvage*, 1884.

7. Chaque proposition entre crochets est-elle une proposition subordonnée relative ou conjonctive ? * *

La veuve Guérin avait l'air hardi et content d'elle-même, et ses cornettes [qu'elle avait garnies d'un triple rang de dentelle] ainsi que son tablier de soie étaient peu en rapport avec l'idée [qu'il s'était faite d'une veuve sérieuse et rangée]. [...] Il pensa [qu'une si jolie parure et des manières [qu'il trouvait si enjouées] conviendraient à l'âge et à l'esprit fin de la petite Marie], mais [que cette veuve avait la plaisanterie lourde], et [qu'elle portait sans distinction ses beaux vêtements].

G. Sand, *La Mare au diable*, 1846.

Écrire 

8. Décrivez l'image en utilisant les noms suivants et en les complétant par une proposition subordonnée relative : *lanterne*, *roue*, *siège*, *rayons*. Utilisez des pronoms relatifs différents.

Gravure d'une voiture de commerce du grand magasin *Au Bon Marché*, vers 1890.

Réviser les propositions subordonnées compléments d'objet : conjonctives et interrogatives indirectes

Les mots de la leçon

subordonnée : qui est inférieure à, qui dépend de.

› Les propositions subordonnées compléments d'objet : définition

Consolider les acquis

Ex. 1

- Une proposition subordonnée complément d'objet dépend d'une proposition principale ou d'une autre proposition subordonnée.
  > *[Jean Valjean dit]* (prop. principale) ***[qu'il ramènera Cosette.]*** (prop. sub. compl. d'objet)
  > *[Quand Jean Valjean voit]* (prop. sub. circonstancielle) ***[que Cosette souffre]***, (prop. sub. compl. d'objet) *[il la défend].* (prop. principale)
- Elle complète un verbe dont elle est complément d'objet. Elle ne peut être ni supprimée ni déplacée.
  > *[Fantine demande]* ***[que Cosette la rejoigne]***. (prop. sub. compl. d'objet direct de *demande*)
- Elle peut être de différentes natures : conjonctive, interrogative indirecte ou infinitive.

› La proposition subordonnée conjonctive

Consolider les acquis

Ex. 2 à 11

- **La construction :** la proposition subordonnée conjonctive est introduite par la conjonction de subordination *que*.
- **Attention !** Ne pas confondre la proposition subordonnée conjonctive complément d'objet, qui dépend d'un verbe, avec la proposition subordonnée relative introduite par le pronom relatif *que*, qui complète un nom (voir p. 288).
  > *Je veux [que tu viennes].* (prop. sub. conj. compl. d'objet) > *L'homme [que je vois] avance vers moi.* (prop. sub. relative)
- **L'emploi des modes :** le mode du verbe de la proposition subordonnée conjonctive complément d'objet dépend du sens du verbe principal.

Verbes ou groupes verbaux de la proposition principale exprimant…	Mode du verbe de la proposition subordonnée	Exemples
une déclaration (*dire, annoncer…*)	indicatif	> *Il dit que ce roman* ***est*** *passionnant.*
un sentiment (*s'étonner, se réjouir…*)	subjonctif	> *Il s'étonne que ce roman te* ***plaise***.
une volonté, un souhait (*vouloir, souhaiter…*)	subjonctif	> *Je veux que tu* ***lises*** *ce roman.*
un doute (*douter, être possible…*)	subjonctif	> *Je doute que ce roman lui* ***plaise***.
une nécessité (*il faut, il est nécessaire…*)	subjonctif	> *Il faut que nous* ***lisions*** *ce roman.*

• Si le verbe de la proposition principale exprime une pensée, le mode du verbe de la proposition subordonnée conjonctive complément d'objet varie selon le type ou la forme de phrase.

Proposition principale		Mode de la proposition subordonnée	Exemples
Type de phrase	Forme de phrase		
déclarative	affirmative	indicatif	> *Je pense qu'il **fait** beau.*
	négative	subjonctif ou indicatif	> *Je ne pense pas qu'il **fasse** (**fait**) beau.*
interrogative		subjonctif ou indicatif	> *Penses-tu qu'il **fasse** (**fait**) beau ?*

S'exercer

1. a. Relevez les propositions subordonnées compléments d'objet qui complètent les verbes en gras. b. Lesquelles dépendent d'une proposition principale ? d'une proposition subordonnée ? *

1. Le vulcanologue **préféra** que son assistant ne s'approche pas trop près de la coulée de lave. **2.** Il **observa** que le débit de la coulée augmentait. **3.** L'autre spécialiste **suggérait** que l'on s'approche davantage du cratère. **4.** Comme le vulcanologue **pensait** que la situation était trop périlleuse, il refusa la proposition. **5.** Il **disait** qu'il n'avait jamais vu pareil phénomène.

2. a. Recopiez les phrases en soulignant le mot complété par la proposition subordonnée. b. Relevez les propositions subordonnées conjonctives. * *

1. Le prince, terrifié par la Mort Rouge, veut que ses amis viennent au château. **2.** Les musiciens font danser les invités que le prince a réunis. **3.** Croyez-vous que la Mort Rouge a existé ? **4.** Je ne comprends pas que la Mort Rouge ait pu entrer dans le château.

3. Récrivez les phrases suivantes en employant la subordination, selon le modèle. *

Javert dit quelque chose : il a reconnu Jean Valjean.
> Javert dit qu'il a reconnu Jean Valjean.

1. Jean Valjean sait quelque chose : Cosette se trouve chez les Thénardier. **2.** Il promet quelque chose à Fantine : il lui ramènera la fillette. **3.** Les Thénardier prétendaient quelque chose : Cosette était malade. **4.** Cosette avoue quelque chose à Jean Valjean : elle doit aller chercher de l'eau à la source. **5.** Javert a proclamé quelque chose : il connaissait la force exceptionnelle d'un bagnard.

4. Récrivez les phrases suivantes en employant la subordination, selon le modèle. *

Le jeune homme a rencontré un fantôme : il le raconte.
> Le jeune homme raconte qu'il a rencontré un fantôme.

1. Le prince Prospero a invité des personnes étonnantes ; il l'explique. **2.** La Mort Rouge a tué de nombreuses personnes ; le prince le sait. **3.** L'horloge d'ébène sonne les douze coups de minuit ; les invités masqués le craignent. **4.** La Mort Rouge est terrifiante ; on le voit sur cette illustration. **5.** Le fantastique connaît un vif succès ; de nombreuses œuvres d'art le prouvent.

5. a. Récrivez les groupes verbaux en gras à la personne du pluriel correspondante. b. Indiquez le mode employé. *

1. Notre professeur demande que **je récite** ce poème. **2.** Il pense que **tu adoptes** une diction trop terne. **3.** J'espère que **tu prépares** la récitation. **4.** Je doute que **tu mémorises** le texte aussi vite que cela. **5.** Il veut que **je souligne** le lyrisme du poème.

6. Mettez les verbes entre parenthèses au présent du mode qui convient, en indiquant ce mode. *

1. Maître Chicot sait qu'il (devoir) affronter la mère Magloire. **2.** Il a peur que celle-ci ne (vouloir) pas lui vendre sa ferme. **3.** On raconte que Maupassant (avoir) bien connu les paysans normands. **4.** Maître Chicot aimerait que la mère Magloire (venir) à l'auberge. **5.** Elle doute que la proposition de Chicot (être) honnête. **6.** L'aubergiste souhaite que la vente se (faire).

7. Pour chaque phrase, indiquez le mode du verbe en gras et justifiez l'emploi de ce mode. * *

1. Le malfaiteur prétend qu'il ne **dissimule** pas la vérité. **2.** Les témoins doutent que les policiers le **croient**. **3.** Le détective déclare que le voleur **porte** une lourde responsabilité. **4.** Le commissaire exige que les témoins **se rendent** au poste de police. **5.** Le prévenu ne pense pas que le policier lui **reproche** son mensonge.

8. Transformez les phrases suivantes en phrases interrogatives ou négatives, en changeant le mode de la proposition subordonnée quand c'est nécessaire. * *

1. Le commis annonce que le couple est à la campagne. **2.** Gobichon pense que l'on doit aimer la nature. **3.** Madame Gobichon déclare que son mari est un excellent jardinier. **4.** Tu penses que le fils Gobichon apprécie les séjours à la campagne. **5.** Gobichon croit que l'essentiel est de posséder une villa.

9. Remplacez les GN en gras par une proposition subordonnée conjonctive complément d'objet. * *

1. L'avare craint **un vol de sa cassette**. **2.** Le directeur de troupe prévient ses acteurs **de leur prochaine tournée**. **3.** Le jeune homme confie **son désir de tenir le rôle d'Harpagon**. **4.** Le public craint **une mauvaise interprétation de la pièce**.

Écrire

10. Complétez ces propositions principales par une proposition conjonctive complément d'objet de votre choix. Employez le mode qui convient.

1. Cette servante raconte... **2.** Le fils déclare... **3.** Vous confirmez... **4.** Je crains... **5.** Tu doutes...

11. Rédigez un paragraphe où vous emploierez deux propositions subordonnées conjonctives complément d'objet. Soulignez les verbes des subordonnées et précisez-en le mode.

› La proposition subordonnée interrogative indirecte

Consolider les acquis

• La proposition subordonnée interrogative indirecte sert à rapporter de façon indirecte une phrase interrogative du discours direct. On la trouve après les verbes *demander, se demander, ne pas savoir, ignorer*... Sa fonction est d'être COD du verbe qu'elle complète. Ex. 12 à 18

> *Il lui demanda : « Pourquoi pars-tu là aujourd'hui ? »*
discours direct : phrase interrogative

> *[Il lui demanda] [**pourquoi elle partait là-bas ce jour-là**].*
discours indirect : proposition subordonnée interrogative indirecte

• Elle ne se termine pas par un point d'interrogation et ne comporte pas de sujet inversé. Elle emploie la 3e personne (au lieu de la 1re ou de la 2e), l'imparfait ou le plus-que-parfait (au lieu du présent et du passé composé), des indicateurs de temps et de lieu spécifiques : *la veille* (au lieu de : *hier*), *le lendemain* (au lieu de : *demain*), *ce jour-là* (au lieu de : *aujourd'hui*), *là-bas* (au lieu de : *là*).

• Elle est introduite par un mot interrogatif : la conjonction *si* pour une interrogation totale, des pronoms (*qui, que*...), le déterminant *quel* ou des adverbes interrogatifs pour l'interrogation partielle (*pourquoi, comment*...). Le pronom interrogatif *que* devient *ce qui* quand il est sujet et *ce que* quand il est complément d'objet.

> *Il demande : « Que se passe-t-il ? Que font ces hommes ? »*

> *Il demande **ce qui** se passe et **ce que** ces hommes font.*

• Attention ! Ne pas confondre la proposition subordonnée interrogative indirecte introduite par *si*, complément d'objet, avec la proposition subordonnée conjonctive circonstancielle, introduite par *si*, complément circonstanciel de condition.

> *Je ne sais pas [**s'il vient**].* > *[**S'il vient**], nous serons ravis.*
prop. sub. interrogative indirecte — prop. sub. conj. circonstancielle

S'exercer

12. Relevez les propositions subordonnées interrogatives indirectes et indiquez leur fonction. *

1. Les acteurs se demandent s'ils seront prêts pour la répétition. **2.** Le metteur en scène voudrait bien savoir quand l'éclairagiste fera ses essais. **3.** Demandez à cette couturière comment elle réalise autant de costumes. **4.** Seul le directeur du théâtre sait combien de spectacles seront à l'affiche pendant la saison. **5.** Le public demanda ce que les costumes devenaient à la fin d'une tournée théâtrale.

13. Relevez les propositions subordonnées interrogatives indirectes. * *

1. Si elle l'avait souhaité, elle m'aurait demandé de la recevoir. **2.** Elle m'a demandé si je pouvais la recevoir. **3.** Si son entraînement avait été plus sérieux, ses performances auraient été meilleures. **4.** Savez-vous si ce jeune homme acceptera ce poste si on le lui propose ?

14. Récrivez les phrases suivantes en transposant les phrases interrogatives directes en propositions subordonnées interrogatives indirectes. * *

1. Elle se demande : « Est-ce qu'aujourd'hui je vais revoir mon ami d'enfance ? » **2.** « *Le Petit Fût* est-il une histoire vraie ? », on l'ignore. **3.** Ils veulent savoir quelque chose : « Théophile Gautier a-t-il écrit *Arria Marcella* ? » **4.** Elle ne sait pas cela : « Charles Grandet est-il le cousin ou l'oncle d'Eugénie ? »

15. Lors de son arrivée chez les Grandet, Charles pose les questions suivantes à Eugénie et à sa mère. Rapportez ces questions de façon indirecte en les faisant précéder par *Charles veut savoir*... *

– Vivez-vous toujours ici ?
– Ne vous promenez-vous jamais ?
– Avez-vous un théâtre ?

16. Récrivez les phrases suivantes en transposant les phrases interrogatives directes en propositions subordonnées interrogatives indirectes. *

1. La petite Marie demande à Germain : « Tu n'es donc jamais de mauvaise humeur ? »
2. Germain demande à Marie : « Où diable as-tu pris des châtaignes ? Sont-elles cuites ? »
3. Petit-Pierre demande à son père : « Y a-t-il des méchantes bêtes dans ce bois ? »
4. Germain et Marie demandent leur chemin à un bûcheron : « Quelle direction devons-nous suivre pour atteindre la ferme ? »

D'après G. Sand, *La Mare au diable*, 1846.

17. a. Récrivez les phrases de l'exercice 14 que vous avez transposées en conjuguant le verbe principal au passé simple : faites les changements nécessaires. b. Faites le même travail avec les phrases de l'exercice 16. * *

Écrire

18. Rédigez à partir de l'image de la p. 293 un court texte dans lequel vous emploierez deux propositions subordonnées interrogatives indirectes que vous soulignerez.

Les propositions subordonnées compléments d'objet : infinitives

Observer pour comprendre

1. a. Dans chaque phrase, qui fait l'action d' « entrer » ?
b. Dans quelle phrase le sujet du verbe « entrer » est-il différent du sujet du verbe principal ?
c. Recopiez la seconde phrase en délimitant deux propositions à l'aide de crochets.
> **A.** *Tu peux entrer.*
> **B.** *Le professeur regarde les élèves entrer dans la classe.*

Retenir la leçon

• La proposition subordonnée infinitive comporte un verbe à l'infinitif ayant un sujet propre exprimé, différent du sujet principal. Ex. 2 à 6
> *[Javert observe]* ***[Jean Valjean soulever la charrette]***.
sujet de *observe* — sujet de *soulever*

• Sa fonction est d'être COD du verbe qu'elle complète.
> *Javert observe* ***[Jean Valjean soulever la charrette]***.
verbe — prop. subordonnée infinitive COD du verbe *observer*

• On la trouve après des verbes de perception (*voir, entendre, sentir*...), les verbes *laisser* et *faire*.
> *Fantine ne verra pas* ***[Jean Valjean ramener Cosette]***.
verbe de perception

S'exercer

2. Recopiez les phrases qui comportent une proposition subordonnée infinitive. Soulignez celle-ci. *
1. La jeune fille pense retrouver ses amis à la fête du village. **2.** Les parents laissent leurs enfants participer aux différents jeux. **3.** Pierre prétend réussir l'épreuve de tir à l'arc sans faute. **4.** Le directeur du manège fait monter les enfants sur les chevaux de bois. **5.** Héloïse et Sarah sentent leur cœur battre très fort sur les montagnes russes. **6.** Le maire et les organisateurs estiment avoir réussi la fête.

3. Relevez les propositions subordonnées infinitives et indiquez leur fonction. *
1. La jeune fille vit son cousin franchir la porte. **2.** La mère aperçut sa fille disposer des fleurs dans un vase. **3.** La servante prétendit qu'elle avait entendu une étrange musique lui parvenir aux oreilles. **4.** Lorsque les deux jeunes gens observèrent le curieux cortège défiler dans le village, ils ressentirent une sensation bizarre les envahir.

4. Relevez les propositions subordonnées infinitives et indiquez leur fonction. Attention aux intrus ! **
1. Au fond du parc, il crut voir une ombre s'approcher. **2.** Il voulut crier. **3.** Un peu plus tard, il entendit une chouette hululer, des branches craquer et un animal s'enfuir dans un fourré. **4.** Sa compagne prétendit qu'elle avait senti une main invisible lui frôler les cheveux. **5.** Elle pensa perdre connaissance sous l'effet de la peur. **6.** Lorsqu'ils virent une petite flamme courir sur le sable de l'allée, ils sentirent la peur les envahir. **7.** Il leur sembla voir danser une horde de fantômes déchaînés.

5. Complétez les propositions subordonnées infinitives en gras. **
1. On distinguait vaguement **une cheminée** ... . **2.** Le prince observait **les danseurs masqués** ..., **les musiciens** ... **et le spectre** ... . **3.** Par la fenêtre qui donne sur la rue, on entend ... **crisser**, **la sirène** ... **et les** ... **crier**. **4.** Entendez-vous **le marteau** ... ?

Écrire

6. Rédigez à partir de l'image un court texte dans lequel vous emploierez deux propositions subordonnées infinitives que vous soulignerez.

Le Prince Sennefer et son épouse Meryt. Fresque, XVIIIe dynastie. Tombes de Gournah (Égypte).

Les propositions subordonnées circonstancielles : définition

Les mots de la leçon

subordonnée : qui est inférieure à, qui dépend de.
circonstanciel : qui exprime une circonstance, du latin *circumstare*, « qui se tient autour ».

Observer pour comprendre

1. a. Quelle circonstance (comparaison, temps, but...) chaque proposition subordonnée entre crochets précise-t-elle ? b. Par quel(s) mot(s) chaque proposition entre crochets commence-t-elle ? c. La phrase reste-t-elle correcte si on supprime ces propositions ?
> *[Quand il reconnaît l'ancien bagnard], Javert se lance à la poursuite de Jean Valjean [comme un chien de chasse poursuit le gibier], [afin qu'il ne puisse lui échapper].*

Retenir la leçon

- **De nombreuses propositions subordonnées complètent un verbe ou une proposition en précisant une circonstance : ce sont les propositions subordonnées circonstancielles.** Ex. 2 à 5
- **Elles peuvent être supprimées ou déplacées.**
- **Elles sont introduites par une conjonction de subordination en un seul mot (*quand*, *comme*...) ou une locution conjonctive de subordination en plusieurs mots (*afin que*, *parce que*...). Certaines conjonctions ou locutions conjonctives sont suivies de l'indicatif, d'autres du subjonctif.**

S'exercer

2. a. **Répondez à chacune des questions du A en formant une phrase comportant une des propositions subordonnées circonstancielles de la liste B.** b. **Précisez la circonstance exprimée.** *

A. 1. Pourquoi Chicot vient-il voir la mère Magloire ? **2.** Dans quel but Maupassant écrit-il ses nouvelles ? **3.** Quand la mère Magloire se rend-elle chez le notaire ? **4.** De quelle manière les doigts de la mère Magloire sont-ils décrits ?

B. 1. lorsque Chicot lui a proposé d'acheter sa ferme en viager. **2.** parce que la ferme de la vieille femme l'intéresse. **3.** comme des pinces de crabe qui saisissent des pommes de terre. **4.** pour que les lecteurs découvrent la vie normande au XIXe siècle.

3. a. **Repérez les conjonctions de subordination, puis repérez les propositions subordonnées en cherchant à les supprimer oralement.** b. **Précisez la circonstance que ces subordonnées indiquent.** *

1. J'hésitai entre un dragon de porcelaine et un petit fétiche mexicain quand j'aperçus un pied charmant. **2.** Il me parla avec une voix stridente comme miaule un chat lorsqu'il vient d'avaler une arête. **3.** Au lieu d'être immobile comme il convient à un pied embaumé depuis quatre mille ans, il sautillait sur les papiers comme une grenouille effarée saute de nénuphar en nénuphar.

D'après T. GAUTIER, *Le Pied de momie*, 1840.

4. a. **Relevez les propositions subordonnées circonstancielles.** b. **À quels mode et temps le verbe de chacune d'elles est-il conjugué ?** **

1. Quand les deux hommes voulurent déraciner un vieil olivier, ils déterrèrent une statue antique. **2.** Ils sont effrayés parce que la statue est de couleur noire. **3.** Le propriétaire, M. de Peyrehorade, est enchanté étant donné que la statue vient de la civilisation romaine. **4.** Les trois hommes utilisent une corde afin que la statue se redresse. **5.** Mais la statue bascule avant que l'un des hommes ne retire sa jambe.

Écrire

5. **À partir de l'image ci-dessous, rédigez une courte scène en employant au moins trois propositions subordonnées circonstancielles, que vous soulignerez.**

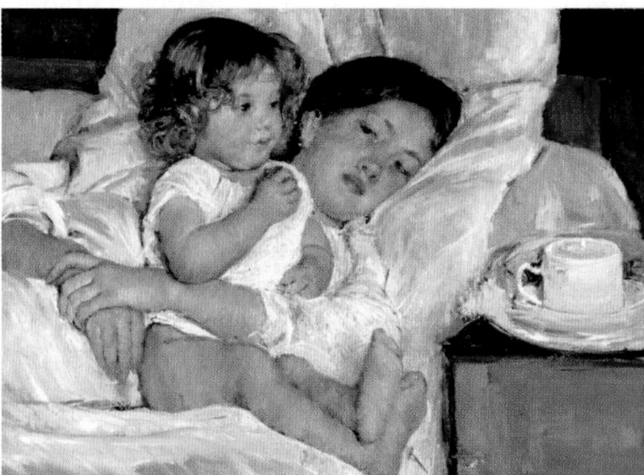

MARY CASSATT, *Petit déjeuner au lit*, 1897. The Huntington Library – Art Collections & Botanical Gardens, San Marino, Californie.

Les propositions subordonnées circonstancielles de comparaison et de but

Observer pour comprendre

1. a. Par quelle conjonction ou locution conjonctive de subordination chaque proposition entre crochets commence-t-elle ? b. À quel mode le verbe est-il conjugué dans chaque proposition entre crochets ? c. Laquelle de ces propositions entre crochets répond à la question « Dans quel but ? » ? d. Laquelle exprime une comparaison ?
> *[Pour que la malédiction s'accomplisse], la cloche doit sonner dans la nuit [comme un loup hurle à la mort.]*

Retenir la leçon

> La proposition subordonnée circonstancielle de comparaison

Ex. 2, 3 et 7

• La proposition subordonnée circonstancielle de comparaison met en relation deux éléments. Elle est introduite par les conjonctions et locutions conjonctives de subordination : *comme*, *ainsi que*, *autant que*. Le verbe est conjugué au mode indicatif.

• Le verbe de la proposition subordonnée circonstancielle de comparaison est le plus souvent sous-entendu.
> *L'enfant bondit [**ainsi qu'**un lièvre].* ➜ *[ainsi qu'un lièvre **bondit**]*

> La proposition subordonnée circonstancielle de but

Ex. 2 et 4 à 7

• La proposition subordonnée circonstancielle de but exprime l'objectif à atteindre ou la crainte. Elle est introduite par les locutions conjonctives de subordination : *pour que*, *afin que*, *de peur que*, *de crainte que*. Le verbe est conjugué au mode subjonctif.
> *[**De peur que** le bijou ne soit maudit], les voleurs le cachent [**afin qu'**il soit neutralisé].*

S'exercer

2. Relevez les propositions subordonnées circonstancielles : a. de comparaison ; b. de but. *

1. Afin qu'il soit respecté, Cyrano fait l'éloge de son nez comme un bonimenteur présente un objet extraordinaire.
2. De crainte que Roxane ne l'aime pas, Cyrano masque ses sentiments.
3. La pièce d'Edmond Rostand plaît autant que le film.
4. Roxane se confie à Cyrano pour qu'il connaisse ses sentiments.

3. Complétez chaque phrase par une proposition subordonnée circonstancielle de comparaison : a. ne comportant pas de verbe ; b. comportant un verbe. **

1. La forêt devint sinistre ... .
2. ..., les nuages envahirent le ciel.
3. Les premières gouttes, ..., frappèrent la cime des arbres.
4. Le gibier affolé se mit à courir en tous sens ... .
5. Une chouette ... hulula en s'envolant.

4. a. Conjuguez les verbes entre parenthèses au présent du mode qui convient. b. Quelle circonstance est exprimée dans les propositions subordonnées circonstancielles ? *

1. Je rase les murs pour qu'elle ne m'(apercevoir) pas.
2. Ils t'envoient en mission afin que tu (faire) un compte rendu détaillé des lieux.
3. Nous l'encourageons de peur qu'il ne (vouloir) pas tenter l'épreuve sportive.
4. De crainte que les informations ne lui (parvenir) pas à temps, nous avons retardé le rendez-vous.

5. Transformez chaque complément circonstanciel de but en gras en une proposition subordonnée circonstancielle de but. **

1. Le jeune homme interroge les témoins **afin de leur faire dire la vérité**. **2.** **Pour faire ouvrir la porte**, le vieil homme tend plusieurs clefs à l'enfant. **3.** Le jeune homme indique aux vagabonds un petit chemin **en vue de leur éviter les grandes routes**. **4.** **Pour lui éviter de recevoir la pluie**, le père prête son ciré à sa fille.

6. Transformez chaque couple de phrases en une phrase complexe comportant une proposition principale et une proposition subordonnée circonstancielle de but. **

1. Jean Valjean presse le pas. Javert ne le voit pas. **2.** Les Thénardier écrivent à Fantine. Fantine envoie de l'argent. **3.** Cosette tourne la tête. Madame Thénardier ne s'aperçoit pas de son trouble. **4.** Gavroche encourage les hommes. La barricade se construit.

Écrire

7. Décrivez la scène de l'image de la page 294 en employant des propositions subordonnées circonstancielles de comparaison et de but que vous soulignerez en utilisant une couleur pour chaque circonstance.

La proposition subordonnée circonstancielle de temps

Observer pour comprendre

1. a. Par quelle conjonction ou locution conjonctive de subordination chaque proposition entre crochets commence-t-elle ?
b. À quel mode le verbe est-il conjugué dans chaque proposition entre crochets ?
c. Par rapport à l'action exprimée dans la proposition principale, quelle proposition entre crochets exprime une action postérieure ? antérieure ? simultanée ?
> *[Quand l'enfant part à l'école], le soleil se lève.*
> *[Avant que l'enfant ne parte à l'école], le soleil se lève.*
> *[Après que l'enfant part à l'école], le soleil se lève.*

Retenir la leçon

Ex. 2 à 6

- **La proposition subordonnée circonstancielle de temps situe dans le temps une action. Elle peut exprimer un moment daté (une action antérieure, simultanée ou postérieure à celle exprimée dans la proposition principale), une durée ou une répétition.**
- **Le verbe est conjugué au mode indicatif si la proposition est introduite par les conjonctions et locutions conjonctives de subordination** *quand*, *lorsque*, *comme*, *alors que*, *tandis que*, *dès que*, *aussitôt que*, *au moment où*, *après que*, *chaque fois que*...
- **Le verbe est conjugué au mode subjonctif si elle est introduite par les locutions conjonctives de subordination** *avant que*, *jusqu'à ce que*.

S'exercer

2. a. Relevez les propositions subordonnées circonstancielles de temps. b. Dites si elles expriment un moment daté ou une durée. *

1. Je ne remarquai ces choses qu'après que le domestique m'eut souhaité un bon somme. **2.** Quand le café fut pris, tasses, cafetière et cuillers disparurent à la fois. **3.** Pendant que nous valsions, ils se sont tous assis. **4.** Lorsque je repris connaissance, j'étais dans mon lit. **5.** Aussitôt que j'eus ouvert les yeux, Arrigo s'écria : « Que diable as-tu fait cette nuit ? »

T. Gautier, *La Cafetière*, 1831.

3. Conjuguez les verbes entre parenthèses au présent du mode qui convient. *
1. Lorsque le médecin (vouloir) panser le blessé, celui-ci se redresse. **2.** Avant que le médecin (comprendre) la raison d'une telle réaction, l'homme apeuré cherche à fuir. **3.** Chaque fois qu'il (rencontrer) un regard, il baisse les yeux. **4.** Après qu'il (voir) que toute fuite est impossible, le fugitif accepte les soins.

4. Transformez chaque complément circonstanciel de temps en gras en une proposition subordonnée circonstancielle de temps. *
1. Depuis son arrivée, la jeune femme observe le parc de la fenêtre de sa chambre. **2. Avant son départ d'Italie**, elle s'est demandé si ce retour au château paternel lui serait agréable. **3. À chaque retour sur les lieux de son enfance**, elle éprouvait une infinie tristesse. **4.** Elle fut interrompue dans ses pensées **à l'heure du dîner** par un étrange tableau dont elle ne se souvenait pas.

5. Complétez chaque phrase par une proposition subordonnée circonstancielle de temps en variant les conjonctions et locutions conjonctives de subordination. *
1. Il sort dans la rue et longe le mur ... . **2.** La silhouette masquée, ..., disparaît mystérieusement. **3.** Cet évènement se produit ... . **4.** Toutes les nuits, ..., un spectre se promène sur les remparts. **5.** ... il s'arrête un instant et reprend sa marche silencieuse.

Écrire

6. Décrivez la scène en employant des propositions subordonnées circonstancielles de temps que vous soulignerez.

José Perez Siguimboscum, *Vaincu par le travail*, vers 1876-1900. Musée de Cadix.

Les propositions subordonnées circonstancielles de cause et de conséquence

› Les liens cause / conséquence

Observer pour comprendre

1. a. Laquelle des deux propositions exprime une réalité antérieure à l'autre ?
b. Laquelle exprime la cause ? c. Laquelle exprime le résultat, l'effet produit, la conséquence ?
> *[Il marche mal] ; [il a une entorse].*

2. a. Laquelle des deux phrases suivantes met l'accent sur la cause ? sur la conséquence ?
b. Qu'exprime la proposition subordonnée circonstancielle entre crochets dans la phrase A ? dans la phrase B ?
> **A.** *Il marche mal [parce qu'il a une entorse].*
> **B.** *Il a une entorse [si bien qu'il marche mal].*

Retenir la leçon

• La cause et la conséquence sont deux notions étroitement liées. Chronologiquement, une cause précède toujours sa conséquence. Le rapport logique cause / conséquence est un rapport réciproque : une cause produit une conséquence, une conséquence est due à une cause. Selon le contexte, on peut vouloir insister sur :

Ex. 3 à 5

– la cause ;
> ***Parce que la pollution augmente**, la Terre se réchauffe.* (la pollution)

– la conséquence.
> *La pollution augmente **si bien que la Terre se réchauffe**.* (le réchauffement)

S'exercer

3. Indiquez, pour chaque couple de phrases, la phrase qui exprime une cause et celle qui exprime une conséquence. *

1A. À Chalon-sur-Saône, les employés municipaux ont été informés sur les économies d'énergie. **1B.** Ils ont ainsi pu faire 8 % d'économies d'énergie. **2A.** Des étudiants ont mis en circulation à Lyon des vélos-taxis, ou cyclopolitains. **2B.** Ils ont transporté de façon douce et non-polluante 2 200 personnes par semaine. **3A.** Prends une courte douche plutôt qu'un bain. **3B.** Elle use moins d'eau. **4A.** Baisse le chauffage chez toi et au collège. **4B.** Un degré de moins, c'est 7 % d'énergie économisée.

4. Récrivez chaque phrase en insistant : a. sur la cause, en employant *parce que* ; b. sur la conséquence, en employant *si bien que*. *

1. Ils ont fait des travaux d'isolation dans leur maison : ils vont faire des économies d'énergie. **2.** Le vent a soufflé à 140 km/h : toute la forêt est dévastée. **3.** La plage est envahie de galettes noires et gluantes : un navire a dégazé au large. **4.** Cette maison, équipée de panneaux solaires, ne coûte pas cher à chauffer.

5. a. Relevez en deux colonnes les causes et les conséquences. b. Comparez l'importance des causes et celle des conséquences : quel est le ton de Voltaire ? * *

J'ai été envoyé au supplice parce que j'avais fait des vers à la louange du roi ; j'ai été sur le point d'être étranglé parce que la reine avait des rubans jaunes, et me voici ici esclave avec toi parce qu'un brutal a battu sa maîtresse.

VOLTAIRE, *Zadig*, 1748.

› La proposition subordonnée circonstancielle de cause

Observer pour comprendre

6. a. Par quelle conjonction ou locution conjonctive de subordination chaque proposition entre crochets commence-t-elle ?
b. À quel mode le verbe est-il conjugué dans chaque proposition entre crochets ?
c. Quelle proposition entre crochets exprime une cause douteuse ? une cause niée ?
> *Les élèves sont arrivés en retard [parce que la route était encombrée]. Rémi n'est pas allé en classe [sous prétexte qu'il avait neigé]. Les enfants tremblent [non qu'ils aient peur] mais [étant donné qu'ils ont froid].*

Retenir la leçon

- La proposition subordonnée circonstancielle de cause exprime la raison d'une action. Ex. 7 à 12
- Le verbe est généralement conjugué au mode indicatif.
- Elle est introduite par une conjonction ou locution conjonctive de subordination. Le choix de certaines conjonctions ou locutions conjonctives de subordination permet de nuancer l'expression de la cause :

– expliquer, informer le destinataire d'une cause qu'il ignore, apporter une réponse à la question *Pourquoi ?* : *parce que*, *du fait que* ;
> *Luc est absent [**parce qu'**il est malade].*

– justifier, démontrer une cause présentée comme connue du destinataire : *puisque*, *vu que*, *étant donné que*, *comme* ;
> *[**Puisque** Luc est malade], il ne va pas en classe.*

– douter, indiquer que la cause est douteuse : *sous prétexte que* ;
> *Luc ne va pas en classe [**sous prétexte qu'**il est malade].*

– nier, réfuter la cause : *non que* + subjonctif.
> *Luc ne va pas en classe [**non qu'**il soit malade] mais par paresse.*

S'exercer

7. Recopiez trois propositions subordonnées circonstancielles de cause et soulignez la conjonction ou locution conjonctive de subordination. *

Un prince ne peut faire la guerre parce qu'on lui a refusé un honneur qui lui est dû, ou parce qu'on aura eu quelque procédé peu convenable à l'égard d'un de ses ambassadeurs. [...] Comme la déclaration de guerre doit être un acte de justice, dans laquelle il faut que la peine soit proportionnée à la faute, il faut voir si celui à qui on déclare la guerre mérite la mort.

Montesquieu, *Lettres persanes*, 1721.

8. a. Relevez les propositions subordonnées circonstancielles de cause. b. Précisez si elles expliquent ou justifient. *

1. Étant donné qu'ils ont observé la forme des grains, les scientifiques identifient la provenance d'un sable. **2.** Le sable d'Hawaï est noir parce qu'il est constitué d'une roche volcanique. **3.** À la Réunion, le sable est d'une couleur d'émeraude, vu qu'il provient d'une roche verte. **4.** Au Sri Lanka, comme ils contiennent des éclats de grenat, les sables renvoient des reflets rouges.

9. Transformez les compléments circonstanciels de cause en gras par une proposition subordonnée circonstancielle de cause. **

1. À cause des pluies torrentielles de 2003, les criquets se sont multipliés ; **étant donné leur prolifération**, de nombreuses récoltes ont été anéanties.

2. À force de prendre la planète pour une poubelle, nous risquons de provoquer le réchauffement de la Terre.

3. Le corail d'Australie blanchit **vu l'augmentation de la température de l'eau**.

4. En fondant, la glace provoque une élévation du niveau de la mer.

5. Grâce aux efforts de tous, nous pouvons encore enrayer le terrible cataclysme.

10. a. Parmi les couples suivants, repérez la cause. b. À partir de chacun de ces couples, rédigez une phrase contenant une proposition subordonnée circonstancielle de cause, en diversifiant les conjonctions ou locutions conjonctives de subordination. **

1. Critiquer le roi ; être envoyé à la Bastille. **2.** Cléante chassé par Harpagon, son père ; Cléante rival de son père en amour. **3.** Désir de vengeance de Chimène ; mort du père de Chimène en duel. **4.** Interdiction de représenter la mort en scène ; récit de bataille dans *Le Cid*.

11. À partir de chaque groupe de propositions, rédigez une phrase contenant deux propositions subordonnées circonstancielles de cause, dont l'une niera la cause. **

1. Les adolescents sont heureux ; ils sont invités à une fête ; ils reçoivent un prix. **2.** Ce couple a beaucoup d'amis ; il sait recevoir chaleureusement ; il a une grande maison. **3.** Thierry est un sportif admiré ; il court très vite ; il porte un superbe survêtement. **4.** Le maître prend soin de son chien ; l'animal a mal à la patte ; ce caniche est affectueux.

Écrire 

12. Exprimez le rapport de cause entre les deux premières vignettes et la troisième, en employant deux subordonnées circonstancielles de cause.

› La proposition subordonnée circonstancielle de conséquence

Observer pour comprendre

13. a. Par quelle locution conjonctive de subordination chaque proposition entre crochets commence-t-elle ? b. À quel mode le verbe est-il conjugué dans chaque proposition entre crochets ? c. Par quel mot chacune des trois dernières propositions entre crochets est-elle annoncée dans la proposition principale ?
> **A.** *Le comédien joue à merveille [si bien que le public applaudit].* **B.** *Il incarne son rôle [à tel point qu'il se confond avec son personnage].* **C.** *Cette pièce est si remarquable [qu'elle a des chances de remporter un prix].* **D.** *Il y a assez de places [pour que nous puissions assister à la représentation].* **E.** *Ce comédien a tant répété [qu'il connaît son texte par cœur].*

Retenir la leçon

• La proposition subordonnée circonstancielle de conséquence exprime le résultat d'une action antérieure. Ex. 14 à 19

• Le verbe est généralement conjugué au mode indicatif.

• La proposition subordonnée circonstancielle de conséquence est introduite par une conjonction ou locution conjonctive de subordination qui exprime :
– une conséquence simple : *si bien que*, *de (telle) sorte que*, *de manière que* ;
> *Il s'est entraîné [**si bien qu'**il a gagné].*
– une conséquence renforcée :
– *à tel point que*, *au point que* : > *Il s'est entraîné [**au point** qu'il a gagné].*
– *si*, *tant*, *tellement* (+ adjectif ou adverbe) … *que* : > *Il est **si** fort [**qu'**il a gagné].*
– *tant de*, *tel* (+ GN) … *que* : > *Il a fait **tant** d'efforts [**qu'**il a gagné].*
– *tant*, *tellement* (+ verbe) … *que* : > *Il s'est **tant** entraîné [**qu'**il a gagné].*
– *trop (assez)* (+ nom ou adjectif) … *pour que* + subjonctif : > *Il est **trop** fort [**pour qu'**il perde].*

• Attention ! Une partie de la locution conjonctive (*si*, *tant*, *tellement*, *tel*, *trop*, *assez*) peut se trouver dans la proposition principale, éloignée de la conjonction *que*.
> *Il est **si** fort [**qu'**il a gagné].*

S'exercer

14. Récrivez ces phrases en employant une subordonnée circonstancielle de conséquence. *
1. Le corps a besoin d'eau ; on ne survit plus de trois jours sans boire. **2.** L'eau compose 80 % de notre sang ; elle livre notre oxygène. **3.** L'eau glacée supprime plus vite la sensation de soif ; elle est déconseillée. **4.** Le manque d'eau dans le corps favorise les infections urinaires : il faut se désaltérer régulièrement.

15. Complétez les phrases suivantes par un mot annonçant une conséquence renforcée. *
1. Jean Valjean a été … malheureux qu'il a aidé les pauvres gens.
2. Sa bonté est … grande qu'elle le pousse à sauver Cosette.
3. Javert est … dur qu'il poursuit Jean Valjean sans relâche.

16. Assemblez les phrases en exprimant une conséquence renforcée. Faites toutes les modifications nécessaires. *
Mon père est vraiment furieux ; je ne sortirai pas.
> *Mon père est **tellement** furieux **que je ne sortirai pas**.*
1. Les fourmis se propagent très rapidement ; il faut les anéantir au plus vite. **2.** Elle suit un régime très équilibré ; elle perd du poids régulièrement. **3.** Pierre a fait de réels efforts pour apprendre son code de la route ; il a enfin obtenu son permis. **4.** Ses bavardages incessants gênent la classe ; ils lui valent une commission disciplinaire.

17. Récrivez les couples de phrases suivants en exprimant la conséquence par la subordination. **
1. La Namibie abrite la plus grande population de guépards du monde. C'est donc dans ce pays que la chercheuse Laurie Marker a choisi d'intervenir. **2.** Depuis plus de trente ans, ces mammifères menacés par l'homme sont la proie des chasseurs. Cette femme a décidé de les défendre.

18. À partir de chacun des couples de l'exercice 10 p. 298, rédigez une phrase contenant une proposition subordonnée circonstancielle de conséquence en diversifiant les locutions conjonctives de subordination. **

Écrire

19. À partir de l'image de la p. 298, exprimez le rapport de conséquence entre les vignettes en employant une subordonnée circonstancielle de conséquence.

Réviser les classes de mots

Consolider les acquis

- Les mots appartiennent à des classes grammaticales **différentes** qui ne jouent pas le même rôle dans la phrase et n'obéissent pas aux mêmes règles d'orthographe.

Classes de mots	Orthographe	Caractéristiques grammaticales	
Le verbe (voir p. 326)	s'accorde avec son sujet.	– constitue le noyau de la phrase. – appartient à un groupe de conjugaison. – varie selon le mode, le temps, la personne, la voix.	Ex. 1, 4, 5 et 13
	> *Le paysan **vend** sa vache. Les paysans **vendraient** leur vache.*		
Le nom	– prend la marque du pluriel. – commande l'accord du verbe, du déterminant, de l'adjectif qualificatif.	– a un genre. – peut être un nom commun ou un nom propre. – nécessite la présence d'un article ou d'un déterminant (sauf le nom propre). – assume des fonctions essentielles dans la phrase. – peut être le noyau d'une phrase nominale.	Ex. 2 à 6 et 13
	> *Le riche **paysan** (sujet) vend sa **vache** (COD). Les riches **paysans** (sujet) vendent leurs **vaches** (COD).*		
L'adjectif qualificatif (voir p. 304)	– varie en genre et en nombre. – s'accorde avec le nom (ou le pronom) auquel il se rapporte.	– fait partie du groupe nominal. – est facultatif. – peut être attribut du sujet (voir p. 314).	Ex. 4, 6, 7 et 13
	> *[Le paysan **économe**] marchande [cet achat **important**].* > *Le paysan est **économe** (attribut du sujet) ; ces acquisitions sont **importantes** (attribut du sujet).*		
Les déterminants (voir p. 302)	– prennent la marque du pluriel et du féminin. – s'accordent avec le nom auquel ils se rapportent.	– précèdent le nom dans le groupe nominal. – sont de différents types : articles, numéraux, démonstratifs, possessifs, indéfinis (voir p. 306), interrogatifs, exclamatifs (voir p. 313).	Ex. 8 et 13
	> ***Cet** achat est important. **Ces** acquisitions sont importantes.*		
Les pronoms (voir p. 303)	peuvent varier en genre et en nombre.	– fonctionnent comme un nom précédé de son déterminant. – remplacent un nom ou désignent un être ou une chose. – sont de différents types : personnels, relatifs, indéfinis, démonstratifs, possessifs, interrogatifs, exclamatifs (voir p. 308).	Ex. 9 et 13
	> *Le paysan vend sa vache. **Il la** vend. **Celui qui** vend sa vache **l'**amène au marché. **Tu** marchandes.*		
L'adverbe (voir p. 310)	est invariable.	modifie, nuance le sens d'un mot ou d'une phrase.	Ex. 10 et 13
	> *Il marche **lentement**. Il a un pas **très** lent.* ***Soudain**, un cri retentit et nous effraie.*		
Les prépositions	sont invariables.	relient des mots de fonctions différentes.	Ex. 11 et 13
	> *Il pense **à** vendre sa vache **sur** la place **de** la ville **pendant** le marché.*		
Les conjonctions	sont invariables.	– sont des mots de liaison. – relient des éléments de classe grammaticale identique ou équivalente : ce sont les conjonctions de coordination. – relient des propositions de natures différentes : ce sont les conjonctions de subordination.	Ex. 12 et 13
	> *Le paysan **et** sa vache cheminaient **lorsqu'**un soldat surgit.*		

S'exercer

1. a. **Quelle est la classe grammaticale des mots qui manquent pour que ces phrases soient correctes ? b. Récrivez les phrases en les complétant.** *
1. Il ... une nouvelle dans le journal. **2.** Cet écrivain du XIXe siècle ... des récits dans des journaux. **3.** Le chien ... au soleil. **4.** L'enfant ... au ballon. **5.** Le jardinier ... la pelouse.

2. a. **Quelle est la classe grammaticale des mots qui manquent pour que ces phrases soient correctes ? b. Récrivez les phrases en les complétant.** *
1. Le ... joue du piano. **2.** Le ... aboie à chaque passant. **3.** Le ... a gagné le match. **4.** La ... brille dans la nuit noire. **5.** Je lis un ... de Balzac. **6.** As-tu parlé au ... de français ?

3. **Récrivez les phrases formées dans l'exercice 2 en mettant au pluriel les mots ajoutés. Faites toutes les modifications nécessaires.** *

4. a. **Dans quelles phrases pouvez-vous supprimer le mot en gras ? b. Indiquez la classe grammaticale de chacun des mots en gras.** *
1. Le ton **ferme** du professeur impressionne la classe. **2.** Le paysan **ferme** l'étable. **3.** La **ferme** est entourée de hangars. **4.** La **vente** de son magasin est inévitable. **5.** Il **vente** si fort que les arbres vacillent. **6.** La **file** des carrosses envahit la cour. **7.** Le malfaiteur **file** à toutes jambes. **8.** L'enfant **malade** tousse. **9.** Le **malade** tousse.

5. a. **Quelle est la classe grammaticale des mots en gras ? b. Donnez le nom correspondant à chacune de ces définitions.** **
1. Le fait de **mentir**. **2.** Le fait de **s'agiter**. **3.** Le fait de **partir**. **4.** Le fait de **déclarer**. **5.** Le fait de **murmurer**. **6.** Le fait de **hurler**. **7.** Le fait de **descendre**.

6. **Les mots en gras sont-ils des noms ou des adjectifs ? Justifiez vos réponses.** *
1. Le **pauvre** homme mourait de faim. **2.** Il vivait dans une mansarde **misérable**. **3.** Victor Hugo défendit les **pauvres** et les **misérables**. **4.** Ce **lâche** coquin s'enfuit à toutes jambes. **5.** Il n'a pas osé te défendre, le **lâche** ! **6.** La **nouvelle** est un genre littéraire. **7.** As-tu vu la **nouvelle** élève ?

7. **Relevez les adjectifs qualificatifs.** *

1. La nuit, lorsque presque tout l'équipage dormait d'un profond sommeil, les hommes de garde entendirent d'abord un chant grave, solennel, lugubre, qui partait de l'entrepont, puis un cri de femme horriblement aigu. Aussitôt après, la grosse voix de Ledoux jurant et menaçant et le bruit de son terrible fouet retentirent dans tout le bâtiment. Un instant après, tout rentra dans le silence. Le lendemain, Tamango parut sur le pont, la figure meurtrie, mais l'air aussi fier, aussi résolu qu'auparavant. **2.** La mer était grosse et le ciel brumeux. **3.** Jamais projet ne fut plus insensé.

P. Mérimée, *Tamango*, 1829.

8. a. **Recopiez les phrases en soulignant les déterminants. b. Mettez les noms en gras au pluriel s'ils sont au singulier et inversement, en modifiant les déterminants.** *
1. Où as-tu trouvé ce **recueil** ? **2.** J'ai lu des **nouvelles** de Maupassant. **3.** Maupassant s'amuse de l'avarice du **paysan**. **4.** Balzac rédige des **descriptions** d'une grande précision. **5.** Nous admirons son **œuvre**. **6.** Quelle **nouvelle** préfères-tu ? **7.** Quelle **histoire** !

9. **Remplacez les groupes nominaux en gras par un pronom qui convienne.** *
1. J'ai lu **ce livre** avec plaisir. **2.** **Le grand magasin** se développe. **3.** **La vieille boutique** menace de s'effondrer. **4.** **Pierre et moi** préférons les nouvelles fantastiques alors que **David et toi** aimez les récits réalistes. **5.** Il m'a pris mon livre car il a oublié **son livre**.

10. **Remplacez les groupes de mots en gras par un adverbe synonyme.** *
1. L'équipe de France joue **de façon rapide**. **2.** L'ombre a disparu **de manière magique**. **3.** Il a frappé **de façon volontaire**. **4.** Il a planté le clou **avec solidité**. **5.** Il a frappé **avec énergie**.

11. a. **Recopiez le texte suivant en soulignant les prépositions. b. Quelle est celle qui, ici, introduit des verbes ?** *

De temps en temps, quand on s'arrête pour visiter un vieux château bâti par quelque seigneur, héros et chef d'une tradition féodale, pour dessiner une vieille tour élevée par les Gênois, le cheval tond une touffe d'herbe, écorce un arbre[1] ou lèche une roche couverte de mousse.

A. Dumas, *Les Frères corses*, 1844.

1. enlève l'écorce d'un arbre.

12. **Dans le texte de l'exercice 11 : a. relevez les conjonctions de coordination et indiquez la classe grammaticale des mots qu'elles relient. b. Relevez la conjonction de subordination. c. Par quelle conjonction synonyme pourriez-vous la remplacer ?** *

Écrire

13. **À partir de cette image, rédigez un texte de votre choix dans lequel vous emploierez au moins un mot de chaque classe grammaticale. Vous préciserez celle-ci entre parenthèses.**

Cosette et les Thénardier, *Les Misérables*, Capitole, Québec, 2009.

Réviser les déterminants

Consolider les acquis

> Définition

• Les déterminants précèdent le nom dans le groupe nominal. Ils s'accordent avec le nom auquel ils se rapportent. Ils sont de différents types.
> ***Ces*** *nouvelles, conseillées par* ***notre*** *professeur, forment* ***un*** *recueil composé par* ***l'****écrivain.*
dét. démonstratif — dét. possessif — article indéfini — article défini

> Les articles

Ex. 1 et 3

• Les articles définis désignent quelque chose ou quelqu'un de connu ou d'identifiable : *le*, *la*, *les*, *l'*, *au* (« à le »), *aux* (« à les »), *du* (« de le »), *des* (« de les »).
> *J'ai lu* ***le*** *recueil de Maupassant, intitulé* **Les** Contes de **la** bécasse.

• Les articles indéfinis désignent quelque chose ou quelqu'un qui n'a pas encore été identifié ou des éléments dans un ensemble connu : *un*, *une*, *des*, *du*.
Au pluriel, on emploie *de* au lieu de *des* dans une phrase négative ou avec un nom précédé d'un adjectif qualificatif.
> *Je n'ai jamais lu* ***de*** *contes réalistes. Maupassant a écrit* ***de*** *nombreuses nouvelles.*

• L'article partitif (*du*, *de la*) indique une quantité.
> *Il boit* ***de l'****eau et* ***du*** *vin.*

> Les déterminants numéraux

Ex. 3

• Les déterminants numéraux indiquent une quantité. On distingue les déterminants cardinaux qui expriment un nombre (*un*, *deux*, *trois*...) et ordinaux qui indiquent une place (*premier*, *deuxième*...). Pour leur orthographe, voir p. 368.

> Les déterminants possessifs

Ex. 2 et 3

• Les déterminants possessifs expriment la possession et varient selon le possesseur et l'objet possédé : possesseur 1re personne (*mon*, *ma*, *mes* ; *notre*, *nos*) ; possesseur 2e personne (*ton*, *ta*, *tes* ; *votre*, *vos*) ; possesseur 3e personne (*son*, *sa*, *ses* ; *leur*, *leurs*).
> ***Ma*** *nouvelle est fantastique,* ***ses*** *récits sont réalistes.*

> Les déterminants démonstratifs

Ex. 2 et 3

• Les déterminants démonstratifs *ce*, *cet* (devant un nom masculin commençant par une voyelle ou un « h » muet), *cette* et *ces* servent à désigner quelque chose ou quelqu'un. Ils peuvent être suivis des adverbes *-ci* (proximité) et *-là* (éloignement).
> ***ce*** *romancier,* ***cet*** *homme,* ***cette*** *nouvelle,* ***ces*** *nouvelles*

> Les déterminants interrogatifs et exclamatifs

Ex. 2 et 3

• Le déterminant *quel* (*quels*, *quelle*, *quelles*) peut être interrogatif (> ***Quelle*** *heure est-il ?*) ou exclamatif (> ***Quelle*** *drôle d'heure pour venir !*).

> Les déterminants indéfinis : voir p. 306

S'exercer

1. a. Complétez les phrases suivantes par les articles qui conviennent. b. Relevez deux autres déterminants et précisez le type de chacun. *

... capitaine Ledoux se fit descendre sur ... rivage. Il trouva Tamango dans ... case en paille qu'on avait élevée à ... hâte. Tamango s'était paré pour recevoir ... capitaine blanc. Il était vêtu d'... vieil uniforme bleu. ... grand sabre de cavalerie était suspendu à son côté au moyen d'... corde, et il tenait à ... main ... beau fusil à deux coups.

2. Faites précéder chacun de ces noms par un déterminant : a. possessif ; b. démonstratif ; c. interrogatif ou exclamatif. Faites les accords qui s'imposent. *

nouvelle • énergie • récits • écrivain • paysages • région • voisines

Écrire

3. Rédigez un petit texte dans lequel vous emploierez quatre déterminants de types différents, que vous soulignerez.

Réviser les pronoms

Consolider les acquis

- Les pronoms remplacent des noms ou des groupes nominaux. Ils ont les mêmes fonctions qu'un nom.
- Les pronoms personnels 1re et 2e personnes désignent le locuteur et l'interlocuteur.
- Les pronoms sont de différents types.

> ***Il*** *a écrit des romans* ***que*** *l'on lit encore.* ***Ceux-ci*** *ont été publiés en feuilletons.* ***Qui*** *est-il ?*

pron. personnel sujet — pron. relatif COD — pron. démonstratif sujet — pron. interrogatif sujet

Types de pronoms	Pronoms	Exemples	
personnels	je, tu, il, elle, nous, vous, ils, elles me, te, se, le, la, les moi, toi, lui, eux, leur	> ***Je le*** *vois et* ***lui*** *parle.*	Ex. 1 et 6
démonstratifs*	celui (-ci, -là), celle (-ci, -là), ceux (-ci, -là), celles (-ci, -là), ce, ceci, cela	> *Ces romans sont captivants,* ***ceux-ci*** *m'ennuient.* ***Cela*** *me surprend.*	Ex. 3, 4 et 6
possessifs	le mien, la mienne, les miens, les miennes le tien…, le sien… le(s) nôtre(s), le(s) vôtre(s), le(s) leur(s)	> *Nous avons chacun lu une nouvelle :* ***la mienne*** *était réaliste,* ***la tienne*** *fantastique.*	Ex. 5 et 6
interrogatifs	qui ? que ? quoi ? lequel ? laquelle ? lesquels ? lesquelles ?	> ***Qui*** *est là ?* ***Que*** *vois-tu ?*	Ex. 2 et 6
relatifs (voir p. 288)	qui, que, quoi, dont, où lequel, laquelle, lesquels, lesquelles, auquel, à laquelle, auxquels, auxquelles, duquel, de laquelle, desquels, desquelles	> *Le conte* ***dont*** *tu m'as parlé est remarquable.*	Ex. 6
indéfinis	voir p. 308	> ***Chacun*** *se tait.*	

* L'adverbe *-ci* désigne la proximité, l'adverbe *-là* l'éloignement.

S'exercer

1. Remplacez les noms et groupes nominaux en gras par les pronoms personnels qui conviennent. *

1. Gavroche n'habite pas chez **les Thénardier**. **2. Cosette** transporte **de lourds seaux d'eau**. **3. Les coups et la méchanceté** rendent **sa vie** détestable. **4. Tes amis et toi** lisez **des textes de Victor Hugo**. **5. Jean Valjean** ne cache pas ses origines **à l'évêque**. **6. Mon cousin et moi** lisons **le premier chapitre des *Misérables* à notre grand-père**.

2. Pour chaque phrase de l'exercice 1, posez une question en employant un pronom interrogatif que vous soulignerez. **

> *Qui n'habite pas chez les Thénardier ?*

3. Remplacez chaque groupe nominal en gras par l'un de ces pronoms démonstratifs : *celui-ci, celle-ci, celles-ci, ceux-ci, ceux.* *

1. La mère Toine prit cinq œufs parmi **les œufs** de sa poule. **2.** Elle les plaça dans le lit de Toine. **Toine** dut les couver. **3.** Un jour que Toine voulut entendre la conversation dans le café, il fit une omelette en se tournant. Quand la mère Toine vit **l'omelette**, elle se fâcha. **4.** Toine subit des brimades de la part de sa femme. **Les brimades** consistaient à le priver de nourriture s'il cassait un œuf. **5.** Toine fut obligé de couver les œufs ; **ces œufs** donnèrent naissance à des poussins.

4. Indiquez à quel nom ou GN les pronoms démonstratifs en gras renvoient. *

1. Voltaire et Montesquieu sont deux auteurs du XVIIIe siècle ; **celui-ci** a écrit des lettres, **celui-là** des contes philosophiques.
2. Voltaire dénonce l'esclavage et le fanatisme : **celui-ci** lui fait horreur.
3. Harpagon prive ses enfants et explique à **ceux-ci** que c'est pour leur bien.
4. Qui affrontera le comte : Don Diègue ou Rodrigue ? **Celui-ci** est trop jeune, **celui-là** trop vieux.

5. Complétez les phrases par des pronoms possessifs (parfois, plusieurs réponses possibles). *

1. Mon envie est de tenir ce rôle ; quelle est … ? **2.** Ton ordinateur ne fonctionne pas ; sers-toi du … ! **3.** Dans notre village, la fête a lieu en juin, et dans … ? **4.** Nous avons reçu des nouvelles de nos sœurs, et toi, as-tu reçu un message des … ?

Écrire 

6. Rédigez un paragraphe en utilisant quatre pronoms de types différents. Vous soulignerez ces pronoms et préciserez la nature de chacun.

Réviser l'adjectif qualificatif et ses degrés

Consolider les acquis

> Définition de l'adjectif qualificatif

Ex. 1 à 5 et 14

• L'adjectif qualificatif caractérise un nom ou un groupe nominal. Il enrichit le texte, il contribue à créer une impression dominante, en particulier dans les descriptions et les portraits.
> *La **vieille** paysanne, **malade** et **fragile**, marche péniblement.*

• Il prend la marque du pluriel et, le plus souvent, celle du féminin : > *grand, grand**s**, grand**e**.*

• Pour les accords de l'adjectif qualificatif dans le groupe nominal, voir p. 364.

• Les fonctions de l'adjectif qualificatif sont : épithète (voir p. 322), mis en apposition (voir p. 324) ou attribut (voir p. 314).

• Le participe passé peut être employé comme adjectif : > *une maison **abandonnée**.*

• La grande majorité des adjectifs peut varier en degrés d'intensité ou de comparaison grâce à des adverbes.
> *Ce roman est **très court**. Ce roman est **le plus court que** j'aie jamais lu. Ce roman est **plus court que** celui-là.*

Mais certains font exception. On ne peut pas dire, par exemple :
> ~~*Un triangle est très **équilatéral**. Ce triangle est plus **équilatéral** que celui-là.*~~

> Formation de l'adjectif qualificatif

Ex. 6 à 8

• De nombreux adjectifs sont formés à l'aide d'un suffixe.
> *cap**able**, sens**ible**, loc**al**, patern**el**, joy**eux**, audac**ieux**, guerr**ier**, phys**ique**...*

• Quand l'adjectif se termine au masculin par *-eil*, *-el*, *-ien*, *-on*, il faut doubler la consonne finale pour former le féminin.
> *pareil → parei**lle**, réel → rée**lle**, aérien → aérie**nne**, bon → bo**nne***

• De nombreux adjectifs commencent par le préfixe *in-* et ses variantes : *im-*, *il-*, *ir-*. Ce préfixe exprime une idée de négation.
> *mortel / **im**mortel, logique / **il**logique, réel / **ir**réel*

> Les degrés d'intensité : le superlatif absolu

Ex. 9 à 11 et 14

• Un adjectif est employé au superlatif absolu quand il est précédé d'un adverbe d'intensité et que cette intensité est exprimée pour elle-même, sans comparaison avec un (ou plusieurs) autre(s) élément(s). > *Un livre **très rare**. Un livre **vraiment rare**.*

• Il existe trois degrés d'intensité :
- une intensité faible : > *peu, faiblement, légèrement...*
- une intensité moyenne : > *plutôt, assez, aussi, surtout...*
- une intensité forte : > *très, trop, fort, extrêmement...*

> Les degrés de comparaison : le comparatif et le superlatif relatif

Ex. 12 à 14

• Un adjectif qualificatif employé au comparatif permet de comparer des éléments. Il existe le comparatif :
- d'infériorité (adverbe *moins*) : > *Il est **moins** connu **que** Molière.*
- d'égalité (adverbe *aussi*) : > *Il est **aussi** connu **que** Molière.*
- de supériorité (adverbe *plus*) : > *Il est **plus** connu **que** Molière.*

Les adjectifs *bon*, *petit* et *mauvais* ont un comparatif de supériorité particulier : *meilleur*, *moindre* et *pire* : > *J'ai eu une **meilleure** idée que la tienne.*

On nomme complément du comparatif l'élément introduit par la conjonction *que*. Parfois, le complément du comparatif est sous-entendu : > *Il rêve d'une vie plus calme (**que celle de la ville**).*

• L'adjectif employé au superlatif relatif exprime une qualité mesurée par rapport à un ensemble. Le superlatif relatif se forme à l'aide d'un article défini (*le*, *la*, *les*) suivi de l'adverbe *plus* ou *moins*. Il existe le superlatif relatif :
- de supériorité : > *Il est **le plus** grand des joueurs.*
- d'infériorité : > *Il est **le moins** grand des joueurs.*

Le complément du superlatif relatif est introduit par la préposition *de*. Ce complément est parfois sous-entendu : > *Il possède le plus beau magasin (**du quartier**).*

S'exercer

1. a. Relevez les adjectifs qualificatifs et les participes passés employés comme adjectifs, avec le nom auquel chacun se rapporte. **b.** Récrivez le texte en remplaçant *un jeune homme* par *des jeunes gens* et faites toutes les modifications nécessaires. *

> C'était [...] un jeune homme de vingt à vingt et un ans, aux cheveux noirs, au teint bruni par le soleil, plutôt petit que grand mais admirablement bien fait. [...] On voyait l'homme élevé pour la lutte matérielle, habitué à vivre au milieu du danger sans le craindre, mais aussi sans le mépriser : grave parce qu'il est solitaire, calme parce qu'il est fort.
>
> A. Dumas, *Les Frères corses*, 1844.

2. a. Relevez les adjectifs qualificatifs en deux colonnes, selon qu'ils sont employés au singulier ou au pluriel. **b.** Le personnage est-il qualifié de façon positive ou négative ? *

> Il était petit, maigre, un peu tors, avec de grandes mains pareilles à des pinces de crabe. Ses cheveux ternes, rares et légers comme un duvet de jeune canard, laissaient voir partout la chair du crâne. La peau brune et plissée du cou montrait de grosses veines qui s'enfonçaient sous les mâchoires et reparaissaient aux tempes.
>
> G. de Maupassant, *Le Père Milon*, 1899.

3. a. Relevez les adjectifs qualificatifs et indiquez leur genre. **b.** Quelle impression dominante créent-ils ? *

> L'appartement était tellement sombre que je n'y distinguai rien d'abord. Je m'arrêtai, saisi par cette odeur moisie et fade des pièces vides, des chambres mortes. Puis, peu à peu, mes yeux s'habituèrent à l'obscurité totale, et je vis assez nettement une grande pièce en désordre, avec un lit sans draps, mais gardant ses oreillers, dont l'un portait l'empreinte profonde d'un coude.
>
> D'après G. de Maupassant, *Apparition*, 1883.

4. Mettez les groupes nominaux au pluriel en accordant les adjectifs qualificatifs. *

une aventure périlleuse • un vent vif • un parfum discret • une contrée sauvage et naturelle • un fabuleux destin • un nouveau métier • un détective malin et perspicace • une heure fatidique • une surprise générale • un bel air ancien

5. Recopiez les groupes nominaux dans lesquels le mot en gras est adjectif qualificatif. **

1. un vase **turquoise** / une **turquoise** éclatante • **2.** une **lavande** parfumée / un pull **lavande** • **3.** des **pauvres** glacés de froid / des gens **pauvres** • **4.** des **vieux** harassés de fatigue / de **vieux** habits • **5.** un enfant **sage** / un **sage** aimant la philosophie

6. a. À partir de chaque nom, formez un adjectif qualificatif en utilisant un suffixe : *-aire, -al, -el, -estre, -eux, -ier.* **b.** Écrivez au féminin les adjectifs ainsi formés. *

précarité • éloge • meurtre • convive • imagination • père • courage • Orient • astuce • artifice • terre

7. a. Proposez cinq adjectifs qualificatifs formés avec le suffixe *-eux*, puis mettez-les au féminin. **b.** Employez chaque adjectif dans une phrase qui mette son sens en valeur. **

8. Formez des adjectifs en utilisant des formes du préfixe *in-*. **

gérable • légal • lisible • perméable • réfléchi • modéré • matériel • mobile • soluble

9. Relevez les adjectifs employés avec un degré d'intensité, en précisant ce degré et en indiquant l'adverbe qui le marque. *

1. Les invités formaient un cortège plutôt sympathique et très joyeux. **2.** La mariée fort jolie, habillée d'une robe la plus belle qui soit, les accueillit par un mot extrêmement agréable. **3.** Les enfants, très contents de participer à la fête, se montraient vraiment admiratifs du buffet assez copieux. **4.** Les musiciens, aussi heureux que les enfants, jouaient un air extrêmement gai.

10. Ajoutez différents adverbes marquant l'intensité et précisez celle-ci. **

1. La négociation a eu un début ... difficile mais le père Chicot est toujours demeuré ... confiant. **2.** Cet homme est quelqu'un de ... bavard, il apparaît ... convivial. **3.** La visite chez le notaire s'est effectuée dans des conditions ... favorables, les relations entre le père Chicot et la mère Magloire étaient ... cordiales. **4.** Le notaire a établi un document ... détaillé et ... précis.

11. a. Lesquels de ces adjectifs peuvent être précédés d'un adverbe d'intensité ? **b.** Employez ces adjectifs dans des phrases où ils seront au superlatif. *

coléreux • nordique • circonflexe • lent • visible • juste • précis • isocèle • honnête • égal

12. a. Relevez les adjectifs qualificatifs avec les adverbes qui les modifient et indiquez s'ils sont employés au comparatif ou au superlatif relatif. **b.** Entourez les compléments du comparatif ou du superlatif quand il y en a. *

1. Le père Godichon est plus amoureux de la nature que son fils. **2.** Il a cueilli la plus ridicule des salades. **3.** Sa maison est la moins coquette du village. **4.** Ses convives sont moins gais que lui. **5.** Sa femme est aussi sotte que lui. **6.** Sa villégiature n'est pas plus attirante que sa boutique.

13. Relevez les adverbes qui accompagnent les adjectifs en gras, en précisant entre parenthèses s'ils expriment une intensité ou une comparaison. **

> M. Schiaparelli, un des plus **éminents** astronomes de notre siècle et un des observateurs les plus **sûrs**, découvrit tout à coup une très **grande** quantité de lignes extrêmement **noires**, droites ou brisées suivant des formes très **géométriques**.
>
> D'après G. de Maupassant, *L'Homme de Mars*, 1887.

S'exprimer

14. Décrivez un lieu de votre choix en utilisant des adjectifs qualificatifs dont au moins deux seront employés avec un degré d'intensité ou de comparaison. Vous accorderez correctement ces adjectifs et les soulignerez.

Les déterminants indéfinis

Les mots de la leçon

déterminant : qui détermine (définit) un nom.
indéfini : qui ne donne pas de précision.

Observer pour comprendre

1. a. Quels noms les mots en gras déterminent-ils ?
b. Ces déterminants donnent-ils des informations précises sur ces noms ?
c. Quel effet produit par le personnage soulignent-ils ?

Un homme d'imagination aurait pu prendre cette vieille tête pour **quelque** silhouette due au hasard. [...] L'absence de **tout** mouvement dans le corps, de **toute** chaleur dans le regard, s'accordait avec une **certaine** expression de démence triste.

H. de Balzac, *Le Colonel Chabert*, 1832.

2. Le(s)quel(s) de ces déterminants remplace(nt) un article ?
Le(s)quel(s) s'ajoute(nt) à un article ?

Retenir la leçon

> Les déterminants indéfinis et leurs emplois

Ex. 3 à 12

• Voici la liste des déterminants indéfinis : *aucun, (un) autre, (un) certain, chaque, divers, maints, (le) même, n'importe quel, nul, plusieurs, (un) quelconque, quelque, tel, tout.*

• On emploie des déterminants indéfinis si on ne peut pas ou ne veut pas donner d'indications précises sur quelqu'un ou quelque chose, en particulier dans les récits fantastiques.
> *Il aperçoit une **certaine** forme, **quelque** fantôme hantant la maison.*

• Comme tous les déterminants, les déterminants indéfinis s'accordent en genre et en nombre avec le nom qu'ils déterminent.
> *Il a **plusieurs** solutions en vue ; **chaque** solution est intéressante.*

• Les déterminants indéfinis *aucun*, *nul* expriment une quantité nulle. Ils s'emploient avec des noms au singulier et dans des phrases négatives. Il ne faut pas oublier d'employer la particule négative.
> *Je n'ai lu **aucune** nouvelle de Zola.*
> ***Nulle** nouvelle n'est plus terrifiante.*

• Le déterminant indéfini *chaque* ne s'emploie qu'au singulier.
> ***Chaque** écrivain a un style propre.*

> La place des déterminants indéfinis

Ex. 5, 8 et 12

• En général, les déterminants indéfinis se placent devant le nom, à la place d'un article : *aucun, certain, chaque, divers, maint, n'importe quel, nul, plusieurs, quelque, tel, tout.*
> *Un élève travailleur mérite **quelque** encouragement.*
> ***Tout** élève travailleur mérite **plusieurs** encouragements et **quelques** récompenses.*

• Le déterminant indéfini *tout* (*tous*, *toute*, *toutes*) peut se placer avant un article défini ou un déterminant démonstratif.
> ***Toute** cette exposition a été réalisée par **tous** les élèves.*

• Les déterminants indéfinis *autre*, *certain*, *même*, *quelques*, *tel* peuvent se placer entre l'article et le nom.
> *Dans le **même** temps, il a aperçu une **certaine** ombre. Les **quelques** certitudes qu'il avait s'envolèrent ; de **telles** apparitions se reproduisirent souvent.*

> L'orthographe des déterminants indéfinis

• Pour l'orthographe de certains déterminants indéfinis, voir p. 369.

S'exercer

3. Complétez chaque phrase en employant un déterminant indéfini : *aucun, autre, chaque, tel, nul, tout*. Pensez à les accorder. *

1. … enfant en retard aura une punition. **2.** … année, ils assistent au carnaval. **3.** Il n'a … désir d'abandonner le judo. **4.** … fille ne la bat en souplesse. **5.** Elle a d'… qualités que celles requises pour cette fonction. **6.** … ses tentatives ont abouti à l'échec. **7.** … piste n'a été retenue pour l'instant. **8.** … père, … fils.

4. Complétez chaque phrase par un déterminant indéfini qui convienne. Tenez compte du sens et de la place. *

1. Maupassant, … un vrai conteur, sait captiver ses lecteurs. **2.** Il consacre … un conte à une vieille femme avare. **3.** … doute que maître Chicot vient voir la vieille femme en vue d'un … marché. **4.** La vieille femme donne toujours la … réponse : le refus de vendre sa ferme ; mais maître Chicot a prévu une … solution.

5. Complétez les phrases suivantes par un déterminant indéfini qui convienne. Tenez compte du sens, de la place, de l'orthographe. * *

1. Il a une … habileté à ne pas répondre à … question embarrassante. **2.** Maupassant a rédigé … nouvelles qui évoquent la guerre de 1870 : il a exprimé … l'horreur qu'elle lui inspire. **3.** … nouvelle de Maupassant est réaliste, … conte est fantastique. **4.** Zola et Maupassant appartiennent à la … époque : le XIXe siècle ; Voltaire, philosophe du Siècle des lumières, a vécu à un … siècle. **5.** Je n'ai … idée de l'époque à laquelle a vécu Diderot. **6.** Un … doute existe quant à l'auteur de cette peinture.

6. a. Complétez chaque extrait en employant des déterminants indéfinis. b. À quel genre littéraire rattachez-vous ces extraits ? * *

1. Il me sembla que … animal fort lourd essayait de grimper à l'arbre. Je me levai, non sans un … émoi, et à … pieds[1] de ma fenêtre dans le feuillage de l'arbre, j'aperçus une tête humaine.

D'après P. Mérimée, *Lokis*, 1868.

2. Au-dessus de sa tête, … rayon de jour ne venait se briser dans la glace, … objet ne s'y réfléchissait. Il trouva que le reflet ne lui ressemblait en … façon. Au bout de … minutes, il entendit un bourdonnement étrange.

D'après T. Gautier, *Onuphrius*, 1832.

1. unité de distance.

7. Accordez les déterminants indéfinis donnés entre parenthèses. *

1. Il sortait (quelque) minutes, sans s'attarder en chemin. **2.** Il bredouilla (quelque) excuse difficile à croire. **3.** Durant (quelque) instants, il hésita. **4.** À un (autre) moment, il se montra très entreprenant. **5.** Il n'avait pas d'(autre) amis à qui se confier, pas (d'autre) solution que de marmonner seul (tout) le jour. **6.** (Tout) les jours, il partait faire sa promenade matinale.

8. Transformez ces phrases affirmatives en phrases négatives. Vous emploierez des déterminants indéfinis de sens négatif. Pensez à changer les accords. * *

1. Tous les élèves sont arrivés. **2.** Il a une grande attirance pour les études. **3.** Nous avons rencontré tous les professeurs. **4.** Chaque table d'examen est numérotée. **5.** Toutes les copies seront corrigées deux fois.

9. Récrivez les phrases en remplaçant les mots ou groupes de mots en gras par un déterminant indéfini. * *

1. Il éprouve une **vague** impression de malaise. **2.** Il a aperçu **un petit nombre de** silhouettes. **3.** Il n'a **pas un seul** moment d'hésitation ; **pas le moindre** doute ne traverse son esprit. **4.** Il a rangé **la totalité de** ses affaires. **5.** Je fus réveillé par **je ne sais quelle** émotion confuse.

10. Complétez les phrases avec le déterminant indéfini *tout*, correctement accordé. * *

1. … ressemblance avec la réalité serait le fruit du hasard. **2.** … les solutions ont été envisagées. **3.** Des enfants sortaient de … les maisons pour l'écouter jouer … ces airs mélodieux. **4.** … ses camarades l'appréciaient. **5.** … la troupe salua : … les artistes défilèrent sur la scène. **6.** … les nuits, … le monde allait au port.

11. Indiquez les formes de *tout* qui sont des déterminants indéfinis ; pour cela, relevez les groupes nominaux auxquels ils appartiennent. * *

Je vivais comme tout le monde, regardant la vie avec les yeux ouverts et aveugles de l'homme, sans m'étonner et sans comprendre. Je vivais comme vivent les bêtes, comme nous vivons tous, accomplissant toutes fonctions de l'existence, examinant et croyant voir, croyant savoir […] quand, un jour, je compris que tout est faux.

G. de Maupassant, *Lettre d'un fou*, 1885.

Écrire

12. Décrivez l'image en employant des déterminants indéfinis que vous soulignerez.

Gravure de Castelli, *Apparition dans un château d'Irlande*, XIXe siècle.

Les pronoms indéfinis

Les mots de la leçon

pronom : qui remplace un nom.
indéfini : qui ne donne pas de précision.

Observer pour comprendre

1. a. Les mots en gras rendent-ils la réponse du voyageur précise ou imprécise ?
b. À quelle classe grammaticale (nom, pronom, adjectif qualificatif ou déterminant) ces mots appartiennent-ils ?
c. Quelle la fonction de « rien » ? Celle de « personne » ?

« Pardon, monsieur, mais ce tambour ? Qu'était-ce ? »
Le voyageur répondit : « Je n'en sais **rien**. **Personne** ne sait. *On* a toujours remarqué que le phénomène se produit dans le voisinage de petites plantes brûlées par le soleil. Ce tambour ne serait donc qu'une sorte de mirage du son. Voilà **tout**. »

D'après G. de Maupassant, *La Peur*, 1884.

2. a. Dans le texte ci-dessus, le pronom « on » désigne-t-il des personnes précises ?
b. Quelle est sa fonction ?

Retenir la leçon

> Définition

- Le pronom indéfini remplace un nom, sans donner aucun renseignement sur la nature, l'appartenance, la situation du nom représenté.
- Les pronoms définis ont les mêmes fonctions qu'un nom ou un groupe nominal.
- Les pronoms indéfinis ont des valeurs (sens) différentes.
- Certains d'entre eux prennent la marque du féminin et/ou du pluriel.

> Les pronoms indéfinis et leurs valeurs

Ex. 3 à 6 et 10

- Les pronoms indéfinis indiquent l'absence, la totalité, l'unité ou la pluralité.

Valeur des pronoms	Formes simples	Formes composées
absence	**aucun(e), nul(le),** personne, rien	**pas un(e)**
totalité	**tout, tous, toutes**	
unité	autrui, chacun(e) , on, quiconque, tel(le)	autre chose, **le (la) même**, l'un(e), **l'autre**, n'importe lequel (laquelle), n'importe qui, n'importe quoi, quelque chose, quelqu'un(e)
pluralité	autrui, beaucoup, **certain(e)s,** peu, **plusieurs, tel(le)s,**	les un(e)s, **les autres, les mêmes,** quelques-un(e)s

- **Attention !** Certaines formes de pronoms indéfinis, en gras dans le tableau, peuvent se confondre avec des déterminants indéfinis.

> *Tous les vendeurs s'activent pour la grande vente.*
(*Tous* est un déterminant indéfini qui accompagne le nom *vendeurs*.)
> ***Tous** s'activent pour la grande vente.*
(*Tous* est un pronom indéfini qui remplace le nom *vendeurs*.)

> Le pronom *on*

Ex. 7

- Le pronom personnel sujet *on* est indéfini quand il désigne :

– les hommes en général ;
> ***On** a toujours craint les esprits.*
– une (ou des) personne(s) indéterminée(s).
> ***On** dit qu'un fantôme hante cette maison.*

- À l'oral, quand il remplace le pronom *nous*, le pronom *on* peut avoir une valeur de pronom personnel.

> Les pronoms indéfinis dans la phrase

Ex. 7 à 10

- Les pronoms indéfinis qui expriment l'absence s'emploient avec la particule négative *ne*.

> *Je n'en vois **aucun**. **Rien** ne va. Je ne vois **rien**.*
> ***Personne (nul, pas un)** ne bouge. Je n'ai vu **personne**.*

- Quand ils sont sujets, les pronoms indéfinis marquant l'absence et l'unité, ainsi que le pronom *tout* sont suivis d'un verbe conjugué au singulier. Il en va de même du pronom personnel indéfini *on*.

> ***Aucun** d'entre eux ne parle. **Chacun** est là. **N'importe qui** parle. **Tout** s'arrange.*
> ***On** arrive à l'heure.*

S'exercer

3. a. Qui est désigné, selon vous, par les pronoms en gras ? **b.** Ces pronoms indéfinis indiquent-ils l'absence ou la pluralité ? *

Dès lors il [M. Alphonse] ne fit plus une seule faute, et les Espagnols furent battus complètement. Ce fut un beau spectacle que l'enthousiasme des spectateurs : **les uns** poussaient mille cris de joie en jetant leurs bonnets en l'air ; **d'autres** lui serraient les mains, l'appelant l'honneur du pays.

P. Mérimée, *La Vénus d'Ille*, 1835.

4. a. Relevez les pronoms indéfinis en les classant en quatre listes, selon qu'ils indiquent : l'absence, la totalité, l'unité, la pluralité. **b.** Indiquez la fonction de chacun de ces pronoms. **

1. Tous pensaient que l'expédition avait échoué. **2.** Chacun des deux bateaux avait été aperçu durant la soirée. **3.** Le capitaine observait une nouvelle fois la carte : quelque chose lui semblait étrange. **4.** Le capitaine était absorbé dans ses pensées car rien ne cadrait, tout était impossible. **5.** Cette situation ne lui paraissait pas la même que celles qu'il avait déjà rencontrées.

5. Complétez ces phrases par les pronoms indéfinis *d'autres, rien, n'importe quoi, chacun, personne, beaucoup, peu, certains, les autres, certaines.* **

1. À ... ses préférences : ... apprécient la comédie, ... la tragédie. **2.** Parmi les invités, ... se sont amusées, ... ont aimé le buffet et ... n'a regretté d'être venu. **3.** Nous avons ... un avis sur la question. **4.** Il montre ... d'application au travail : jamais ... ne l'empêche de continuer ; malheureusement, ... de personnes ont un tel sens de l'effort. **5.** Il n'a pas assisté à la scène et il raconte ... . **6.** ... accusent toujours ... au lieu de se remettre en question.

6. Complétez ces phrases par des pronoms indéfinis. **

1. Avez-vous prévu ... pour la cérémonie ? **2.** Non, je n'ai ... prévu, mais je pense que ... d'étrange va arriver. **3.** ... aura l'air impeccable, ... ne permettra de prévoir la catastrophe. **4.** Ne dites à ... ce que je viens de vous révéler, car cela pourrait servir à ... et nuire à ... .

7. Complétez le texte avec les pronoms sujets qui conviennent. Soulignez les pronoms indéfinis. **

Emmeline n'aimait pas cette allée ; ... la trouvait sentimentale, et ces railleries du couvent lui revenaient quand elle en parlait. La basse-cour, en revanche, faisait ses délices ; ... y passait deux ou trois heures par jour avec les enfants du fermier. J'ai peur que mon héroïne ne vous semble niaise, si je vous dis que, lorsqu'... venait la voir, ... la trouvait quelquefois sur une meule, remuant une énorme fourche et les cheveux entremêlés de foin.

A. de Musset, *Emmeline*, 1837.

8. Remplacez les groupes nominaux en gras par un pronom indéfini. **

1. Une autre personne aurait été effrayée à la vue de ce prodige. **2. Aucun spectre** n'était jamais venu longer la grille jusqu'à cette nuit. **3.** Les ombres couraient le long des murs : **quelques ombres** léchaient le sol de l'allée. **4. Chaque cheminée du château** exhalait un souffle puissant. **5. Pas un oiseau** ne volait.

9. Remplacez les mots ou groupes de mots en gras par un pronom indéfini exprimant l'absence. Faites toutes les modifications nécessaires. **

1. Tous les spectateurs applaudissaient. **2.** Il apercevait **de nombreux objets**. **3.** Je me préoccupais de l'avis de **tout le monde**. **4. Chacun** peut assumer cette tâche. **5. Tout le monde** respecte la loi ici. **6. Tout** est en place. **7.** Tu peux modifier **chacun de ces éléments**.

Écrire

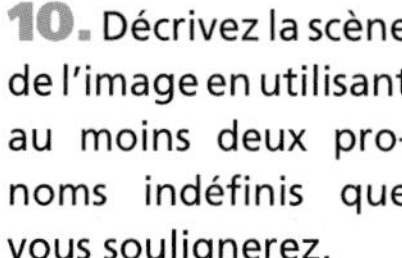

10. Décrivez la scène de l'image en utilisant au moins deux pronoms indéfinis que vous soulignerez.

J. F. Bosio, « La Bouillotte », *Scène de salon parisien*, XIXe siècle, Paris.

Les adverbes

Les mots de la leçon

adverbe : qui est placé à côté du verbe.

› Les adverbes et leurs emplois

Observer pour comprendre

1. Les adverbes, en gras dans le texte, sont-ils variables ou invariables ?

2. a. Quel est celui qui forme une proposition ? b. Quels sont ceux qui servent à lier des phrases ?

3. a. Relevez deux adverbes exprimant l'intensité. b. Quels mots modifient-ils ? c. Quelle est la classe grammaticale de ces mots ?

4. a. Lequel des ces adverbes en gras pourriez-vous remplacer par le GN *de cette manière* ? b. Quelle est la fonction de cet adverbe dans la phrase ?

– Vous excuserez mon costume de voyage, madame.
– **Oui**, répondit-elle. [...]
Je compris **aussitôt** qu'on m'avait donné cette chambre, comme la **plus** confortable de la maison. **Alors** il me prit l'envie de dresser l'inventaire de ma chambre. Je passai **aussitôt** du projet à la réalisation, en pivotant sur le talon gauche et en exécutant **ainsi** un mouvement de rotation sur moi-même qui me permit de passer en revue les différents objets. L'ameublement était **tout** moderne.

D'après A. Dumas, *Les Frères corses*, 1844.

Retenir la leçon

> Définition

Ex. 5

- Les adverbes sont des mots invariables aux rôles grammaticaux très divers.

> Les rôles des adverbes dans la phrase

Ex. 6 à 13

- L'adverbe peut être l'équivalent d'une phrase ou d'une proposition, en particulier dans des réponses.
> *Oui. Non. Effectivement. Peut-être. Volontiers...*
- L'adverbe peut introduire une phrase interrogative ou exclamative.
> ***Est-ce que** tu viendras ? **Quand (Pourquoi ? Comment ? Où ?)** passera-t-il ?*
> ***Comme** tu as grandi !*
- Les adverbes de négation (*ne... pas, ne... plus, ne... jamais, ne... que, ne... pas encore, ne... point, ne... guère*) servent à former des phrases négatives. Ils sont composés de deux particules.
> *Il parle. → Il **ne** parle **pas**, il **ne** parle **guère**.*
- L'adverbe peut fonctionner comme un complément circonstanciel de :
– lieu : *ailleurs, dedans, dehors, derrière, dessous (au-dessous, en dessous), dessus (au-dessus, par-dessus), devant, en, ici, là (ci et là, là-bas), loin, nulle part, partout, près, y...* ;
– temps : *alors, après, aujourd'hui, auparavant, aussitôt, autrefois, avant, bientôt, demain, encore, ensuite, hier, jadis, longtemps, maintenant, puis, tard, tôt, toujours...* ;
– manière : *bien, mal, mieux, peut-être, plutôt, poliment, sans doute, vite, vivement...*
- Certains adverbes peuvent jouer le rôle de liaison entre des phrases ou des propositions : on les nomme alors des connecteurs temporels (voir p. 342), spatiaux (voir p. 344), argumentatifs (voir p. 345).

> Les nuances apportées par les adverbes

Ex. 10 et 11

Les adverbes peuvent modifier le sens des mots, apporter des nuances.

- Les adverbes d'intensité (*assez, aussi, beaucoup, moins, peu, plus, si, surtout, tellement, tout, très, trop...*) modifient :
– des adjectifs qualificatifs au superlatif ou au comparatif (voir p. 304) ;
– des verbes : > *Il court **vite**. Il crie **fort**. Il souffre **un peu**.*
– d'autres adverbes : > *Il court **très** vite.*

- Les adverbes peuvent nuancer ou préciser des indications de quantité : *à peine, à peu près, presque, seulement, uniquement...*
> *Il est **presque** huit heures. Il boit **seulement** de l'eau. Il reste ici **à peine** trois jours.*
- Les adverbes modalisateurs peuvent nuancer le sens d'une phrase en exprimant :
– un jugement, un commentaire : *bizarrement, heureusement, malheureusement, naturellement, plutôt...* (> ***Naturellement**, tu n'as pas fait son travail !*)
– une certitude : *assurément, certainement, certes, vraiment...*
– un doute : *peut-être, probablement, sans doute, vraisemblablement...* Ces adverbes sont souvent employés pour créer l'hésitation fantastique.

S'exercer

5. Relevez ceux des mots en gras qui sont des adverbes. *
1. Le **moutonnement** des nuages envahit tout **doucement** le ciel. **2. Brusquement**, un déferlement de pluie s'abattit sur la région. **3.** Il perçut un **frôlement** qui, **insidieusement**, le dérouta. **4.** Au **commencement**, il avança **précautionneusement**. **5. Bruissement**, **chuchotement**, **piétinement**, ce tapage nocturne frappa **puissamment** la population. **6.** Il frappe **rageusement** du pied contre la porte du **bâtiment**.

6. Transformez les phrases suivantes en phrases négatives. Vous remplacerez les mots en gras par un adverbe de négation. **
1. Cet artiste a **toujours** envie d'innover. **2.** Son œuvre est **à peine** connue du grand public. **3.** Il trouve son inspiration **partout**. **4.** Il a **déjà** exposé à l'étranger.

7. Relevez les adverbes en indiquant entre parenthèses ce qu'ils expriment. *

Quand le chien sentit bien qu'il y avait du gibier, il alla et fureta partout en montrant férocement les crocs ; et ce fut le plus grand carnage jamais vu. Ici et là, il poursuivit des lièvres et finalement les rapporta triomphalement à son maître.

D'après J. VERNE, *L'Île mystérieuse*, 1874.

8. Complétez les phrases à l'aide des adverbes de temps suivants : *demain, le lendemain, hier, la veille, aujourd'hui, maintenant, ce jour-là.* *
1. « Nous partirons en voyage ..., quand nous aurons terminé les préparatifs », annonça ma mère. **2.** Ils eurent une vive surprise au réveil, la neige tombée ... et durant la nuit obstruait la porte d'entrée. **3.** ..., il connut un triomphe inoubliable. **4.** « L'as-tu vu ... et penses-tu le revoir ... ? » **5.** Tu peux ... profiter de tes vacances puisque tu as réussi tes examens. **6.** Dans la soirée, il ne s'aperçut de rien ; ce n'est que ... qu'il se rendit compte du vol.

9. Récrivez ce récit en ajoutant des adverbes de temps et de manière. **

Quand la trappe fut refermée, la vieille enleva l'échelle, rouvrit sans bruit la porte du dehors, et retourna chercher des bottes de paille dont elle emplit sa cuisine. Elle alla nu-pieds dans la neige, elle écouta les ronflements sonores et inégaux des quatre soldats endormis.

D'après G. DE MAUPASSANT, *La Mère Sauvage*, 1884.

10. Récrivez les phrases en ajoutant des adverbes d'intensité ou de manière. **
1. Ces enveloppes aux teintes ... colorées lui donnent ... envie d'écrire. **2.** Ce collectionneur nous a montré les ... rares timbres du monde : ils m'ont ... intéressé. **3.** Elle a ... écrit à une de ses amies ... jeune qu'elle. **4.** Les élèves ont ... bien rédigé leurs lettres de demande de stage que les employeurs en ont été ... impressionnés. **5.** Le courrier postal est ... rapide que le courrier électronique. **6.** Les parents ont ... demandé à leurs enfants d'écrire à leurs amis ... proches.

11. a. Relevez dans le texte des adverbes modalisateurs. b. Quelles nuances apportent-ils ? **

16 mai. Je suis malade, décidément ! Je me portais si bien le mois dernier ! J'ai la fièvre, une fièvre atroce, ou plutôt un événement fiévreux, qui rend mon âme aussi souffrante que mon corps ! J'ai sans cesse [...] ce pressentiment qui est sans doute l'atteinte d'un mal encore inconnu. [...]
23 mai. Aucun changement ! Mon état, vraiment, est bizarre.

G. DE MAUPASSANT, *Le Horla*, 1887.

Écrire

12. Par groupes de deux, imaginez un petit dialogue dans lequel vous n'emploierez ni *oui* ni *non*, mais des adverbes.

13. À partir de l'image : a. décrivez le bateau en employant des adverbes de lieu et d'intensité ; b. imaginez la construction de ce bateau dont vous soulignerez les étapes par des adverbes de temps.

› Orthographe des adverbes

Retenir la leçon

> Les adverbes en *-ment*

Ex. 14 à 16

• La plupart des adverbes de manière se forment à partir d'un adjectif auquel on ajoute le suffixe *-ment* :

– adjectifs terminés par une voyelle : adverbe = adjectif masculin + *-ment*.

> *habile* → *habile**ment**, vrai* → *vrai**ment**,* exception : > *gai* → *gai**ement***

Certains adverbes transforment le -e final de l'adjectif en -é (*énorme* → *énorm**ément***) ;

– adjectifs terminés par une consonne : adverbe = adjectif féminin + *-ment* ;

> *curieux* → *curieuse* → *curieuse**ment**, fou* → *folle* → *folle**ment***

– adjectifs terminés par *-ant* : adverbes en *-amment* ;

> *élégant* → *élég**amment*** (attention aux deux *m* !)

– adjectifs terminés par *-ent* : adverbes en *-emment* qui se prononcent [amãn].

> *intelligent* → *intellig**emment*** (attention aux deux *m* !)

> Les adjectifs qualificatifs employés comme adverbes

Ex. 17 et 19

• Un certain nombre d'adjectifs qualificatifs (*clair, fort, gros, juste, net, petit*...) peuvent s'employer comme adverbes ; ils sont alors invariables.

> *Ils parlent **fort**, écrivent **gros**, chantent **juste**, voient **trouble**.*

> L'adverbe *tout*

Ex. 18

• Pour des raisons d'euphonie (pour que cela sonne bien à l'oreille), l'adverbe d'intensité *tout* prend la marque du féminin et celle du pluriel devant un adjectif féminin commençant par une consonne.

> *Il est **tout** excité, **tout** rouge. Elle est **tout** excitée, **toute** rouge.*

> *Ils sont **tout** excités, **tout** rouges. Elles sont **tout** excitées, **toutes** rouges.*

S'exercer

14. a. Repérez l'adjectif sur lequel aucun adverbe de manière ne peut être formé. b. Formez un adverbe en *-ment* à partir de chacun des autres adjectifs. *

vif • doux • peureux • puissant • fraternel • fréquent • rapide • charmant • galant • différent • immense • fin • bizarre • premier • brillant

15. À partir des adjectifs proposés entre parenthèses, complétez les phrases à l'aide des adverbes en *-ment* correspondants. *

1. Elle aime (furieux) les nouvelles. **2.** Le chien regarde (méchant) l'homme qui s'avance. **3.** Il va (fréquent) au théâtre avec ses amis. **4.** Les spectateurs applaudissent (vif) ma représentation. **5.** Maupassant peint (vrai) bien les paysans normands. **6.** À la vue du fantôme, la vieille femme eut (fou) peur.

16. Remplacez les expressions en gras par des adverbes en *-ment* de même sens. **

1. L'officier s'adressa **avec galanterie** à la jeune femme. **2.** Il insista **de manière pesante** pour obtenir des informations. **3.** Il réussit à résumer le roman **de façon claire**. **4.** Il faut rouler **avec prudence** en scooter. **5.** Le détective rédige son rapport **avec précision**.

17. a. Remplacez les GN en gras par les GN donnés entre parenthèses. b. Dans quelles phrases l'adjectif est-il employé comme adverbe ? *

1. Elle porte **un pantalon** (une jupe) court. **2.** Le coiffeur a coupé court **le cheveu** (la chevelure). **3.** L'instrument émet **un son** (une note) clair. **4.** **Ce comédien** (cette comédienne) parle haut. **5.** Elle lui coupe net **son discours** (la parole). **6.** Il dessine **un trait** (une ligne) net sur la page. **7.** Il réprimande fort **son fils** (sa fille). **8.** Il subit **un choc** (une pression) fort.

18. Remplacez les adverbes en gras par l'adverbe *tout* correctement orthographié. **

1. Je fus **très** troublée. **2.** Ils sont **totalement** seuls. **3.** La jeune fille est **complètement** épouvantée. **4.** Elles sont **totalement** anéanties. **5.** Il reste **tout à fait** tranquille. **6.** Il tient des propos **très** incohérents. **7.** Elles portaient des robes **très** simples. **8.** **Si** épouvantée qu'elle soit, elle ne perd pas la tête.

Écrire

19. a. Récrivez le texte suivant en remplaçant *Martin* par *Les jeunes filles*. Faites toutes les modifications nécessaires. b. Soulignez les adjectifs employés comme adverbes, restés invariables.

Martin avance court vêtu sur le sable. Il parle haut pour impressionner Charlotte. Soudain, il s'arrête net, car il voit clair dans le jeu de son amie qui fait seulement semblant de l'écouter. Martin est fort déçu que Charlotte ne s'intéresse pas à lui.

Les mots de l'exclamation

Observer pour comprendre

1. a. Quel est le type des phrases suivantes ? b. À quoi le remarquez-vous ?
> *Juliette : **Oh** ! **Que** je suis heureuse ! **Chut** !*
> *Éva : **Quel** mystère !*

2. Parmi les mots en gras de l'exercice précédent : a. quels sont ceux qui constituent une phrase à eux seuls ? b. celui qui imite un bruit ? c. ceux qui servent à exprimer une intensité ?

Retenir la leçon

> Définition

Ex. 3 à 5

• L'exclamation se marque, à l'écrit, par le point d'exclamation et, à l'oral, par l'intonation (voir les types de phrase : p. 285). Mais, le plus souvent, elle est exprimée par un mot exclamatif, placé en début de phrase. Il en existe de différentes sortes.

> Les mots-phrases

• Ce sont :
– les interjections : > *Ah ! Oh ! Eh ! Ha !...*
– les onomatopées (mots qui imitent un bruit) : > *Chut ! Clac ! Vlan ! Vroom !...*
– des jurons : > *Diable ! Mon dieu ! Morbleu !...*

> Les mots qui introduisent l'exclamation

• Ces mots servent à souligner l'intensité de l'exclamation :
– *que*, *combien* : ces adverbes portent sur un nom (> *Que de bruit !*), un adjectif (> *Combien la nuit est profonde !*) ou un verbe (> *Que tu me fatigues !*) ;
– *comme* : cet adverbe porte sur un adjectif attribut (> *Comme la nuit est profonde !*), un verbe (> *Comme le temps passe !*) ou un adverbe (> *Comme tu parles bien !*) ;
– *quel* : le groupe nominal comportant le déterminant exclamatif *quel* peut former une phrase à lui seul (> *Quelle chance !*) ou faire partie d'une phrase complète (> *Quelle chance tu as eue !*) ;
– *ce que*, *qu'est-ce* : ces tournures orales s'emploient surtout avec un adjectif (> *Ce que tu es bavard !*) ou un verbe (> *Qu'est-ce qu'il crie !*).

S'exercer

3. a. Relevez les mots de l'exclamation et précisez quel mot chacun souligne. b. Indiquez la classe grammaticale de chaque mot exclamatif. c. Quand c'est possible, récrivez les phrases en changeant le mot exclamatif. *

Harpagon : Tout va comme il faut. Hé bien ! Qu'est-ce, Frosine ?
Frosine : Ah ! Mon Dieu ! que vous vous portez bien et que vous avez un vrai visage de santé ! [...] Montrez-moi votre main. Ah ! mon dieu ! quelle ligne de vie !
Frosine : Vous ne sauriez croire le plaisir qu'elle aura de vous voir. Ah ! que vous lui plairez ! et que votre fraise à l'antique[1] fera sur son esprit en effet admirable !

Molière, *L'Avare*, II, 5, 1668.

1. collerette plissée que portaient les hommes aux XVIe et XVIIe siècles.

4. a. Relevez les mots de l'exclamation et précisez quel mot chacun souligne. b. Indiquez la classe grammaticale de chaque mot exclamatif. c. Quel sentiment du personnage qui parle traduisent-ils ? **

1. Quel bonheur ! que je suis heureux ! **2.** Comme te voilà grande, Camille !, et belle comme le jour. **3.** Comme te voilà métamorphosée en femme ! Oh, mon Dieu, [...] comme Camille est jolie !

A. de Musset, *On ne badine pas avec l'amour*, I, 2, 1834.

Écrire

5. Transformez ces phrases en phrases exclamatives, en faisant porter l'intensité de l'exclamation sur le mot ou le groupe de mots en gras.
1. Ta robe est **magnifique**. **2.** Tu portes **une robe splendide**. **3.** Il y a **beaucoup de monde** sur cette place. **4.** Tu **rougis** et **hésites**. **5.** Il **a raison** de se lancer dans cette aventure. **6.** Il se lance dans **une aventure incroyable**. **7.** Il a subi **bien des revers de fortune**.

Réviser les fonctions par rapport au verbe

› Le sujet

Consolider les acquis

Ex. 1 à 4

• Le sujet commande l'accord du verbe en personne et en nombre.
> *Les tragédies* ***sont*** *des pièces de théâtre.*

Pour l'accord sujet-verbe, voir p. 354.

• Le sujet peut être un groupe nominal ou un nom, un pronom, un verbe à l'infinitif.
> ***Cette pièce*** *est intéressante.* ***Il*** *lit un texte.* ***Lire*** *est un plaisir.*

• En général, le sujet se place avant le verbe. Parfois le sujet est inversé, c'est-à-dire placé après le verbe. C'est le cas dans :
– les phrases interrogatives : > *Lisez-**vous** des comédies ?*
– les propositions qui introduisent un dialogue : > *« Lisez des comédies ? », dit **le professeur**.*
– certaines propositions subordonnées relatives : > *Il connaît la comédie dont parle **son ami**.*
– les phrases commençant par un complément circonstanciel.
> *Dans cette comédie, apparaît **un curieux personnage**.*

S'exercer

1. **a.** Relevez le sujet des verbes en gras. **b.** Où chacun d'eux est-il placé par rapport au verbe ? **c.** Quelle est la classe grammaticale de chaque sujet ? *

« De quelle couleur **est** votre soleil, bien examiné ? – D'un blanc fort jaunâtre, **dit** le Saturnien ; et quand nous **divisons** un de ses rayons, nous **trouvons** qu'il **contient** sept couleurs. – Notre soleil **tire** sur le rouge, **dit** le Sirien, et nous avons trente-neuf couleurs primitives. Il n'y a pas un soleil, parmi tous ceux dont j'**ai approché**, qui **se ressemble**. »

VOLTAIRE, *Micromégas*, 1752.

2. Relevez les sujets inversés. Expliquez ce qui justifie leur inversion. *

1. C'était l'heure où commencent les préparatifs du dîner. **2.** Autour de Dinah étaient assis les divers membres de cette florissante famille qui pullule dans les maisons du Sud. **3.** Ils écossaient les pois, pelaient les pommes de terre et jetaient les épluchures auxquelles se mêlait le fin duvet des volailles. **4.** Miss Ophelia ouvrit un placard. « Que met-on là-dedans ? – Toutes espèces de choses ! » répondit la vieille Dinah.

D'après H. BEECHER STOWE, *La Case de l'oncle Tom*, 1852.

3. Complétez les phrases par des sujets dont la classe grammaticale vous est indiquée. *

1. … *(groupe nominal)* ont monté une pièce de théâtre. **2.** Quelles sont … *(groupe nominal)* à posséder pour devenir acteur ou actrice ? **3.** … *(infinitif)* son texte par cœur est indispensable avant de commencer à jouer. **4.** Avec qui peut-… *(pronom)* s'entraîner à jouer ? **5.** … *(nom propre)* paraît un auteur tout à fait indiqué pour se lancer dans le jeu théâtral.

Écrire

4. Trouvez trois légendes à l'image en variant le sujet : **a.** un nom ou GN ; **b.** un pronom ; **c.** un verbe à l'infinitif.

JEAN BÉRAUD, *Paris, la pâtisserie Gloppe*, 1889. Musée Carnavalet, Paris.

› L'attribut du sujet

Consolider les acquis

Ex. 5 à 8

• L'attribut du sujet exprime une qualité ou une caractéristique du sujet.

• On trouve des attributs du sujet après le verbe *être* et des verbes d'état (ou verbes attributifs) : *sembler, paraître, avoir l'air, passer pour, rester, demeurer, s'appeler…*
> *Cette tragédie semble **passionnante**. L'intrigue est **surprenante**.*

• Un attribut du sujet peut être :
– un adjectif qualificatif ou un participe passé ;
> *L'intrigue est* ***brève*** *et* ***construite****.*
– un groupe nominal ;
> *La comédie est* ***une intrigue plaisante****.*
– un nom propre ;
> *Ce héros s'appelle* ***Harpagon****.*
– un pronom ;
> *Ce texte théâtral est* ***le mien****.*
– un verbe à l'infinitif.
> *Son plaisir est* ***de jouer****.*

S'exercer

5. Relevez les attributs des sujets en gras. Précisez leur classe grammaticale. *

La case de l'oncle Tom était une petite construction faite de troncs d'arbres, attenant à la maison. **Le tapis, le lit et toute cette partie de l'habitation** étaient l'objet de la plus haute considération. **Ce coin** était le salon de la case. Dans l'autre coin, il y avait également un lit, mais à moindre prétention ; celui-là, **il** était évident que l'on s'en servait.

D'après H. Beecher Stowe, *La Case de l'oncle Tom*, 1852.

6. a. Les mots en gras sont-ils des attributs du sujet ? b. Si oui, précisez leur classe grammaticale. *
1. Le roman *Les Trois Mousquetaires* est devenu **une œuvre très connue**. **2.** Cet auteur de théâtre semble **satisfait** de sa pièce. **3.** Cette mère et sa fille s'appellent **assez souvent**. **4.** Les romans de Jules Verne passent pour **des romans d'anticipation**. **5.** Madame de Sévigné paraît **attirée** par la vie de son époque et elle demeure parfois **chez sa fille**.

7. Employez chaque verbe *paraître, tomber, rester, demeurer* dans deux phrases : a. avec un attribut du sujet ; b. sans attribut. * *
> *Il* ***est*** *content d'avoir vu la pièce* (avec AS).
> *Il* ***est*** *au théâtre* (sans AS).

Écrire

8. Présentez la scène en utilisant trois attributs du sujet que vous soulignerez. Encadrez tous les sujets de votre texte.

Victor Hugo, « Javert à la poursuite de Jean Valjean et de Cosette », *Les Misérables*.

› Le complément d'objet direct ou COD

Consolider les acquis

Ex. 9 à 13

• Le COD complète directement un verbe.
> *Robinson découvre* ***l'île****.*

• Un COD peut être un groupe nominal, un nom propre, un pronom, un verbe à l'infinitif, une proposition subordonnée (voir p. 290).
> *Robinson rencontre* ***Vendredi****.*
Robinson ***le*** *rencontre.*
Robinson veut ***construire*** *un bateau.*

• En général, le COD se place après le verbe. Si le COD est un pronom, il se place le plus souvent avant le verbe.
> *Robinson voit* ***une chèvre****.*
Il ***la*** *capture.*

S'exercer

9. Relevez les COD des verbes en gras. Précisez leur classe grammaticale. *

1. Il **arrêtait** par les cornes un taureau échappé. **2.** On **croyait** deviner qu'il avait dû vivre de la vie des champs, car il **avait** toutes sortes de secrets utiles qu'il **enseignait** aux paysans. **3.** Les enfants l'**aimaient** parce qu'il **savait faire** de charmants petits ouvrages avec de la paille et des noix de coco. **4.** Le veuvage et le malheur d'autrui l'**attiraient** à cause de sa grande douceur.

10. a. Quels groupes nominaux sont des COD ? b. De quel verbe chacun d'eux est-il COD ? *

Amis et connaissances se promettaient un grand banquet, mais Krespel n'invita que les maîtres, compagnons, ouvriers et manœuvres qui avaient bâti sa maison. Il leur offrit les mets les plus délicats ; des ouvriers maçons dévorèrent sans vergogne des pâtés de perdreaux, des apprentis menuisiers rabotèrent avec joie des faisans rôtis, et des manœuvres affamés manœuvrèrent à leur profit les meilleurs morceaux d'une fricassée aux truffes.

E. T. A. Hoffmann, *Le Violon de Crémone*, 1816-17.

11. Complétez les verbes en gras par un COD dont la classe grammaticale vous est précisée. *

1. Les romans de Jules Verne **présentent** ... *(GN)*. **2.** On ... *(pronom personnel)* **apprécie** encore aujourd'hui. **3.** Le héros **rencontre** ... *(GN)* dans la ville de Digne et celui-ci lui **offre** ... *(GN)*. **4.** Les fantômes **préfèrent** ... *(verbe à l'infinitif)* et ... *(verbe à l'infinitif)*. **5.** Parmi les poètes du XIXe siècle, on peut **citer** ... *(nom propre)* et ... *(nom propre)*.

12. Indiquez si les groupes nominaux en gras sont des COD ou des sujets inversés. * *

La vapeur se contournait en spirales autour des groupes de palmiers, entre lesquels apparaissaient **de pittoresques bungalows, quelques viharis, sortes de monastères abandonnés, et des temples merveilleux** qu'enrichissait **l'inépuisable ornementation de l'architecture indienne**. Puis d'immenses étendues de terrain se dessinaient à perte de vue, des jungles où ne manquaient **ni les serpents ni les tigres** qu'épouvantaient **les hennissements du train**.

J. Verne, *Le Tour du monde en 80 jours*, 1872.

Écrire

13. À l'aide de l'image de la p. 317, inventez un petit texte dans lequel vous utiliserez cinq COD que vous soulignerez.

> Le complément d'objet indirect ou COI

Consolider les acquis

Ex. 14 à 17

- Un complément d'objet indirect (COI) est un complément d'objet qui se construit indirectement, à l'aide d'une préposition, le plus souvent *à* ou *de*. Un verbe peut avoir plusieurs COI coordonnés ou juxtaposés.
> *Les poèmes s'intéressent **à l'homme** et parlent **de lui** et **de la nature, de la vie**.*
- Les pronoms personnels COI se construisent très souvent sans préposition.
> *Le poème intéresse les enfants : il **leur** plaît.*
- Le COI peut être un groupe nominal ou un nom propre, un pronom, un verbe à l'infinitif.
> *Les poèmes aident **à voir** la vie autrement.*
- Les pronoms adverbiaux *en* et *y* s'emploient pour des inanimés.
> *Il parle **des sentiments**. → Il **en** parle.*
- En général, le COI se place après le verbe. Si le COI est un pronom, il se place généralement avant le verbe : > *Il parle **aux enfants**. → Il **leur** parle.*

S'exercer

14. Relevez dans ces phrases les COI et indiquez la classe grammaticale de chacun. *

1. Je pensais à cette jeune fille si belle et si pure. **2.** Mademoiselle de Puygarrig avait même parlé au procureur du roi. **3.** La Vénus de bronze, depuis qu'elle est dans le pays, tout le monde en rêve. **4.** La figure de cette idole ne me revient pas. **5.** La description de mon guide n'a servi qu'à exciter ma curiosité.

P. Mérimée, *La Vénus d'Ille*, 1837.

15. Relevez les COI. Attention aux intrus ! *

1. Les dix jours d'exploration ne manquèrent pas d'épisodes surprenants. **2.** Les vulcanologues ont parlé du Stromboli. **3.** Le chef de la mission les accueillit d'un large sourire. **4.** Ils essaient avec leur matériel de ne pas prendre de risques inutiles. **5.** Les explorateurs se souvenaient d'avoir aperçu un étrange animal sur l'île.

16. a. Recopiez les GN COI des verbes en gras. b. Récrivez les phrases en remplaçant les GN COI par l'un de ces pronoms : *en*, *y* (inanimés), *lui*, *elle(s)*, *eux*, *leur* (animés). *
1. Mme de Sévigné **répond** aux lettres de sa fille. **2.** Elle **se soucie** de ses amis. **3.** Sa correspondance **témoigne** de son affection pour sa fille. **4.** Ses lettres **parlent** des événements de son temps. **5.** Elle **a écrit** au marquis de Pomponne. **6.** La marquise **pense** à La Brinvilliers qui a été exécutée. **7.** Mme de Sévigné **s'adresse** à divers correspondants. **8.** L'épistolière **songe** au bonheur de sa fille.

Écrire

17. À partir de l'image de l'exercice 21, rédigez une brève histoire. Vous utiliserez au moins trois COI que vous soulignerez.

› Le complément d'objet second ou COS

Consolider les acquis

Certains verbes se construisent avec : Ex. 18 à 21

• un COD et un COI : le COI est alors appelé COS.
> *Le théâtre propose une histoire* ***aux hommes****. Le théâtre* ***leur*** *propose une histoire.*
COD COS COS COD

Cette construction se trouve après les verbes qui expriment un don (*donner*, *offrir*...), une parole (*enseigner*, *expliquer*...) ou un transfert (*enlever*, *priver de*...).

• deux COI : on appelle alors COI le complément introduit par *de* et COS le complément introduit par *à*.
> *Le théâtre parle* ***aux hommes*** *de la vie. Le théâtre* ***leur*** *parle de la vie.*
COS COI COS COI

Cette construction se trouve après quelques verbes de communication (*parler de... à..., se plaindre de... à..., faire part de... à...*).

S'exercer

18. Dans le texte, relevez les COS. *

Les Thénardier, mal payés, lui écrivaient à chaque instant des lettres dont le contenu la désolait. [...] Un jour ils lui écrivirent que sa petite Cosette était toute nue par le froid qu'il faisait. [...] Fantine acheta une jupe de tricot et l'envoya aux Thénardier. [...] Ils donnèrent la jupe à Éponine.

V. Hugo, *Les Misérables*, 1862.

19. Les éléments en gras sont-ils des COI ou des COS ? Précisez leur classe grammaticale. *

Briant fut conduit à chercher le moyen d'élever quelque signal à une grande hauteur. Souvent il **en** parlait, et un jour, il dit **à Baxter** qu'il ne croyait pas impossible d'employer un cerf-volant **à cet usage**.
– Ni la toile ni la corde ne **nous** manquent, ajouta-t-il, et, en donnant **à cet appareil** des dimensions suffisantes, il planerait dans une zone élevée.

J. Verne, *Deux ans de vacances*, 1888.

20. Recopiez les phrases en soulignant les COD, puis complétez-les par un COS. *
1. Les soirs de pleine lune, le fantôme lance un appel. **2.** Le gardien du château lit un message codé. **3.** Un étrange feu prévient les habitants du manoir. **4.** Les écharpes de fumée au ras des tours offrent un spectacle surprenant. **5.** Les invités jettent des regards terrifiés.

Écrire

21. À partir de l'image ci-dessous, rédigez une brève histoire. Vous utiliserez au moins un COD et un COS.

Paul Chardin, *Balzac et ses amis*, vers 1840.
Collection Spoelberch de Lovenjoul, Chantilly.

Réviser les compléments circonstanciels

› Les compléments circonstanciels de temps, de lieu, de manière et de moyen

Consolider les acquis

• Les compléments circonstanciels peuvent être déplacés ou supprimés. Ils peuvent exprimer le temps (un moment précis, une durée, une répétition), le lieu (une situation dans l'espace, un déplacement, une direction), la manière (une certaine manière d'agir ou d'être), le moyen (l'objet concret grâce auquel une action s'accomplit). Ex. 1 à 5 et 7

> *Hier, il planta **soigneusement** des clous **dans le mur, à l'aide d'un marteau**.*

• Les compléments circonstanciels peuvent être exprimés par :

	Temps	Lieu	Manière	Moyen
des adverbes (voir p. 310)	> *aujourd'hui, hier, jadis, toujours...*	> *ailleurs, dehors, devant, en, ici, là, là-bas, près de...*	Principalement adverbes en *-ment* : > *respectueusement*	X
des GN ou des noms propres ou des pronoms précédés ou non d'une préposition	* > *après la nuit (avant, durant, jusqu'à, pendant* + GN*)* > *chaque Noël*	> *dans ce lieu (à, chez, derrière, devant, en, hors de, sous, sur, vers, au-dessus de* + GN*)*	> *avec (sans) respect*	> *avec une épée (à l'aide de, au moyen de* + GN*)*
un infinitif précédé d'une préposition	> *avant de partir, après être sorti*	X	X	X
un gérondif	X	X	> *Il avance **en se courbant**.*	X
une proposition subordonnée	(voir p. 296)	X	X	X

> Pour aller plus loin

Ex. 6

• Les compléments essentiels de lieu et de temps, à la différence des compléments circonstanciels de lieu et de temps, dépendent directement du verbe. On ne peut ni les déplacer ni les supprimer sans rendre la phrase incorrecte ou en changer le sens.

• Les compléments essentiels de temps accompagnent des verbes comme *durer, dater, atteindre...* : > *L'épreuve dura **deux heures**.*

• Les compléments essentiels de lieu accompagnent des verbes comme *aller, habiter, se rendre, vivre...* : > *Il se rend **chez le roi**.*

S'exercer

1. a. Relevez les compléments circonstanciels de temps. b. Indiquez leur classe grammaticale. c. Dites s'ils expriment un moment précis, une durée ou une répétition. *

1. L'affaire durait depuis trois heures. **2.** Quelques minutes plus tard, il arrivait à destination. **3.** Au moment où il entra, tous se turent. **4.** L'hiver, il faisait trop froid pour continuer le chantier. **5.** Cet homme ne mange pas à sa faim tous les jours.

2. Relevez les compléments circonstanciels de lieu, en entourant la préposition qui introduit chacun d'eux. *

Il y avait, dans le premier quart de ce siècle, à Montfermeil, près de Paris, une gargote tenue par des gens appelés Thénardier, mari et femme, située dans la ruelle du Boulanger. On voyait au-dessus de la porte une planche clouée à plat sur le mur.

V. Hugo, *Les Misérables*, 1862.

3. a. Relevez les compléments circonstanciels de manière. b. Récrivez ces compléments en changeant leur classe grammaticale. *

1. Elle s'habille élégamment. **2.** Il parle avec douceur. **3.** Il s'exprime en faisant de la musique. **4.** L'enquête progresse avec lenteur. **5.** Le roi s'avance, en souriant aux courtisans.

4. Relevez les compléments circonstanciels en indiquant s'ils expriment le moyen ou la manière. *

1. Il s'exprime avec aisance. **2.** Il parle à l'aide d'un mégaphone. **3.** Il marche avec des béquilles. **4.** Ils se déplacent à toute vitesse. **5.** J'examine avec soin cette hypothèse. **6.** Sans aucune crainte, il provoque le comte avec toute la fougue de la jeunesse. **7.** Il progresse à la lumière de sa torche.

5. a. Relevez tous les compléments circonstanciels. b. Quelle circonstance chacun exprime-t-il ? c. Indiquez leur classe grammaticale. *

Il se mit à marcher rapidement dans une certaine direction, du côté où l'enfant avait disparu. Après une trentaine de pas, il s'arrêta. [...] Il se mit à courir, et de temps en temps il s'arrêtait, et criait dans cette solitude, avec une voix qui était ce qu'on pouvait entendre de plus formidable.

V. Hugo, *Les Misérables*, 1862.

6. Pour chaque groupe nominal en gras, dites s'il est un complément circonstanciel ou essentiel. * *

1. L'apparition dura **quelques minutes**. **2.** **Durant les deux jours qui suivirent**, la jeune fille eut une violente fièvre. **3.** La mère en parla à un médecin réputé **lors d'un dîner chez des amis**. **4.** Le médecin se rendit **au chevet de la jeune fille**. **5.** La famille habitait **au château**.

Écrire

7. Décrivez la scène de l'image avec des compléments circonstanciels de manière, de moyen, de lieu et de temps que vous soulignerez en utilisant une couleur pour chaque circonstance.

Edgar Degas, *Le Foyer de la danse à l'Opéra de la rue Le Peletier*, 1872. Musée d'Orsay, Paris.

› Les compléments circonstanciels de cause et de conséquence

Consolider les acquis

• Le complément circonstanciel de cause exprime la raison d'une action. Il peut être : Ex. 8 à 13

→ un groupe nominal introduit par :

– *à cause de*, *en raison de*, *par*, *pour* : > *Le feu s'est propagé **à cause d'un vent violent**.*

– *grâce à* (cause bénéfique) : > *Le feu est éteint **grâce aux pompiers**.*

– *étant donné*, *vu* (langage soutenu ou administratif) : > ***Vu l'imminence du danger**, les opérations de secours se sont intensifiées.*

– *à force de* (idée d'effort) : > ***À force d'acharnement**, les pompiers ont éteint le feu.*

– *sous prétexte de* (cause prétendue, fausse) : > ***Sous prétexte d'une foulure**, il n'a pas couru.*

→ un verbe à l'infinitif :

– présent introduit par *à force de* : > ***À force de se battre contre l'incendie**, il s'épuise.*

– passé introduit par la préposition *pour* : > *Il a été récompensé **pour avoir sauvé un enfant**.*

→ un gérondif : > ***En s'acharnant**, ils se sont rendus maître du feu.*

→ une proposition subordonnée (voir p. 297).

• Le complément circonstanciel de conséquence exprime le résultat d'une action antérieure. Il peut être :

→ un GN introduit par *jusqu'à* : > *Ce comédien joue son rôle **jusqu'à épuisement**.*

→ un verbe à l'infinitif, introduit par *au point de*, *trop (assez)... pour* :

> *Ce comédien incarne son rôle **au point de se confondre avec son personnage**.*

> *Ce comédien connaît **assez** bien son rôle **pour ne pas se tromper**.*

→ une proposition subordonnée (voir p. 297).

S'exercer

8. a. Relevez les GN compléments circonstanciels de cause. b. Quelle préposition introduit chacun d'eux ? *

1. En raison de son passé, Jean Valjean est poursuivi. **2.** Étant donné sa force, il sauve le père Fauchelevent. **3.** Il réussit socialement à force de courage. **4.** Cosette est sauvée grâce à Jean Valjean.

9. a. Relevez les GN compléments circonstanciels de cause. b. Indiquez la classe grammaticale de chacun d'eux. *

1. En écrivant contre le roi, les philosophes ont risqué la prison. **2.** Sous prétexte d'une lettre persane, Montesquieu critique le roi de France. **3.** Pour avoir dénoncé l'esclavage, Voltaire a lancé un combat. **4.** Étant donné la virulence de son texte, Beaumarchais a situé sa pièce à Séville. **5.** La tirade de Figaro ne figure pas dans l'opéra de Mozart parce qu'elle critique trop la noblesse.

10. Complétez les phrases en imaginant une cause à ces actions ou états, en variant les classes grammaticales ou les prépositions. *

1. Guy de Maupassant a écrit sur les paysans normands. **2.** Il s'est également intéressé à la guerre de 1870. **3.** Maître Chicot invite la mère Magloire dans son auberge.

11. a. Relevez les GN compléments circonstanciels de conséquence. b. Indiquez la classe grammaticale de chacun d'eux. *

1. Face au spectre, le jeune homme a hurlé jusqu'à épuisement. **2.** Il se trouvait seul si bien que personne d'autre ne pouvait témoigner. **3.** Il a eu trop peur pour observer l'apparition. **4.** Il s'est caché de telle sorte qu'il n'a pas vu le fantôme fuir.

12. Complétez les phrases en imaginant une conséquence. Variez les classes grammaticales. *

1. Les grands magasins apparaissent au XIXe siècle. **2.** Mouret invente des trouvailles commerciales. **3.** Les clientes affluent dans les grands magasins. **4.** Zola dépeint la réalité de son temps.

Écrire

13. À partir de l'image, racontez une brève histoire en utilisant deux compléments circonstanciels de cause et de conséquence. Soulignez-les avec des couleurs différentes.

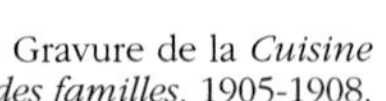
Gravure de la *Cuisine des familles*, 1905-1908.

› Les compléments circonstanciels de but et de comparaison

Consolider les acquis

Ex. 14 à 18

• Le complément circonstanciel de but exprime un objectif à atteindre. Il peut être :
– un GN, introduit par les prépositions *pour*, *en vue de*, *par peur de*, *par crainte de* ;
> *Il s'entraîne* ***pour le championnat*** *et* ***en vue des Jeux olympiques de 2016****.*
– un verbe à l'infinitif, introduit par les prépositions *pour*, *afin de*, *de peur de*, *de crainte de*.
> *L'équipe s'entraîne* ***pour gagner*** *et* ***de crainte d'être reléguée en deuxième division****.*
– une proposition subordonnée circonstancielle au subjonctif (voir p. 295).

• Le complément circonstanciel de comparaison indique à quoi on compare un élément. Il peut être :
– un nom, un groupe nominal, un pronom, un adjectif ou un adverbe introduit par *que* et précédé d'un adjectif au comparatif ;
> *Il est plus rapide que* ***Paul****, que* ***son frère****, qu'****eux****. Il est moins naïf que* ***sot****.*
Il est moins habile qu'autrefois.
– un nom ou un pronom introduit par un déterminant indéfini (voir p. 306) : *autre*, *même*, *tel* ;
> *Tel* ***père****, tel* ***fils****. Il nourrit la même ambition que* ***toi****.*
– une proposition subordonnée circonstancielle dont le verbe est le plus souvent sous-entendu (voir p. 295).

S'exercer

14. a. Relevez les compléments circonstanciels de but. b. Précisez la classe grammaticale de chacun d'eux. *

1. Pour avoir du fantastique, il faut du surnaturel. **2.** Mérimée rassure le lecteur pour lui éviter de se faire surprendre. **3.** En vue d'une intrigue intéressante, il faut des rebondissements. **4.** Je récite mon poème à mes amis, de peur de l'oublier. **5.** Chimène harcèle le roi de ses plaintes par crainte de sa faiblesse. **6.** Les philosophes ont combattu afin que l'esclavage disparaisse.

15. Transformez les GN compléments circonstanciels de but en employant un verbe à l'infinitif introduit par une préposition. **

1. Il ne se présente pas à l'examen par crainte d'un échec. **2.** En vue de sa réussite, ce candidat ne ménage pas ses efforts. **3.** Les artistes se battent pour l'obtention de ce prix.

16. a. Relevez les compléments circonstanciels de comparaison. b. Soulignez les mots qui les introduisent. *

1. Les combats des écrivains du Siècle des lumières sont plus connus que ceux des artistes de cette époque. **2.** Comme tout héros des comédies de Molière, Harpagon a un gros défaut. **3.** Rodrigue ainsi que son père a le sens de l'honneur. **4.** Avez-vous les mêmes lectures que moi ? **5.** Telle mère telle fille : même élégance !

17. Complétez chaque phrase avec un complément circonstanciel de comparaison. **

1. Pas un esclave n'a été traité … .
2. Il lui était aussi difficile de maîtriser sa peur … .
3. Il avance sur la scène … .

Écrire

18. Décrivez la scène de l'image de l'exercice 13 avec des compléments circonstanciels de but et de comparaison.

Réviser le complément d'agent

Consolider les acquis

Ex. 1 à 6

- Le complément d'agent est une fonction que l'on trouve dans une phrase à la voix passive (voir p. 287).
- On peut dire que, généralement, le complément d'agent (famille du verbe *agir*) fait l'action exprimée par le verbe conjugué à la voix passive.
  > *La lettre est lue* ***par l'enfant***.

  C'est *l'enfant* (complément d'agent) et non *la lettre* (sujet) qui accomplit l'action de *lire*.
- Le complément d'agent est constitué le plus souvent d'un groupe nominal ou d'un nom, plus rarement d'un pronom, précédé des prépositions *par* ou *de*.
  > *La lettre est lue par* ***certains élèves***, *par* ***François***, *par* ***tous***. *Elle est connue de* ***tous***.
- Le complément d'agent peut ne pas être exprimé : > *La lettre a été lue.*
- On emploie des phrases passives principalement dans les textes informatifs et descriptifs.

S'exercer

1. Relevez les compléments d'agent. *

1. Les romans de Victor Hugo sont lus par un large public. **2.** Le petit Gavroche a été tué par une balle sur les barricades. **3.** Les forçats étaient conduits aux galères par des gendarmes. **4.** La petite Cosette fut recueillie par Jean Valjean. **5.** La destinée des héros des *Misérables* sera connue de tous.

2. Recopiez les phrases qui sont à la voix passive et soulignez le complément d'agent quand il est exprimé. *

1. De nombreux enfants sont contaminés par le sida dans le monde. **2.** Des pandas géants sont nés dans les zoos de Chine. **3.** Une jeune femme a été mordue sauvagement. **4.** Un chien est tombé d'une falaise à quelques mètres d'un enfant. **5.** Les côtes sont polluées par une marée noire.

3. Recopiez les propositions dont le verbe est conjugué à la voix passive et soulignez les compléments d'agent quand il y en a. *

La maison de monsieur Grandet était située en haut de la ville, et elle était abritée par les ruines des remparts. Les deux piliers et l'arc de la porte avaient été, comme la maison, construits en tuffeau, pierre blanche particulière au littoral de la Loire. Un bas-relief était surmonté d'une plinthe saillante. La porte, en chêne massif, brune, desséchée, fendue de toutes parts, frêle en apparence, était solidement maintenue par le système de ses boulons qui figuraient des dessins géométriques.

D'après H. de Balzac, *Eugénie Grandet*, 1833.

4. **a.** Relevez les compléments d'agent. **b.** De quel genre de texte s'agit-il ? *

La mariée, Rosalie Roussel, avait été fort courtisée par tous les partis des environs, car on la trouvait avenante. [...] Les hommes redevenaient graves en approchant du repas. Les uns, les riches, étaient coiffés de hauts chapeaux de soie luisants. [...] Les autres portaient d'anciens couvre-chefs à poils longs, qu'on aurait dits en peau de taupe. Les plus humbles étaient couronnés de casquettes.

G. de Maupassant, *Les Contes de la bécasse*, 1883.

5. Complétez les phrases passives suivantes par un complément d'agent en variant les classes grammaticales. **

1. Les livres sont distribués aux élèves. **2.** Le cours d'anglais sera dispensé en salle d'informatique. **3.** L'enseignement de la musique est très apprécié. **4.** Le changement d'horaire avait été annoncé. **5.** Le règlement intérieur fut suivi à la lettre.

Écrire

6. Décrivez en quelques phrases à la voix passive la scène représentée sur l'image. Vous soulignerez les compléments d'agent.

Anonyme, *Omelette Alexandre Dumas*, 1905. Collection privée.

Réviser les fonctions par rapport au nom

› L'épithète

Consolider les acquis

Ex. 1 à 4

- Une épithète est un adjectif ou un participe passé employé comme adjectif.
- L'épithète qualifie directement un nom sans l'intermédiaire d'un verbe d'état (attributif) ni d'un signe de ponctuation. Elle fait partie du groupe nominal, qu'elle précise et enrichit, en particulier dans les descriptions.
> *Une **haute** grille de fer entoure le **vieux** manoir **hanté**.*
- Plusieurs adjectifs épithètes peuvent se rapporter à un même nom. À partir du deuxième, ils sont alors séparés par une virgule ou par une conjonction de coordination.
> *Le spectre tient une chaîne **solide**, **grinçante** et **lourde**.*
- Le plus souvent, l'épithète se place après le nom. En général, on place avant le nom des adjectifs courants et brefs.
> *Ce **vieux** manoir **hanté** attire les touristes **anglais**.*

S'exercer

1. a. Relevez les adjectifs épithètes qui complètent les noms en gras. b. Quelle impression donnent-ils de madame Thénardier ? *

Cette madame Thénardier était une **femme** rousse, charnue, anguleuse ; le type femme-à-soldat dans toute sa disgrâce. [...] C'était une **minaudière** hommasse.

V. Hugo, *Les Misérables*, 1862.

2. Précisez si les adjectifs et les participes en gras sont des épithètes ou non. S'ils le sont, citez le nom qu'ils qualifient. **

Ma mère ne disait rien ; elle vivait dans cette maison toujours **bruyante** comme ces **petites** souris qui glissent sous les meubles. **Effacée**, **disparue**, **frémissante**, elle regardait les gens de ses yeux **inquiets** et **clairs**, toujours **mobiles**, des yeux d'être **effaré** que la peur ne quitte pas. Elle était **jolie** pourtant, fort **jolie**, toute **blonde** d'un blond gris.

G. de Maupassant, *Les Contes de la bécasse*, 1883.

3. Ajoutez à chaque nom en gras un adjectif ou un participe passé épithète pour rendre la scène étrange ou fantastique. Faites attention aux accords. *

Par une **journée** de juillet, toute la **population** s'était rassemblée sur la **rade**. Un **navire** des Indes, arrivé de ces lointains parages, était à l'ancre dans le **port** et faisait flotter dans le **ciel** ses **pavillons**[1], tandis que des centaines de **chaloupes** et de **canots** sillonnaient en tous sens les **flots**.

D'après E. T. A. Hoffmann, *Les Mines de Falun*, 1819.

1. drapeaux.

Écrire

4. En ajoutant un adjectif épithète à chaque mot, décrivez une ville agréable, terrifiante, ou surprenante : *rues*, *façades*, *carrefours*, *parcs*, *magasins*.

› Le complément du nom

Consolider les acquis

Ex. 5 à 9

- Un complément du nom est un mot ou un groupe de mots qui complète un nom, le précise et l'enrichit, en particulier dans les descriptions. Il fait partie du groupe nominal.
- Le complément du nom est le plus souvent un nom ou un groupe nominal. Il peut être aussi un verbe à l'infinitif ou un groupe verbal. Un nom peut avoir plusieurs compléments du nom.
> *l'envie **de lire** et **de frissonner**, une grille **de jardin en métal***
- Ce complément se trouve après le nom qu'il complète et il est en général relié à ce nom par une préposition : *à, de, par, en, pour, sans...*
> *la grille du **manoir**, un fantôme aux **étranges pouvoirs**, l'art de **sculpter***
- Parfois le complément du nom complète directement le nom.
> *une femme **statue**, un tableau **Renaissance***

S'exercer

5. Relevez les compléments du nom qui complètent les noms en gras. *

> Le **temps** de leurs études était sur le point de finir, quand un tailleur apporta à Jeannot un **habit** de velours à trois couleurs, avec une **veste** de Lyon de fort bon goût : le tout était accompagné d'une **lettre** à M. de la Jeannotière.
>
> VOLTAIRE, *Jeannot et Colin*, 1764.

6. Relisez le texte de l'exercice 3 (p. 322) et relevez les compléments du nom en précisant le nom complété. *

7. Dans chaque groupe nominal, remplacez l'adjectif épithète par un complément du nom. *
Un bouquet floral. > Un bouquet de fleurs.
1. Une scène comique. **2.** Un climat insulaire. **3.** Une amitié fraternelle. **4.** Une allure spectrale. **5.** Une source naturelle. **6.** Une construction fictive. **7.** Un employé municipal.

8. Chaque groupe nominal en gras est-il un complément du nom ou un complément du verbe ? *

> Cependant nos deux curieux partirent ; ils sautèrent d'abord **sur l'anneau**, qu'ils trouvèrent assez plat, comme l'a fort bien deviné un illustre habitant **de notre petit globe** ; de là ils allèrent aisément **de lune en lune**. [...] Quand ils eurent fait environ cent cinquante millions **de lieues**, ils rencontrèrent les satellites **de Jupiter**.
>
> VOLTAIRE, *Micromégas*, 1752.

Écrire

9. Donnez cinq titres de romans ayant un complément du nom. Soulignez-le.
Le Ventre de Paris.

› Le complément de l'antécédent

Consolider les acquis

Ex. 10 à 13

- Une proposition subordonnée relative complète un nom, ou un groupe nominal, ou un pronom, appelé antécédent, qu'elle précise et enrichit (voir p. 288). Sa fonction est d'être complément de l'antécédent.
  > *Le jeune homme regarde la cafetière* ***qui s'anime.*** (p. subordonnée relative)
- La proposition subordonnée relative est un élément du groupe nominal.
  > *Le jeune homme regarde la cafetière* ***qui s'anime.***
  > [groupe nominal]
- Plusieurs propositions subordonnées relatives peuvent se rapporter à un même antécédent.
  > *Le jeune homme regarde la cafetière* ***qui s'anime*** *et* ***dont la forme le charme.***

S'exercer

10. a. Relevez les propositions subordonnées relatives. b. Donnez la fonction de chacune d'elles. *

> Les heures que nous venons de vivre comptent parmi les plus terribles de ma vie. [...] Brusquement, l'air se rafraîchit et un vent violent amène les premières gouttes de pluie qui fouettent nos visages. [...] Soudain, une bourrasque fouette la mer qui recouvre le pont et pénètre dans nos cales. [...] Je suis précipité à travers le pont, puis entraîné par le reflux de l'immense vague qui m'attire inexorablement vers la mer. [...] Soudain, une seconde vague vient frapper le *Resolution*, qui retrouve son équilibre pour un très bref instant.
>
> M. DE HALLEUX, *L'Inconnu du Pacifique*
> © Le Livre de Poche Jeunesse, 2001.

11. Enrichissez les phrases en complétant chaque nom en gras par une proposition subordonnée relative dont vous préciserez la fonction. Vous varierez les pronoms relatifs. *

1. La maison était entourée de grands **arbres**. **2.** Dans la **cuisine**, les épices embaumaient. **3.** Ce **fait** a marqué le XIXe siècle. **4.** Cette **machine** permet d'explorer le temps.

12. Remplacez chaque adjectif qualificatif ou groupe nominal complément du nom en gras par une proposition subordonnée relative. Variez les pronoms relatifs. * *
1. Ces histoires **effrayantes** ont été écrites par E. A. Poe. **2.** Le quai **de départ** pour Tahiti est situé à l'est du port. **3.** L'esclavage est un sujet **de préoccupation** au XVIIIe siècle. **4.** Une voix au timbre à peine **audible** surprit les visiteurs.

Écrire

13. En vous aidant de l'image de la page 321, complétez les noms suivants par une proposition subordonnée relative : *table, poêle, tablier, œufs.* Vous utiliserez pour chaque nom un pronom relatif différent.

L'apposition

Les mots de la leçon

apposé : qui est placé à côté de, et séparé par une virgule.

Observer pour comprendre

1. a. Quelle est la classe grammaticale des mots en gras ? b. Quel nom qualifient-ils ? c. Dans la phrase B, qu'est-ce qui sépare le mot en gras du nom qu'il qualifie ?
> **A.** *Une fumée* ***noire*** *sortait de la cheminée.* > **B.** *Une fumée,* ***noire****, sortait de la cheminée.*

2. Prononcez les phrases A et B en tenant compte de la ponctuation : dans quelle phrase le mot en gras est-il mis en relief ?

Retenir la leçon

> Définition

Ex. 3 à 6

• Une apposition est un mot ou un groupe de mots qui précise un nom. Elle est séparée de ce nom par un signe de ponctuation, le plus souvent une virgule ou deux points. D'autres mots peuvent s'intercaler entre l'apposition et le mot ou groupe de mots qu'elle précise.
> *Jean Valjean,* ***le héros des* Misérables***, est célèbre.*
Les héros lui revenaient à l'esprit : ***Jean Valjean, Fantine, Cosette****.*

• L'apposition, comme l'épithète, qualifie un nom, mais sa position, entre virgules, la met en relief. Elle peut précéder ou suivre le nom qu'elle précise.
> *Le manoir,* ***secret*** *et* ***sombre****, fait peur. /* ***Secret*** *et* ***sombre****, le manoir fait peur.*

• L'apposition peut préciser un pronom.
> ***Secret et sombre****, il fait peur.*

> Classe grammaticale

• Le(s) mot(s) apposé(s) ou mis en apposition est (sont) en général :
– un groupe nominal : > *Le manoir,* ***bâtisse ancienne****, jouxte la forêt.*
– un adjectif qualificatif ou un participe passé : > *Le manoir,* ***secret*** *et* ***isolé****, fait peur.*
– un verbe à l'infinitif : > *Le manoir a un pouvoir :* ***effrayer les visiteurs****.*

S'exercer

3. Rétablissez les virgules des groupes de mots mis en apposition aux groupes nominaux en gras. *
1. Autour de la ferme poussaient **des arbres fruitiers** des pommiers et des pruniers. **2.** Un enfant dressait **un perroquet** un étrange animal rapporté des îles. **3. Les villageois** travaillaient hommes femmes et enfants tous ensemble.

4. Rétablissez la ponctuation nécessaire aux mots mis en apposition. *

1. Le cidre jaune luisait joyeux, clair et doré dans les grands verres. **2.** Parfois, un convive plein comme une outre sortait prendre l'air. **3.** Les fermières écarlates restaient à table. **4.** Au bout de la table, quatre gars des voisins préparaient des farces aux mariés.

D'après G. de Maupassant, *Les Contes de la bécasse*, 1883.

5. Ajoutez une apposition à chaque GN en gras. Vous varierez la classe grammaticale des appositions. *
1. Ce groupe formait le plus beau de tous les tableaux de l'atelier. **2. Une jeune fille blonde** se tenait près de ses compagnes. **3.** Cette jeune fille préparait **son matériel de peinture**. **4.** Au milieu d'elles, **le maître de l'atelier** les initiait à l'aquarelle.

Écrire 

6. Décrivez l'image en un paragraphe dans lequel vous emploierez les appositions suivantes : *avare*, *brillantes*, *crochues comme des pinces*, *le père d'Eugénie*.

Le père Grandet. Illustration de Géo Dupuis pour *Eugénie Grandet*. Collection Idéal – Bibliothèque, 1921.

Le complément de l'adjectif

Les mots de la leçon

complément : qui complète.
adjectif : du latin *adjicere*, « ajouter ».

Observer pour comprendre

1. a. Recopiez les groupes de mots suivants en encadrant l'adjectif qualificatif ou le participe passé employé comme adjectif. b. Soulignez les mots qui complètent ces adjectifs ou participes passés : quelle est la classe grammaticale de chacun d'eux ? c. Par quelle préposition ces mots qui complètent sont-ils reliés à l'adjectif ou au participe passé ?
> *adaptable au plus grand nombre – satisfait de partir – contente de toi – accessible pour des handicapés – prête à déménager*

Retenir la leçon

Ex. 2 à 5

• Un complément de l'adjectif est un mot ou un groupe de mots, le plus souvent un nom, un groupe nominal ou un verbe à l'infinitif qui complète un adjectif ou un participe passé pris comme adjectif. Ce complément se trouve après l'adjectif qu'il complète et il est en général relié à cet adjectif par une préposition : *à, de, pour, en…*
> *rouge de **honte** – prévue pour **des enfants** – difficile à **croire***

• Parfois le complément de l'adjectif est directement placé après l'adjectif sans être relié par une préposition.
> *rouge **cerise**.*

• Attention ! Ne pas confondre un complément de l'adjectif qui complète un adjectif avec un complément du nom qui complète un nom.
> *J'observe les mains rouges **de l'enfant**. ≠ J'observe son visage rouge **de honte**.*
GN complément du nom — GN complément de l'adjectif

• Le complément de l'adjectif peut être aussi :
– une proposition subordonnée introduite par *que*, dont le verbe est conjugué soit à l'indicatif soit au subjonctif ;
> *Paul est sûr **qu'elle réussira**. Paul est heureux **qu'elle réussisse**.*

– le pronom adverbial *en*, placé avant dans la phrase.
> *J'**en** suis certain.* (équivalent de : *Je suis certain **de cela**.*)

• Il existe aussi des compléments de l'adjectif au comparatif ou au superlatif relatif (voir p. 304).

S'exercer

2. Relevez les compléments de l'adjectif et précisez la classe grammaticale de chacun d'eux. *
1. Des gazelles promptes à la course ont bondi dans la savane. **2.** Ces parents sont très fiers de leur fils qui a remporté le tournoi de tennis. **3.** Les terres proches de la rivière semblent cultivables en orge et en blé. **4.** L'enfant est conscient que ses résultats doivent s'améliorer. **5.** Il en est sûr. **6.** Le professeur a donné une leçon facile à apprendre.

3. Dites si les groupes nominaux en gras sont des compléments de l'adjectif ou des compléments du nom. *
1. L'entraîneur a sélectionné des athlètes rapides **à la course**. **2.** Les spectateurs applaudissent la course rapide **des athlètes**. **3.** Son échec a rendu ce garçon vert **de rage**. **4.** Le reflet vert **de son émeraude** brille sous la lampe. **5.** La loi rend les gens libres **de circuler**. **6.** Les esclaves n'étaient pas des hommes libres **de la société romaine**.

4. Complétez chaque phrase par un complément de l'adjectif. *
1. Pour gagner, ce sportif semble prêt à … . **2.** Voici une élève soucieuse de … . **3.** Cette route accessible aux … est bien ombragée. **4.** Les deux frères sont heureux que … . **5.** Une telle attitude indigne de … te portera préjudice. **6.** Ce lieu maléfique pour … est sinistre la nuit. **7.** L'organisateur de la soirée est rassuré que … . **8.** Ce jeune plein de … est attentif aux personnes âgées.

Écrire

5. Décrivez l'image de la page 324 en utilisant des adjectifs accompagnés de compléments que vous soulignerez.

Réviser l'analyse complète du verbe

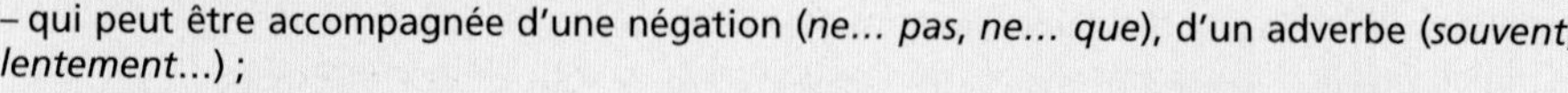

Consolider les acquis

> Qu'est-ce qu'un verbe ?

Ex. 1

• Un verbe est une classe grammaticale :

– qui peut être accompagnée d'une négation (*ne... pas, ne... que*), d'un adverbe (*souvent, lentement...*) ;

– qui peut être précédée d'un pronom (*je, tu, il, on...*), d'expressions comme : *il faut, on peut, on doit...* ;

– qui peut varier en personne (*je vois / on voit*), en temps (*il est / il était*), en mode : *il part* (indicatif), *parti* (participe) ;

– qui possède des formes simples et des formes composées selon que l'on observe le déroulement (*il mange*) ou le résultat (*il a mangé*) ;

– qui exprime une action (*Jean Valjean soulève la charrette*) ou un état (*Jean Valjean est courageux*).

Pour s'assurer qu'un mot est un verbe, il faut souvent vérifier qu'il répond à plusieurs de ces critères.

> L'infinitif et les groupes

Ex. 2 et 3

• L'infinitif présent est la forme sous laquelle est classé un verbe dans un dictionnaire en français.

• Il existe trois groupes de verbes :

– les verbes du premier groupe : ceux dont l'infinitif se termine en *-er* (*parler*) ;

– les verbes du deuxième groupe : ceux dont l'infinitif se termine en *-ir* et dont le participe présent est en *-issant* (*grandir / grandissant*) ;

– les verbes du troisième groupe : tous les autres verbes (*sortir / sortant, prévoir, faire...*) et le verbe *aller*.

• Il existe deux verbes que l'on appelle auxiliaires parce qu'ils aident à conjuguer tous les autres : *être* et *avoir*.

> *Tu es parti(e). Tu as gagné.*

Ils peuvent également avoir une valeur propre, sans être auxiliaires.

> *Tu es grande. Il a des projets.*

> Modes, temps, personnes, voix et formes

Ex. 4 à 6

Un verbe peut varier en mode, en temps, en personne et en voix.
La conjugaison d'un verbe est l'ensemble de toutes les formes que peut prendre ce verbe.

• **Six modes :**

– quatre modes personnels qui se conjuguent à plusieurs personnes : l'indicatif, le subjonctif, l'impératif (3 personnes seulement), le conditionnel ;

– deux modes impersonnels qui n'utilisent pas les personnes : l'infinitif, le participe.

• **Temps :**

– les temps expriment le passé, le présent ou l'avenir ;

– le nombre des temps varie selon les modes ;

– il existe des formes verbales simples et des formes verbales composées.

• **Six personnes :**

– au singulier : 1re personne : *je* ; 2e personne : *tu* ; 3e personne : *il, elle, on* ;

– au pluriel : 1re personne : *nous* ; 2e personne : *vous* ; 3e personne : *ils, elles.*

• **Deux voix :**

il existe :

– une voix active, lorsque le sujet accomplit l'action exprimée par le verbe ;

> *Les élèves apprennent la leçon.*

– une voix passive, lorsque le sujet n'accomplit pas l'action exprimée par le verbe (voir p. 332).

> *La leçon est apprise par les élèves.*

• **Formes :**

il existe une forme impersonnelle (voir p. 334) et une forme pronominale (voir p. 333).

> Radical, bases verbales et terminaisons

Ex. 7 à 10

• On appelle radical, à l'infinitif présent, la partie du verbe qui porte le sens du verbe, à laquelle s'ajoute la terminaison.
> *porter, grandir, venir, prendre, écrire, pouvoir*

• On appelle base verbale, dans les différents temps de la conjugaison d'un verbe, la partie du verbe à laquelle s'ajoute la terminaison. La base verbale peut ou non correspondre au radical de l'infinitif.
> *J'écris, nous écrivons, tu écriras.*

• Selon les verbes, les temps comportent une ou plusieurs bases verbales, aux différents modes.
> *Nous faisons.* (présent de l'indicatif)
> *Nous ferions.* (présent du conditionnel)
> *Nous fassions.* (présent du subjonctif)

• **Attention !** La difficulté de l'apprentissage de la conjugaison en français repose davantage sur les variations des bases verbales que sur les terminaisons plutôt régulières.

S'exercer

1. a. Lisez le texte suivant et recopiez les mots qui, pour vous, sont des verbes. b. Pour chaque verbe que vous avez identifié, précisez le(s) critère(s) qui vous a (ont) aidé(e) à le repérer. *

À la saison des fruits, une petite fille, brune de peau, avec des cheveux noirs embroussaillés, se présentait chaque mois chez un avoué d'Aix, M. Rostand, tenant une énorme corbeille d'abricots ou de pêches, qu'elle avait peine à porter. Elle restait dans le large vestibule, et toute la famille, prévenue, descendait.
« Ah ! c'est toi Naïs, disait l'avoué. Tu nous apportes la récolte. Allons, tu es une brave fille. »

É. Zola, *Naïs Micoulin*, 1884.

2. Classez ces infinitifs selon les trois groupes de verbes. *
permettre • lancer • gravir • anéantir • connaître • savoir • importer • moisir • saisir • repartir • prédire • écrire • lire • ajouter • nettoyer • mourir • enrouler • conclure

3. a. Repérez toutes les formes verbales présentes dans ce texte. b. Donnez leur infinitif et classez-les selon leur groupe. *

Lucien donna sa bourse à son compatriote et lui recommanda de venir le trouver le lendemain afin d'aviser aux moyens d'assurer le sort de sa famille. La valeur de tous les biens que Piombo possédait en Corse ne pouvait guère le faire vivre honorablement à Paris.

H. de Balzac, *La Vendetta*, 1830.

4. Observez le tableau de conjugaison p. 328. a. Combien de temps chacun des modes indiqués en majuscules comporte-t-il ? b. Quel est le mode qui comporte le plus de temps ? c. Quels modes se conjuguent avec des personnes ? d. Combien de personnes comptez-vous selon les modes ? e. Quels modes ne se conjuguent pas avec des personnes ? *

5. Observez le tableau de conjugaison p. 328. a. Le classement en temps simples et composés est-il propre à un mode ? à certains modes ? à tous les modes ? b. Quelle correspondance pouvez-vous faire entre l'auxiliaire du temps composé et le temps simple correspondant ? *

6. Dites à quels mode, temps et personne les formes verbales suivantes sont conjuguées. *
ils avaient lu • je lirai • vous lisiez (2 possibilités) • lisez • avoir lu • tu aurais lu • ils eurent lu • elle lut

7. Observez la conjugaison du verbe *lire* à l'imparfait de l'indicatif, p. 328. a. Une fois que l'on supprime les terminaisons, la base verbale change-t-elle aux différentes personnes ? b. Recopiez cette base verbale. c. À quel temps de quels autres modes retrouvez-vous cette même base verbale ? *

8. a. Quelle est la base verbale du verbe *lire* au futur de l'indicatif ? Recopiez-la. b. À quel mode et à quel temps retrouvez-vous cette même base verbale ? *

9. Observez les tableaux de conjugaison proposés p. 390 à 396. Recopiez un temps qui comporte : a. une base verbale ; b. deux bases verbales ; c. trois bases verbales. Vous soulignerez chaque base verbale. d. Recopiez l'infinitif présent de chaque verbe que vous avez choisi en soulignant le radical. *

Écrire

10. Rédigez un bref paragraphe dans lequel vous emploierez cinq verbes de l'exercice 2. Vous soulignerez tous les verbes en employant une couleur pour la base verbale et une autre pour la terminaison.

Consolider les acquis

> La conjugaison des différents temps aux différents modes

Ex. 11 à 36

• Le tableau de conjugaison ci-dessous propose l'organisation générale des modes et des temps ; pour une étude plus complète, reportez-vous aux tableaux de conjugaison, p. 390 à 396.

TEMPS SIMPLES	TEMPS COMPOSÉS	TEMPS SIMPLES	TEMPS COMPOSÉS
INDICATIF	Ex. 11 à 22	SUBJONCTIF	Ex. 26 à 29
Présent je lis tu lis il lit nous lisons vous lisez ils lisent	**Passé composé** j'ai lu tu as lu il a lu nous avons lu vous avez lu ils ont lu	**Présent** (que) je lise (que) tu lises (qu') il lise (que) nous lisions (que) vous lisiez (qu') ils lisent	**Passé** (que) j'aie lu (que) tu aies lu (qu') il ait lu (que) nous ayons lu (que) vous ayez lu (qu') ils aient lu
Imparfait je lisais tu lisais il lisait nous lisions vous lisiez ils lisaient	**Plus-que-parfait** j'avais lu tu avais lu il avait lu nous avions lu vous aviez lu ils avaient lu	**Imparfait** (que) je lusse (que) tu lusses (qu') il lût (que) nous lussions (que) vous lussiez (qu') ils lussent	**Plus-que-parfait** (que) j'eusse lu (que) tu eusses lu (qu') il eût lu (que) nous eussions lu (que) vous eussiez lu (qu') ils eussent lu
Passé simple je lus tu lus il lut nous lûmes vous lûtes ils lurent	**Passé antérieur** j'eus lu tu eus lu il eut lu nous eûmes lu vous eûtes lu ils eurent lu		
Futur simple je lirai tu liras il lira nous lirons vous lirez ils liront	**Futur antérieur** j'aurai lu tu auras lu il aura lu nous aurons lu vous aurez lu ils auront lu		
IMPÉRATIF	Ex. 23 à 25	CONDITIONNEL	Ex. 30 à 32
Présent lis lisons lisez	**Passé** aie lu ayons lu ayez lu	**Présent** je lirais tu lirais il lirait nous lirions vous liriez ils liraient	**Passé** j'aurais lu tu aurais lu il aurait lu nous aurions lu vous auriez lu ils auraient lu
INFINITIF		PARTICIPE	
Présent lire	**Passé** avoir lu	**Présent** lisant	**Passé** (ayant) lu(e)

(Les cases grisées correspondent à des temps qui seront étudiés dans les classes suivantes.)

S'exercer

Le présent de l'indicatif

11. **Écrivez les verbes entre parenthèses au présent de l'indicatif.** *

Liselor (repousser) d'un coup de pied la couette, (sauter) en bas du lit et (appeler) : « Grand-père ! grand-père ! » Elle (enfiler) un pantalon sur son pyjama : une vieille habitude. Elle (passer) un chandail à col roulé en descendant quatre à quatre l'escalier de bois. Elle ne (remarquer) même plus la rampe vermoulue. Liselor (remplir) d'eau une casserole et la (mettre) à chauffer. Liselor (se lever) d'un bond. En trois sauts, elle (s'éloigner) de la digue et (gravir) le muret bas et long. En se penchant, Liselor (apercevoir) les rochers massés en désordre.

A.-M. Pol, *La Reine de l'île* © Le Livre de Poche Jeunesse, 2004.

12. **Récrivez les phrases de l'exercice 11 en remplaçant *Liselor* et *elle* par *les fillettes* et *elles*.** *

13. **Complétez les formes verbales au présent de l'indicatif.** *

tu cri... • il cré... • il ri... • je remu... • tu jou... • elle bou... • il rou... (de coups)

14. **Conjuguez les verbes entre parenthèses au présent de l'indicatif (voir p. 391).** *

1. Il (geler) à pierre fendre en ce jour de décembre : pourtant sans craindre le froid, le détective (marteler) le mur du garage à la recherche d'un son étrange.

2. Ses hommes l'(appeler) tout à coup ; ils lui (annoncer) leur nouvelle stratégie : « Nous nous (partager) en deux équipes et nous (percer) le mur à droite et à gauche de la porte. »

3. – C'est une bonne idée, (lancer) le détective, si vous (déceler) un indice, prévenez-moi.

4. Il (encourager) cette initiative qui (exiger) de la concertation.

15. **Complétez ces définitions en conjuguant au présent de l'indicatif les verbes du premier groupe donnés entre parenthèses (voir p. 391).** *

1. Falloir : verbe qui ne se (conjuguer) qu'à certaines personnes.

2. Inventeur : personne qui (créer) de nouveaux objets.

3. Émetteurs : personnes qui (envoyer) des messages.

4. Salaire : somme d'argent que l'on (payer) à quelqu'un en contrepartie d'un travail.

5. Tiercé : course de chevaux sur laquelle on (parier) de l'argent.

16. **Recopiez ces phrases en conjuguant les verbes au présent de l'indicatif.** * *

1. Quand la lune (surgir) dans le ciel, les invités (partir) vers la terrasse.

2. L'hôte (craindre) l'apparition d'un fantôme : cela le (faire) trembler.

3. Des nuages (accourir) et le vent (ployer) les branches des arbres.

4. C'est alors qu'une forme étrange (s'insinuer) entre les convives et (gémir) doucement.

5. Après ce choc, l'hôte (s'évanouir) tandis que ses invités (s'enfuir).

Les temps du passé à l'indicatif

17. **Récrivez ces phrases en transposant les verbes au singulier ou au pluriel.** *

Je disais. > Nous disions. Elles venaient. > Elle venait.

1. Nous envisagions de lire des nouvelles fantastiques. **2.** Vous avanciez rapidement dans l'histoire. **3.** Nous riions des aventures du héros. **4.** Je craignais la folie de l'héroïne. **5.** À chaque fois qu'elle se lançait dans le vide, tu criais d'effroi. **6.** Vous partagiez l'enthousiasme des visiteurs. **7.** Je croyais cette rencontre impossible.

18. **Transposez les verbes de l'exercice 11 : a. à l'imparfait ; b. au passé simple de l'indicatif.** *

19. **Conjuguez les verbes du texte : a. au passé simple ; b. au passé composé ; c. au plus-que-parfait de l'indicatif.** *

Une clarté violente (illuminer) en quelques secondes tout l'intérieur de la chaumière, puis ce (être) un brasier effroyable. [...] Puis un grand cri (partir) du sommet de la maison, puis ce (être) une clameur de hurlements humains, d'appels déchirants d'angoisse et d'épouvante. Puis, la trappe s'étant écroulée à l'intérieur, un tourbillon de feu s'(élancer) dans le grenier, (percer) le toit de paille, (monter) dans le ciel comme une immense flamme de torche ; et toute la chaumière (flamber).

G. de Maupassant, *La Mère Sauvage*, 1884.

20. **Écrivez les verbes en italiques au passé antérieur et les verbes en gras au passé simple.** * *

1. Dès que le violoniste (*commencer*) à jouer, la statue (**s'animer**).

2. Lorsqu'il (*terminer*) le morceau, elle (**redevenir**) inerte.

3. Quand il (*prendre*) conscience du phénomène, il n'(**oser**) plus toucher son violon.

4. Il ne (**retrouver**) un peu de calme que lorsqu'il (*sortir*) et qu'il (*perdre*) de vue la statue.

Les futurs de l'indicatif

21. **Recopiez ces phrases en mettant les verbes : a. au futur simple ; b. au futur antérieur de l'indicatif.** *

1. Bientôt, vous (découvrir) des indices.

2. Cela vous (permettre) d'élaborer des hypothèses pour élucider le vol.

3. Bien des enquêteurs (participer) à cette longue traque.

4. Les détectives célèbres comme Sherlock Holmes (avoir) la chance de résoudre des affaires très difficiles.

22. **Transposez au futur simple de l'indicatif les verbes en gras à la 2e personne : a. du singulier ; b. du pluriel.** *

Lors d'une belle journée, **allez** dans le jardin. Au premier chant d'oiseau, ne **criez** pas, **arrêtez**-vous et **tendez** l'oreille pendant plusieurs minutes. **Créez** ensuite une liste des chants d'oiseaux que vous avez reconnus. Si possible, **enregistrez** ces chants. **Répétez** l'expérience un autre jour en forêt ; **faites**-le aussi près de champs cultivés. **Comparez** vos résultats entre les différents milieux.

Le présent et le passé de l'impératif

23. **Conjuguez les verbes suivants : a. au présent de l'impératif ; b. au passé de l'impératif.** *
prendre • mettre • finir • déposer

24. **Écrivez ces verbes à la 2e personne du singulier et du pluriel : a. du présent de l'impératif ; b. du passé de l'impératif.** *
1. (Lire) cette scène de tragédie plusieurs fois. **2.** (Choisir) le personnage à interpréter. **3.** (Répéter) le monologue en mettant le ton. **4.** (Apprendre) la tirade. **5.** (Prévoir) des accessoires. **6.** (Essayer) les costumes. **7.** (Faire) plusieurs essais de mise en scène. **8.** (Observer) le jeu scénique des autres acteurs et (traduire) le caractère tragique de la pièce.

25. **Écrivez les verbes : a. à la 2e personne du singulier ; b. à la 1re personne du pluriel du présent de l'impératif.** *
1. (Acheter) des places pour le spectacle théâtral. **2.** (Être) à l'écoute des idées des journalistes. **3.** (Émettre) des suggestions pour le prochain journal. **4.** (Songer) à un prochain rôle dans la comédie. **5.** (Accéder) au meilleur rôle.

Le présent et le passé du subjonctif

26. **Transposez à la personne du singulier correspondante ces verbes conjugués au présent du subjonctif.** *
Que nous faisions. > Que je fasse.
1. Que nous revenions. **2.** Que vous jetiez. **3.** Qu'ils sourient. **4.** Que nous procédions. **5.** Que vous appeliez. **6.** Que vous puissiez. **7.** Qu'ils fuient. **8.** Que nous mourions.

27. **Transposez au présent du subjonctif ces verbes conjugués au passé.** *
qu'il soit venu • que vous ayez dit • que j'aie pris • que vous ayez prié • qu'ils soient partis • qu'il ait écrit • qu'il ait entendu • que nous ayons cru • qu'il ait cédé

28. **Transposez au passé du subjonctif ces verbes conjugués au présent.** *
que je projette • que nous sachions • que vous prédisiez • qu'ils démolissent • qu'il veuille • que tu viennes • qu'il fasse • que vous croyiez • que je voie • qu'elle lise • qu'ils viennent

29. **Conjuguez les verbes entre parenthèses au temps du subjonctif indiqué.** *

C'est lui qui, au bout d'un long moment, me remarqua le premier.
– Il semble que nous (avoir, **présent**) une nouvelle amie. [...]
– Il ne paraît pas que nous nous (rencontrer, **passé**) déjà.
– Dieu (être, **présent**) loué ! [...]
– Que cette demoiselle (prendre, **présent**) place parmi nous !
– Et qu'elle (vouloir, **présent**) bien nous excuser de continuer nos travaux.

E. Orsenna, *Les Chevaliers du Subjonctif* © Le Livre de Poche, 2004.

Le présent et le passé du conditionnel

30. **Complétez les formes verbales : a. au présent du conditionnel ; b. au passé du conditionnel.** *
1. Je fer.... **2.** Tu créer.... **3.** Nous dir.... **4.** Ils apprécier.... **5.** Il lancer.... **6.** Vous croir....

31. **Écrivez ces verbes au présent du conditionnel.** *
1. Si j'étais enquêteur, en écoutant les témoins, j'(apprendre) des faits intéressants. **2.** Je (préférer) d'abord me rendre sur les lieux du vol. **3.** J'y (déceler) peut-être des indices nouveaux. **4.** Je (être) le meilleur détective de la terre ; aucune énigme ne me (résister) ; on me (confier) les affaires les plus difficiles.

32. **Mettez les verbes au passé du conditionnel. Pour l'auxiliaire *être*, pensez à accorder le participe passé avec le sujet.** * *
1. Des promeneurs (assister) à une étrange scène. **2.** S'ils avaient eu moins peur, ils ne (partir) pas sans observer les rayons lumineux. **3.** On (pouvoir) expliquer ce curieux phénomène, mais il (falloir) tenter une expérience dangereuse. **4.** À vous croire, le spectacle de lévitation (connaître) un franc succès et les spectateurs (venir) très nombreux. **5.** (Aimer)-tu être choisi(e) comme participant(e) ?

Écrire

33. **Racontez la scène représentée sur l'image en employant des temps de l'indicatif que vous préciserez entre parenthèses.**

34. **Exprimez les ordres que l'un des personnages peut donner à l'autre : a. au futur de l'indicatif ; b. au présent de l'impératif. Il peut le tutoyer ou le vouvoyer.**

35. **Racontez la scène en commençant votre récit par *Si la jeune femme était plus*... Vous emploierez des verbes conjugués au présent du conditionnel.**

36. **À partir de l'image, exprimez au moins trois craintes commençant par *Pourvu que*... Vous conjuguerez les verbes : a. au présent du subjonctif ; b. au passé du subjonctif.**

Edmond Rostand, *Cyrano de Bergerac*, mise en scène du début du XXe siècle.

Les verbes transitifs et intransitifs

Les mots de la leçon

transitif : (du latin *transire*, « passer ») qui admet un complément d'objet.
intransitif : qui n'admet pas de complément d'objet.

Observer pour comprendre

1. Dans quelle phrase le verbe *parler* est-il complété par un COI ? par un COD ? Dans quelle phrase n'est-il complété par aucun complément d'objet ?
> **A.** *Cet enfant parle l'anglais.*
> **B.** *Cet enfant parle à sa soeur.*
> **C.** *Cet enfant parle bien.*

2. Quels verbes de la liste suivante ne peuvent pas être complétés par un complément d'objet, direct ou indirect ?
> *demander – suivre – courir – venir – nager – arriver – souhaiter – écrire*

Retenir la leçon

> Les verbes transitifs

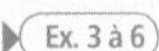
Ex. 3 à 6

• On appelle verbe transitif un verbe qui est complété par un ou plusieurs compléments d'objet. Il existe :

– des verbes transitifs directs qui sont complétés par un COD ;
> *Zola* ***imagine*** *une histoire* (COD). *Zola l'****imagine*** (l' : COD). *Zola* ***aime*** *écrire* (COD).

– des verbes transitifs indirects qui sont complétés par un COI, le plus souvent introduit par les prépositions *à* ou *de*.
> *Zola* ***pense*** *à une histoire* (COI). *Zola* ***parle*** *d'une histoire* (COI).

• Attention ! Certains verbes sont complétés à la fois par un COD et un COI appelé COS (voir p. 317) : ce sont des verbes qui expriment un don (*donner, offrir*...), une parole (*enseigner, expliquer*...) ou un transfert (*enlever, priver de*...).
> *Paul* ***raconte*** *une histoire* (COD) *à sa sœur* (COS).

> Les verbes intransitifs

• On appelle verbe intransitif un verbe qui ne peut pas être complété par un complément d'objet.
> *Cosette* ***dort***. (« dormir quelque chose, dormir à » ou « dormir de... » ne peut pas se dire.)

• Attention ! Certains verbes transitifs peuvent être employés de manière intransitive.
> *Cet enfant* ***parle*** *le chinois* (v. transitif direct). *Cet enfant* ***parle*** *à ses amis* (v. transitif indirect). *Cet homme* ***parle*** (v. employé intransitivement).

S'exercer

3. Précisez pour chaque verbe en gras s'il est transitif direct ou transitif indirect. *
1. Ils **raconteront** leurs vacances à leurs amis. **2.** Les parents **se souviennent** de leurs jeunes années. **3.** Le metteur en scène **crée** un nouveau spectacle. **4.** Il **espère permettre** aux spectateurs de **redécouvrir** un chef-d'œuvre de Molière.

4. Précisez pour chaque verbe en gras s'il est transitif direct, transitif indirect ou intransitif. *
1. Eugénie **pense** souvent à son cousin. **2.** Son cousin **arrive**. **3.** Le père Grandet **interdit** les dépenses. **4.** Eugénie **donne** son or au jeune homme. **5.** Eugénie **sommeille**, les yeux fermés.

5. Pour chaque verbe, proposez deux phrases dans lesquelles le verbe sera respectivement : **a.** transitif direct ou indirect ; **b.** employé de manière intransitive. *
écrire • répondre • jouer • rêver • manger

Écrire

6. Racontez la scène de l'image de la page 330 en employant des verbes transitifs que vous soulignerez en bleu et des verbes intransitifs que vous soulignerez en vert.

Réviser le verbe à la voix passive

Consolider les acquis

• Un verbe à la voix passive se rencontre dans une phrase à la voix passive (voir p. 287). Ex. 1 à 8
Un verbe à la voix passive est composé de l'auxiliaire *être* et du participe passé.
> *Il* ***est pris***.

• L'auxiliaire *être* indique le temps et le mode d'un verbe à la voix passive.
Voici, par exemple, pour le verbe *prendre* :
– des formes de présent aux différents modes :
indicatif : > *je* ***suis*** *pris* subjonctif : > *(que) je* ***sois*** *pris(e)* conditionnel : > *je* ***serais*** *pris(e)*
impératif : > ***sois*** *pris(e)* infinitif : > ***être*** *pris* participe : > ***étant*** *pris(e)*
– des formes de l'indicatif aux différents temps :
présent : > *je* ***suis*** *pris(e)* passé composé : > *j'****ai été*** *pris(e)*
imparfait : > *j'****étais*** *pris(e)* plus-que-parfait : > *j'****avais été*** *pris(e)*
passé simple : > *je* ***fus*** *pris(e)* passé antérieur : > *j'****eus été*** *pris(e)*
futur : > *je* ***serai*** *pris(e)* futur antérieur : > *j'****aurai été*** *pris(e)*
Pour l'ensemble des formes de la voix passive, voir le tableau de conjugaison complet p. 392.

• Le participe passé s'accorde avec le sujet (voir les accords du participe passé p. 358).
> ***La nouvelle*** *est lue par les élèves.* ***Les nouvelles*** *sont lues par les élèves.*

S'exercer

1. Conjuguez les verbes à la voix passive, à l'indicatif. *
1. À l'imparfait : *construire*. **2.** Au passé simple : *envoyer*. **3.** Au passé composé : *suivre*. **4.** Au plus-que-parfait : *remplacer*.

2. Donnez la « carte d'identité » (voix, mode, temps, personne) des formes verbales suivantes. * *
1. Il est observé. **2.** Tu seras mordu. **3.** Nous étions glacés d'horreur. **4.** Vous avez été embarqués sur une galère. **5.** Elles auront été retardées par la neige. **6.** Les cloches seront sonnées toutes les nuits. **7.** Après avoir été bouleversé, le jeune homme fut consolé par ses amis.

3. Recopiez ces phrases en mettant les verbes au présent de l'indicatif à la voix passive. Attention aux accords ! * *
La statue (soulever) par les hommes.
> *La statue* ***est soulevée*** *par les hommes.*
1. La momie (découvrir) par l'archéologue. **2.** Le sarcophage (renverser) à terre. **3.** La recherche (conduire) par une équipe française. **4.** La pyramide (explorer) par les scientifiques. **5.** Cette nouvelle (traduire) par C. Baudelaire. **6.** Le savant (applaudir).

4. Transposez les sujets des phrases de l'exercice 3 au pluriel et mettez les verbes à l'imparfait de la voix passive. Attention aux accords ! * *

5. Transposez ces phrases : a. au passé composé ; b. au plus-que-parfait de l'indicatif. *
1. Les convives sont réunis autour de la cheminée. **2.** Une révélation importante est faite. **3.** La nuit est redoutée par les convives. **4.** Des bougeoirs sont apportés par des serviteurs. **5.** Les portes sont verrouillées par les serviteurs. **6.** Tout le manoir est saisi d'une grande peur.

6. Relevez les verbes conjugués à la voix passive et indiquez leur mode et leur temps. * *
1. L'histoire a été imaginée par le romancier Zola. **2.** Après avoir été choisie, l'intrigue sera rédigée. **3.** Les descriptions étaient réalisées à partir d'un carnet de notes qui étaient prises sur le vif. **4.** Souvent, les personnages seront reconnus comme des types de la société de l'époque. **5.** Les petits magasins ayant été modifiés, il est intéressant de découvrir leur transformation.

7. Mettez ces verbes à la voix passive au temps indiqué. * *
1. Le film (concevoir, **passé composé**) comme une reconstitution fidèle de l'univers de Maupassant. **2.** Des maisons normandes (construire, **passé simple de l'indicatif**). **3.** Des costumes du XIXe siècle (réaliser, **plus-que-parfait**). **4.** Des assiettes anciennes (créer, **futur de l'indicatif**) pour (utiliser, **présent de l'infinitif**) lors des scènes à l'auberge. **5.** Les prises de vue (régler, **présent de l'indicatif**) par le réalisateur avant que les scènes de repas (interpréter, **présent du subjonctif**) par les acteurs.

Écrire

8. Décrivez le temple en utilisant ces verbes conjugués à la voix passive, à l'imparfait de l'indicatif : *construire, dominer, surmonter, recouvrir, orner, décorer.*

Philippe Chaperon, scénographie pour l'opéra *Aida* de G. Verdi, 1901. Museo del Teatro alla Scala, Milan.

La forme pronominale

Les mots de la leçon

pronominal : qui emploie un pronom.
réfléchi : qui renvoie à soi-même.
réciproque : mutuel.

Observer pour comprendre

1. a. De quels éléments le verbe *s'enfuir* est-il formé ? b. Le verbe *enfuir* existe-t-il ?
> *Je m'enfuis, tu t'enfuis, il s'enfuit, nous nous enfuyons, vous vous enfuyez, ils s'enfuient.*

2. Avec quel auxiliaire les verbes suivants sont-ils conjugués ?
> *Il s'est approché. Nous nous étions querellés. Je m'étais interrogée. Tu te seras trompée.*

3. Dans laquelle des deux phrases peut-on ajouter au verbe : *eux-mêmes* ? *l'un l'autre* ?
> **A.** *Ils se regardèrent dans le miroir placé devant eux.*
> **B.** *Lors de cette rencontre, ils se regardèrent avec intensité.*

Retenir la leçon

> Définition

Ex. 4, 5 et 8

• Un verbe à la forme pronominale se forme à l'aide d'un pronom personnel réfléchi : *me, te, se, nous, vous, se*.
> Je ***me*** tais, tu ***te*** tais, il (elle) ***se*** tait, nous ***nous*** taisons, vous ***vous*** taisez, ils (elles) ***se*** taisent.

• Les verbes de forme pronominale se conjuguent avec l'auxiliaire *être*. L'accord de leur participe passé obéit à des règles complexes que vous étudierez en 3e.

• Le pronom personnel complément se place avant le verbe, sauf à l'impératif.
> *Lave-**toi** ! Souviens-**toi** de moi.*

> Les différents verbes pronominaux

Ex. 6 à 8

• Les verbes essentiellement pronominaux n'existent qu'à la forme pronominale ou changent de sens à cette forme.
> *Elle **s'enfuit**.* (Le verbe *enfuir* n'existe pas.)
> *Il **s'aperçoit de** son erreur.* (Il s'en rend compte.) ≠ *Il **aperçoit** une forme blanche.* (Il la voit vaguement.)

• Certains verbes qui existent à la voix active peuvent aussi s'employer à la forme pronominale. Ils peuvent être de sens :
– réfléchi : > *Il **se regarde** dans le miroir.* (Il se regarde lui-même.)
– réciproque : > *Pierre et Paul **se sourient**.* (Ils se sourient l'un à l'autre.)
– passif : > *Les vendanges **se font** à l'automne.* (= Les vendanges sont faites à l'automne.)

S'exercer

4. Relevez les phrases comportant un verbe pronominal. *
1A. Il se repère facilement grâce à son sens de l'orientation. **1B.** Cette bonne affaire, maître Chicot l'a repérée depuis longtemps. **2A.** Ils s'embrassent avec effusion. **2B.** Ils t'embrassent tendrement. **3A.** Vous vous êtes séparés après ces incidents. **3B.** Ces incidents les ont séparés. **4A.** Il m'a félicitée de mon succès. **4B.** Je me suis félicitée d'avoir pris cette décision.

5. Conjuguez ces verbes à l'impératif présent. *
se taire • se détendre • se reposer • se saisir • se parler

6. Quels sont les verbes : a. qui n'existent qu'à la forme pronominale ? b. qui ont un sens différent à cette forme ? **
s'absenter • s'apprivoiser • se produire • s'ennuyer • s'éteindre • s'épuiser • s'époumoner • se charger

7. Indiquez le sens de chaque verbe pronominal (réfléchi, réciproque ou passif, essentiellement pronominal.) **
1. Elles s'envoient des messages. **2.** Elles se contredisent tout le temps. **3.** Elle s'apprête à parler. **4.** Le jour et la nuit se succèdent pour former un cycle. **5.** Ces deux amies se confient leurs secrets. **6.** Les hirondelles s'envolent au-dessus du village.

Écrire

8. Racontez une rencontre entre deux personnages. Vous utiliserez des verbes pronominaux conjugués au présent de l'indicatif, que vous soulignerez.

La forme impersonnelle

Les mots de la leçon

impersonnel : qui ne désigne pas une personne précise.

Observer pour comprendre

1. Dans laquelle de ces séries de phrases le pronom *il* remplace-t-il le groupe nominal *l'hiver* ? Dans laquelle le pronom *il* ne remplace-t-il aucun groupe nominal ? Qu'ont en commun, du point de vue du sens, les verbes *pleuvoir*, *neiger*, *geler* et *venter* ?
> **A.** *Il pleut, il neige, il gèle, il vente : l'hiver est bien là.*
> **B.** *Il refroidit l'air, il durcit la terre, il gèle les étangs : l'hiver est bien là.*

2. a. À quelle personne ces verbes sont-ils conjugués ?
b. Lequel ne peut jamais s'employer à une autre personne ?
c. Dans quelle(s) phrase(s) de la série B le pronom *il* ne désigne-t-il personne et ne peut-il pas être remplacé par un GN ou par le pronom personnel *elle* ?
> **A1.** *Il faut travailler.* **A2.** *Il doit travailler.*
> **B1.** *Il fait beau.* **B2.** *Il se fait tard.* **B3.** *Il fait son devoir de mathématiques.*

Retenir la leçon

> Définition

Ex. 3

• Les verbes à la forme impersonnelle ne s'emploient qu'à la 3e personne du singulier.

• Ils ont pour sujets les pronoms *il*, *ce (c')*, qui ne reprennent aucun nom ou groupe nominal précédemment cité.

• Employé à la forme impersonnelle, un verbe peut varier en temps et en modes, mais n'a ni impératif ni participe présent.
> ***Il neige***. ***Il faut*** *déblayer le trottoir.* ***C'est*** *l'hiver.* ***Il avait neigé***. *Je crains qu'****il*** *ne* ***fasse*** *froid.* ***Il y aurait*** *de nombreuses routes coupées.*

> Les différents verbes à la forme impersonnelle

Ex. 4 à 12

• Les verbes météorologiques, toujours à la forme impersonnelle : *il bruine, il gèle, il grêle, il neige, il pleut, il tonne, il vente, il fait beau / froid...*

• Des verbes exprimant un événement : *il advient, il arrive, il se produit...*
> ***Il arrive*** *que tu aies raison.*

• Des verbes exprimant une idée d'obligation, de possibilité : *il convient (de), il faut, il importe, il se peut (que)...*
> ***Il faut*** *se taire.* ***Il faut*** *qu'il se taise.*

• Il existe aussi de nombreuses tournures impersonnelles utilisant le verbe *être* suivi d'un adjectif qualificatif : *il est bon, certain, évident, facile, nécessaire, normal...*
> ***Il est bon*** *de se dorer au soleil.* ***Il est certain*** *que tu as raison.*

> La construction des verbes impersonnels

Ex. 8 à 10

• Les verbes à la forme impersonnelle peuvent être suivis :
– d'un groupe nominal : > *Il est arrivé* ***un événement étrange***.
– d'un verbe à l'infinitif : > *Il m'arrive d'****avoir*** *des hallucinations.*
– d'une proposition subordonnée conjonctive : > *Il arrive* ***qu'il ait des hallucinations***.

• Le verbe de cette proposition subordonnée conjonctive est :
– à l'indicatif si le verbe à la forme impersonnelle exprime une certitude ;
> *Il est certain que vous* ***avez*** *raison.*
– au subjonctif dans les autres cas.
> *Il est probable (il arrive) que* ***vous*** *ayez raison.*

• On nomme sujet grammatical le pronom *il* et sujet réel le groupe nominal, le verbe à l'infinitif ou la proposition subordonnée conjonctive qui suit le verbe à la forme impersonnelle.
> ***Il*** *m'est arrivé* ***d'étranges aventures***. ***Il*** *m'est arrivé de* ***me tromper***.
sujet grammatical — sujet réel — sujet grammatical — sujet réel

- Il existe des phrases passives où le verbe a une forme impersonnelle.
> ***Il a été trouvé*** *des blousons dans le gymnase.*

> Les emplois de la forme impersonnelle

- La forme impersonnelle est préférable en français quand le sujet réel est un infinitif ou une proposition subordonnée conjonctive.
> ***Il lui arrive*** *de rêver. (~~Rêver lui arrive.~~)* ***Il arrive*** *qu'il rêve. (~~Qu'il rêve lui arrive.~~)*
- La langue soutenue peut recourir à la forme impersonnelle.
> ***Il se produit*** *si peu d'occasions de témoigner mon estime.* (Madame de Sévigné)

S'exercer

3. Dans chacun de ces couples de phrases, relevez celle où le verbe en gras est employé à la forme impersonnelle. *
1A. Un fantôme hante la maison ; il **apparaît** chaque nuit à minuit. **1B.** Il **apparaît** que cette forme est celle d'un fantôme. **2A.** Il me **semble** difficile de refuser cette invitation. **2B.** Cet enfant est peut être malade ; il **semble** bien pâle. **3A.** Ce livre est difficile ; il **convient** pour de bons lecteurs. **3B.** Ce livre est un grand classique ; il **convient** de le faire lire à l'école.

4. Classez ces verbes en trois listes selon : **a.** qu'ils ne s'emploient qu'à la forme impersonnelle ; **b.** qu'ils ne s'emploient pas à la forme impersonnelle ; **c.** qu'ils peuvent s'employer à la forme impersonnelle. **
amener • provoquer • pleuvoir • aboutir • renoncer • faire • falloir • venir • tomber • discuter • valoir

5. Parmi ces formes verbales, lesquelles proviennent des verbes impersonnels : **a.** *valoir* ; **b.** *falloir* ? *
il fallut • il faiblit • il faudrait • il valait • il vantera • il faillit • il fallait • il se vautra • il a fallu • il avait failli

6. Relevez les verbes employés à la forme impersonnelle. *

Les amis inconnus

Il vous naît un poisson qui se met à tourner
Tout de suite au plus fort d'une lampe profonde,
Il vous naît une étoile au-dessus de la tête,
Elle voudrait chanter mais ne peut faire mieux
Que ses sœurs de la nuit les étoiles muettes.

Il vous naît un oiseau dans la force de l'âge,
En plein vol, et cachant votre histoire en son cœur
Puisqu'il n'a que son cri d'oiseau pour la montrer.
Il vole sur les bois, se choisit une branche
Et s'y pose, on dirait qu'elle est comme les autres. [...]

J. Supervielle, *Le Forçat innocent* © Éditions Gallimard, 1930.

7. Transformez les phrases suivantes en employant des verbes à la forme impersonnelle. **
Des invités arrivent.
> Il arrive des invités.
1. Un accident terrible se produisit hier au carrefour du centre-ville. **2.** Des fantômes se promenaient parfois dans cette vieille maison abandonnée. **3.** Croire aux fantômes est banal en Écosse. **4.** Des trombes d'eau s'abattaient sur la ville. **5.** Toutes les secondes, un enfant naît dans le monde. **6.** Un train passe une fois par jour dans cet endroit isolé.

8. **a.** Relevez les groupes verbaux où *il* est sujet d'un verbe impersonnel. **b.** Qui peut bien se cacher derrière le pronom *il* sujet des autres verbes ? *

Paris, le 18 août 1834
Oui, il faut nous quitter pour toujours. Il est inquiet et il n'a pas tort, puisque tu es si troublé, et il voit bien que cela me fait du mal. Est-il possible, mon Dieu, que cela ne m'en fasse pas, Mais je pars pour Nohant, moi. Je vas[1] passer là les vacances de mes enfants. Je ne veux pas que tu t'exiles à cause de moi. Je lui ai tout dit. Il comprend tout, il est bon. Il veut que je te voie sans lui une dernière fois et que je te décide à rester, au moins jusqu'à mon retour de Nohant. Viens donc chez moi, je suis trop malade pour sortir et il fait un temps affreux.
Ah ! ton amitié, ta chère amitié, je l'ai donc perdue puisque tu souffres auprès de moi !

G. Sand à A. Musset

1. je vais.

9. Conjuguez les verbes entre parenthèses au mode qui convient (indicatif ou subjonctif) ; pour cela, observez le sens du verbe impersonnel de la proposition principale. **
1. Il est certain que tu (être) expert en informatique. **2.** Il faut que tu (pouvoir) réparer cet ordinateur avant ce soir ; il est possible que j'en (avoir) besoin. **3.** Il est peu probable que mes amis (croire) mon récit. **4.** Il est juste que nous (participer) à ce projet. **5.** Il arrive que vous (aller) faire du jogging dans le bois voisin.

10. Récrivez les phrases suivantes en les faisant précéder d'une tournure impersonnelle (*il faut, il convient, il se peut, il est possible, douteux*...). **
1. Jean croise un fantôme tous les soirs. **2.** Une main décharnée flotte dans l'air. **3.** La momie s'agite au fond de son cercueil. **4.** Le jeune homme donne rendez-vous à la forme spectrale entrevue la veille. **5.** Des ombres errent dans le parc glacé.

Écrire

11. Rédigez un bref poème qui s'appuie sur le même verbe à la forme impersonnelle que celui de J. Supervielle dans l'exercice 6.

12. Rédigez quelques phrases qui créent une atmosphère fantastique en employant des verbes à la forme impersonnelle.

Réviser les valeurs des temps de l'indicatif

› Les valeurs du présent de l'indicatif

Consolider les acquis

Ex. 1 à 6

• **Le présent d'actualité**
Il désigne une action ou un état qui se déroule au moment où l'on s'exprime. On le trouve en particulier dans les dialogues.
> *« Comment vous **appelez**-vous ?*
*– Je **me nomme** Jean Valjean. »*

• **Le présent de narration**
Il permet de rendre plus vivant un épisode dans un récit au passé ou situé dans le passé. C'est pourquoi on le trouve dans de nombreux romans pour la jeunesse et dans les fables.
> *Il avança, s'arrêta, hésita, puis se décida. D'une voix assurée, il **prend** alors la parole.*

• **Le présent de vérité générale**
Il exprime des actions ou des états vrais à toutes les époques. On le trouve dans les morales, dans les textes explicatifs et documentaires.
> *On **a** toujours besoin d'un plus petit que soi.*

• **Les autres valeurs**
Le présent de l'indicatif peut aussi exprimer :
– l'habitude : > *Tous les matins, il se **lève** à huit heures.*
– le futur proche : > *Il **arrive** dans une minute.*
– le passé proche : > *Il **sort** à l'instant.*

S'exercer

1. Relevez les verbes conjugués au présent de l'indicatif. S'agit-il d'un présent de narration ou d'un présent de vérité générale ? *

Javel aîné était alors patron d'un chalutier. Le chalutier est le bateau de pêche par excellence. Solide à ne craindre aucun temps [...], il travaille la mer, infatigable, la voile gonflée, traînant par le flanc un grand filet qui racle le fond de l'Océan, et détache et cueille toutes les bêtes endormies dans les roches.

G. de Maupassant, *En mer*, 1883.

2. Relevez les verbes conjugués au présent de l'indicatif : quelle est leur valeur respective ? *

La porte s'ouvrit ; elle parut. C'était maintenant une grosse femme large et ronde. Elle marchait les mains loin du corps et les manches relevées sur ses bras nus. Elle demande inquiète :
– Qu'est-ce que vous avez mon ami ?

D'après G. de Maupassant, *Regret*, 1883.

3. Relevez les verbes conjugués au présent de l'indicatif. Indiquez les valeurs de ces présents. *

Je m'arrêtai : l'oiseau se retourna et je le vis relever sa petite tête. C'était, selon toute vraisemblance, une cane de la même espèce que celles qui pendaient à ma ceinture. Tu sais comment le gibier nous fait tressaillir. Le sang monte à la tête, on agrippe son arme, une émotion à couper le souffle et toute l'attention va à la bête.

E. Stanev, *Contes, récits, nouvelles* © Magnard.

4. Relevez les verbes conjugués au présent de l'indicatif : de quel emploi du présent de l'indicatif s'agit-il ? **

Sturgess, le secrétaire particulier du ministre, tentait de rendre à son maître confiance en l'avenir :
– Croyez-moi, monsieur, M. Smith va trop fort. Son audace le perdra.
Mais le « Premier » était d'un autre avis :
– Au contraire, Sturgess ! Elle le sert à merveille. L'homme est grisé. Rien ne l'arrêtera plus maintenant !
Les événements devaient lui donner raison.
Au moment où commence ce récit, M. Smith venait de faire sa septième victime.

S. A. Steeman, *L'assassin habite au 21* © Le Masque, 2004.

5. **a.** Relevez les verbes conjugués au présent de l'indicatif dans les deux extraits. **b.** À quel type de texte chaque extrait appartient-il ? *

1. La mer, toute plate, scintillait, plantée de petites voiles qui avaient l'air de drapeaux épinglés sur une carte d'état-major. Or, il ne faut qu'un rayon de soleil pour transformer Concarneau, car alors les murailles de la vieille ville, lugubres sous la pluie, deviennent d'un blanc joyeux.

G. Simenon, *Le Chien jaune* © Fayard, 1931.

2. Concarneau conjugue avec talent l'art d'apprendre et de surprendre. Ses pittoresques sentiers de randonnées nous enivrent de leurs senteurs d'iode et d'ajoncs en fleurs mélangées. Amie des sports nautiques que l'on partage en famille, Concarneau est toujours le théâtre de multiples initiations.

www.concarneau.org

Écrire

6. À partir de l'image ci-contre, rédigez un court récit au passé simple, dans lequel vous intègrerez un dialogue comportant des présents d'actualité que vous soulignerez.

Carte publicitaire pour le magasin *À la grande maison*, vers 1895.

› Les valeurs du futur simple de l'indicatif

Consolider les acquis

• **Le futur simple pour situer l'action dans le temps**

Ex. 7 à 11

Le futur simple sert à situer une action dans l'avenir ; il s'emploie essentiellement avec des verbes au présent de l'indicatif.

> *Aujourd'hui, c'est le dernier jour de classe ; demain, ce **seront** les vacances.*

• **Les autres valeurs du futur simple**

– Le futur simple peut remplacer l'impératif et exprimer un ordre, dans une phrase en apparence déclarative ou interrogative à la 2e personne du singulier et du pluriel.

> *Vous **ferez** signer vos carnets. (= Faites signer vos carnets.)*

> *Te **tiendras**-tu tranquille ? (= Tiens-toi tranquille.)*

– Le futur simple peut exprimer une action qui dépend d'une condition.

> *S'il pleut, nous **rentrerons**. En cas de pluie, nous **rentrerons**.*

S'exercer

7. Quelle est la valeur du futur dans chacune des phrases suivantes ? *

1. Tu suivras exactement les ordres reçus ! **2.** Quand Javert reconnaîtra Jean Valjean, il tentera de l'arrêter. **3.** Si Jean Valjean retrouve Cosette, il la ramènera auprès de Fantine. **4.** Pour bien comprendre le roman, vous le lirez en prenant des notes.

8. a. Récrivez ces ordres en employant le futur de l'indicatif. **b.** Quelles sont les phrases où on a le choix de la personne ? *

1. Révise sérieusement ta leçon. **2.** Boire un grand verre d'eau au réveil. **3.** Relever le sujet dans chaque phrase. **4.** Organisez-vous par équipes pour préparer le spectacle. **5.** Faire une répétition générale avant la représentation.

9. a. Relevez les verbes au futur de l'indicatif. **b.** Quelle est la valeur du futur dans ce texte ? *

Voici une fleur que j'ai cueillie pour toi. Elle t'arrivera fanée, mais parfumée encore ; doux emblème de l'amour dans la vieillesse. Garde-la ; tu me la montreras dans trente ans. Dans trente ans tu seras belle encore, dans trente ans je serai encore amoureux. Nous nous aimerons, n'est-ce pas, mon ange, comme aujourd'hui, et nous remercierons Dieu à genoux.

V. Hugo, *Correspondance*.

10. a. Recopiez le texte en conjuguant les verbes à un de ces temps : passé simple ou futur simple. **b.** Les verbes au futur se trouvent-ils dans le récit ou dans le dialogue ? **c.** Quelle est la valeur du futur simple dans ce passage ? *

Petit-Pierre s'était endormi, et, se laissant aller comme un sac, il (embarrasser) tellement les bras de son père, que celui-ci ne (pouvoir) plus ni soutenir ni diriger le cheval. [...]

– Germain, donnez-moi l'enfant, je le (porter) fort bien, et j'(empêcher) mieux que vous, que la cape, se dérangeant, ne le laisse à découvert. Vous (conduire) la jument par la bride, et nous (voir) peut-être plus clair quand nous (être) plus près de la terre.

G. Sand, *La Mare au diable*, 1846.

Écrire

11. Racontez en un bref paragraphe au futur simple comment vous envisagez vos prochaines vacances.

› Les valeurs de l'imparfait et du passé simple de l'indicatif

Consolider les acquis

Ex. 12 à 20

• **Premier plan et arrière-plan du récit**

– Le passé simple s'utilise pour raconter les actions importantes qui se succèdent. Il exprime le premier plan du récit auquel il donne sa cohérence.

> *Il **retroussa** ses manches et **souleva** la charrette.*

– L'imparfait s'utilise pour exprimer tout ce qui n'est pas l'action principale. Il exprime des actions secondaires. Il exprime l'arrière-plan du récit. Cet arrière-plan peut présenter des éléments descriptifs. Notez la différence entre :

> *Il poussa une porte qui **grinçait**.* (description > imparfait)

> *Il poussa une porte qui **grinça**.* (deuxième action du récit > passé simple)

• **Le ponctuel et l'habitude**

– Le passé simple s'utilise pour exprimer des actions ponctuelles, inhabituelles.

> *Un jour, elle **détacha** la bête, la **ramena** dans la salle pour la traire.*

– L'imparfait s'utilise pour exprimer des actions habituelles ou répétitives.

> *Tous les soirs, elle **détachait** la bête, la **ramenait** dans la salle pour la traire.*

• **L'achevé et l'inachevé**

– Le passé simple exprime l'achevé, c'est-à-dire des actions longues ou brèves, mais situées dans des limites précises.

> *Il **régna** cinquante ans.* (Le règne est envisagé comme terminé.)

– L'imparfait exprime l'inachevé, c'est-à-dire des actions envisagées dans leur durée, en train de se dérouler.

> *Il **régnait** depuis cinquante ans, quand la famine ravagea le pays.* (Le règne se poursuivait au moment où la famine éclata.)

S'exercer

12. a. Relevez les verbes en indiquant leur temps. b. Quel est le temps employé pour le récit ? celui employé pour la description ? *

Ils restèrent seuls, la morte et ses enfants. Une pendule cachée jetait dans l'ombre son petit bruit régulier ; et par la fenêtre ouverte les molles odeurs des foins et des bois pénétraient avec une languissante clarté de lune.

G. de Maupassant, *La Veillée*, 1882.

13. a. À quel temps les verbes sont-ils conjugués dans le premier paragraphe ? dans le second ? b. Justifiez l'emploi de ces deux temps. *

Monsieur des Grassins mit un jeton sur le carton de sa femme, qui, saisie par de tristes pressentiments, observa tour à tour le cousin de Paris et Eugénie, sans songer au loto. De temps en temps, la jeune héritière lança de furtifs regards à son cousin, et la femme du banquier put facilement y découvrir un crescendo d'étonnement ou de curiosité.

Monsieur Charles Grandet, beau jeune homme de vingt-deux ans, produisait en ce moment un singulier contraste avec les bons provinciaux que déjà ses manières aristocratiques révoltaient passablement, et que tous étudiaient pour se moquer de lui.

H. de Balzac, *Eugénie Grandet*, 1833.

14. a. Conjuguez les verbes au temps indiqué : passé simple ou imparfait. b. Justifiez chacun de ces emplois. *

1. Alors que le cavalier (arriver, **imparfait**) devant la grille du manoir, deux hommes (se présenter, **passé simple**) à lui.

2. Les hommes (regarder, **imparfait**) attentivement le nouvel invité du comte ; soudain l'un d'eux (voir, **passé simple**) un curieux objet qui (dépasser, **imparfait**) de la manche du visiteur.

3. Pour accompagner le nouvel arrivant, les hommes (prendre, **passé simple**) une allée qu'ils n'(emprunter, **imparfait**) pas d'habitude.

4. Le comte (boire, **imparfait**) un apéritif quand il (entendre, **passé simple**) les hommes pousser un cri d'horreur.

15. a. Écrivez les verbes au temps qui convient : imparfait ou passé simple. b. Quelle est la valeur respective de ces deux temps ? * *

David (arriver) à la gare de Liverpool Street à midi. Sa mère n'avait pu l'accompagner. Ainsi David (être) seul lorsqu'il (traverser) le hall de la gare pour se mêler à la file d'attente et prendre son billet. C'(être) une longue file... plus longue que tous les trains dans lesquels (s'apprêter) à monter tous ces voyageurs en attente. David (devoir) patienter une vingtaine de minutes avant d'atteindre le guichet et il (devoir) courir pour attraper son train.

D'après A. Horowitz, *L'Île du crâne*, trad. A. Le Goyat

16. **a.** Recopiez le texte en écrivant chaque verbe au temps du passé qui convient. **b.** Quel temps avez-vous utilisé pour le récit ? pour le portrait ? *

Alors seulement, il (remarquer) les deux passagers assis dans le compartiment. L'un (être) un gros garçon avec des lunettes rondes cerclées de métal. Il (porter) un pantalon d'uniforme de collège. Il (avoir) de longs cheveux bruns ébouriffés qui lui (donner) l'air de sortir de la machine à laver. Dans une main, il (tenir) une barre de Mars à moitié mangée, dont le caramel (couler) sur ses doigts.

D'après A. Horowitz, *L'Île du crâne*, trad. A. Le Goyat
© Le Livre de Poche jeunesse, 2002.

17. Récrivez le texte suivant au passé en conjuguant les verbes au temps qui convient (imparfait ou passé simple), pour retrouver l'extrait de V. Hugo. *

Marius examine pendant deux ou trois jours cet homme vieux qui n'est pas encore un vieillard et cette petite fille qui n'est pas encore une personne, puis il n'y fait plus aucune attention. Eux de leur côté semblent ne pas même le voir. La fille jase sans cesse, et gaiement. Le vieux homme parle peu, et, par instants, il attache sur elle des yeux remplis d'une ineffable paternité.

D'après V. Hugo, *Les Misérables*, 1862.

18. Recopiez le texte en écrivant les verbes au temps du passé qui convient (imparfait ou passé simple). *

Germain (connaître) le chemin jusqu'au Magnier ; mais il (penser) que ce serait plus court en ne prenant pas l'avenue de Chanteloube, mais en descendant par Presle, direction qu'il n'(avoir) pas l'habitude de prendre quand il (aller) à la foire. Il (se tromper) et (perdre) encore un peu de temps avant d'entrer dans le bois ; d'ailleurs, il n'y (entrer) pas par le bon côté et il ne s'en (apercevoir) pas, si bien qu'il (tourner) le dos à Fourche et (se diriger) du côté d'Ardentes. Ce qui l'(empêcher) alors de s'orienter, c'(être) un brouillard qui (s'élever) avec la nuit.

D'après G. Sand, *La Mare au diable*, 1846.

19. Récrivez le texte au passé en employant les temps qui conviennent. Vous emploierez deux couleurs différentes pour les actions de premier plan et pour les éléments descriptifs. *

Luigi entraîne vivement sa mariée à la maison qu'ils doivent habiter, ils atteignent bientôt leur modeste appartement ; et, là, quand la porte est refermée, Luigi prend sa femme dans ses bras. Ils parcourent ensemble les trois chambres qui composent leur logement. La pièce d'entrée sert de salon et de salle à manger. À droite se trouve une chambre à coucher, à gauche un grand cabinet.

D'après H. de Balzac, *La Vendetta*, 1830.

Écrire

20. D'après l'image, rédigez au passé un court paragraphe racontant l'arrivée des personnages dans les lieux ; vous insérerez un bref portrait d'un de ces personnages. Vous emploierez les temps qui conviennent pour le récit et le portrait.

Charles Édouard Delort (1841-1895), *Arrivée à l'auberge*. Collection privée.

› Les valeurs des temps composés de l'indicatif

Consolider les acquis

• **L'antériorité**

Ex. 21 à 28

Les temps composés de l'indicatif indiquent qu'une action se passe avant une autre, qu'elle lui est antérieure.

Temps composés	Temps simples correspondants	Exemples
passé composé	présent	> *Quand il **a remporté** une coupe, il triomphe.*
plus-que-parfait	imparfait	> *Quand il **avait remporté** une coupe, il triomphait.*
passé antérieur	passé simple	> *Quand il **eut remporté** une coupe, il triompha.*
futur antérieur	futur simple	> *Quand il **aura remporté** une coupe, il triomphera.*

Un plus-que-parfait peut marquer l'antériorité par rapport à un passé simple.
> *Il **sut** que le joueur **avait gagné**.*

• **Les autres valeurs des temps composés**

– Le passé composé :

– remplace le passé simple dans le récit, dans la langue courante et à l'oral, ainsi que dans les romans de jeunesse et dans la presse ;

> *La semaine dernière, Paul **a rencontré** des amis et ils **ont vu** un bon film.*

> *Hier soir, en pleine ville, un coup de feu **a retenti** ; trois hommes **sont tombés**.*

– exprime l'achevé (une action terminée) par rapport au présent qui exprime l'inachevé (une action en train de se faire).

> *Ils **ont** bien **joué**, le public les admire.*

action terminée — action non terminée

Dans un récit écrit, le passé composé présente l'action passée comme achevée.

> *Hugo **a vécu** au XIXe siècle.*

– Le futur antérieur peut exprimer une supposition.

> *Il est absent : il **aura manqué** son train. (Il a sans doute manqué son train.)*

S'exercer

21. À quels temps les verbes à l'indicatif sont-ils conjugués ? Quel est le temps qui exprime une antériorité dans ce texte ? *

Pehrson Dahlsjö apprit du porion[1] qu'Ellis, de bon matin, était allé à la grande excavation[2] et était descendu au fond, et qu'à part lui, les compagnons et les mineurs étant invités à la noce, personne n'avait travaillé dans le puits.

E. T. A. Hoffman, *Les Mines de Fallun*.

1. mineur. 2. cavité souterraine.

22. a. Conjuguez les verbes aux temps de l'indicatif indiqués entre parenthèses. **b.** Quelles sont les actions antérieures aux autres ? *

Et Maigret (hâter, **passé simple**) le pas le long du couloir. Il (avoir, **imparfait**) la tête un peu vide, parce qu'il n'(dormir, **plus-que-parfait**) pas assez. Peut-être aussi (prendre, **plus-que-parfait**) il froid à l'auberge de Marie Tatin. Il (apercevoir, **passé simple**) Jean qui (sortir, **plus-que-parfait**) de sa chambre vêtu d'un complet gris, mais encore chaussé de pantoufles.

D'après G. Simenon, *L'Affaire Saint-Fiacre* © Fayard, 1932.

23. a. Pour chaque phrase, conjuguez au temps qui convient le verbe entre parenthèses. **b.** Nommez ce temps et justifiez votre choix. *

1. Après que Charles (annoncer) son départ, son père s'activa. **2.** Quand il l'(voir) pour la dernière fois, elle avait vingt-cinq ans. **3.** Quand il (finir) son explication, il se rassit. **4.** Tu es de très mauvaise humeur car tu (perdre) de l'argent. **5.** Dès que je (arriver), je vous téléphonerai. **6.** Je me souvenais que, dix ans auparavant, le comte (créer) un parc magnifique.

24. Relevez les verbes qui expriment une action antérieure à *Il songe* : à quel temps sont-ils conjugués ? *

Il songe à son existence si nue, si vide. Il se rappelle, dans l'ancien passé, la maison des ses parents. Puis la maladie de son père, sa mort. Il est revenu habiter avec sa mère. Ils ont vécu tous les deux, le jeune homme et la vieille dame. Elle est morte aussi. Que c'est triste la vie !

D'après G. De Maupassant, *Regret*, 1883.

25. Indiquez le temps des verbes en gras et justifiez l'emploi de ce temps. *

On lisait dernièrement dans les journaux les lignes suivantes :

Boulogne-sur-mer, 22 janvier. – On nous écrit : « Un affreux malheur vient de jeter la consternation parmi notre population maritime. Le bateau commandé par le patron Javel **a été jeté** à l'ouest et **est venu** se briser sur les roches de brise-lames de la jetée. Quatre marins et le mousse **ont péri**. Le mauvais temps continue. On craint de nouveaux sinistres. »

D'après G. de Maupassant, *En mer*, 1883.

26. Remplacez les expressions en gras exprimant la supposition en supprimant les mots soulignés et en conjuguant le verbe au futur antérieur. *

1. À la surprise générale, il n'a pas terminé la course : il **a sans doute négligé son entraînement**. **2.** Il n'a pas su répondre aux questions sur cette nouvelle : **il l'a vraisemblablement parcourue trop superficiellement**. **3.** Ce joueur intègre l'équipe de handball au dernier moment : **il a dû impressionner l'entraîneur ce dernier mois**. **4.** Le jeune athlète montre sa toute puissance : **il a sans doute aperçu le sélectionneur dans les tribunes**.

27. Complétez ces phrases en exprimant des suppositions à l'aide d'un futur antérieur. **

1. Eugénie est pensive dans le jardin : … . **2.** Le père Grandet est entré dans une colère noire … . **3.** Charles Grandet part pour un long voyage : … . **4.** Eugénie offre ses économies à son cousin : … .

Écrire

28. Récrivez le texte de l'exercice 24 en conjuguant *Il songe* à l'imparfait. Faites toutes les modifications qui s'imposent.

Le subjonctif dans les propositions indépendantes

Les mots de la leçon

subjonctif : mode personnel qui exprime une opinion ou des sentiments.

Observer pour comprendre

1. a. Quel est le mode de chacun de ces deux verbes ? b. À quelle personne le second verbe est-il conjugué ? c. Qu'expriment ces deux phrases ?
> A. *Entrez !* > B. *Qu'il entre !*

2. a. Quel est le type des phrases suivantes ? b. À quel mode et à quelle personne chacun des verbes en gras est-il conjugué ? c. Qu'expriment-ils : une volonté ? une affirmation ? un souhait ? un regret ?
> A. *Pourvu que tu **aies** raison !*
> B. ***Puissiez**-vous avoir raison !*
> C. *Pourvu que je **sois reçu** !*
> D. ***Puissions**-nous arriver à temps !*

Retenir la leçon

Ex. 3 à 9

- Pour la conjugaison du subjonctif, voir p. 328 et les tableaux de conjugaison p. 390 à 396.
- Dans les propositions indépendantes, le subjonctif peut exprimer :

→ un souhait formulé :
– par un verbe précédé de la conjonction *pourvu que* : > *Pourvu qu'il **vienne** !*
– par le verbe *pouvoir* au subjonctif : > ***Puisses**-tu réussir !*
Attention à l'orthographe de la 1re personne du singulier : > ***Puissé**-je réussir !*
→ un ordre à la 3e personne : > *Qu'il(s) **prenne(nt)** le temps d'arriver !*

S'exercer

3. Relevez les subjonctifs et indiquez ce qu'ils expriment. *

Maître Jacques, *au bout du théâtre, en se retournant du côté dont il sort.* – Je m'en vais revenir. Qu'on me l'égorge tout à l'heure ; qu'on me lui fasse griller les pieds, qu'on me le mette dans l'eau bouillante, et qu'on me le pende au plancher.

Molière, *L'Avare*, V, 2, 1668.

4. Exprimez ces souhaits et ces ordres en conjuguant les verbes au présent du subjonctif. *
1. Pourvu que nous (avoir) le temps de tester ce nouveau robot. **2.** (Pouvoir)-vous prendre plaisir à lire cette nouvelle. **3.** Qu'elle (faire) procéder à un nouvel examen du dossier. **4.** Pourvu que cet acteur (avoir) la chance de décrocher le rôle. **5.** Qu'ils (prendre) la situation en main.

5. Formulez des souhaits à partir des phrases suivantes. Vous varierez les tournures. **
1. Partir en vacances. **2.** Réussir le contrôle. **3.** Savoir répondre aux questions. **4.** Obtenir ce poste. **5.** Ne pas perdre mon chemin. **6.** Mener à bien notre projet.

6. Transformez ces ordres en employant la 3e personne du présent du subjonctif en respectant le nombre (singulier ou pluriel) des verbes à l'impératif. *
1. Venez. **2.** Apprends ta leçon. **3.** Prends soin de toi. **4.** Pars vite. **5.** Faites-moi confiance.

7. Transposez cette « leçon » d'astronomie en utilisant le subjonctif d'ordre. **
Choisir un endroit dégagé. Se placer loin des lampadaires. Éviter les nuits de pleine lune. Se munir d'une paire de jumelles. Repérer à l'œil nu une étoile. La viser avec un télescope. L'apercevoir et l'observer patiemment.

Écrire

8. Formulez cinq souhaits de votre choix en employant des verbes au présent du subjonctif.

9. Imaginez des phrases prononcées par ces personnages. Vous emploierez au moins deux propositions indépendantes ou principales avec un verbe au subjonctif.

Molière, *L'Avare*, mise en scène de Gérard Gelas. Festival d'Avignon, 2000.

Les connecteurs temporels dans la narration

Les mots de la leçon

connecteur : du latin *connectere*, « lier ensemble ».
temporel : du latin *tempus, temporis*, « le temps ».

Observer pour comprendre

Tout à coup, je devinai qu'elle allait pleurer. Elle pleura doucement **d'abord**, **puis** plus fort, avec des mouvements du cou et des épaules. **Soudain**, elle découvrit ses yeux. Ils étaient pleins de larmes et charmants. Elle me vit la regarder, parut honteuse et se cacha encore toute la figure dans ses mains. **Alors** ses sanglots devinrent convulsifs.

D'après G. de Maupassant, *Les Tombales*, 1891.

1. Quels sont les mots en gras qui : **a.** indiquent la succession des actions ? **b.** marquent l'apparition soudaine d'actions ?

2. Quelle est la classe grammaticale de ces mots ou groupes de mots ?

Retenir la leçon

> Définition

• Les connecteurs temporels sont des mots ou des groupes de mots qui servent à organiser un récit. Ils aident le lecteur à comprendre comment les actions s'enchaînent ou se situent les unes par rapport aux autres.

> Classes grammaticales

Ex. 3, 9 et 10

• Les connecteurs temporels sont le plus souvent :

– des adverbes (*alors, après, enfin, ensuite, finalement, puis ; premièrement, deuxièmement*...) ou des locutions adverbiales (*d'abord, tout à coup*...) ;
> *Félicité fit ses bagages **puis** quitta la ferme.*

– la conjonction de coordination *et*.
> *Félicité fit ses bagages **et** quitta la ferme.*

• Ils peuvent être aussi des groupes nominaux introduits ou non par une préposition.
> ***Dans un mois**, il passera un examen écrit. **Le mois suivant**, il se présenta à l'oral.*

> Rôles

Ex. 3 à 10

• **Déroulement chronologique**

Les connecteurs temporels expriment :

– la succession des actions : > *d'abord, puis, ensuite, enfin, par la suite, dès lors...*
– la date : > *en 1870, lors de la guerre de 1870, le 1er juillet 1870...*
– l'apparition d'événements : > *soudain, alors, tout à coup...*

• **Situation des actions les unes par rapport aux autres**

Pour situer les actions les unes par rapport aux autres dans les récits rédigés au passé simple et à l'imparfait, on emploie les connecteurs temporels suivants :

– antériorité : > *la veille, deux (heures) plus tôt, la (semaine) précédente, auparavant, jadis...*
– simultanéité : > *le jour même, alors, à ce moment-là, pendant ce temps, cependant, au même moment, simultanément, en même temps, sur ces entrefaites, et...*
– postériorité : *le lendemain, la (semaine) suivante, deux (ans) après, deux (ans) plus tard, alors, ensuite, par la suite, puis, au bout de (deux mois)...*
– postériorité immédiate : > *aussitôt, sur le champ, immédiatement, peu après, bientôt...*

S'exercer

3. Relevez les connecteurs temporels. Indiquez pour chacun son rôle et sa classe grammaticale. *

Ces gens poussèrent encore un cri, et aussitôt leur navire, emporté par le vent, disparut dans l'obscurité. Sans doute les hommes de garde avaient aperçu le vaisseau naufragé ; mais le gros temps les empêchait de virer de bord. Un instant après, Tamango vit la flamme d'un canon et entendit le bruit de l'explosion ; puis il vit la flamme d'un autre canon, mais il n'entendit aucun bruit ; puis il ne vit plus rien. Le lendemain, pas une voile ne paraissait à l'horizon.

P. Mérimée, *Tamango*, 1829.

4. Relevez les connecteurs temporels et indiquez leur rôle respectif. *

Le jour-même de mon arrivée, je me présentai chez M. Louis de Franchi ; il était sorti. Je laissai ma carte, avec un petit mot qui lui annonçait [...] que j'étais chargé pour lui d'une lettre de M. Lucien, son frère. [...] Le lendemain, comme je m'habillais, c'est-à-dire vers les onze heures du matin, mon domestique m'annonça à son tour M. de Franchi. J'ordonnai de le faire entrer au salon, de lui offrir des journaux, et de lui annoncer que dans un instant j'étais à ses ordres. En effet, cinq minutes après, j'entrais au salon.

A. Dumas, *Les Frères corses*, 1844.

5. Remplacez les *puis* du texte par d'autres connecteurs temporels à chaque fois différents. **

Elle jeta dans le foyer une des bottes, et lorsqu'elle fut enflammée, elle l'éparpilla sur les autres, puis elle ressortit et regarda. Une clarté violente illumina en quelques secondes tout l'intérieur de la chaumière, puis ce fut un brasier effroyable, un gigantesque four ardent, dont la lueur jaillissait par l'étroite fenêtre et jetait sur la neige un éclatant rayon. Puis un grand cri partit du sommet de la maison, puis ce fut une clameur de hurlements humains, d'appels déchirants d'angoisse et d'épouvante. Puis la trappe s'étant écroulée à l'intérieur, un tourbillon de feu s'élança dans le grenier.

G. de Maupassant, *La Mère Sauvage*, 1884.

6. Remplacez les connecteurs en gras par des mots ou groupes de mots synonymes afin de retrouver le texte de Flaubert. **

Félicité se précipita dans l'église pour allumer un cierge. **Ensuite** elle courut après le cabriolet, qu'elle rejoignit une heure **après**. **Le jour suivant**, dès l'aube, elle se présenta chez le docteur. Il était rentré, et reparti à la campagne. **Par la suite**, elle resta dans l'auberge, croyant que des inconnus apporteraient une lettre. **Finalement**, au petit jour, elle prit la diligence de Lisieux.

D'après G. Flaubert, « Un cœur simple », *Trois contes*, 1877.

7. Récrivez le texte en replaçant les phrases dans l'ordre et en soulignant les connecteurs temporels. **

- Puis il appela successivement plusieurs employés pour leur donner des ordres.
- Enfin, il s'appartenait, il pouvait disposer de lui, sans qu'on l'accusât d'égoïsme et de lâcheté.
- Dès lors, Nantas crut avoir assez fait ; il laissait tout en ordre, il ne partirait pas comme un banqueroutier frappé de démence.
- Craignant de s'endormir, Nantas se lava à grande eau.

D'après É. Zola, *Nantas*, 1878.

8. Récrivez ce texte en y ajoutant des connecteurs temporels (adverbes et groupes nominaux) pour donner une date et pour souligner la succession des actions. **

Il séjourna à Hambourg. Il fut reçu chez le conseiller Krespel. Dans sa maison, il entendit une voix merveilleuse de jeune fille. Il ne put pas voir la chanteuse. Il en rêva.

Écrire

9. Récrivez ce texte humoristique de Raymond Queneau de façon à éviter la répétition des *alors*.

Alors l'autobus est arrivé. Alors j'ai monté dedans. Alors j'ai vu un citoyen qui m'a saisi l'œil. Alors j'ai vu son long cou et j'ai vu la tresse qu'il y avait autour de son chapeau. Alors il s'est mis à pester contre son voisin qui lui marchait alors sur les pieds. Alors, il est allé s'asseoir.
Alors, plus tard, je l'ai revu cour de Rome. Alors il était avec un copain. Alors, il lui disait, le copain : tu devrais faire mettre un autre bouton à ton pardessus.

R. Queneau, *Exercices de style*, « Alors », © Éditions Gallimard, 1947.

10. À partir de l'image, rédigez un paragraphe de récit en employant au moins trois des connecteurs temporels de la leçon.

Paul Signac (1862-1935), *Les Modistes*.
Collection Émile G. Buhrle, Zurich.

Les connecteurs spatiaux dans la description

Les mots de la leçon

connecteur : du latin *connectere*, « lier ensemble ».
spatial : du latin *spatium*, « l'espace ».

Observer pour comprendre

1. Quelles indications les connecteurs, en gras dans le texte, apportent-ils au lecteur ?

2. *Là-bas, tout là-bas* : ces expressions désignent-elles un lieu proche ou éloigné ?

3. Classez les connecteurs en gras : a. adverbes (ou locutions adverbiales) ; b. groupes pronominaux.

C'était là un des horizons les plus magnifiques qui soient au monde. **Derrière nous**, Rouen ; **en face**, Saint-Sever, le faubourg aux usines. **Devant nous** la Seine se déroulait, ondulante, semée d'îles, bordée **à droite** de blanches falaises que couronnaient une forêt, **à gauche**, de prairies immenses qu'une autre forêt limitait, **là-bas**, tout **là-bas**.

D'après G. de Maupassant, *Les Contes de la bécasse*, 1883.

Retenir la leçon

> Définition et classes grammaticales

Ex. 4 à 6

- Les connecteurs spatiaux sont des mots ou des groupes de mots qui servent à organiser une description. Ils aident le lecteur à comprendre comment l'espace décrit s'organise.
- Les connecteurs spatiaux peuvent être :

– des adverbes (souvent de sens contraire) : *ici / là, là-bas ; loin / près ; devant / derrière*... ou des locutions adverbiales : *au-dessus / au-dessous ; en haut / en bas*... ;

> ***Ici****, on trouvait les tissus,* ***là*** *les robes.*

– des groupes nominaux ou des pronoms compléments circonstanciels de lieu (voir p. 318).

> ***Devant Denise*** *se trouvaient les tissus,* ***au-dessus d'elle*** *pendaient les parapluies.*

> Emplois

- Souvent placés en tête de phrase (de proposition), ils structurent une description qui peut être :

– statique (le narrateur ne bouge pas) ;

> ***Devant elle****, se trouvaient,* ***à droite****, des ombrelles,* ***à gauche****, des parapluies.*

– dynamique (le narrateur se déplace).

> *En entrant, elle vit,* ***devant****, les tissus,* ***plus loin****, les ombrelles,* ***au fond****, les parapluies.*

S'exercer

4. a. Relevez les connecteurs spatiaux en indiquant leur classe grammaticale. b. Cette description est-elle statique ou dynamique ? *

[La] maison se composait d'un pavillon à un seul étage ; deux salles au rez-de-chaussée, deux chambres au premier, en bas, une cuisine, en haut, un boudoir, sous le toit un grenier, le tout précédé d'un jardin avec une large grille donnant sur la rue. Ce logis communiquait, par derrière, par une porte masquée et ouvrant à secret avec un long corridor étroit, pavé, sinueux.

V. Hugo, *Les Misérables*, 1862.

5. a. Relevez les connecteurs spatiaux en indiquant leur classe grammaticale. b. Cette description est-elle statique ou dynamique ? *

Ils traversèrent le sous-sol. Au fond des coins noirs, le long d'étroits corridors, des becs de gaz brûlaient, continuellement. En passant, le patron donna un coup d'œil à la chaudière. La cuisine et les réfectoires étaient à gauche, vers l'angle de la rue Gaillon. Enfin, à l'autre bout du sous-sol, il arriva au service des marchandises.

D'après É. Zola, *Au Bonheur des dames*, 1883.

Écrire

6. Décrivez un lieu de votre choix en employant des connecteurs spatiaux variés.

Les connecteurs argumentatifs

Les mots de la leçon

connecteur : du latin *connectere*, « lier ensemble ».
argument : affirmation à l'appui d'une démonstration.

Observer pour comprendre

1. a. Les connecteurs en gras organisent-ils un récit ou un raisonnement ?
b. Lesquels expriment une explication ? une opposition ? Lesquels ajoutent un argument ?

Le roi de France est le plus puissant prince de l'Europe. Il n'a point de mines comme le roi d'Espagne : **mais** il a plus de richesses que lui **car** il les tire de la vanité de ses sujets. **Par ailleurs**, ce roi est un grand magicien ; **en effet**, il fait penser ses sujets comme il veut.

D'après Montesquieu, *Lettres persanes*, 1721.

Retenir la leçon

> Définition

Ex. 2 à 4

• Les connecteurs argumentatifs soulignent l'organisation logique d'un raisonnement.

• Ces connecteurs peuvent être :
– des conjonctions de coordination : *car, donc, mais, or, et* ;
> *Les écrivains du XVIIIe siècle ont critiqué l'esclavage* ***car*** *il est inhumain.*
– des adverbes ou locutions adverbiales : *en effet, pourtant, par conséquent…* ;
> *L'esclavage est inhumain,* ***pourtant*** *il était accepté par l'opinion publique.*
– des conjonctions de subordination : *parce que, puisque, si bien que…*
> *Les écrivains du XVIIIe siècle ont critiqué l'esclavage* ***parce qu'****il est inhumain.*

> Emplois

• Voici les principaux rapports logiques établis par les connecteurs argumentatifs :

une addition d'arguments	*et, or, d'ailleurs, par ailleurs, d'autre part, et même, de plus…*
une cause, une explication, une justification (voir p. 297)	*car, en effet, parce que, puisque, comme…*
une conséquence (voir p. 297), une conclusion	*donc, c'est pourquoi, par conséquent, en conséquence, aussi* (+ inversion du sujet), *si bien que, de sorte que, finalement, pour conclure, en résumé…*
une opposition	*mais, cependant, pourtant, néanmoins, toutefois, en revanche…*

S'exercer

2. a. Relevez les connecteurs en précisant leur classe grammaticale. b. Récrivez les phrases en utilisant un connecteur synonyme. *

1. Le roi Frédéric a traité Voltaire avec mépris ; par conséquent le philosophe a fui la cour de Prusse. **2.** La censure surveillait l'*Encyclopédie*, toutefois les encyclopédistes parvenaient à la déjouer. **3.** Beaumarchais a été enfermé à la Bastille parce qu'il avait critiqué l'ordre social. **4.** Flaubert n'a pas écrit de contes fantastiques, en revanche Maupassant en a publié plusieurs.

3. a. Récrivez chaque phrase en reliant les propositions par un connecteur argumentatif qui convienne. b. Précisez le rapport logique exprimé. **

1. Il trembla comme une feuille ; le spectre venait de franchir la grille. **2.** Il avait bien oblitéré la lettre ; elle arriva avec dix jours de retard. **3.** Beaumarchais contesta la justice ; il fut emprisonné. **4.** Le XVIIIe siècle a combattu pour les droits de l'homme ; il n'a pas aboli l'esclavage. **5.** Maupassant a écrit à propos des paysans normands ; il est originaire de cette région.

Écrire

4. Rédigez un court paragraphe sur les jeux vidéo. Vous emploierez au moins les trois connecteurs suivants : *car, donc, mais.*

Les procédés de modalisation

Les mots de la leçon

modalisation, modalisateur : du latin *modus* (« manière, façon de »), manière de présenter les faits.

Observer pour comprendre

1. a. Dans le texte ci-dessous, quel est le type des deux phrases en italique ?
b. À quel mode le verbe *pourrais* est-il conjugué ?
c. Les groupes de mots en gras expriment-ils un doute ou une certitude ?

2. a. Quel sentiment le narrateur éprouve-t-il ?
b. Quel type de phrase souligne son émotion ?

3. Le narrateur présente-t-il les faits de façon subjective (en livrant sa façon de ressentir) ou d'une manière objective (avec le ton détaché d'un scientifique) ?

Êtres ou mystères ? Le sais-je ? Je ne pourrais dire ce qu'ils sont, mais je pourrais toujours signaler leur présence. Je commençai à m'apercevoir dans une brume **comme à travers de l'eau** ; et il me **semblait** que cette eau glissait de gauche à droite. Ce qui me cachait n'avait pas de contours, mais **une sorte de** transparence opaque s'éclaircissant peu à peu.

D'après G. de Maupassant, *Lettre d'un fou*, 1885.

Retenir la leçon

> Les procédés de modalisation : définition

Ex. 4 à 6

- Celui qui écrit ou qui parle, selon la situation dans laquelle il se trouve et suivant ses intentions, peut ou non exprimer son opinion, ses sentiments.
- Il y a objectivité si on ne livre pas son opinion, si on reste neutre ; c'est le cas des textes documentaires, scientifiques.
> *Guy de Maupassant, né le 5 août 1850 au château de Miromesnil à Tourville-sur-Arques et mort le 6 juillet 1893 à Paris, est un écrivain français.*
- Il y a subjectivité si on exprime son opinion, ses sentiments.
> ***Pour moi**, Guy de Maupassant est un **très grand** écrivain français.*
- On nomme modalisateurs les mots et procédés qui créent la subjectivité d'un texte, en exprimant :
– un jugement mélioratif ou péjoratif, des sentiments, en particulier dans les descriptions et les portraits : adjectifs qualificatifs (*superbe ≠ affreux*), adjectifs employés au superlatif (***le plus, très** beau*), noms (*ce vaurien ≠ ce héros*), verbes (*éblouir ≠ révulser*), suffixes péjoratifs (*cri**ard**, discut**ailler***), phrases exclamatives ;
– le doute, en particulier dans un récit fantastique : adverbes (*peut-être...*), verbes attributifs (*sembler, paraître...*) ou au conditionnel, périphrases (*une sorte de...*), phrases interrogatives.

S'exercer

4. a. Quels mots expriment un jugement sur le personnage ? b. Quel est ce jugement ? *

Mme Lefèvre était une dame de campagne, une veuve, une de ces demi-paysannes à rubans, de ces personnes qui prennent en public des airs grandioses, et cachent une âme de brute prétentieuse sous des dehors comiques.

D'après G. de Maupassant, *Pierrot*, 1883.

5. *Abject, sale, fétide, infect, ténébreux, sordide, grabats* : ces adjectifs sont-ils mélioratifs ou péjoratifs ? La description qui suit est-elle péjorative ou méliorative ? *

Ce taudis était abject, sale, fétide, infect, ténébreux, sordide. Pour tous meubles, une chaise de paille, une table infirme, quelques vieux tessons, et dans deux coins deux grabats indescriptibles.

D'après V. Hugo, *Les Misérables*, 1862.

Écrire

6. Décrivez une créature fantastique en employant le vocabulaire de l'exercice 5.

La situation d'énonciation (1) : définition

Les mots de la leçon

énonciation : action de produire un énoncé dans une situation.

Observer pour comprendre

1. Pour chacun des deux énoncés, répondez aux questions suivantes :
a. Savez-vous qui parle à qui ? b. Le moment où la personne s'exprime et celui des actions des verbes en gras est-il le même ? À quel(s) temps les verbes en gras sont-ils conjugués ? À quels temps les autres verbes sont-ils employés ?
> **A.** *Je **crois** maintenant, qu'hier, vous m'avez donné un bon conseil. Dès demain, je suivrai votre proposition car je la **trouve** excellente.*
> **B.** *Pierre, ce jour-là, **remercia** ses parents pour le conseil qu'ils lui avaient donné la veille. Il **décida** de suivre leur proposition dès le lendemain car il la **trouvait** excellente.*

Retenir la leçon

Un énoncé peut être écrit ou oral.

Ex. 2 et 3

> L'énoncé rattaché à la situation d'énonciation

• Un énoncé peut être rattaché à la situation dans laquelle se trouve le locuteur (« ici » et « maintenant ») lorsqu'il s'exprime à la 1re personne (*je*, *nous*) et s'adresse à un destinataire à la 2e personne (*tu*, *vous*) (voir p. 348).
> ***Je** vous demande (**ici** et **maintenant**) de réciter le poème de V. Hugo que **nous** avons étudié. Cela vous fera une note d'oral.*

• Le temps dominant est le présent ; on emploie aussi le passé composé et le futur de l'indicatif.

• Pour être compris, ce type d'énoncé suppose que l'auditeur ou le lecteur connaisse la situation dans laquelle il est prononcé.

• Ce type d'énoncé se trouve à l'oral, dans les dialogues de théâtre ou dans le discours direct dans un récit (voir p. 350), dans les lettres.

> L'énoncé détaché de la situation d'énonciation

• Un énoncé peut être exprimé par quelqu'un qui est absent de la situation d'énonciation ; les faits sont rapportés en général à la 3e personne et sont situés dans le passé (voir p. 348).
> ***Le professeur** demanda (un jour) à ses élèves de réciter le poème de V. Hugo qu'ils avaient étudié. **Il** leur dit que cela leur ferait une note d'oral.*

• Le temps dominant dans ce type d'énoncé est le passé simple ; on emploie aussi le plus-que-parfait et le présent du conditionnel à valeur de futur dans le passé.

• On peut comprendre ce type d'énoncé sans connaître la situation dans laquelle il a été prononcé.

• Ce type d'énoncé se trouve dans les récits au passé et les dialogues rapportés indirectement dans un récit au passé (voir p. 352).

S'exercer

2. Dans quel paragraphe se situe l'énoncé rattaché à la situation d'énonciation (ici et maintenant) ? celui qui en est détaché ? Justifiez vos réponses. *

Un soir, le directeur de la troupe se trouvait à sa table de travail. Devant lui, un exemplaire de *L'École des femmes*, prêt pour l'impression. Molière écrivait une dédicace à son protecteur, le frère du roi :
« Monseigneur ! Je fais voir à la France des choses bien disproportionnées. [...] J'ai osé, Monseigneur, dédier une bagatelle à Votre Altesse. »

M. Boulgakov, *Le Roman de monsieur de Molière*

3. a. Qui sont l'auteur de ce texte et son destinataire ? b. De quel genre de texte s'agit-il ? c. De quel type d'énoncé s'agit-il ? Justifiez avec trois indices. *

Ma chère mère, je ne suis ni bien ni mal. Je travaille et j'écris difficilement. Je t'expliquerai pourquoi. Car je me proposais depuis longtemps de t'écrire, et je crois que ce soir ou demain matin je te répondrai, relativement à ce que tu me demandes.
Charles

C. Baudelaire, *Correspondance*, 1866.

La situation d'énonciation (2) : connecteurs et pronoms

Observer pour comprendre

1. Relevez les pronoms personnels et les déterminants possessifs dans l'énoncé A : à quelles personnes sont-ils employés ? Quelle personne leur correspond dans l'énoncé B ?

Énoncé A (rattaché à la situation d'énonciation)	**Énoncé B** (détaché de la situation d'énonciation)
> *Je suis sûr maintenant, qu'hier, vous m'avez donné un bon conseil. Dès demain, je suivrai votre proposition. Je resterai ici.*	> *Pierre, ce jour-là, remercia ses parents pour le conseil qu'ils lui avaient donné la veille. Il était résolu à suivre leur proposition dès le lendemain. Il resterait là.*

2. Reliez chaque connecteur temporel de l'énoncé A au connecteur qui lui correspond dans l'énoncé B. Sont-ils interchangeables ?

Retenir la leçon

• Un énoncé ne se construit pas avec les mêmes mots selon qu'il est ou non rattaché à la situation d'énonciation. Ex. 3 à 11

		Énoncé rattaché à la situation d'énonciation (« ici » et « maintenant »)	**Énoncé détaché de la situation d'énonciation**
Pronoms personnels	Sujets	*je, nous* *tu, vous*	*il, elle, ils, elles* *il, elle, ils, elles*
	Compléments	*me, moi, nous* *te, toi, vous*	*le, la, les, lui, leur, (à) elle(s), (à) eux*
Déterminants possessifs		*mon, ma, mes, ton, ta, tes* *notre, nos, votre, vos*	*son, sa, ses* *leur, leurs*
Connecteurs spatiaux		*ici, là-bas*	*là, y*
Connecteurs temporels	Antériorité	*hier* *deux heures / mois / … avant* *la semaine dernière*	*la veille* *deux heures / mois / … plus tôt* *la semaine précédente*
	Simultanéité	*aujourd'hui* *maintenant*	*le jour même* *alors, à ce moment-là*
	Postériorité	*demain* *la semaine prochaine, dans une semaine* *dans deux ans, au bout de deux ans*	*le lendemain* *la semaine suivante* *deux ans après, deux ans plus tard*

• L'emploi des temps varie aussi d'un type d'énoncé à l'autre. Vous étudierez ce point en 3e.

S'exercer

3. a. **Relevez les pronoms personnels et les déterminants possessifs : à quelles personnes sont-ils ? b. Relevez les indicateurs de temps. c. De quel type d'énoncé s'agit-il dans ce texte ?** *

Chouc's,
(« Ma chérie », ça ferait ridicule. Alors, je t'appelle Chouc's)
[...] J'ai décidé de t'écrire à partir d'aujourd'hui pour que tu saches qui je suis maintenant. Sur ce cahier je te dirai tout ce que je veux, comme je peux, quand je veux. Ce sera la plus grande lettre du monde. Pour l'instant, je suis dans ma chambre. Mon cartable est prêt pour demain.

N. Schneegans, *La Plus Grande Lettre du monde* © Le Livre de Poche Jeunesse, 2007.

4. a. Recopiez le texte en employant deux couleurs différentes selon que l'énoncé est rattaché à la situation d'énonciation ou détaché de celle-ci. b. Soulignez les éléments (pronoms et connecteurs) qui vous ont permis de choisir. *

Monsieur Madeleine se mit à son bureau, ressaisit le dossier sur lequel il travaillait depuis la veille. Il se tourna vers Javert :
« Assez, Javert. Au fait, tous ces détails m'importent fort peu. Nous perdons notre temps. N'allez-vous pas être absent ? Ne m'avez-vous pas dit que vous alliez à Arras la semaine prochaine ?
– Mais je croyais avoir dit à Monsieur le Maire que cela se jugeait demain et que je partais par la diligence cette nuit. L'arrêt de justice sera prononcé au plus tard demain dans la nuit. Mais je n'attendrai pas l'arrêt. Sitôt ma déposition faire, je reviendrai ici. »

D'après V. Hugo, *Les Misérables*, 1862.

5. a. Relevez des éléments vous permettant de déterminer le type d'énoncé. b. De quel type d'énoncé s'agit-il pour chaque extrait ? **

1. Je t'interdis, tu entends, Sabine ? Je t'interdis de lever les bras quand tu joues. Alors, maintenant, il faut que tu choisisses, tu es Chimène ou matelot dans la marine marchande. Décide-le et tout de suite ! **2.** Julie, qui jouait Elvire, la gouvernante de Chimène, s'était planquée en retrait pendant le temps mort.

H. Ben Kemoun, *Les Brûlures du jour* © Nathan Poche, 2006.

6. Récrivez les phrases en choisissant le connecteur de temps qui convient à la situation d'énonciation. *

1. Le général prit la parole : « Un combat sans merci vous attend (demain / le lendemain). » **2.** Cher journal, pardonne-moi, si je ne t'ai pas écrit (la veille / hier). **3.** La police était sur les dents : (hier / la veille) M. Smith avait tué une troisième victime. **4.** Le policier avait arrêté un suspect : (le lendemain / demain), celui-ci avait avoué. **5.** « Vous lirez ce chapitre pour la semaine (suivante / prochaine) », déclara le professeur.

7. Récrivez les phrases en choisissant le connecteur de temps ou de lieu qui convient à la situation d'énonciation. *

1. Il plut tout le mois de juillet. Pendant les mois (derniers / précédents) il y avait eu de fréquentes gelées. Résultat : les récoltes étaient perdues. **2.** « Ne restez pas (ici / y) : le mur risque de s'effondrer. » **3.** Les deux hommes savaient qu'en venant (ici / là) ils ne reviendraient jamais chez eux. **4.** Le capitaine secoua ses hommes car le temps pressait : le départ de la course était prévu pour (après-demain / le surlendemain). **5.** L'enfant ne cessait de pleurer : (hier / la veille), il avait égaré son album de timbres préféré.

8. a. Dans ce texte, de quel type d'énoncé s'agit-il ? Justifiez votre réponse. b. Poursuivez ce texte en écrivant trois phrases qui respectent la situation d'énonciation. **

Je viens de vivre une étrange aventure. Depuis des années, la Villa Rose était inoccupée. Et puis, le mois dernier, à ma grande surprise, j'ai vu les volets ouverts. Jusqu'ici, cela n'a rien d'extraordinaire. Mais personne dans le village n'a aperçu la moindre trace d'occupant dans la propriété. Or, hier matin, à huit heures, en allant acheter mon journal, j'ai cru voir une silhouette fantomatique au fond du jardin.

9. Récrivez le texte de l'exercice 8 en le commençant ainsi : *M. Durand venait de vivre une étrange aventure.* Procédez à toutes les modifications nécessaires et soulignez-les dans votre récit. **

Écrire

10. Poursuivez le récit contenu dans la vignette de la bande dessinée. Vous respecterez les règles d'un énoncé détaché de la situation d'énonciation.

Extrait de « La Parure », *Guy de Maupassant, Les Contes en BD*, scénario et dessins de Muriel Sevestre © Éditions Petit à Petit, 2007.

11. Imaginez ce que peut dire la jeune femme quand elle est seule. Vous respecterez les règles d'un énoncé rattaché à la situation d'énonciation.

Réviser le discours direct

Consolider les acquis

> Définition

Ex. 1, 7 et 8

• On nomme « discours direct » la façon de rapporter dans un récit des paroles, un dialogue (ou des pensées) tels qu'ils ont été prononcés ou auraient pu l'être.

• Le discours direct est un énoncé rattaché à la situation d'énonciation (voir p. 347).

• Le discours direct crée un effet de réel car il permet de reproduire les intonations, les sentiments, les hésitations…
> *Une petite voix résonna doucement à mon oreille :*
« Est-ce que je t'ai fait peur ? Quel peureux tu es ! Écoute-moi. Je ne te ferai aucun mal. »

> Les verbes et les types de phrase dans le discours direct

Ex. 1 et 6 à 8

• Les verbes du discours direct sont conjugués majoritairement :
– aux 1re et 2e personnes ;
– au présent (*tu es*), au passé composé (*j'ai fait*) et au futur de l'indicatif (*je ferai*) ou à l'impératif (*écoute*).

• On trouve des phrases déclaratives (> *Je ne te ferai aucun mal.*), interrogatives (> *Est-ce que je t'ai fait peur ?*), injonctives (> *Écoute-moi.*) et exclamatives (> *Quel peureux tu es !*).

> Une ponctuation particulière

Ex. 1, 2, 7 et 8

• Pour insérer un dialogue dans un récit, on utilise une ponctuation particulière :
– les deux-points introduisent le dialogue ;
– les guillemets ouvrent et ferment le dialogue ;
– les tirets indiquent les changements d'interlocuteurs ;
– les virgules séparent le dialogue du verbe de parole qui le suit ou encadrent le verbe de parole inséré dans le dialogue.

• Attention ! Un bref passage de récit peut s'intercaler entre deux répliques d'un dialogue sans fermeture ni réouverture des guillemets.

> Les verbes introducteurs de parole

Ex. 3 à 8

• Les verbes de parole qui introduisent le dialogue font partie du récit. Ils sont conjugués au temps du récit (passé simple ou présent de narration). Ils ne sont pas toujours obligatoires.

• Un verbe introducteur de parole peut se placer :
– avant le dialogue : > *La voix me **murmura** : « N'aie pas peur. Je ne te ferai aucun mal. »*
– à l'intérieur du dialogue, avec un sujet inversé, dans une proposition incise, c'est-à-dire placée entre virgules : > *« N'aie pas peur, me **murmura** la voix, je ne te ferai aucun mal. »*
– après le dialogue, avec un sujet inversé : > *« N'aie pas peur », me **murmura** la voix.*

• Les verbes de parole servent à repérer les interlocuteurs et à préciser :
– une situation de communication particulière : déclaration (*annoncer, avertir*…), demande (*interroger, prier, supplier*…), réponse (*avouer, intervenir, répliquer*…), ordre (*ordonner, enjoindre, intimer l'ordre*…), promesse (*promettre, jurer, assurer*…), contestation (*nier, démentir*…) ;
– l'organisation du dialogue : début (*commencer*…), reprise (*ajouter, continuer, poursuivre*…), interruption (*couper, interrompre, intervenir*…), conclusion (*achever, conclure, finir*…) ;
– des sentiments : la colère (*s'écrier, gronder, rugir*…), la joie (*plaisanter, jubiler*…), la douleur (*gémir, se lamenter, hoqueter*…) ;
– une intention : hostile (*menacer, injurier*…), gentille (*encourager, féliciter, remercier*…) ;
– l'intensité : forte (*clamer, crier, hurler, tonner, vociférer*…), faible (*murmurer, susurrer, glisser*…) ;
– une intonation : *grogner, insinuer*… ;
– un défaut de prononciation : *bégayer, zézayer, zozoter*…

S'exercer

1. a. À quoi repérez-vous les paroles rapportées en discours direct ? b. Pourquoi donnent-elles l'impression de la réalité ? c. Formulez en discours direct les paroles contenues dans la dernière phrase. *

Césaire Omont, se renversant, demanda :
– Qu'est-ce que vous désirez ?
La mère prit la parole :
– C'est not' fille Adélaïde que j' viens vous proposer pour servante, vu c' qu'a dit çu matin monsieur le curé.
Maître Omont considéra la fille, puis, brusquement :
– Quel âge qu'elle a, c'tte grande bique-là ?
– Vingt et un ans à la Saint-Michel, monsieur Omont.
– C'est bien, all' aura quinze francs par mois. [...] J' l'attends d'main, pour faire ma soupe du matin.
Et il congédia les deux femmes.

G. de Maupassant, *Les Sabots*, 1883.

2. Recopiez le texte en restituant la présentation du dialogue. **

Ils se considérèrent un moment dans cette pénombre, comme s'ils se prenaient mesure. Thénardier rompit le silence. Comment vas-tu faire pour sortir ? Impossible de crocheter la porte. Il faut pourtant que tu t'en ailles d'ici. C'est vrai, dit Jean Valjean. Eh bien part à deux[1]. Que veux-tu dire ? Tu as tué l'homme ; c'est bien. Moi, j'ai la clef. Thénardier montrait du doigt Marius, il poursuivit. Je ne te connais pas, mais je veux t'aider. Tu dois être un ami. Jean Valjean commença à comprendre. Thénardier le prenait pour un assassin. Thénardier reprit. Écoute camarade. Tu n'as pas tué cet homme sans regarder ce qu'il avait dans ses poches. Donne-moi ma moitié. Je t'ouvre la porte. Et tirant à demi une grosse clef de dessous sa blouse toute trouée, il ajouta. Veux-tu voir comment est faite la clef des champs ?

D'après V. Hugo, *Les Misérables*, 1862.

1. partageons en deux.

3. Recopiez le texte en remplaçant les parenthèses par un de ces verbes introducteurs de parole : *intervenir, demander, commencer, continuer*. Vous conjuguerez ces verbes au passé simple de l'indicatif. *

La jeune femme, d'une voix entrecoupée, sanglotante, (...) :
– Mes braves gens, je viens vous trouver parce que je voudrais bien... je voudrais emmener avec moi votre... votre petit garçon...
Elle reprit haleine et (...) :
– Nous n'avons pas d'enfants ; nous sommes seuls, mon mari et moi... Nous le garderions... Voulez-vous ?
La paysanne commençait à comprendre. Elle (...) :
– Vous voulez nous prend'e Charlot ? Ah ben non pour sûr.
Alors M. d'Hubières (...) :
– Ma femme s'est mal expliquée.

G. de Maupassant, *Aux champs*, 1882.

4. Récrivez le texte en choisissant, pour chaque verbe introducteur de parole, celui qui convient le mieux. Conjuguez-le à la personne et au temps voulus. *

– Voilà qui est étrange, (rétorquer, murmurer, demander) M. Martin.
– « Étrange », (commencer, dire, répéter) M. Chouquet.
M. Fluet, avec un pâle et glacé sourire, (interroger, répliquer, lancer) :
– Ce n'est pas possible que ce soit un fantôme.
M. Martin :
– En tout cas, (déclamer, faire, bégayer)-il d'une voix tremblotante, je l'ai vu, moi !
– Oh ! quelle situation troublante ! », (jubiler, reprendre, s'écrier) M. Chouquet.

5. Indiquez, pour chacune de ces situations, trois verbes introducteurs de parole que vous pourriez employer pour rédiger un dialogue. **

1. Un enfant blessé vient trouver ses parents. **2.** Un élève veut savoir auprès d'un surveillant si un professeur est absent. **3.** Trois amis ont une conversation sur le dernier film sorti. **4.** Deux élèves, convoqués chez le Principal, se présentent devant lui.

6. Pour chacune des situations suivantes, rédigez une phrase de récit avec un verbe introducteur de dialogue et une ou deux répliques en discours direct. **

1. Le choix par les élèves d'un titre pour leur journal. **2.** Le discours d'un entraîneur à son équipe avant un match. **3.** Un interrogatoire de police. **4.** Une discussion animée entre élèves. **5.** Un conseil prodigué par un parent à son enfant.

Écrire

7. Rédigez un récit d'une dizaine de lignes correspondant à une des situations de l'exercice 5 : vous insérerez un dialogue au discours direct.

8. Un spectateur de l'exploit représenté sur le dessin raconte la scène à un ami, qui lui demande au fur et à mesure des précisions. Racontez brièvement en faisant alterner récit et dialogue et en variant les verbes de parole.

Initiation au discours indirect

Les mots de la leçon

indirect : qui n'est pas rapporté directement, tel quel.

Observer pour comprendre

1. Dans lequel de ces deux textes les paroles rapportées en mauve n'ont pas été prononcées telles quelles par Jean Valjean ?
> **A.** *Jean Valjean déclara à Mgr Myriel : « **Je** suis un ancien bagnard. », et après un silence, il demanda à l'évêque : « N'avez-**vous** pas peur de **moi** ? »*
> **B.** *Jean Valjean déclara à Mgr Myriel **qu'il** était un ancien bagnard et, après un silence, lui demanda **s'il** n'avait pas peur de **lui**.*

2. Comparez les deux textes : a. Quels sont les signes de ponctuation qui n'apparaissent pas dans le texte **B** ? b. Que constatez-vous pour les pronoms en gras ? c. Quels sont les mots ajoutés dans le texte **B** ? Quels types de propositions introduisent-ils ?

3. a. Relevez en deux colonnes (A et B) les verbes soulignés et indiquez pour chacun son mode et son temps. b. Quel changement de temps constatez-vous ?

Retenir la leçon

• On peut rapporter indirectement les paroles (ou les pensées) d'une personne ou d'un personnage. Ces paroles subissent alors un certain nombre de transformations car elles sont insérées dans un récit, souvent au passé. L'emploi des temps sera approfondi en 3e. Ex. 4 à 12

Discours direct	Discours indirect	
	Éléments à transformer	**Caractéristiques**
Elle dit : « Je m'appelle Cosette. »	Ponctuation	Ni deux-points, ni tirets, ni guillemets. > *Elle dit **qu'elle s'appelait Cosette**.*
« Je m'appelle Cosette », dit-elle.	Phrases déclaratives	Verbe de parole suivi d'une proposition subordonnée conjonctive COD. > *Elle dit **qu'elle s'appelait Cosette**.*
Il demanda à la fillette : « Comment t'appelles-tu ? » Il lui demanda encore : « Qu'est-ce que tu as ? Est-ce que je peux t'accompagner ? »	Phrases interrogatives	Verbe de parole suivi d'une proposition subordonnée interrogative indirecte. Pas d'inversion du sujet, pas de point d'interrogation. > *Il demanda à la fillette **comment elle s'appelait**.* Interrogation totale introduite par la conjonction de subordination *si*. Interrogation partielle : *qu'est-ce que* devient *ce que*. (Les autres mots interrogatifs ne changent pas.) > *Il lui demanda encore **ce qu'**elle avait **et s'il pouvait l'accompagner**.*
Elle dit : « Mon nom est Cosette », puis demanda : « Et, vous, comment vous appelez-vous ? »	Pronoms personnels et déterminants possessifs	3e personne. > *Elle dit que **son** nom était Cosette, puis demanda comment **il s'**appelait.*
Elle répondit : « Je n'ai pas peur de vous, même si votre arrivée m'a surprise. »	Temps des verbes	Imparfait et plus-que-parfait de l'indicatif. > *Elle répondit qu'elle n'**avait** pas peur de lui, même si son arrivée l'**avait surprise**.*
Il dit : « Je suis arrivé ici, hier soir. »	Indicateurs temporels et spatiaux	*y, là ; la veille, ce soir-là, le lendemain…* (voir p. 348). > *Il dit qu'il était arrivé **là, la veille au soir**.*

• **Pour aller plus loin :** la conjonction de subordination *si* peut aussi introduire un complément circonstanciel de condition.
> *[**Si** Cosette ne rapporte pas de l'eau], elle sera battue.*

S'exercer

4. a. **Recopiez les phrases en mettant entre crochets les passages de discours indirect. b. Indiquez entre parenthèses s'il s'agit d'une déclaration ou d'une question.** *

1. La concierge déclara que son locataire prenait ses repas dehors. **2.** Il prétend qu'il a cru à une attaque. **3.** Il demanda s'il avait rêvé. **4.** Il admit que le notaire avait raison. **5.** Elle promit qu'elle ferait plus attention à l'avenir. **6.** Le major a imposé que le soldat reste à son poste. **7.** Il voulut savoir si la vieille femme avait signé le contrat.

5. a. **Relevez les paroles rapportées en discours indirect en soulignant les pronoms personnels et les déterminants. b. Indiquez pour chaque verbe à quel temps de l'indicatif (imparfait ou plus-que-parfait) il est conjugué.** *

1. Émue, elle balbutia qu'elle était bien changée. Elle ajouta qu'elle était devenue une mère, rien qu'une mère, une bonne mère et que tout le reste était fini. **2.** Elle murmura qu'il avait beaucoup changé et qu'il lui avait fallu quelque temps pour être sûre de ne point se tromper. **3.** Elle affirma qu'il était devenu tout blanc. **4.** Elle précisa que sa fille aînée avait dix ans depuis la veille.

6. **Transformez les phrases en employant le discours indirect. Faites toutes les modifications nécessaires en accordant une attention particulière aux indicateurs temporels et spatiaux, que vous soulignerez, ainsi qu'à la ponctuation.** *

1. Le père Godichon déclara à ses amis : « Ce matin, j'ai découvert une salade, ici dans mon jardin. » **2.** Il ajouta : « Je vous invite à venir la manger demain soir. » **3.** Il demanda à sa femme : « Est-ce que tu peux préparer un festin pour nos amis ? » **4.** Celle-ci demanda : « Comment peut-on recevoir tout ce monde ? » **5.** Le fils Godichon, mort de honte, a entendu un des convives déclarer : « Hier, ce jardinier du dimanche a cueilli cette ridicule salade. » **6.** Son voisin ajouta : « Et demain, il va prétendre qu'il nous a honorés en nous invitant. »

7. **Transformez les propos du cocher en les rapportant au discours indirect. Faites toutes les modifications nécessaires.** *

Le cocher déclara : « Hier, le 6 juin, d'après l'ordre d'un agent de police, j'ai stationné, depuis trois heures de l'après-midi jusqu'à la nuit, sur le quai des Champs-Élysées, au-dessus de l'issue du Grand Égout. » Il ajouta : « Vers neuf heures du soir, la grille de l'égout qui donne sur la berge s'est ouverte, un homme en est sorti, portant sur ses épaules un autre homme qui semblait mort ; l'agent a arrêté l'homme vivant et saisi l'homme mort. » Il fit une pause puis précisa : « Sur l'ordre de l'agent, j'ai reçu tout ce monde-là dans mon fiacre ; l'homme, c'est Marius, et, moi, cocher, je le connais bien. »

D'après V. Hugo, *Les Misérables*, 1862.

8. a. **Parmi les verbes introducteurs de parole suivants, lesquels peuvent servir à rapporter des paroles au discours indirect (*il répliqua que…, il voulut savoir si…*) ? b. Faites une phrase rapportant des paroles au discours indirect avec chacun des verbes retenus.** * *

demander • assurer • questionner • murmurer • ajouter • rétorquer • hésiter • interroger

9. **Parmi les propositions subordonnées commençant par la conjonction de subordination *si*, relevez celles qui sont des propositions interrogatives indirectes.** * *

1. Je voudrais savoir si M. Dupont figurait dans la liste des invités. **2.** Cette salle ne suffira pas si les invités sont nombreux. **3.** La question est de savoir si je procède ou non à la vente de ma ferme. **4.** Le notaire sera averti si la mère Magloire se décide à vendre sa ferme. **5.** Ce paysan ne serait pas ce qu'il est s'il ne travaillait pas autant. **6.** Madame Aubain demanda à Félicité si elle avait rangé la chambre de sa fille.

10. **Transformez ces paroles rapportées en passant du discours direct au direct indirect. Procédez à toutes les modifications nécessaires, y compris des verbes de parole si besoin.** * *

1. M. Madeleine dit à Javert : « Vous êtes un homme d'honneur et je vous estime. Vous vous exagérez votre faute. Ceci est encore une offense qui me concerne. Vous êtes digne de monter et non de descendre. Vous devez garder votre place. »

2. Jean Valjean se mit à songer dans les ténèbres en se demandant : « Où en suis-je ? Est-ce que je ne rêve pas ? Est-il vrai que j'ai vu Javert et qu'il m'a parlé ainsi ? Qui peut être ce Champmathieu ? Me ressemble-t-il ? Est-ce possible ? »

D'après V. Hugo, *Les Misérables*, 1862.

11. **Transformez ce dialogue en passant du discours direct au discours indirect. Ajoutez des verbes de parole quand c'est nécessaire et procédez à toutes les modifications qui s'imposent.** * *

Elle demanda, inquiète :
– Qu'est-ce que vous avez ? Vous n'êtes pas malade ?
Il reprit :
– Non, mais je veux vous demander une chose qui a pour moi beaucoup d'importance, et qui me torture le cœur. Me promettez-vous de me répondre franchement ?
Elle sourit.
– Je suis toujours franche.
– Je vous ai aimée du jour où je vous ai vue. Vous en étiez-vous doutée ?
Elle répondit en riant, avec quelque chose de l'intonation d'autrefois :
– Je l'ai bien vu du premier jour !

D'après G. de Maupassant, *Regret*, 1883.

Écrire

12. **Imaginez un bref récit qui comporte ces groupes de mots : *Eugénie affirma que… Il répondit que… Elle lui demanda si… Il l'assura que… Elle lui demanda pourquoi…***

Les accords complexes sujet / verbe

Les mots de la leçon

accord : harmonie, par exemple en musique.
complexe : qui contient plusieurs éléments différents.

Rappels

- Un sujet peut commander l'accord de plusieurs verbes.
- Un verbe s'accorde avec son sujet en personne et en nombre.
- Quand un verbe possède plusieurs sujets, il s'accorde au pluriel.

> *Vas-tu lire ce roman ? Les enfants jouent et crient. Héloïse et Chloé lisent un article.*

› Le sujet est séparé du verbe par un pronom personnel

Observer pour comprendre

1. **a.** Relevez les phrases correctes et soulignez le sujet. > *Je sens. Te vois. Elle vit. Les observe. Tu manges. La vend. Me gagne. Elles disent. Il propose. Leur proposent. Ils proposent.*

b. Recopiez les pronoms personnels de la liste qui peuvent être sujets d'un verbe.
> *je – me – tu – te – il – elle – le – la – ils – elles – les – leur*

2. Observez la terminaison des verbes : recopiez en bleu les phrases dans lesquelles les pronoms *nous* et *vous* sont sujets ; en noir, celles où ils sont compléments d'objet.
> *Nous invitons. Il nous observe. Vous prenez. Je vous associe. Ils vous envoient. Nous préférons. Tu nous adresses un colis. Vous les impressionnez. Nous les choisissons.*

Retenir la leçon

- Le sujet peut être séparé du verbe par un pronom personnel complément d'objet. Les pronoms personnels *me*, *te*, *le*, *la*, *l'*, *les*, *leur* ne sont jamais sujets. Ex. 3 et 4

> ***Le chien** me suit.* (sujet, COD) ***Je** le poursuis.* (sujet, COD) ***Il** leur pardonne.* (sujet, COI)

- Il faut vérifier si les pronoms personnels *nous* et *vous* sont des sujets ou des compléments d'objet placés entre le sujet et le verbe.

> ***Nous** apporterons des chocolats.* (sujet) ***Ils** nous apporteront des chocolats.* (sujet, COS)
> ***Vous** croyez à son aventure.* (sujet) ***La jeune fille** vous croyait.* (sujet, COD)

S'exercer

3. Orthographiez correctement, au temps demandé, les verbes entre parenthèses. *

A. *Présent de l'indicatif.* Cette médaille, les athlètes la (convoite). Après la victoire, ils l'(attacher) à leur cou. Elle les (motiver).
B. *Futur de l'indicatif.* Nos correspondants nous (retrouver) à la gare. Nous les y (accueillir) puis nous les (amener) chez nous. Nous (prendre) des photos et nous les (exposer) au CDI, nos correspondants les (commenter).

4. Recopiez les phrases en soulignant le sujet et en accordant le verbe que vous conjuguerez au présent de l'indicatif. *

1. Ils la (définir).
2. Tu me (présenter) des nouvelles de Maupassant.
3. Il leur (envoyer) un cadeau.
4. Le policier les (précéder).
5. L'aubergiste leur (offrir) des plats savoureux.

› Le sujet est séparé du verbe par un groupe de mots

Observer pour comprendre

5. **a.** Recopiez les phrases suivantes, placez entre crochets le groupe sujet et encadrez le nom noyau. **b.** Dans les phrases B, C et D, l'ajout des groupes de mots soulignés modifie-t-il l'accord du verbe ?
> **A.** *Les insurgés se révoltent.* **B.** *Les insurgés, <u>avec énergie</u>, se révoltent.* **C.** *Les insurgés, <u>redoutés de la police</u>, se révoltent.* **D.** *Les insurgés, <u>des hommes du peuple</u>, se révoltent.*

Retenir la leçon

• Pour accorder le verbe, il faut vérifier si le (ou les) groupe(s) de mots qui précède(nt) le verbe peu(ven)t ou non être supprimé(s). Si on peut le(s) supprimer, il(s) n'est (ne sont) pas sujet(s). Ce(s) groupe(s) de mots peu(ven)t être : ▸ Ex. 6 à 8

– un adjectif qualificatif accompagné de son complément ou un GN, en apposition ;

> ***Gavroche***, *~~très jeune parmi les insurgés~~, se démèn**e** comme un diable.*

> ***Gavroche***, *~~un enfant des plus misérables~~, s'activ**e** sur la barricade.*

– un groupe complément circonstanciel.

> ***Les insurgés***, *~~dans la rue~~, ~~chaque matin~~, mont**ent** une barricade.*

S'exercer

6. Quels groupes de mots pouvez-vous supprimer entre le sujet et le verbe ? Recopiez le sujet et le verbe, que vous accorderez en le conjuguant au temps demandé. **

1. La porte, brune, desséchée, fendue de toutes parts, (être / **imparfait**) maintenue par le système de ses boulons. **2.** Le coiffeur du quartier, deux fois dans l'année, (venir / **imparfait**) couper les cheveux du père Grandet. **3.** Une chaufferette, entretenue avec les braises, (aider / **imparfait**) madame Grandet à supporter le froid. **4.** Une chaise de paille, montée sur des patins, dans l'encoignure de la fenêtre, (remplir / **imparfait**) un angle de la pièce.

D'après H. de Balzac, *Eugénie Grandet*, 1833.

7. Enrichissez les phrases suivantes, en plaçant : **a.** des compléments circonstanciels ; **b.** un adjectif qualificatif accompagné de son complément ou un groupe nominal en apposition avant le verbe. N'oubliez pas d'accorder correctement le verbe, conjugué au présent de l'indicatif. **

1. Eugénie (écouter) le sommeil de son cousin.
2. Le père Grandet (annoncer) une mauvaise nouvelle à Charles.
3. La servante (apporter) une bougie.
4. Les invités (offrir) d'énormes bouquets à Eugénie.
5. Grandet et sa famille (vivre) à Saumur.

Écrire

8. Inventez une petite histoire. Vous rédigerez des phrases comportant des sujets éloignés des verbes et vous ferez attention à l'accord sujet-verbe.

› Le sujet est un groupe nominal

Observer pour comprendre

9. **a.** Quelle est la fonction du groupe nominal souligné ?
b. Dans ce groupe nominal, quel est le nom noyau qui est complété par un complément ?
> *Le lion des savanes dort.*

10. **a.** Dans chaque couple de phrases, qu'est-ce qui différencie les GN sujets soulignés ?
b. Le verbe s'accorde-t-il avec le nom noyau ou avec le complément du nom ?
> **A.** *Le lion dort. Le lion des savanes dort.*
> **B.** *Les lions dorment. Les lions de la savane dorment.*

11. **a.** Quelle est la fonction du groupe nominal souligné ?
b. Dans ce groupe nominal, quel est le nom noyau complété par la proposition subordonnée relative ?
c. Avec quoi le verbe en gras s'accorde-t-il dans le groupe nominal souligné ?
> *La barricade [où se réunissent les insurgés]* ***semble*** *calme.*

12. **a.** En prononçant les phrases suivantes, choisissez la forme verbale qui convient.
b. À quelle personne le verbe est-il conjugué quand le groupe nominal sujet commence par *beaucoup de* ? par *aucun* ? par *combien de* ? par *chaque* ?
> *Beaucoup de personnes (va / vont) en forêt. Aucun animal ne (va / vont) en forêt. Combien de personnes (va / vont) en forêt ? Chaque animal (va / vont) en forêt.*

Retenir la leçon

- **Quand le sujet est un groupe nominal comportant un complément du nom,** le verbe s'accorde avec le nom noyau. (Ex. 13 à 16)
> ***Les ceps** de vigne ploi**ent** sous le raisin. **Le groupe** des vendangeurs avance.*

- **Quand le sujet est un groupe nominal comportant une proposition subordonnée relative,** le verbe s'accorde avec le nom noyau.
> ***Les ceps** [que le soleil dessèche] perd**ent** leurs fruits.*

- **Quand le sujet est un groupe nominal commençant par un adverbe (*beaucoup, peu, la plupart, trop, combien de*),** le verbe s'accorde à la 3e personne du pluriel.
> ***La plupart** de ces nouvelles expliqu**ent** le monde.*

- **Quand le sujet est un groupe nominal commençant par les déterminants indéfinis *aucun(e), chaque, nul(le)*,** le verbe s'accorde à la 3e personne du singulier.
> ***Chaque** nouvelle expliqu**e** le monde.*

S'exercer

13. a. Recopiez les phrases en encadrant le nom noyau dans le GN sujet souligné. b. Accordez le verbe, que vous conjuguerez au présent de l'indicatif. *

1. Les souffles du vent (plier) la cime des arbres. **2.** La forêt de hêtres (gémir) dans le vent. **3.** Les lisières du bois (sortir) de la brume. **4.** Le feuillage des chênes (couvrir) le sentier.

14. Accordez les verbes avec leur sujet en les conjuguant à l'imparfait de l'indicatif. *

1. Les grosses poutres du plafond (traverser) la pièce de part en part. **2.** Le sol des différentes pièces (sembler) gras. **3.** Les barrières de bois (grincer) lugubrement. **4.** Le poids des lourds sabots (ralentir) la marche des paysans.

D'après G. DE MAUPASSANT, *Un vieux*, 1882.

15. a. Recopiez les phrases en encadrant le nom noyau dans le GN sujet souligné. b. Accordez le verbe en le conjuguant au temps de l'indicatif demandé. *

1. Une brume fine qui flottait sur les berges (apporter / **imparfait**) une senteur humide. **2.** Ces effluves qui remuaient dans son cœur un souvenir très ancien (frapper / **passé simple**) le vieil homme. **3.** Sa mère qui dans le cours d'eau lavait les draps (refaire / **passé simple**) surface dans sa mémoire.

16. Accordez les verbes en les conjuguant au temps de l'indicatif demandé. *

1. Aucune personne ne (bavarder, **imparfait**), tant chaque histoire (passionner, **imparfait**) l'auditoire. **2.** La plupart des *Contes de la Bécasse* (évoquer, **présent**) la Normandie. **3.** Peu d'auteurs (savoir, **imparfait**) créer le doute comme Hoffmann. **4.** Combien de romans de Jules Verne (se situer, **présent**) sur la lune ? **5.** Trop de gens (ignorer, **présent**) la poésie.

› Le sujet est un verbe à l'infinitif

Observer pour comprendre

17. a. Dans quelle phrase le mot en gras est-il un nom ? un verbe à l'infinitif ? Justifiez.
b. À quelle personne le verbe est-il conjugué quand le sujet est un verbe à l'infinitif ?
> **A.** *Les **rires** des vendangeurs sont sonores.* **B.** ***Rire** est important pour être heureux.*

Retenir la leçon

- **Quand le sujet est un verbe à l'infinitif, comportant un complément ou non, le verbe se conjugue à la** 3e personne du singulier. (Ex. 18)
> *Escalader présent**e** des risques. Escalader des montagnes présent**e** des risques.*

S'exercer

18. a. Dans chaque phrase, repérez le sujet du verbe entre parenthèses. b. Conjuguez ces verbes au présent de l'indicatif en les accordant avec leur sujet. *

1. Défendre les esclaves (faire) partie du combat des philosophes des Lumières. **2.** Au début de leur rencontre, aider Frédéric II de Prusse ne (poser) pas de problème à Voltaire. **3.** Choisir les gens du peuple comme sujet de peinture (renouveler) les tableaux du XVIIIe siècle. **4.** Rédiger des articles (représenter) le travail des encyclopédistes.

› Le sujet est un pronom

Observer pour comprendre

19. a. En prononçant les phrases suivantes, choisissez la forme verbale qui convient.
b. À quelle personne le verbe est-il conjugué quand le sujet est le pronom *on* ou le pronom *chacun* ?
> *On (part / partent) à l'aventure. Chacun (prend / prennent) des risques.*

20. a. Dans chaque phrase, à quelle personne et à quel nombre le verbe est-il conjugué ?
b. Par quel pronom personnel pourriez-vous remplacer chacun des groupes sujets ?
> *Les parents partent. Les parents et toi partez. Les parents et moi partons. Toi et moi partons. Les parents, toi et moi partons.*

21. a. De quel verbe le pronom relatif *qui* est-il sujet dans chaque phrase ?
b. Observez chaque antécédent souligné : quel rôle ces antécédents jouent-ils dans l'accord du verbe de la proposition subordonnée relative ?
> *Moi [**qui** suis un promeneur], je parcours les sentiers.*
> *Toi [**qui** es un promeneur], tu parcours les sentiers.*

Retenir la leçon

• Quand le sujet est un pronom indéfini (*on, nul, rien, personne, chacun*), le verbe se conjugue à la 3e personne du singulier. Ex. 22 à 25
> *On aim**e** tous partir à l'aventure. Chacun tent**e** sa chance.*

• Quand le groupe sujet est constitué d'un pronom personnel à la 1re personne et d'un autre élément, le verbe se conjugue à la 1re personne du pluriel.
> *Toi et **moi** aim**ons** l'aventure. Les parents, toi et **moi** tent**ons** notre chance.*

• Quand le groupe sujet est constitué d'un pronom personnel à la 2e personne et d'un autre élément à la 3e personne, le verbe se conjugue à la 2e personne du pluriel.
> *Tes amis et **toi** aim**ez** l'aventure.*

• Quand le sujet est le pronom relatif *qui*, le verbe de la proposition subordonnée relative s'accorde avec l'antécédent.
> *Toi [**qui** te promen**ais**], tu entendis le cerf [**qui** bram**ait**] et les chiens [**qui** aboy**aient**].*
antécédent — antécédent — antécédent

S'exercer

22. Conjuguez les verbes au présent de l'indicatif. *
1. On (approcher) de la ferme. **2.** Personne ne (se trouver) dans le potager. **3.** Des hommes discutent dans la cour ; chacun (porter) une botte de paille. **4.** Tous travaillent comme saisonnier ; nul ne (se plaindre) de sa situation. **5.** Quand on (vouloir) obtenir un travail, on (se présenter) au maître de la ferme. **6.** Rien ne lui (plaire) plus que l'honnêteté des employés ; chacun le (savoir) dans le canton.

23. Accordez les verbes avec leur sujet, en les conjuguant à l'imparfait de l'indicatif. *
1. Les hommes de l'expédition et moi (manger) pour reprendre des forces après une ascension difficile. **2.** Les enfants et vous (attendre) notre retour au chalet. **3.** Toi et moi (craindre) les chutes de pierres. **4.** Le plus jeune alpiniste et vous (enjamber) un torrent de montagne.

24. Accordez les verbes en les conjuguant au temps de l'indicatif demandé. *

1. Un homme qui (croire / **présent**) aux revenants, et qui (s'imaginer / **présent**) apercevoir un spectre dans la nuit, doit éprouver la peur en toute son épouvantable horreur. **2.** J'avais pour guide un paysan qui (marcher / **imparfait**) à mon côté, par un tout petit chemin. **3.** Entre les cimes, je voyais courir des nuages en déroute, des nuages éperdus qui (sembler / **imparfait**) fuir devant une épouvante.

G. de Maupassant, *La Peur*, 1884.

Écrire

25. Inventez une petite histoire dans laquelle les mots et groupes de mots suivants auront la fonction sujet. Attention à bien accorder les verbes.
on • la plus ravissante des jeunes filles • chacune • qui • les manches de la robe • parler

Réviser les accords du participe passé

Consolider les acquis

> Les terminaisons d'un participe passé

Ex. 1 à 4

• Un participe passé peut avoir cinq terminaisons au masculin singulier : *-é, -i, -u, -s, -t.*
1er groupe : > *cherché*, 2e groupe : > *réussi*, 3e groupe : > *né, senti, aperçu, pris, dit, offert.*

• Ces terminaisons sont variables en genre et en nombre.
> *un bruit entendu, une plainte entendue, des bruits entendus, des plaintes entendues*

• Pour trouver la lettre finale d'un participe passé au masculin singulier, il convient de mettre le participe passé au féminin singulier. On peut ainsi repérer s'il y a une consonne muette finale.
> *un objet découvert, une chose découverte*

> Le participe passé employé sans auxiliaire

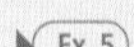
Ex. 5

• Le participe passé employé sans auxiliaire s'accorde, comme un adjectif qualificatif, en genre et en nombre avec le nom auquel il se rapporte.
> *L'homme observe la statue dressée. Les signes observés hier sont surprenants.*

> Le participe passé employé avec l'auxiliaire *être*

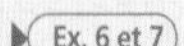
Ex. 6 et 7

• Le participe passé employé avec l'auxiliaire *être* s'accorde en genre et en nombre avec le sujet du verbe.
> *La statue est admirée par les visiteurs. Les visiteurs sont intrigués par la statue.*

> Le participe passé employé avec l'auxiliaire *avoir*

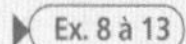
Ex. 8 à 13

• Le participe passé employé avec l'auxiliaire *avoir* ne s'accorde jamais avec le sujet du verbe.

• Le verbe n'a pas de COD : le participe passé ne s'accorde pas, c'est-à-dire qu'il s'écrit au masculin singulier.
> *La jeune fille a entendu. Les plaintes ont retenti à minuit.*

• Le verbe a un COD qui est placé après le verbe : le participe ne s'accorde pas, il s'écrit au masculin singulier.
> *La jeune fille a entendu les plaintes.* (COD : les plaintes)

• Le verbe a un COD qui est placé avant le verbe : le participe passé s'accorde avec le COD, en genre et en nombre.

– Le COD est placé avant le verbe quand il est un pronom personnel.
Le visiteur a cherché la statue et il l'a trouvée. (COD : l')

– Le COD est placé avant le verbe quand il est un pronom relatif.
> *Le visiteur a cherché la statue qu'il a trouvée.* (COD : qu')

– Le COD peut aussi être placé avant le verbe dans certaines phrases interrogatives.
> *Quelles preuves a-t-il trouvées ? Combien d'indices ont-ils relevés ?* (COD : Quelles preuves ; COD : Combien d'indices)

S'exercer

1. a. Quels sont les participes passés de ces verbes ? b. Quel est l'intrus ? *
boire • courir • falloir • mourir • plaire • pleuvoir • rendre • savoir • valoir • venir

2. Relevez, parmi ces formes verbales, celles qui sont des participes passés. *
endormi • épris • fuit • frit • fini • ressenti • retenti • ri • enfui • repris • sourit • sorti

3. Quel est le masculin singulier de ces participes passés ? *
acquise • assise • construite • crainte • démise • due • instruite • jointe • peinte • remise • reprise

4. Écrivez ces participes passés : a. au masculin pluriel ; b. au féminin pluriel. *
enchanté • couvert • remis • bâti • créé

5. Accordez ces participes passés employés comme adjectifs. *

Ces sommets (labouré) par les torrents avaient l'air de guérets[1] (abandonné) ; le jonc marin et une espèce de bruyère épineuse et (flétri) y croissaient par touffes. De gros caïeux[2] de lis de montagnes, (déchaussé) par les pluies, paraissaient à la surface de la terre. Nous découvrîmes la mer vers l'est, à travers un bois d'oliviers (clairsemé). Nous passâmes un torrent (desséché) ; son lit était (rempli) de lauriers-roses.

F.-R. de Chateaubriand, *Itinéraire de Paris à Jérusalem*, 1811.

1. terrains non ensemencés. 2. petits bourgeons souterrains.

6. Soulignez le sujet de chaque verbe puis accordez les participes passés. *

1. Éponine était (arrivé) à se procurer l'adresse. **2.** Vers dix heures du soir, six hommes qui marchaient à quelque distance les uns des autres étaient (entré) dans la rue Plumet. **3.** Marius fut vivement (repoussé) contre la grille. **4.** Les six bandits étaient (armé) jusqu'aux dents. **5.** La jeune fille était (assis) sur le soubassement de la grille ; sa robe était (troué). **6.** Éponine ne quitta pas des yeux le chemin par où étaient (venu) les six hommes.

D'après V. Hugo, *Les Misérables*, 1862.

7. Récrivez le texte en remplaçant *il* par *elle*. Faites toutes les modifications d'accord de participes passés nécessaires. *

Depuis son retour, il était resté assis devant un feu mourant, enveloppé dans une couverture déchirée, à mordre distraitement ses ongles noirs tandis que ses pensées étaient ailleurs. Rage de voir ses plans bouleversés, haine contre la jeune fille qui avait pris contact avec des adversaires, crainte d'être découvert, ruiné, peut-être pendu, voilà ce qu'il avait ruminé depuis, sans remarquer que le temps passait.

C. Dickens, *Oliver Twist*, trad. M. Laporte

8. a. Soulignez les COD. b. Accordez les participes passés. *

1. Quelle nouvelle as-tu (préféré) dans ce recueil ? **2.** La folle est une pauvre femme qu'un officier prussien a (persécuté). **3.** La mère Magloire a (bu) les verres que l'aubergiste lui a (offert). **4.** Simon, que ses camarades ont (méprisé), a (trouvé) un protecteur. **5.** Ses yeux, elle les a admirablement (maquillé). **6.** Cette nouvelle, il l'a (lu) d'une traite. **7.** Quels auteurs avez-vous (étudié) cette année ?

9. a. Recopiez les phrases en soulignant les COD. b. Justifiez l'accord de chaque participe passé en fonction de la place du COD. *

Moi, j'ai deviné la peur en plein jour, il y a dix ans environ. Je l'ai ressentie, l'hiver dernier, par une nuit de décembre. Et pourtant, j'ai traversé bien des hasards. Mais la peur, ce n'est pas cela. Je l'ai pressentie en Afrique. Et pourtant elle est fille du Nord.

G. de Maupassant, *La Peur*, 1884.

10. Recopiez les phrases et soulignez les COD, puis accordez les participes passés. *

1. Cette histoire m'a tellement (bouleversé) l'esprit, a (jeté) en moi un trouble si profond, si mystérieux, si épouvantable, que je ne l'ai même jamais (raconté). Je l'ai (gardé) dans le fond intime de moi.
2. C'était un ami de jeunesse que j'avais beaucoup (aimé).
3. Depuis cinq ans que je ne l'avais (vu), il semblait vieilli.
4. Devenu follement amoureux d'une jeune fille, il l'avait (épousé).
5. Il avait (quitté) son château.
6. Je te donnerai la clef de cette chambre que j'ai (fermé) moi-même en partant.

G. de Maupassant, *Apparition*, 1883.

11. Conjuguez les verbes au passé composé et accordez correctement les participes passés. **

1. L'apparition qu'elle (voir) flotte dans l'air.
2. Des doutes, qu'il (chasser), (assaillir) son esprit.
3. La télévision qu'il (acheter) a un écran plat.
4. Chloé et Victoria sont les amies qu'Héloïse (contacter).
5. Les efforts qu'elle (faire) pour sortir de la grotte sont restés vains.
6. Les résolutions que vous (prendre), les (tenir) vous ?
7. Quels détails le détective (remarquer) ?
8. Les preuves, il les (fournir) à la police.

12. a. Relevez les COD. b. Récrivez les phrases en remplaçant les groupes nominaux COD par le pronom personnel correspondant et accordez correctement les participes passés. **

1. J'ai supprimé l'eau et le lait.
2. J'ai renouvelé la même épreuve.
3. J'ai bu toute l'eau.
4. J'ai remis l'eau sur la table.
5. J'ai perdu la raison.
6. J'ai subi une mauvaise influence.
7. J'ai peuplé mes nuits de fantômes.

D'après G. de Maupassant, *Le Horla*, 1887.

Écrire

13. Récrivez le texte en transformant le narrateur en narratrice qui rencontre : a. une femme ; b. un homme et une femme. Faites toutes les modifications nécessaires. **

Il m'a vivement remercié de ma délicatesse. Au bout d'un mois, nous avions causé ensemble cinq ou six fois. Un soir, je l'ai aperçu dans son jardin. Je l'ai salué et il m'a invité à entrer pour boire un verre. Il m'a reçu avec toute la méticuleuse courtoisie anglaise. Je lui ai alors posé quelques questions sur sa vie. Il a répondu sans embarras, m'a raconté qu'il avait beaucoup voyagé.

D'après G. de Maupassant, *La Main*, 1885.

Les verbes irréguliers du 3e groupe en *-dre* et *-tre*

› Les verbes en *-dre*

Observer pour comprendre

1. **a.** Recopiez les verbes et soulignez les bases verbales. **b.** À quels temps et mode ces verbes sont-ils conjugués ? **c.** Combien de bases verbales chaque verbe comporte-t-il ?
> **A.** *Je tords, tu tords, il tord, nous tordons, vous tordez, ils tordent.*
> **B.** *Je mouds, tu mouds, il moud, nous moulons, vous moulez, ils moulent.*
> **C.** *Je prends, tu prends, il prend, nous prenons, vous prenez, ils prennent.*

2. **a.** Recopiez les formes verbales et soulignez les terminaisons. **b.** À quels temps et mode ces formes verbales sont-elles conjuguées ? **c.** Quelle différence de terminaison observez-vous entre les deux séries de formes verbales ?
> **A.** *Je fonds, tu répands, il prend, je couds, tu perds, il mord.*
> **B.** *Je crains, tu résous, il joint, je peins, tu dissous, il craint.*

3. Comparez la base verbale de chaque verbe des listes de l'exercice 2 avec le radical de l'infinitif des verbes ci-dessous : quelle différence observez-vous entre les deux séries de formes verbales ?
> *Fondre, répandre, prendre, coudre, perdre, mordre, craindre, résoudre, joindre, peindre, dissoudre, craindre.*

Retenir la leçon

- **Au présent de l'indicatif**

Ex. 4 à 8

Les verbes terminés par *-dre* se terminent aux trois personnes du singulier par : *-s*, *-s*, *-Ø*. Certains présentent :
– une base verbale : verbes en *-andre*, *-endre*, *-ondre*, *-ordre* (*répandre, tendre, fondre, tordre*…) ;
> *Je **tend**s, tu **tend**s, il **tend**, nous **tend**ons, vous **tend**ez, ils **tend**ent.*

– deux bases verbales : verbes en *-oudre* (*coudre*) ;
> *Je **coud**s, tu **coud**s, il **coud**, nous cousons, vous cousez, ils cousent.*

– trois bases verbales : verbe *prendre* et ses composés.
> *Je **prend**s, tu **prend**s, il **prend**, nous prenons, vous prenez, ils prennent.*

Les verbes terminés par *-soudre* et *-indre* se terminent aux trois personnes du singulier par : *-s*, *-s*, *-t*. Le « d » de la base verbale a disparu. Ils présentent deux bases verbales :
> *Je **résou**s, tu **résou**s, il **résou**t, nous résolvons, vous résolvez, ils résolvent.*
> *Je **crain**s, tu **crain**s, il **crain**t, nous craignons, vous craignez, ils craignent.*

- **À l'imparfait de l'indicatif et au présent du subjonctif**

La base verbale est celle de la 1re personne du pluriel au présent de l'indicatif.
> *Je **tend**ais, je **cous**ais, je **pren**ais, je **résolv**ais, je **craign**ais.*
> *Que je **tend**e, que je **cous**e, que je **résolv**e, que je **craign**e.*

Au présent du subjonctif, le verbe *prendre* forme sa base verbale sur celle de la 3e personne du pluriel au présent de l'indicatif : > *Que je prenne.*

- **Au passé simple de l'indicatif**

La base verbale est celle de la 1re personne du pluriel au présent de l'indicatif.
Elle est différente pour le verbe *prendre* et les verbes en *-soudre* : > *Je pris, je résolus.*
La terminaison est en *-is* pour les verbes en *-dre*, et en *-us* pour les verbes en *-soudre*.
> *Je pris, je tordis, je craignis, je résolus.*

S'exercer

4. Conjuguez chacun de ces verbes composés à une des six personnes sur le modèle : *je reprends, tu apprends*… : **a.** au présent de l'indicatif ; **b.** au présent du subjonctif ; **c.** à l'imparfait de l'indicatif ; **d.** au passé simple de l'indicatif. *
(re- / ap- / entre- / com- / sur-) -prendre

5. **a.** Quel infinitif correspond à chaque forme verbale ? **b.** Recopiez et complétez ces formes verbales en les conjuguant au présent de l'indicatif. *
je résou… • tu confond… • elle crain… • je tein… • tu perd… • il coud…

6. Conjuguez les formes verbales suivantes à la personne du pluriel qui correspond : a. au présent de l'indicatif ; b. à l'imparfait de l'indicatif ; c. au présent du subjonctif. *
elle comprend • je résous • tu feins • je tonds • il prétend • tu atteins • elle éteint • je répands

7. Conjuguez les formes verbales suivantes à la personne du singulier qui correspond : a. au présent de l'indicatif ; b. à l'imparfait de l'indicatif ; c. au présent du subjonctif. *
nous dissolvons • ils rejoignent • vous comprenez • elles dépeignent • vous décousez • ils moulent

8. Écrivez les phrases suivantes au passé simple de l'indicatif. *
1. Fantine joint Jean Valjean par lettre. **2.** Les misérables craignent la sévérité de Javert. **3.** Javert résout l'énigme du père Madeleine. **4.** Madame Thénardier feint de bien s'occuper de Cosette. **5.** Cosette tord ses mains de peur. **6.** Fantine coud des vêtements.

› Les verbes en *-tre*

Observer pour comprendre

9. a. Recopiez les verbes et soulignez leurs bases verbales.
b. À quels temps et mode ces verbes sont-ils conjugués ?
c. Combien de bases verbales chaque verbe comporte-t-il ?
> A. *Je combats, tu combats, il combat, nous combattons, vous combattez, ils combattent.*
> B. *Je remets, tu remets, il remet, nous remettons, vous remettez, ils remettent.*

10. Observez ces formes verbales : que se passe-t-il lorsque le « i » de la base verbale est suivi d'un « t » ?
> *Je parais, tu paraîtras, il paraissait, je paraîtrai, nous paraissons, elle paraît.*

Retenir la leçon

- **Les verbes *battre, mettre* et leurs composés** Ex. 11 à 13

– Les verbes battre, mettre et leurs composés **se terminent au** présent de l'indicatif, **aux** trois personnes du singulier, **par :** *-s, -s, -Ø*.
– **Le verbe** battre et ses composés **ont deux bases verbales au** présent de l'indicatif : *bat-* **et** *batt-* **; ils n'ont qu'une base verbale à** tous les autres temps **des différents modes :** *batt-*.
> *Je **bats**, tu **bats**, il **bat**, nous battons, vous battez, ils battent.*
> *Je battais, je battis, je battrai, que je batte, je battrais.*
– **Le verbe** mettre et ses composés **ont deux bases verbales au** présent de l'indicatif : *met-* **et** *mett-* **; ils n'ont qu'une base verbale à** tous les autres temps **des différents modes :** *mett-*, **sauf au** passé simple : *m-*.
> *Je **mets**, tu **mets**, il **met**, nous mettons, vous mettez, ils mettent.*
> *Je mettais, je mettrai, que je mette, je mettrais.*
> *Je mis, tu mis, il mit, nous mîmes, vous mîtes, ils mirent.*

- **Les verbes en *-aître***

Les verbes en *-aître* ont un accent circonflexe sur le « i » lorsque celui-ci précède un « t ».
> *Je connais, il connaît, elle connaîtra.*

S'exercer

11. Recopiez et complétez les formes verbales au présent de l'indicatif. *
je commet... • tu permet... • elle débat... • je remet... • tu combat... • il soumet...

12. Conjuguez les formes verbales à la personne du singulier ou du pluriel qui correspond : a. au présent de l'indicatif ; b. à l'imparfait de l'indicatif ; c. au passé simple de l'indicatif ; d. au présent du subjonctif. *
elle combat • je démets • tu débats • j'abats • il commet • nous débattons • ils admettent • vous omettez • elles permettent • nous retransmettons

13. Conjuguez chacun de ces verbes composés à une des six personnes sur le modèle : *je reparais, tu disparais...* : a. au présent de l'indicatif ; b. au futur de l'indicatif ; c. au présent du conditionnel. *
(re- / dis- / com- / ap- / réap-) -paraître

Morphologie de quelques verbes fréquents : *aller, devoir, faire, pouvoir, valoir, voir, vouloir*

Les mots de la leçon

morphologie : du grec *morphe*, « la forme », et *logos*, « la science », l'étude de la forme.

Observer pour comprendre

1. a. Recopiez les verbes et soulignez leurs bases verbales. **b.** À quels temps et mode ces verbes sont-ils conjugués ? **c.** Combien de bases verbales chacun des verbes comporte-t-il ? **d.** Quelles ressemblance(s) ou différence(s) de terminaison observez-vous entre les quatre séries de formes verbales aux trois personnes du singulier ? aux trois personnes du pluriel ?
> **A.** *Je vois, tu vois, il voit, nous voyons, vous voyez, ils voient.*
> **B.** *Je peux, tu peux, il peut, nous pouvons, vous pouvez, ils peuvent.*
> **C.** *Je vaux, tu vaux, il vaut, nous valons, vous valez, ils valent.*
> **D.** *Je dois, tu dois, il doit, nous devons, vous devez, ils doivent.*

2. Comparez ces formes verbales avec celles de l'exercice 1 : sur quelle base verbale du présent de l'indicatif la base verbale de l'imparfait est-elle constituée ?
> **A.** *Je voyais, tu voyais, il voyait, nous voyions, vous voyiez, ils voyaient.*
> **B.** *Je pouvais, tu pouvais, il pouvait, nous pouvions, vous pouviez, ils pouvaient.*

3. Recopiez les terminaisons de ces formes verbales au passé simple.
> **A.** *Je fis, tu fis, il fit, nous fîmes, vous fîtes, ils firent.*
> **B.** *Je valus, tu valus, il valut, nous valûmes, vous valûtes, ils valurent.*
> **C.** *J'allai, tu allas, il alla, nous allâmes, vous allâtes, ils allèrent.*

4. a. À quels temps et mode chaque forme verbale est-elle conjuguée ? **b.** Comparez la base verbale de chaque forme verbale avec le radical de l'infinitif du verbe : quelle différence observez-vous entre les deux séries de formes verbales ?
> **A.** *Je fondrai (fondre), je partirai (partir), j'écrirai (écrire), je mettrai (mettre).*
> **B.** *Je ferai (faire), je pourrai (pouvoir), je verrai (voir), j'irai (aller).*

Retenir la leçon

> Présent de l'indicatif

Ex. 5 à 11

• **Les terminaisons.** Au singulier :
– les verbes *devoir*, *faire* et *voir* se terminent par *-s*, *-s*, *-t* ;
– les verbes *pouvoir*, *valoir* et *vouloir* se terminent par *-x*, *-x*, *-t* ;
– le verbe *aller* se termine par *-s*, *-s*, *-Ø*.
Au pluriel :
– le verbe *faire* est irrégulier à la 2e personne : > *vous faites* ;
– les verbes *aller* et *faire*, à la 3e personne, se terminent par *-ont*.

• **Les bases verbales.** Certains de ces verbes présentent :
– deux bases verbales : > *je **vois**, tu **vois**, il **voit**, nous voyons, vous voyez, ils **voi**ent* ;
> *je **vaux**, tu **vaux**, il **vaut**, nous valons, vous valez, ils valent* ;
– trois bases verbales : > *je **dois**, tu **dois**, il **doit**, nous devons, vous devez, ils doivent* ;
> *je **peux**, tu **peux**, il **peut**, nous pouvons, vous pouvez, ils peuvent* ;
> *je **veux**, tu **veux**, il **veut**, nous voulons, vous voulez, ils veulent* ;
– quatre bases verbales : > *je **fais**, tu **fais**, il **fait**, nous faisons, vous faites, ils font* ;
> *je **vais**, tu vas, il va, nous allons, vous allez, ils vont.*

> Imparfait de l'indicatif

• La base verbale est celle de la 1re personne du pluriel au présent de l'indicatif.
> *Je **voy**ais, tu **voy**ais, il **voy**ait, nous **voy**ions, vous **voy**iez, ils **voy**aient.*

> Passé simple de l'indicatif

• Le verbe *aller* se termine, comme les verbes du 1er groupe, par *-ai*, *-as*...
> *J'**all**ai, tu **all**as, il **all**a, nous **all**âmes, vous **all**âtes, ils **all**èrent.*

- Les verbes *faire* et *voir* se terminent par *-is, -is...*

> *Je fis, tu fis, il fit, nous fîmes, vous fîtes, ils firent ; je vis...*

- Les verbes *devoir*, *pouvoir*, *valoir* et *vouloir* se terminent par *-us, -us...*

> *Je dus, tu dus, il dut, nous dûmes, vous dûtes, ils durent ; je pus... ; je valus... ; je voulus...*

- La base verbale reste la même à toutes les personnes.

> Futur de l'indicatif et présent du conditionnel

- La base verbale est différente du radical de l'infinitif. Elle reste la même à toutes les personnes. Les terminaisons sont régulières (voir p. 393, 395 et 396).

> *aller : j'irai..., j'irais...*
> *faire : je ferai..., je ferais...*
> *valoir : je vaudrai..., je vaudrais...*
> *vouloir : je voudrai..., je voudrais...*
> *devoir : je devrai..., je devrais...*
> *pouvoir : je pourrai..., je pourrais...*
> *voir : je verrai..., je verrais...*

> Présent du subjonctif

- Les terminaisons sont régulières (voir p. 393, 395 et 396).
- Les verbes *faire* et *pouvoir* présentent une base verbale.

> *Que je fasse, que tu fasses, qu'il fasse, que nous fassions, que vous fassiez, qu'ils fassent.*
> *Que je puisse...*

- Les verbes *aller*, *devoir*, *valoir*, *voir* et *vouloir* présentent deux bases verbales : une pour les trois personnes du singulier et la 3e du pluriel, une autre pour la 1re et la 2e personne du pluriel.

> *Que j'aille, que tu ailles, qu'il aille, que nous allions, que vous alliez, qu'ils aillent.*
> *Que je doive..., que nous devions... ; que je vaille..., que nous valions...*
> *Que je voie..., que nous voyions... ; que je veuille..., que nous voulions...*

S'exercer

5. Conjuguez chacun de ces verbes composés, dans l'ordre des préfixes, à une des six personnes sur le modèle : *je refais, tu défais...* : **a.** au présent de l'indicatif ; **b.** au futur de l'indicatif ; **c.** au présent du conditionnel ; **d.** au présent du subjonctif. *

(re- / dé- / contre- / par- / satis-) -faire

6. Conjuguez les verbes suivants à la personne demandée, au présent : **a.** de l'indicatif ; **b.** du conditionnel ; **c.** du subjonctif. *

je (voir) • tu (valoir) • elle (aller) • nous (faire) • vous (vouloir) • ils (devoir)

7. Conjuguez à l'indicatif les formes verbales suivantes à la personne du pluriel qui correspond : **a.** au présent ; **b.** à l'imparfait ; **c.** au futur. *

elle peut • je vois • tu vas • je vais • il veut • tu peux • elle fait • je vaux

8. Conjuguez à l'indicatif les formes verbales suivantes à la personne du singulier qui correspond : **a.** au présent ; **b.** à l'imparfait ; **c.** au futur. *

nous allons • ils voient • vous voulez • elles vont • nous faisons • vous valez

9. Écrivez les phrases suivantes au passé simple de l'indicatif. *

1. Jean Valjean va chercher Cosette chez les Thénardier. **2.** Les Thénardier font souffrir la fillette. **3.** Javert voit le père Madeleine soulever la charrette. **4.** Madame Thénardier veut obtenir de l'argent auprès de Fantine. **5.** Cosette doit aller chercher de l'eau à la nuit tombée. **6.** Fantine fait l'impossible pour sauver sa fille.

10. Conjuguez les verbes suivants à la personne demandée : **a.** au futur de l'indicatif ; **b.** au présent du conditionnel. *

je (valoir) • nous (devoir) • tu (aller) • elle (vouloir) • vous (faire) • ils (pouvoir)

Écrire

11. Racontez brièvement la scène de l'image en employant des verbes de la leçon, que vous conjuguerez au(x) temps qui convienne(nt) à votre récit.

ANONYME, illustration du *Cid* de Corneille, 1682.

Réviser les accords dans le groupe nominal

Consolider les acquis

> Règle générale

Ex. 1 à 8 et 12

- Les déterminants, les adjectifs qualificatifs, les participes passés employés comme adjectifs s'accordent en genre et en nombre avec le nom noyau du groupe nominal.

> *Maupassant a écrit des nouvelles **réalistes et fantastiques, publiées** d'abord dans des journaux.*

> Accord des déterminants (voir p. 369)

Ex. 4

- Rappel : les déterminants *chaque* et *aucun(e)* ne s'emploient qu'au singulier.

> ***Chaque** nouvelle de ce recueil est fantastique ; **aucune** nouvelle n'est fantastique.*

- Devant un nom masculin singulier commençant par une voyelle, le déterminant démonstratif ce devient cet.

> *Ce romancier, **cet** écrivain.*

> Accord de l'adjectif qualificatif

- Si un adjectif qualifie plusieurs noms, il se met au pluriel.

> *Un roman et une nouvelle **réalistes**.*

- Si l'un des noms est au masculin, l'adjectif qualificatif se met au masculin.

> *Des êtres et des apparitions **surnaturels**.*

- Un adjectif qualificatif (ou un participe passé employé comme adjectif) apposé peut se trouver avant le nom ou le pronom auquel il se rapporte, ou bien loin de celui-ci. Il s'accorde avec ce nom ou ce pronom.

> ***Misérables, abandonnés,** Cosette et Gavroche incarnent l'enfance malheureuse.*
> ***Seule** dans la nuit, elle porte un seau d'eau froide.*

- **Les adjectifs de couleur**

Ex. 9 et 12

simples	Ils s'accordent en genre et en nombre avec le(s) nom(s) ou le(s) pronom(s) au(x)quel(s) ils se rapportent.	> *Des livres **verts**.* > *Des couvertures **vertes**.*
composés de deux mots	Ils restent invariables.	> *Des couvertures **rouge sang**.*
dérivés d'un nom	Ils restent invariables. Exceptions : *rose*, *fauve*, *mauve*, *pourpre*, *écarlate*, devenus de véritables adjectifs qualificatifs, s'accordent en genre et en nombre avec le(s) nom(s) ou le(s) pronom(s) au(x)quel(s) ils se rapportent.	> *Des couvertures **orange**.* > *Des couvertures **roses**.*

- **Les adjectifs composés**

Ex. 10

de deux adjectifs	Ils s'accordent en genre et en nombre avec le(s) nom(s) ou le(s) pronom(s) au(x)quel(s) ils se rapportent.	> *Des plats **sucrés-salés**.*
d'un premier élément en *-o*	L'élément en *-o* reste invariable.	> *Des liens **franco-italiens**.*
d'un adverbe et d'un adjectif qualificatif	L'adverbe reste invariable, l'adjectif s'accorde.	> *Des profondeurs **sous-marines**.* > *Des partis **ultra-nationalistes**.*

- **Les adjectifs *demi* et *nu***

Ex. 11

– Placés devant un nom, ils deviennent des adverbes invariables et se joignent au nom par un trait d'union.

> *Gavroche marcha **nu**-pieds durant une **demi**-journée.*

– Placés après le nom, *demi* s'accorde en genre et *nu* s'accorde en genre et en nombre.

> *Il marcha pieds **nus** durant une journée et **demie**.*

S'exercer

1. a. Recopiez les groupes nominaux organisés autour des noms en gras. b. Entourez la marque d'accord (féminin, pluriel) des déterminants, des adjectifs qualificatifs ou des participes passés employés comme adjectifs. *

> Par la petite **grille**, destinée à reconnaître les amis, les curieux pouvaient apercevoir, au fond d'une **voûte** obscure et verte, quelques **marches** dégradées par lesquelles on montait dans un jardin que bornaient pittoresquement des **murs** humides, pleins de suintements et de touffes d'**arbustes** malingres.
>
> D'après H. de Balzac, *Eugénie Grandet*, 1883.

2. Accordez les adjectifs et les participes. *

1. On a la sensation (charmant) d'ouvrir son cœur. **2.** Ces (frêle) (jeune) filles avaient une allure (las, fatigué), une silhouette (décharné). **3.** Elles souffraient de maladies (nerveux) aux symptômes (incompréhensible). **4.** Elles ont les nerfs (malade). **5.** Une (petit) rivière coule dans un vallon (profond), gorge (étroit) entre deux (grand) pentes (rocheux) et (boisé).

3. Accordez les adjectifs ou participes, après avoir souligné le nom auquel chacun se rapporte. *

> Le visiteur [...] découvrirait avec surprise un spectacle de galeries de bois (vermoulu) courant d'une maison à l'autre, de fenêtres (brisé), de pièces (petit, sale, confiné), où l'air semble trop vicié même pour la misère (noir) qu'il brasse.
>
> C. Dickens, *Oliver Twist*, trad. M. Laporte
> © Le Livre de Poche Jeunesse, 2005.

4. Accordez correctement les déterminants. *

1. (Chaque) marin avait une tâche précise. **2.** (Quelque) marchandises traînaient sur (ce) quais. **3.** (Ce) endroit était empli d'objets de (tout) natures. **4.** (Quel) marchandises fallait-il embarquer ? **5.** (Quel) n'était pas l'embarras de (ce) individu ! **6.** (Ce) fruits étaient stockés dans des caisses.

5. Accordez correctement les mots entre parenthèses, après avoir souligné le nom auquel chacun se rapporte. *

> On voit les gens avec des yeux (différent), sous l'optique (spécial) de la connaissance des villes d'eaux. On découvre aux hommes, subitement, [...] sous les arbres où bouillonne la source (guérisseur), une intelligence (supérieur) et des mérites (surprenant), et, un mois plus tard, on a complètement oublié ces (nouveau) amis, si (charmant) aux (premier) jours.
>
> G. de Maupassant, *Le Tic*, 1884.

6. Accordez correctement les adjectifs et le déterminant. *

> C'était un homme de quarante ans, (haut), (maigre), un peu (voûté), avec des yeux d'halluciné, des yeux (noir), si (noir) qu'on ne distinguait pas la pupille, des yeux (mobile), (rôdeur), (malade), (hanté). (Quel) être (singulier), (troublant), qui apportait un malaise autour de lui [...], un de ces énervements (incompréhensible) qui font croire à des influences (surnaturel).
>
> G. de Maupassant, *Un fou*, 1886.

7. Récrivez le texte de l'exercice 6 en remplaçant *un homme* par *une femme*, *des yeux* par *des prunelles*, *être* par *personne*, *un de ces énervements* par *une agitation* et *des influences* par *des phénomènes*. Faites les accords. * *

8. Accordez les adjectifs et participes passés apposés. * *

> **1.** (Sûr) d'être hors de vue du logis, elle prit sa course. **2.** Chiquita, (enorgueilli) par ces applaudissements, promenait autour d'elle un regard de triomphe. **3.** L'aveugle débitait ses patenôtres[1], (accompagné) par la voix aiguë de son guide. **4.** La jeune actrice, (pétrifié) d'épouvante, voulut crier. **5.** Deux autres hommes, également à cheval, (masqué) et (armé) jusqu'aux dents, se tenaient derrière un mur. **6.** Isabelle, plus qu'à (demi-mort) de frayeur, fut assise sur l'arçon de la selle.
>
> T. Gautier, *Le Capitaine Fracasse*, 1863.
>
> 1. prières.

9. Accordez correctement les adjectifs de couleur. * *

1. Ses lèvres (rouge carmin) ressemblaient à deux cerises (écarlate). **2.** Une cascade de cheveux (fauve) tombait sur ses épaules aux reflets (blanc). **3.** De longs rubans (noir) se mêlaient à sa chevelure (flamboyant). **4.** Son chapeau (gris) aux bords (mauve) dissimulait en partie son visage aux regards. **5.** Elle exhibait une robe de soie (vert) aux manches (jaune canari).

10. Accordez les adjectifs composés. *

1. Sous ce vernis, il y a plusieurs couches de peinture (sous-jacent). **2.** Ces fruits exotiques ont une saveur (doux-amer). **3.** Les engins comme le Nautile explorent les profondeurs (sous-marin). **4.** La musique (anglo-saxon) a un succès international. **5.** Les rivalités (germano-français) ont commencé avec la guerre de 1870.

11. Recopiez les groupes nominaux en orthographiant les adjectifs entre parenthèses. * *

1. Il a acheté une (demi)-portion de fromage. **2.** Elle sort (nu)-tête. **3.** La première (demi)-heure s'est écoulée bien lentement. **4.** Après deux heures et (demi) d'efforts, ils ont réussi à gagner le sommet. **5.** Les torses (nu) des bagnards portaient la marque des coups de fouet.

Écrire

12. Faites brièvement le portrait de ce personnage en utilisant au moins quatre adjectifs qualificatifs dont un adjectif de couleur.

Berthe Morisot (1841-1895), *Jeune fille dans un parc*. Musée des Augustins, Toulouse.

Les noms composés

Observer pour comprendre

1. **a.** Quelle est la classe grammaticale de chacun des éléments constituant chacun de ces noms composés ? **b.** Sont-ils reliés ? **c.** Comment chacun de ces noms s'orthographie-t-il au pluriel ?
> **A.** *un chou-fleur, des choux-fleurs*
> **B.** *un coffre-fort, des coffres-forts*
> **C.** *un serre-tête, des serre-têtes*

2. **a.** Quelle est la classe grammaticale de chacun des éléments constituant ces deux noms composés ? **b.** Comment sont-ils reliés ? **c.** Expliquez pourquoi *moteur* s'écrit toujours au singulier et *voiles* toujours au pluriel. **d.** Quel est l'élément qui varie au pluriel ?
> **A.** *un bateau à moteur, des bateaux à moteur*
> **B.** *un bateau à voiles, des bateaux à voiles*

Retenir la leçon

> Définition

Ex. 3 à 15

• Un nom composé forme une unité de sens : une *chaise longue* n'est pas une chaise qui est longue, mais un siège dans lequel on s'allonge. Il peut se composer de :
– deux éléments reliés par un trait d'union ;
> *un sèche-cheveux*
– deux éléments reliés par une préposition ;
> *une pomme de terre*
– deux éléments juxtaposés.
> *une chaise longue*

• Dans un nom composé au singulier, le deuxième élément peut être au pluriel si le sens l'exige.
> *un trois-mâts* (un bateau qui a trois mâts), *un porte-bagages* (qui porte des bagages)

> Le pluriel des noms composés

• Le pluriel des noms composés dépend des éléments qui composent le nom (de leur classe grammaticale et de leur sens).

Éléments composant le nom	Règles d'accord	Exemples
nom + nom	Les deux éléments prennent la marque du pluriel.	> *des chiens-loups*
adjectif + nom	Les deux éléments prennent la marque du pluriel.	> *des rouges-gorges*
nom + préposition + nom	L'accord se fait selon le sens.	> *des pommes de terre* (de la terre) > *des salles de jeux*
verbe + nom	Le verbe reste invariable et le nom s'accorde en fonction du sens.	> *des gratte-ciel* (le ciel) > *des porte-bagages*
verbe + verbe	Les deux éléments restent invariables.	> *des laissez-passer*
préposition ou adverbe + nom	Le premier élément reste invariable et le nom s'accorde selon le sens.	> *des après-midi* (le midi) > *des arrière-gardes*
un élément en -o suivi d'un nom	Le premier élément reste invariable et le nom prend la marque du pluriel.	> *des Anglo-Saxons*

• Dans quelques noms composés qui s'écrivent en un seul mot, les deux éléments prennent la marque du pluriel :
> *(un) monsieur / (des) messieurs ; madame / mesdames ; mademoiselle / mesdemoiselles ; un gentilhomme / des gentilshommes ; un bonhomme / des bonshommes*

S'exercer

3. **a.** Classez ces noms selon qu'ils sont composés de deux noms ou d'un nom et d'un adjectif qualificatif.
b. Mettez-les au pluriel. *
un oiseau-mouche • une basse-cour • un wagon-citerne • un grand-père • un porc-épic • une chauve-souris • un canapé-lit • un sourd-muet • un homme-grenouille • une plate-forme

4. **a.** Comment tous les noms suivants sont-ils formés ?
b. Mettez-les au pluriel. *
un coup de soleil • un seau à glace • un tête-à-tête • un sac de billes • un sac de terre • un pot de fleurs • une tondeuse à gazon • un sac à main • un peigne à cheveux • un arc-en-ciel • une tasse à café • un billet de banque

5. **a.** Modifiez si nécessaire la terminaison du dernier élément de ces noms composés. **b.** Mettez tous ces noms au pluriel. *
un patin à roulette • un mal de tête • un trait d'union • une table à langer • une brosse à dent • un service à café • une bête à corne • un cahier de brouillon • une table de multiplication

6. **a.** Comment les noms suivants sont-ils formés ?
b. Mettez-les au pluriel. *
un tire-bouchon • un chasse-neige • un gagne-pain • un lave-vaisselle • un presse-papiers • un vide-ordures • un coupe-ongles • un porte-drapeau

7. **a.** Comment les noms suivants sont-ils formés ?
b. Mettez-les au pluriel. **
un brise-glace • un coup de feu • une arrière-boutique • un porte-voix • une salle à manger • un bonhomme de neige • un monsieur • un micro-ondes • un Gallo-Romain

8. **a.** Formez des noms composés en faisant précéder les noms suivants de *avant* ou *arrière*.
b. Mettez-les au pluriel. *
un ...centre • une ...garde • une ...pensée • un ...plan • un ... poste • un ...projet • un ...propos • un ...grand-père • une ... saison • une ...salle • une ...veille

9. Quels sont ceux de ces noms qui peuvent s'écrire : **a.** seulement au singulier ? **b.** seulement au pluriel ? **c.** au singulier ou au pluriel ? **
taille-crayon • tiroir-caisse • porte-fenêtre • ronds-points • sans-abri • souffre-douleur • chefs-d'œuvre • porte-parole • lave-linge

10. Recopiez les phrases suivantes en faisant les accords nécessaires. *
1. Les (rez-de-chaussée) de ces (maison-cabane) ont été envahis par toutes sortes de (bric-à-brac) apportés par les (raz-de-marée) successifs qui ont balayé leurs (porte-fenêtre) : des (couvre-lit), des (ouvre-boîte), des (sèche-cheveux), des (lampe-torche) et même des (coffre-fort), des (sac à main). **2.** Des (pin-parasol) ombragent les (plate-forme) qui servent de terrasses. **3.** Il règle ses repas avec des (ticket-restaurant).

11. **a.** Mettez un peu d'ordre dans ces noms composés.
b. Mettez-les ensuite au pluriel. **
un bateau à fromage • une brosse à la crème • un trait de boxe • un chemin de bataille • un gâteau à reluire • un gant d'union • une râpe à voiles • un cheval de fer

12. **a.** Trouvez les noms composés correspondant à ces définitions. **b.** Employez chacun d'eux au pluriel dans une phrase. **
1. Un bateau où peuvent atterrir des avions. **2.** Un signe de ponctuation pour relier deux mots. **3.** Un objet qui diffuse un son en l'amplifiant. **4.** Un arc multicolore qui apparaît dans le ciel après la pluie. **5.** La femme de mon frère. **6.** Un objet qui sert à enfiler une chaussure.

13. Complétez les noms composés en vous appuyant sur le sens donné par le contexte. **
1. On accède au jardin par de larges porte-... . **2.** Pour se faire entendre des élèves, les surveillants font l'appel avec des porte-... . **3.** Il emporte son pique-nique sur le porte-... de son vélo. **4.** Les trèfles à quatre feuilles sont des porte-... . **5.** Autrefois, les élèves écrivaient non avec des stylos billes mais avec des porte-... qu'ils trempaient dans un encrier. **6.** Les pilotes de l'aéronavale apprennent à se poser sur des porte-... par tous temps.

Écrire

14. À partir de l'image ci-dessous, imaginez une brève histoire fantaisiste dans laquelle vous emploierez quatre noms composés que vous mettrez au pluriel.

15. Comme le poète Jacques Prévert dans « Cortège », rédigez six vers dans lesquels vous emploierez des noms composés dont vous aurez mélangé les éléments.
> *Exemple : un ver de bois avec un pont de terre.*

ANONYME, illustration de *Schnick, schnack : trifles pour les petits*, éd. de 1890. The Broadway Ludgate, New York.

Les déterminants numéraux

Les mots de la leçon

déterminant : qui détermine (définit) un nom.
numéral : qui exprime un nombre.

Observer pour comprendre

1. L'orthographe du déterminant numéral *quatre* varie-t-elle ?
> *À quatre-vingts ans, il possède quatre vaches, vingt brebis,* ***quatre-vingt-cinq*** *chèvres et* ***quatre-vingt-dix*** *moutons.*

2. a. Complétez cette multiplication en chiffres : ... x 20 = 80.
b. Expliquez pourquoi *vingt* prend la marque du pluriel dans *quatre-vingts.*

3. *Quatre-vingt-cinq, quatre-vingt-dix* : quelle est la conséquence orthographique de la présence des chiffres *cinq* et *dix* après *vingt* ?

Retenir la leçon

Ex. 4 à 7

- Dans un texte, les chiffres et les nombres s'écrivent en lettres. **Seules les dates peuvent s'écrire en chiffres.**
> *Ces* ***deux*** *romans sont parus pour la* ***première*** *fois en* ***1830****.*

- **Les déterminants numéraux** cardinaux **sont** invariables **:** > *quatre mille euros.*
Seuls *vingt* **et** *cent* **prennent un** *-s* **quand ils sont multipliés (**> *quatre-vingts, trois cents***), à condition de ne pas être suivis d'un chiffre (**> *quatre-vingt-cinq, trois cent quatre***).**
Le trait d'union **unit les dizaines et les unités :** > *trois cent* ***quatre-vingt-cinq****.*

- *Millier, million* **et** *milliard* **sont des noms : ils prennent donc un** *-s* **quand ils sont précédés d'un déterminant pluriel ou multipliés.**
> *Des milliers, deux millions, trois milliards d'hommes.*

- **Les déterminants numéraux** ordinaux s'accordent **en genre et en nombre avec le nom auquel ils se rapportent.**
> *La* ***première*** *fois, les* ***quatrièmes*** *rangs.*

- **Dans le déterminant** *second***, le *c* se prononce [g].**

S'exercer

4. Récrivez ce texte en écrivant les chiffres en toutes lettres. *

Le paysan possédait 200 volailles, 20 bêtes à cornes et 4 chevaux. Tous les matins, il parcourait en carriole les 80 lieues de sa propriété, visitait les quelques 350 pommiers qu'il avait plantés et se réjouissait à l'idée de remplir son coffre de plus de 2 000 écus.

5. Rédigez en lettres le montant de ces chèques. *

20 euros • 125 euros • 680 euros • 400 euros • 593 euros • 2 000 euros • 728 euros

6. Récrivez les phrases en écrivant les chiffres en toutes lettres. **

1. Il tente sa chance pour la 3e fois. **2.** La cagnotte du loto cette semaine est de 3 525 000 euros. **3.** Ce roman compte 685 pages. **4.** Cet immeuble de 8 étages compte 15 appartements et 23 studios ; environ 95 personnes y habitent. **5.** Au dernier recensement, ma ville compte 286 780 habitants : cela la place au 2e rang de la région. **6.** L'an prochain, mon frère entrera en 2nde.

Écrire

7. Donnez les scores de ce tableau de résultats de football en formulant des phrases et en écrivant les chiffres en toutes lettres.

Équipe	Place	Nb de points
Marseille	1re	25
Paris	2e	24
Lyon	3e	23
Lille	4e	18
Auxerre	5e	14
Valenciennes	6e	13

Quelques déterminants et pronoms indéfinis

Observer pour comprendre

1. a. Quel est le sujet de chacun des verbes soulignés ? b. Lesquels de ces sujets sont des pronoms indéfinis ? Lesquels sont des groupes nominaux comportant un déterminant indéfini ? c. Essayez oralement de mettre les verbes au pluriel : est-ce correct ?
> **A.** *Nul ne peut entrer ici. Nul endroit n'est plus lugubre que cette lande.*
> **B.** *Aucun des professeurs n'est absent. Aucun professeur n'est absent.*
> **C.** *Chacun prend une décision différente. Chaque joueur prend une décision différente.*

2. Dans l'exercice précédent, remplacez *endroit* par *région*, *professeur* par *institutrice*, *joueur* par *joueuse*, et faites les modifications nécessaires.

3. Expliquez l'orthographe de *tel* dans chacun de ces groupes nominaux.
> *Tel père, telle fille.*

4. a. Dans quelle phrase le déterminant *tout* signifie-t-il « l'ensemble de » ? « n'importe lequel » ? b. Dans quel cas *tout* reste-t-il au singulier ?
> **A.** *Tout effort sera récompensé.* **B.** *Tous les efforts seront récompensés.*

Retenir la leçon

Ex. 5 à 9

• Les pronoms et déterminants indéfinis *aucun*, *nul* ainsi que le pronom indéfini *chacun* prennent la marque du féminin. *Aucun*, *nul*, *chacun*, *chaque* ne s'emploient jamais au pluriel.
> ***Aucun (nul)** effort, **aucune (nulle)** amélioration. **Chacun (Chacune)** s'avance.*
***Aucun** n'est venu, **aucun** élève n'est venu. **Chacun** est parti. **Chaque** élève a ses affaires.*

• Le pronom et le déterminant indéfinis *tel* s'accordent avec le nom qu'ils remplacent ou auquel ils se rapportent. Il en est de même pour l'expression *tel quel*.
> ***Tel** est pris qui croyait prendre. **Telle** est la situation. **Tel** père, **telle** fille.*
*Il a laissé la cuisine **telle quelle**, en désordre.*

• Le déterminant et le pronom indéfini *tout* s'emploient :
– au singulier, quand ils signifient « n'importe lequel » (ils s'accordent en genre) ;
> ***Tout** est possible. **Toute** entreprise est possible.*

– au pluriel, lorsqu'ils signifient « l'ensemble de ».
> ***Tous** sont là. **Tous** les élèves sont là.*

S'exercer

5. Recopiez les phrases, soulignez les noms employés avec un déterminant indéfini et accordez les déterminants. *
1. (Aucun) lueur à l'horizon : (tout) le pays semblait mort. **2.** (Chaque) village paraissait désert. **3.** (Tout) trace avait disparu. **4.** (Tel) lumière semblait rassurante dans un (tel) paysage.

6. Recopiez les phrases en orthographiant correctement les mots entre parenthèses. *
1. Cyrano, (tel) un chevalier médiéval, agit avec panache. **2.** Il ne supporte (aucun) critique sur son nez mais est capable de (tout) les imaginations pour s'en moquer lui-même. **3.** Christian ne dispose d'(aucun) des qualités de Cyrano : (tout) ses paroles sont fades, sans (aucun) esprit, dépourvues de (tout) fantaisie.

7. Recopiez les phrases en orthographiant correctement les mots entre parenthèses et en conjuguant les verbes à l'infinitif) à l'imparfait de l'indicatif. **
1. (Aucun) écrivain ne *parvenir* à peindre la vie comme Zola. **2.** (Chaque) conte de Poe *être* savoureux à lire. **3.** (Nul) envie de lire ce livre ne les *pousser* ; pourtant, après lecture, (aucun) pièce de théâtre ne les *séduire* autant. **4.** (Tel) individu *dépasser* les bornes : (nul) ne *pouvoir* se permettre de (tel) débordements.

8. Recopiez les phrases en accordant correctement *tout*. *
1. (Tout) ces personnages sont dignes de pitié : (tout) leur vie est une succession de malheurs (tout) plus affligeants les uns que les autres. **2.** (Tout) sont rendus sympathiques. **3.** (Tout) ses actions sont dictées par sa soif de liberté. **4.** Fantine a vendu (tout) ses cheveux pour sauver sa fille. **5.** (Tout) cette scène de rencontre est empreinte de (tout) une émotion qui gagne (tout) les lecteurs.

Écrire

9. Imaginez un bref paragraphe de récit fantastique dans lequel vous emploierez quatre pronoms ou déterminants de la leçon que vous orthographierez correctement et que vous soulignerez.

Les familles régulières de mots

Les mots de la leçon

famille : ensemble de personnes qui ont un lien de parenté, ensemble de choses qui ont un point commun.

Observer pour comprendre

1. a. Recopiez les mots ci-dessous et soulignez leur radical commun.
b. L'orthographe de ce radical varie-t-elle d'un mot à l'autre ?
> *somnoler – somnolence – insomnie – insomniaque*

2. Quel est le préfixe qui précède le radical dans *insomnie* et *insomniaque* ?

3. Quels suffixes ont été ajoutés au radical pour former :
a. des noms ?
b. un verbe ?
c. un adjectif qualificatif ?

4. Ces mots sont formés sur le nom latin *somnus* qui signifie « sommeil » : en vous aidant d'un dictionnaire, expliquez chacun de ces mots en employant le mot *sommeil*.

Retenir la leçon

• On nomme « famille de mots » tous les mots formés sur un même radical, le plus souvent hérité du latin ou du grec. Ces mots sont liés par une communauté de sens. Ex. 5 à 20
> ***peur** – a**peur**er – **peur**eux – **peur**eusement*

• Les mots d'une même famille se forment en ajoutant au radical un ou des préfixes (voir p. 372) et / ou un ou des suffixes (voir p. 374).

• Une famille de mots est composée de mots appartenant à différentes classes grammaticales.
> ***peur*** (nom) – *a**peur**er* (verbe) – ***peur**eux* (adjectif) – ***peur**eusement* (adverbe)

• Rapprocher un mot des mots de la même famille peut aider à l'orthographier correctement.

Consonnes doubles	ff	> *chau**ff**e, chau**ff**er, chau**ff**age, chau**ff**eur*
	rr	> *te**rr**e, ente**rr**er, déte**rr**er, ente**rr**ement, te**rr**asse*
Consonnes finales muettes	d	> *accor**d**, accor**d**er*
	g	> *poin**g**, poi**g**née, poi**g**net, empoi**g**ner*
	s	> *tapi**s**, tapi**s**ser*
	t	> *ven**t**, ven**t**eux, ven**t**iler, ven**t**ilation*
Voyelles	a	> *f**a**mine, aff**a**mer* → *f**a**im* > *p**a**rité* → *p**a**ir* > *v**a**nité* → *v**a**in*
	e	> *s**é**r**é**nité* → *s**e**r**e**in*
	i	> *f**i**nal* → *f**i**n* > *mal**i**gnité* → *mal**i**n*
Disparition d'un « s »	Accent circonflexe	> *ho**s**pitaliser* → *h**ô**pital*

• Attention, un radical peut prendre plusieurs formes :
– soit parce qu'en latin il existait plusieurs radicaux pour un même mot ;
> *fac- / fact- / fect- / fic-* (faire) → ***fac**ile, **fact**ure, af**fect**er, dif**fic**ile.*
– soit parce que le radical latin a subi plusieurs changements lors de la formation du français.
> *miss-* (envoyer, mettre) → ***mess**age, **miss**ive, é**mett**eur.*

S'exercer

5. a. Quel est le radical commun à cette famille de mots ? b. Recopiez les mots en les découpant en préfixe, radical, suffixe. *
porter • apporter • apport • transport • transporter • emporter • port • emportement

6. Donnez des verbes de la même famille que chacun de ces mots et soulignez la consonne double. *
amarre • goutte • griffe • horreur • ramollissement • serre • souffrance • terreur • grattoir

7. Recopiez ces listes de mots de la même famille en complétant les lettres manquantes. *
1. Feuille : feui...age, effeui...er. **2.** Colle : co...er, co...age, enco...er. **3.** Souffle : essou...ler, essou...lement, sou...ler, sou...lerie. **4.** Aiguille : aigui...age, aigui...on, aigui...onner. **5.** Terreur : te...oriser, te...ifiant, te...ible, te...ifier, te...iblement.

8. Complétez les familles de mots suivantes. Quelle est celle qui ne prend qu'un « f » ? *
1. Gou...re, engou...rer. **2.** Chi...on, chi...onner, chi...onnade. **3.** Chi...re, chi...rer, déchi...rer, déchi...rage. **4.** Coi...e, coi...er, coi...eur, coi...ure, décoi...er. **5.** Gi...le, gi...er. **6.** Gri...er, gri...on, dégri...er, gri...onner, gri...onnage.

9. Recopiez et complétez les premiers mots de chaque liste, avec un ou deux « r », puis complétez les mots de leur famille. *
1. Gue...e : ague...ir, gue...ier, gue...oyer. **2.** Cou...ir : cou...ant, cou...se, cou...eur. **3.** Ca...é : ca...elage, ca...eau, ca...eler, contreca...er. **4.** Ca...osse : ca...ossier, ca...ousel, ca...osserie. **5.** Ama...e : ama...er, déma...er, déma...age. **6.** Se...er : se...ement, se...age, se...ure, se...urier, desse...er. **7.** Na...ation : na...er, na...ateur. **8.** Ve...e : ve...ière, ve...erie.

10. a. Quel est le verbe de la même famille que le nom *cours* (d'un fleuve) ? b. Quels sont les noms formés sur les verbes suivants : *secourir, recourir, parcourir, discourir, encourir* ? c. Quelle est la difficulté orthographique commune à ces noms ? *

11. Donnez des verbes de la même famille que chacun de ces mots et soulignez la consonne ainsi mise en évidence. *
sanglot • bras • dépit • tas • complot • bond • froid • amas

12. Sur quel nom chacun de ces verbes est-il formé ? *
affronter • embrasser • empoigner • ranger • sourciller • entasser • tamiser • endosser

13. En vous aidant des mots de leur famille, retrouvez les noms à finale muette correspondants. *
1. Boiser, boiserie. **2.** Mépriser, méprisable. **3.** Marquise, marquisat. **4.** Permission, permissionnaire. **5.** Endosser, dossier, dosseret. **6.** Loterie, lotissement. **7.** ébruiter, bruitage. **8.** Piédestal, pédestre. **9.** Doigté, digital. **10.** Sanguinaire, sanguinolent.

14. a. Quel mot à consonne finale muette pouvez-vous associer à chacun des mots suivants ? b. Employez dans une phrase chacun des mots que vous aurez formés. *
porcin • flanchet de bœuf • franchise • bancal • tronçon • joncher • rabaisser • aviser • débiter • engraisser

15. En vous aidant des mots de leur famille, complétez les mots par *ain, in* ou *ein*. *
1. Santé : s.... **2.** Vinaigre, vinicole : v.... **3.** Manucure, manufacture : m.... **4.** Granulé : gr.... **5.** Rénal : r.... **6.** Panier : p.... **7.** Pinède : p....

16. a. Relevez les mots de la famille de *mettre* : quels sont les trois radicaux de cette famille ? b. Donnez un mot de la famille de chacun des verbes en gras. c. Donnez un mot formé sur chacun des noms *accord, plomb* et *pont*. *
Dans la cour des mots, l'agitation régnait. Le verbe *mettre* et ses composés, *admettre, remettre, permettre, émettre* discutaient avec les noms *mission, permission, émission, démission* et *message*. Les consonnes doubles de **battre**, **souffler**, **atteindre** piaillaient, toutes soufflées d'orgueil. Mais on entendait à peine les mots à consonne finale muette : *accord, plomb* et *pont* se faisaient discrets.

17. En vous aidant des mots de leur famille, complétez les mots suivants en les orthographiant correctement. *
1. Question, questionner : qu...te, enqu...e, enqu...eur. **2.** Hospitalier : h...te, h...tellerie, h...pital. **3.** Bastonnade : b...ton.

18. a. Donnez les mots de la famille de chacun de ces mots (attention aux accents). b. Soulignez ceux des mots qui comportent encore un « s ». *
bâtisse • vêtir • sûr • fenêtre • dépôt

19. Recopiez les familles de mots suivantes en soulignant de couleurs différentes les différentes formes de chaque radical. *
1. Lire, lecture, élire, élection, lisibilité, électeur, lectrice, relire, lisible. **2.** Aimer, aimablement, amoureux, aimant, amant, aimable, amour. **3.** Conducteur, aqueduc, conduit, duc, duché, réduction, production, produit, réduit. **4.** Mobile, immeuble, meuble, mobilité, immobiliser, mobilier, immobilier.

Écrire

20. Listez des mots appartenant à la famille de chacun des mots suivants : *lit, porte, mur, drap, livre, table*.

JULES LOUIS PHILIPPE COIGNET, *L'Artiste dans sa chambre à la Villa Médicis*, 1817. Museum of Art, Cleveland.

Les préfixes

Les mots de la leçon
préfixe : qui se fixe devant.

Observer pour comprendre

1. Observez les mots suivants : *apporter, emporter, déporter*.
a. Quels éléments les différencient ?
b. Où ces éléments sont-ils placés par rapport au radical commun à ces trois mots ?

2. Observez les mots suivants : *adapter, adopter, abaisser, arranger, apporter, affranchir, atteindre*. Devant quelles consonnes le préfixe *ad-* devient-il une consonne double au contact du radical ?

Retenir la leçon

• Rappels : Ex. 3 et 17
– un préfixe se place avant le radical et en modifie le sens : > *trans/porter* ;
– la plupart des préfixes sont d'origine latine ou grecque ;
– certains préfixes, souvent d'origine grecque, servent à former un vocabulaire scientifique ou technique.

• Certains préfixes subissent des modifications orthographiques au contact du radical.

Origine latine et sens	Formes du suffixe en français	Exemples	
ad- vers, en direction de, en plus de	*ad-* devant les voyelles, les consonnes *d, h, v* *a-* devant les consonnes *b* et *n* *ad-* ou *a-* devant les consonnes *j* et *m* *a-* ou *ag-* devant *g* *ac-* devant les consonnes *c* et *q* Disparition du *d* et formation d'une consonne double devant les consonnes *f, l, p, r, s, t*	> ***ad**opter, **add**ition, **ad**hérer, **ad**venir* > ***a**border, **a**néantir* > ***ad**joindre, **a**juster, **ad**mettre, **a**mener* > ***a**grandir, **a**gréger, **a**grément, **a**gripper, **a**guerrir ≠ **ag**graver, **ag**glutiner, **ag**glomérer* > ***ac**corder, **ac**quérir* > ***af**faiblir, **al**léger, **ap**porter, **ar**river, **as**sister, **at**tendre*	Ex. 4 et 17
bis- deux, double	*bis-* devant une voyelle *bi-* devant une consonne	> ***bis**aïeul* > ***bi**cyclette*	Ex. 5 et 17
cum- avec, ensemble	*con-* ou *co-* *com-* devant les consonnes *b, m* et *p* *cor-* devant la consonne *r* *col-* ou, plus récemment, *co-* devant la consonne *l*	> ***con**sonne, **co**opérer* > ***com**battre, **com**mettre, **com**porter* > ***cor**respondre* > ***col**lection, **co**locataire*	Ex. 6, 7 et 17
des- séparation, privation	*dé-* devant une consonne *dés-* devant une voyelle *des-* ou *dés-* devant une suite de consonnes	> ***dé**partager, **dé**faire* > ***dés**armer* > ***des**truction, **dés**tabiliser*	Ex. 8 et 17
dis- (latin) *dys-* (grec) défaut, manque	*dis-* *dys-* pour le vocabulaire médical	> ***dis**proportion* > ***dys**lexie*	Ex. 9 et 17
in- dans, à l'intérieur	*in-* *im-* devant les consonnes *b, m* et *p* *en-* *em-* devant les consonnes *b, m* et *p*	> ***in**jecter* > ***im**merger, **im**porter* > ***en**fermer* > ***em**baumer, **em**mener*	Ex. 10, 11 et 17
in- le contraire de, privé de	*in-* *il-* devant la consonne *l* *im-* devant les consonnes *b, m* et *p* *ir-* devant la consonne *r*	> ***in**avoué, **in**définissable* > ***il**lisible* > ***im**battable, **im**mobile, **im**pair* > ***ir**remplaçable*	Ex. 12, 13 et 17

sub- en dessous, inférieur	*sous-* (surtout dans des mots composés) *sou-* *sub-* (mots scientifiques)	> ***sous**traction*, ***sous**-marin* > ***sou**tenir* > ***sub**merger*	Ex. 14 et 17
syn- (grec) avec	*syn-* ou *sy-* *sym-* devant les consonnes *b* et *p* *syl-* devant la consonne *l*	> ***syn**chrone*, ***sy**métrie* > ***sym**bole*, ***sym**pathie* > ***syl**labe* (et les mots de la même famille)	Ex. 15 et 17
trans- traverser	*trans-* *tra-* (plus rarement) *tré-* (ancien) *tres-* devant la consonne *s*	> ***trans**atlantique* > ***tra**verser* > ***tré**passer* > ***tres**sauter*	Ex. 14, 16 et 17

Remarque : quand on coupe un mot en fin de ligne, il faut le couper entre le préfixe et le radical.
> *ad/venir – at/tendre*

S'exercer

3. Recopiez les mots suivants en séparant le préfixe du radical. *
> *trans/porter*
adjoindre • informer • transalpin • collaborateur • enrhumer • tressaillir • symbole • dysorthographie

4. Recopiez ces mots formés avec des formes du préfixe *ad-*, en les orthographiant correctement. *
a...omplir • a...order • a...oller • a...iver • a...rouver • a...eindre • a...onger • a...anger • a...uiescer • a...roître • a...ueillir • a...irmer

5. **a.** Avec quel préfixe ces mots sont-ils formés ? **b.** Transformez-les en employant le préfixe signifiant *deux*. **c.** Donnez le sens de chacun des mots obtenus. *
triathlète • tricentenaire • trisaïeul • tricéphale • triceps • trilatéral • trisannuel

6. **a.** Formez des mots en utilisant celle des formes du préfixe *cum-* qui convient. **b.** Employez cinq de ces mots dans une phrase qui en éclaire le sens. *
...citoyen • ...piler • ...lègue • ...corder • ...mander • ...current • ...damner • ...ducteur • ...mémorer • ...listier • ...laboration • ...rompre • ...lectivement

7. Faut-il un « l » ou deux « l » pour chacun de ces mots formés avec le préfixe signifiant « avec » ? *
co...ation • co...aborer • co...ecte • co...ectivité • co...ision

8. Créez des verbes à l'aide d'une des formes du préfixe *dés-* correctement orthographié. *
intégrer • mettre • agréger • structurer • faire • amorcer • abonner • activer • stresser • stocker

9. **a.** *Dis-* ou *dys-* ? En vous aidant d'un dictionnaire, choisissez le bon préfixe pour compléter chacune des formes suivantes. **b.** Employez chacun des mots commençant par le préfixe *dis-* dans une phrase qui en révèle le sens. **
...courtoisie • ...orthographie • ...grâce • ...paraître • ...section • ...fonction • ...crédit • ...calculie • ...phonie • ...cordant

10. Complétez ces formes pour créer des mots à l'aide d'une des formes du préfixe *in-* signifiant « dans, à l'intérieur ». *
...carner • ...matriculer • ...dormir • ...porter • ...citation • ...clinaison • ...migration

11. Formez des mots de la famille de chacun des mots suivants en utilisant une des formes du préfixe signifiant « dans, à l'intérieur ». **
cadre • ceinture • ménage • plante • terre • pile

12. Formez les antonymes des adjectifs qualificatifs suivants en employant des formes du préfixe *in-*. *
lisible • légal • réel • pertinent • licite • buvable • régulier • possible • patient • probable • lettré • rationnel • pair • mature

13. Formez les antonymes des noms suivants en employant des formes du préfixe *in-*. *
adaptation • maturité • respect • activité • mobilité • patience • attention • régularité • compétence • modestie • compréhension • mortalité • réalisme

14. Quel(s) préfixe(s) pouvez-vous ajouter devant ces mots du vocabulaire géographique ? **
africain • asiatique • tropical • méditerranéen • aquatique • pacifique • antarctique • désertique

15. Complétez les formes suivantes avec la bonne orthographe du préfixe *syn-*. **
...thèse • ...bole • ...agogue • ...energie • ...pathisant • ...labique

16. **a.** Recopiez les mots suivants en soulignant leur préfixe. **b.** Expliquez ces mots en vous aidant du préfixe et du radical. **c.** Pour chacun, donnez au moins un mot de la même famille. **
traduction • transcription • tressaillir • tradition • travestir • transfert • trébucher

Écrire

17. Rédigez un paragraphe de votre choix en employant au moins cinq mots comportant un des préfixes étudiés, que vous soulignerez.

Les suffixes

Les mots de la leçon

suffixe : élément qui s'ajoute à la fin d'un mot (du latin *suffixus*, « fixé en dessous, après »).

Observer pour comprendre

1. **a.** Quelle est la classe grammaticale des mots suivants : *un perchoir, un arrosoir, une armoire, une baignoire* ? **b.** Comment expliquez-vous la différence orthographique entre les deux suffixes ? **c.** En quoi le mot *un interrogatoire* se distingue-t-il des mots qui précèdent ?

2. Observez les mots suivants : *fonction, fonctionner, fonctionnaire*. **a.** quelle est la classe grammaticale de chacun des mots obtenus par l'ajout d'un suffixe (souligné) ? **b.** Que s'est-il produit pour la consonne « n » ?

3. **a.** Quels sont les deux suffixes que vous pouvez observer dans les mots suivants : *fromager, vacher, crémier, fermier* ? **b.** Quel est leur sens ? **c.** Mettez ces mots au féminin : quelle modification devez-vous opérer ?

4. *Vieillot, lourdaud* : mettez ces deux adjectifs au féminin. En quoi cela vous aide-t-il pour l'orthographe de la forme au masculin ?

Retenir la leçon

> Définition

- Les suffixes servent à former des mots de classes grammaticales différentes.

> *Pâle* → nom : *pâleur* ; adjectif : *pâlot*.

- Certains suffixes posent des problèmes orthographiques (homophonie, consonnes doubles, accent).

> *-ance* ou *-ence* ?

Ex. 5 et 17

- Ces suffixes forment des noms féminins abstraits à partir d'adjectifs qualificatifs terminés par :

– -*ant* : suffixe -*ance* : > *vaillant* → *la vaillance*
– -*ent* : suffixe -*ence* : > *patient* → *la patience*

> *-oir* ou *-oire* ?

Ex. 6 à 8 et 17

Suffixes	Classes grammaticales et sens	Exemples
-oir	noms masculins désignant des instruments, des objets, des lieux	> *un bougeoir, un miroir, un promenoir*
-oire	nombreux noms féminins quelques noms masculins	> *une baignoire* > *un auditoire*
-oire	adjectifs qualificatifs, parfois employés comme noms	> *(un) accessoire*
-atoire	adjectifs qualificatifs quelques noms masculins	> *obligatoire* > *un laboratoire*

> *-aire, -er (-ère)* ou *-ier (-ière)* ?

Ex. 9 à 11 et 17

- Il faut distinguer les mots qui se terminent par -*aire* au masculin comme au féminin de ceux qui se terminent par -*(i)er* au masculin et -*(i)ère* au féminin.

Suffixes	Classes grammaticales et sens	Exemples
-aire	plus de 400 adjectifs (masculin-féminin)	> *imaginaire*
	noms désignant des personnes (qui font l'action de) ou des choses	> *un fonctionnaire* > *un anniversaire*
-er (masc.) -ère (fém.)	noms de métiers	> *un boucher, une bouchère*
	adjectifs qualificatifs	> *léger, légère*
-ier (masc.) -ière (fém.)	noms de métiers, d'arbres fruitiers quelques dizaines d'adjectifs qualificatifs	> *un caissier, une caissière* > *familier, familière*

> *n* ou *nn* ?

Ex. 12, 13 et 17

- Les suffixes *-in, -ain, -ein* ne doublent pas le « n » au féminin.
> *fin, fine* (attention : *malin, maligne*) – *sain, saine* – *serein, sereine*

- Les suffixes *-éen, -ien, -on* (adjectifs et noms) doublent le « n » au féminin.
> *européen, européenne* – *italien, italienne* – *(un) champion, (une) championne*

- Le suffixe *-onner* sert à former des verbes à partir des noms terminés par *-on*.
> *raison, raisonner* (exceptions : *s'époumoner, ramoner, téléphoner*)

> *t* ou *tt* ?

Ex. 14 à 17

- Les suffixes *-(l)et* (masculin) et *-(l)ette* (féminin) servent à former :

– des noms et adjectifs qualificatifs diminutifs ;
> *un jardinet* – *une vaguelette* – *maigrelet, maigrelette*

– des noms désignant un outil, un instrument : > *un jouet* – *une allumette*

Attention ! Quelques adjectifs qualificatifs terminés par *-et* font leur féminin en *-ète*.
> *discret, discrète*

Les suffixes *-ot* (masculin) et *-otte* (féminin) ont souvent un sens diminutif.
> *un grelot, un chiot, un enfant pâlot* – *une biscotte, une menotte, une fillette pâlotte*
(exceptions : *idiote, petiote*)

- Au masculin, ne pas confondre avec le suffixe péjoratif *-aud* (> *lourdaud*). Le féminin de ces suffixes en *-ette*, *-otte* ou *-aude* permet à l'oral de bien orthographier l'adjectif au masculin.

S'exercer

5. Formez des noms à partir de ces adjectifs qualificatifs. *
intelligent • vaillant • prudent • impertinent • élégant • divergent • défaillant • effervescent • dépendant • dément • conscient • délinquant

6. **a.** Observez le genre de ces noms, puis complétez-les avec le suffixe qui convient (*-oir* ou *-oire*). **b.** Cherchez le sens des mots que vous ne connaissez pas. *
une bouill... • un perch... • une mâch... • un ras... • une arm... • une mange... • un press... • une pass... • un repos...

7. **a.** Formez des adjectifs qualificatifs à partir des noms suivants ; vous soulignerez le suffixe. **b.** Donnez la définition de chacun des adjectifs formés. *
contradiction • dérision • mérite • opération • transit • aléa • obligation

8. Recopiez les phrases suivantes en complétant les mots par le suffixe (*-oir* ou *-oire*) qui convient. Précisez la classe grammaticale et le genre de chaque mot. **
1. La patin... attire les touristes. **2.** Félicité lavait le linge avec un batt... ; elle admirait le grand ostens... dans l'église. **3.** Balzac est un romancier not... : il est mondialement connu. **4.** Pour Cyrano, son nez peut être un perch... ou une écrit... . **5.** Ce général autoritaire parle sur un ton pérempt... .

9. Formez un adjectif qualificatif à partir de chacun de ces noms en le mettant au masculin puis au féminin ; soulignez le suffixe. *
police • prince • finance • autoroute • côte • mine • douane

10. **a.** Quel est le suffixe commun à tous ces adjectifs qualificatifs ? **b.** Cherchez leur sens, puis employez-les dans des phrases qui mettent leur sens en évidence. *
crépuscul... • débonn... • ferrovi... • intérim... • simil... • pécuni...

11. Essayez oralement de mettre au masculin les adjectifs à compléter, puis orthographiez correctement ces adjectifs terminés par le son [ɛr]. **
une fatigue passag... • une chaleur canicul... • une situation préc... • une activité saisonni... • une réforme agr... • une agence banc... • une décision budgét... • une brise lég...

12. Mettez au féminin les mots suivants. *
calédonien • romain • maigrichon • citoyen • tahitien • plein • chagrin • aérien • américain • ancien • vendéen • bougon

13. Formez des verbes à partir des noms suivants. *
passion • audition • ration • béton • son • affection • addition

14. Formez des noms ou adjectif qualificatifs en *-(l)et* ou *-(l)ette* à partir des mots suivants. Vous préciserez la classe grammaticale du mot obtenu. *
patiner • crocher • dîner • mignon • bande • fille • coq • mur • maison • jardin • barque

15. Mettez les adjectifs qualificatifs suivants au féminin. *
coquet • maigrelet • inquiet • complet • propret • rondelet • fluet • secret • sot • vieillot • idiot

16. Complétez les noms avec les suffixes *-ot* ou *-otte*. *
1. Une roul... est une sorte de petite maison qui se déplace. **2.** Une petite dent, c'est une quen... ; une petite main, une men... . **3.** Voltaire a été dans un cach... à la Bastille, à cause de ses écrits.

Écrire

17. Rédigez un paragraphe dans lequel vous jouerez avec des mots qui ont des suffixes homophones (*-ance / -ence, -oir / -oire*...).

Réviser les homophones grammaticaux

Les mots de la leçon

homophones : qui se prononcent de la même façon (du grec *homo-*, « semblable », et *phonè*, « la voix, le son »).
homonymes : mots qui se ressemblent (du grec *homos*, « semblable », et *onumos*, « nom »).

Consolider les acquis

> Définition

Ex. 1 et 10

• Les homophones grammaticaux sont des mots de classes grammaticales différentes et de sens différents qui se prononcent de la même façon mais s'écrivent différemment.
> **Ce** *roman* **se** *lit facilement.*

• Pour distinguer des homophones grammaticaux et les écrire correctement, il faut :
– identifier la classe grammaticale des mots qui les entourent ;
– essayer de les remplacer par d'autres mots.
La leçon vous permet de revoir des homophones vus en 6e et en 5e et d'en découvrir d'autres.

> Homophones distingués par l'accent

Ex. 2 à 10

Sons	Homophones	Classes grammaticales	Exemples	Comment les distinguer ?
[a]	a / à	*a* : verbe ou auxiliaire *avoir*. *à* : préposition (+ GN, pronom ou verbe à l'infinitif).	> *Il* ***a*** *du courage, il* ***a*** *gagné.* > *Il tend* ***à*** *sa voisine et* ***à*** *la mienne un texte* ***à*** *lire.*	Si on peut remplacer *a* par *avait*, c'est le verbe, sans accent.
	ça / çà	*ça* : abréviation familière de *cela*. *çà* : adverbe de lieu.	> *Elle s'écria : « Tu ne vas pas faire* ***ça*** *! »* > *Il se promène* ***çà*** *et là.*	On peut remplacer *ça* par *cela*, *çà* par *ici*.
	la / là	*la* : article (+ nom féminin). *la* : pronom personnel COD. *là* : adverbe de lieu.	> ***La*** *paysanne lui tient tête.* > *Il* ***la*** *regarde.* > *Il habite* ***là****. C'est celle-****là****.*	On peut remplacer *là* par *ici* ou *ci*.
[e] ou [ɛ]	des dès (que)	*des* : déterminant (+ nom). *dès* : préposition (+ GN).	> *J'apporterai* ***des*** *fleurs.* > *Je partirai* ***dès*** *l'aube.*	*Des* se prononce [de] ; *dès* se prononce [dɛ].
	(un) prêt / près / (un) pré	*(un) prêt* : adj. ou nom. *près* : préposition (+ GN). *un pré* : nom.	> *Il est* ***prêt*** *à me consentir un* ***prêt*** *d'argent.* > ***Près*** *de la rivière, se trouve un* ***pré*** *d'herbage.*	On peut remplacer *près* par *à côté de*. Un *pré* se prononce [pre].
[u]	ou / où	*ou* : conjonction de coordination. *où* : pronom interrogatif ou relatif indiquant le lieu ou le temps.	> *Il pratique la chasse* ***ou*** *la pêche.* > ***Où*** *vis-tu ? La ville* ***où*** *il habite est petite.*	On peut remplacer *ou* par *ou bien*.
[y]	du / dû	*du* : article (+ nom masculin) ou préposition *de* (+ *le*). *dû* : participe passé du verbe *devoir*.	> *En prenant* ***du*** *temps, le fils* ***du*** *voisin rembourse l'argent qui est* ***dû****.*	*Du* est suivi d'un nom masculin.
	(un) mur / mûr	*mur* : nom. *mûr(e)* : adjectif qualificatif.	> *Il a franchi le* ***mur*** *pour aller cueillir un fruit* ***mûr****.*	On peut remplacer *mur* par *paroi* ou *muraille*.
	sur / sûr	*sur* : préposition (+ GN). *sûr(e)* : adjectif qualificatif.	> ***Sur*** *ce point, il est tout à fait* ***sûr*** *de sa réponse.*	On peut remplacer *sûr* par *certain*.

S'exercer

1. a. Relevez un couple d'homophones dans le texte. b. Indiquez la classe grammaticale des mots en gras. c. Donnez, pour chacun d'eux, un homophone que vous emploierez dans une phrase. *

Tout à coup le Mont-Valérien, là, en face, sembla s'éclairer, comme si un incendie **se** fût allumé derrière. La lueur **s'**étendit, s'accentua, envahissant peu **à** peu le ciel, décrivant un grand cercle lumineux. [...] Cela se développait lentement en rond ; **et**, la lune, se détachant bientôt de l'horizon, monta doucement dans l'espace.

G. de Maupassant, *La Femme de Paul*, 1881.

2. Après avoir essayé mentalement de remplacer la forme manquante par *avait*, récrivez et complétez les phrases suivantes avec *a* ou *à*. *

1. Il ... lu ce roman ... toute vitesse. **2.** Il ... résumé chaque chapitre en passant ... la ligne ... chaque nouvelle péripétie. **3.** Il faut qu'il pense ... son exposé ; il ... ... collecter les documents qui se trouvent ... la bibliothèque. **4.** Ensuite, ... tête reposée, il glissera un signet ... chaque page intéressante. **5.** Ainsi, ... la fin de la lecture, il n'aura plus qu'... parcourir les pages signalées.

3. Récrivez et complétez les phrases suivantes avec *a* ou *à*. *

1. Il pense ... ses vacances. **2.** Il ... songé ... partir ... Londres. **3.** Elle ... arrêté de fumer grâce ... son médecin. **4.** Ce chemin mène ... la forêt ... travers champs. **5.** Nous courons ... perdre haleine pour arriver ... la cantine ... l'heure, sinon il n'y ... plus de place. **6.** Bousculade ... l'arrivée du métro : chacun pousse ... qui mieux mieux. **7.** Il ... perdu dix kilos, ... raison d'un par mois. **8.** Elle ... réussi son épreuve, ... force de volonté.

4. Dans les phrases suivantes, complétez les noms, verbes ou adjectifs qualificatifs en gras par un complément introduit par la préposition *à*. **

1. Ce croquis est **aisé** ... . **2.** Ce jeune homme présente une réelle **aptitude** ... . **3.** Il **parle** souvent ... . **4.** Pleine de curiosité, elle s'**intéresse** ... . **5.** Avec acharnement, il s'**attache** ... . **6.** Mon ami **adhère** ... .

5. Récrivez ce texte en remplaçant le passé simple par le passé composé. **

[David] longea le couloir sur la pointe des pieds, tressaillant chaque fois qu'une lame de parquet craquait. Enfin il atteignit un quatrième dortoir. Il alluma la torche en la pointant sur la poignée de la porte. Derrière lui, une main jaillit de l'obscurité [...]. David sentit son estomac se réduire à la taille d'un petit pois. Il ouvrit la bouche pour crier. Il pivota lentement.

A. Horowitz, *L'Île au crâne* © Le Livre de Poche Jeunesse, 2002.

6. *La* ou *là* ? Recopiez et complétez les phrases en employant le bon homophone. *

1. Cette femme-..., il ... voit chaque jour, accoudée à ... balustrade. **2.** ... tête penchée, elle rêve et, lui, ... contemple, ému par ... beauté de son visage, par ... lueur qui anime son regard. **3.** ...- haut, à ... fenêtre, le voit-elle seulement ? **4.** ... où il doit partir, il ne peut l'emmener : à quoi bon donc ... solliciter ?

7. *Ou* ou *où* ? Recopiez et complétez les phrases en employant le bon homophone. *

1. ... en étais-je, dit le colonel avec la naïveté d'un enfant ... d'un soldat. **2.** Sachant ... demeurait ma femme, je m'acheminai vers son hôtel. **3.** Pour voir la comtesse rentrant du bal ... du spectacle, je suis resté devant sa porte. **4.** Mon regard plongeait dans cette voiture ... j'entrevoyais à peine cette femme. **5.** Moi, j'ignore si je l'aime ... si je la déteste ! **6.** Suis-je mort ... suis-je vivant ?

D'après H. de Balzac, *Le Colonel Chabert*, 1832.

8. Recopiez et complétez les phrases avec l'un des homophones du tableau de la page ci-contre. **

1. Rodrigue hésite : choisira-t-il l'amour ... l'honneur ? Il n'est pas ... de prendre la bonne décision. **2.** Parce qu'il courageux, il est p... à affronter le comte ... le moment ... son père le lui demandera. **3.** ... que Rodrigue ... tué le comte, il va voir Chimène : lui pardonnera-t-elle ... cherchera-t-elle ... se venger ? **4.** Il ... combattu les Maures ... la nuit tombée, à l'instant même ... ils sont entrés dans le port, il les attendait en embuscade. **5.** ... le rivage, ... la lumière pâle de ... lune, les cadavres s'amoncelaient. **6.** Après cette victoire, Rodrigue peut-il être ... d'obtenir ... bienveillance du roi ... doit-il encore craindre ... colère de Chimène ?

9. Recopiez et complétez le texte avec l'un des homophones du tableau de la page ci-contre. **

Le baron – Quel plaisir ne trouverai-je pas ... tempérer, par ... présence de mes deux enfants réunis, ... sombre tristesse ... laquelle je dois nécessairement être en proie depuis que le roi m'... nommé receveur !
Maître Bridaine – Ce mariage aura-t-il lieu ici ... ... Paris ?
Le baron – Voilà ... je vous attendais, Bridaine ; j'étais ... de cette question. Eh bien ! mon ami que diriez-vous si ces mains que voilà, oui, Bridaine, vos propres mains [...], étaient destinées ... bénir solennellement l'heureuse confirmation de mes rêves les plus chers ?

A. de Musset, *On ne badine pas avec l'amour*, 1834.

Écrire

10. À partir de l'image, rédigez des phrases contenant des homophones de la leçon ; vous soulignerez ceux-ci.

Musée de la Poste, Paris.

Homophones lexicaux et grammaticaux

Les mots de la leçon

homophones : qui se prononcent de la même façon (du grec *homo-*, « semblable », et *phonè*, « la voix, le son »).
homonymes : mots qui se ressemblent (du grec *homos*, « semblable », et *onumos*, « nom »).

Observer pour comprendre

1. **a.** Observez chaque couple d'homophones : de combien de mots chaque homophone est-il composé?
b. Dans chacun de ces couples d'homophones, les éléments ont-ils la même classe grammaticale ?
> **A.** ***On*** *a peur des fantômes,* ***on n'****a pas peur des apparitions féminines.*
> **B.** ***C'est*** *incroyable comme* ***ces*** *histoires de fantômes fascinent les lecteurs !*

Retenir la leçon

> Un mot ou deux mots ?

• Parmi les nombreux homophones, certains sont composés d'un groupe de deux mots comportant, souvent, une apostrophe. Pour les distinguer, il faut comprendre la construction de la phrase et, pour cela, essayer des substitutions.

Homophones	Classes grammaticales	Exemples	Comment les distinguer ?	
ces ses c'est s'est	déterminant démonstratif (+ nom) déterminant possessif (+ nom) pronom démonstratif *ce* + *être* pronom personnel *se* + *être*	> ***Ces*** *livres lui sont offerts par* ***ses*** *amis.* > ***C'est*** *un roman superbe.* > *Il* ***s'est*** *levé.*	Remplacer : – *ses* par *son, sa* ; – *ces* par *ce, cette* ; – *c'* par *ceci*.	Ex. 2, 3 et 11
la l'a	pronom personnel COD pronom personnel *le* ou *la* + *avoir*	> *Il* ***la*** *voit.* > *Elle* ***l'a*** *vu. Il* ***l'a*** *vue.*	Remplacer *la* par *le*.	Ex. 4
les l'ai	déterminant au pluriel ou pronom personnel 3ᵉ pers. COD pronom personnel COD au sing.+ verbe *avoir* à la 1ʳᵉ pers.	> ***Les*** *élèves* ***les*** *ont rencontrés.* > *Je* ***l'ai*** *rencontré.*	Chercher la présence du sujet *je* pour le verbe *avoir* (*je… l'ai*).	Ex. 4
ont on on n'	3ᵉ pers. du pl. du verbe *avoir* pronom indéfini pronom indéfini + négation	> *Ils* ***ont*** *mangé.* > ***On*** *a mangé.* > ***On n'****a pas mangé.*	Remplacer *ont* par *avaient* et *on* par *il*. Pour *on n'*, chercher la 2ᵉ particule négative (*pas, jamais, rien…*).	Ex. 5, 6 et 11
parce que par ce que	conjonction de subordination préposition *par* + pronom démonstratif *ce* + pronom relatif	> *J'aime ce roman* ***parce qu'****il fait rêver.* > *Je suis déçu* ***par ce que*** *tu as fait.*	Remplacer *parce que* par *étant donné que*.	Ex. 7 et 11
plus tôt plutôt (que)	adverbe de temps adverbe de manière	> *Je me lève* ***plus tôt*** *que lui.* > *Je lis des romans* ***plutôt*** *que des nouvelles.*	Remplacer *plus tôt* par son contraire, *plus tard*.	Ex. 7 et 11
quand quant (à) qu'en	conjonction de subordination de temps *quant à* (+ pronom personnel) conjonction *que* ou pronom relatif + *en*	> ***Quand*** *il lit, il oublie tout.* > ***Quant à*** *son frère, il préfère le football.* > ***Qu'en*** *penses-tu ?*	Remplacer *quand* par *lorsque* ; *quant à* par *en ce qui concerne* ; *qu'en* par *que… de cela*.	Ex. 8

qui la qui l'a qu'il a	pronom relatif ou interrogatif sujet + pronom personnel COD pronom relatif ou interrogatif sujet + pronom personnel élidé COD + *avoir* conjonction de subordination ou pronom relatif COD + *il* + *avoir*	> *C'est ce **qui la** séduit.* > ***Qui la** veut ?* > *C'est le sport **qui l'a** motivé.* > ***Qui l'a** voulu ?* > *Je crois **qu'il a** aimé cette pièce **qu'il a** vue.*	Remplacer : – *qui la* par *qui le* ; – *qui l'a* par *qui l'avait* ; – *qu'il a* par *qu'elle a.*	Ex. 9 et 11
quelle(s) qu'elle(s)	déterminant interrogatif ou exclamatif conjonction de subordination ou pronom relatif *que* + pronom personnel *elle(s)*	> *À **quelle** fête vas-tu ?* > ***Quelle** chance !* > *Il faut **qu'elle** aille à cette fête.* > *La fête **qu'elle** aime le plus, c'est Noël.*	Remplacer *qu'elle(s)* par *qu'il(s).*	Ex. 10

S'exercer

2. Complétez par *s'est* ou *c'est*. *

1. ... un fait que Maupassant a écrit des nouvelles passionnantes. **2.** Il ... intéressé aux paysans normands : ... leur avarice qu'il ... attaché à dénoncer. **3.** ... aussi de la guerre de 1870 qu'il ... inspiré. ... elle qui est au cœur de la nouvelle *La Folle*. **4.** ... vrai que son intérêt ... également porté sur le milieu des bureaux parisiens ; pour cela, ... de son expérience de fonctionnaire qu'il ... servi.

3. Récrivez les phrases en choisissant le bon homophone : *ces, ses, c'est, s'est*. Justifiez votre choix. *

1. ... soirs-là, il ... amusé à chasser. **2.** Il ... interrogé avant de se lancer dans ... projets qui allaient le mobiliser pendant toutes ... semaines. **3.** Il a choisi de consacrer ... vacances à aider ... enfants du quartier ; avec eux, il ... entraîné au football.

4. Récrivez les phrases en choisissant la bonne graphie. *

1. J'ai appris (les / l'ai) vers 1 à 20 ; le poème, je (les / l'ai) récité avec succès. **2.** Quand il (la / l'a) aperçue, il a couru pour (la / l'a) photographier. **3.** Dès que je te (les / l'ai) dit, tu as fais toutes (les / l'ai) démarches telles que je te (les / l'ai) avais indiquées. **4.** Ces images, il faut que je (les / l'ai) retouche. **5.** Maupassant a situé (la / l'a) nouvelle de *La Folle* dans (la / l'a) Normandie qui (la / l'a) vu naître.

5. Récrivez les phrases au passé composé. *

1. On repère un endroit idéal. **2.** On ne veut pas nuire, on désire faire évoluer la situation. **3.** On lit Maupassant ce trimestre. **4.** On n'étudie pas encore la tragédie. **5.** On joue des scènes du *Cid* : on crée même des décors. **6.** Il faut t'y résoudre : on ne peut pas faire aboutir ce projet.

6. Complétez par *on, on n'* ou *ont*. *

1. Les comédiens ... très bien joué ; les spectateurs ... applaudi à tout rompre. **2.** ... avait plus joué *Le Cid* depuis 1976. **3.** Dans ce théâtre, ... monte des pièces modernes mais ... est pas hostile au théâtre classique. **4.** ... a pu jouer *L'Avare* de façon tragique : mais ... a guère forcé ce texte, parfois très sombre. **5.** Les tragédies de Corneille ... connu un vif succès.

7. Récrivez les phrases en choisissant le bon homophone. *

1. Voltaire est allé à la Bastille (parce que / par ce que) ses écrits ont contesté le pouvoir. **2.** (Parce que / Par ce que) l'*Encyclopédie* est une entreprise qui a marqué son époque, elle reste admirable. **3.** L'*Encyclopédie* continue à marquer les esprits (parce qu' / par ce qu') elle a transmis comme connaissances nouvelles. **4.** Mozart a modifié *Les Noces de Figaro* (plus tôt / plutôt) que de voir son œuvre interdite. **5.** Lequel des deux écrivains a vécu (plus tôt / plutôt) que l'autre : Balzac ou Zola ?

8. Complétez par *quand, quant* ou *qu'en*. *

1. Ce souverain a fait appliquer la censure ... il a régné. **2.** ... à Voltaire, il a été embastillé. **3.** ... il a enduré ces brimades, il a protesté. **4.** Je crois ... critiquant le roi, il a provoqué son exil. **5.** ... penses-tu ? **6.** ... aux Encyclopédistes, ce n'est ... utilisant des ruses qu'ils ont échappé à la censure. **7.** ... on y pense, à cette époque, la liberté d'expression était bien menacée.

9. *Qui l'a, qui la* ou *qu'il a* ? Choisissez le bon homophone. **

1. Le poème ... appris est superbe : le poète ... écrit se nomme Verlaine. **2.** La fillette ... soignée est gravement blessée : ... bousculée dans la cour ? **3.** Savez-vous ... soigne ? **4.** La pièce ... bouleversé, c'est *Le Cid*, celle ... préférée, c'est *L'Avare*. **5.** Je félicite celui ... mise en scène. **6.** Triomphe pour cette pièce : Luc Dupont est le seul journaliste ... critique.

10. *Quelle* ou *qu'elle* ? Choisissez le bon homophone. *

1. As-tu repéré dans ... direction il fallait partir ? **2.** Il voudrait savoir ... nouvelle vous avez étudiée. **3.** ... soit ta femme ou non, peu m'importe. **4.** Il faut ... assure la subsistance de ses enfants qui n'ont plus ... au monde : ... femme courageuse ! **5.** Il lui explique la mission ... aura à accomplir. **6.** Il ne manque plus ... .

Écrire 

11. Racontez brièvement la scène représentée sur l'image en employant *s'est, parce que, on n', qu'il a, plutôt*.

MARIO LABOCCETTA, *Nathanael et Olympia*, illustration de *L'Homme au sable* d'E. T. A. Hoffmann, 1932.

Réviser polysémie, synonymie et antonymie

Consolider les acquis

> Les sens d'un mot ou la polysémie

Ex. 1 à 6, 19 et 22

• Les mots ayant un seul sens appartiennent en général à un vocabulaire technique, scientifique.
> avion, hélice

• La plupart des mots ont plusieurs sens : c'est ce qu'on nomme la polysémie. Pour comprendre le sens d'un mot, il faut s'aider de son contexte (en particulier scientifique ou technique).
> Dans une maison, une ***table*** *est un meuble.*
> En mathématiques, une ***table*** *de multiplication est un tableau.*
> En géographie ou en géologie, une ***table*** *est une surface plane naturelle.*
> En musique, la ***table*** *désigne la partie plate d'un instrument.*

• Certains mots ont un sens propre (le sens premier d'un mot, en général le premier sens dans un dictionnaire) et un ou des sens figuré(s), souvent imagé(s).
> Le ***cœur*** *est un organe vital.* (sens propre)
> La misère était au ***cœur*** *des préoccupations de Victor Hugo.* (sens figuré : « le centre de »)
> Rodrigue, as-tu du ***cœur*** *? Le* ***cœur*** *de Rodrigue bat pour Chimène. Il met du* ***cœur*** *à l'ouvrage.* (sens figuré : le siège d'un sentiment, tel que le courage, l'amour ou l'ardeur)

> L'évolution du sens des mots

Ex. 7, 8 et 20

• Depuis le XVIIe siècle, le sens de certains mots a évolué. Cela est particulièrement perceptible dans la langue de la tragédie classique.

Mot	Sens
amitié	Affection profonde.
ennui	Forte douleur.
étonner	Provoquer une vive émotion.
foi	Respect d'un engagement, d'une promesse.
gloire	Réputation pleine d'honneur.
jaloux	Très attaché à ses privilèges ou à son image.

Mot	Sens
misérable	Digne de pitié.
pressé	Oppressé, angoissé.
sang	Famille, rang.
soin	Souci, inquiétude.
superbe	Orgueilleux.
transports	Troubles, agitation des passions.

> Synonymie et antonymie

Ex. 9 à 21 et 23

• Des synonymes sont des mots de même sens ou de sens voisin.
> un serviteur, un laquais, un valet ; brave, hardi, intrépide

• Les synonymes ont très rarement exactement le même sens. Des nuances de sens les différencient selon :
– le niveau de langue : *> courageux* (courant), *vaillant* (soutenu) ;
– l'intensité : *> hideux* (indique une laideur plus grande que *laid*) ;
– l'époque : *> Le qualificatif* ***« maraud »*** *employé par Molière ne s'utilise plus guère pour désigner un* ***voyou****.*

• Les synonymes servent à :
– définir un mot (par exemple, dans les articles de dictionnaire) ;
– éviter les répétitions dans un texte et enrichir un texte.
> Vous êtes un sot, un ***maraud****, un* ***coquin*** *et un* ***impudent****.* (Molière, *L'Avare*)

• Des antonymes sont des mots de sens contraire.
> lâche ≠ courageux ; l'ombre ≠ la lumière

• Pour associer des mots, synonymes ou antonymes, il faut tenir compte de leur classe grammaticale. On peut ainsi associer :

– un nom à un nom, à un groupe nominal ;
> *la vaillance : le courage ≠ la lâcheté, le manque de courage*

– un verbe à un verbe, à un groupe verbal, à un groupe nominal ;
> *croître, grandir, faire des progrès ≠ décroître, le fait de diminuer*

– un adjectif à un adjectif, à un participe passé.
> *courageux, brave ≠ peureux, apeuré*

S'exercer

Pour l'ensemble de ces exercices, munissez-vous d'un dictionnaire.

1. Expliquez le sens du nom *lettre* dans chaque phrase. *

1. L'alphabet français comporte vingt-six lettres. **2.** Mme de Sévigné a écrit de nombreuses lettres à sa fille. **3.** Maupassant est un homme de lettres. **4.** La censure ne savait pas s'il fallait prendre au pied de la lettre les critiques dans l'*Encyclopédie*. **5.** Voltaire a été envoyé à la Bastille sur simple lettre de cachet. **6.** Le nom de la boutique figure en toutes lettres au-dessus de la porte. **7.** Ces décisions sont restées lettre morte. **8.** Les auteurs du manuel sont des professeurs de lettres.

2. a. Quel est le sens du nom *train* dans chaque phrase ? b. Expliquez quelle est l'idée commune à tous ces emplois. *

1. Attention, le train Paris-Lyon entre en gare. **2.** Il fallait donc profiter du reflux pour amener le train de bois à l'embouchure. **3.** Vous ne pouvez pas venir comme cela à la cour. Il vous faut des chevaux, des habits, des laquais, des voitures, un train enfin. **4.** Lors des courses d'automobiles, les coureurs font changer complètement leur train de pneumatiques.

3. a. Pour chaque mot en gras, indiquez s'il est employé au sens propre ou figuré. b. Proposez un synonyme quand le mot est employé avec un sens figuré. * *

1A. Harpagon, amoureux ridicule, déclare sa **flamme** à Mariane. **1B.** Il faut faire attention aux **flammes** du bec benzène. **1C.** Il parle de son métier avec **flamme**. **2A.** Le **fer** est un métal qui rouille. **2B.** Don Diègue transmet son **fer** à son fils pour qu'il le venge. **2C.** Cet homme a une volonté de **fer**. **3A.** M. Madeleine a un cœur en **or** : il aide tous les malheureux. **3B.** Elle rêve d'un bijou en **or**. **3C.** Nana avait une peau blanche et des cheveux d'**or**.

4. a. Indiquez si les mots en gras sont employés au sens propre ou figuré. b. Employez chacun de ces mots dans une phrase où il aura un autre sens. *

1. Molière ne s'est pas laissé **démonter** par les critiques. **2.** Ce comédien a la taille grande, le **port** noble. **3.** Timide, elle avançait avec un air **emprunté**. **4.** Victor Hugo **brosse** le tableau de la misère des gens du peuple. **5.** Il a mené **campagne** pour créer une bibliothèque municipale. **6.** Cet orateur sait **chauffer** une salle. **7.** Cosette **rayonne** de bonheur le jour de son mariage.

5. a. Relevez les mots employés avec un sens figuré. b. Quel état d'esprit de Jean Valjean traduisent-ils ? * *

Quoi qu'il en soit, cette dernière mauvaise action eut sur lui un effet décisif ; elle traversa brusquement ce chaos qu'il avait dans l'intelligence et le dissipa, mit d'un côté les épaisseurs obscures et de l'autre la lumière, et agit sur son âme.
Jean Valjean pleura longtemps.
Pendant qu'il pleurait, le jour se faisait de plus en plus dans son cerveau, un jour extraordinaire et terrible à la fois.

V. Hugo, *Les Misérables*, 1862.

6. a. Complétez les phrases par l'un de ces verbes : *bousculer, gravir, jeter, lancer, marcher, porter, soulever*, conjugués au présent de l'indicatif ou de l'infinitif. b. Indiquez si le verbe est employé dans son sens propre ou dans un sens figuré. * *

1. Il … les marches du palais des festivals. Elle … les échelons dans sa société. **2.** Il est prêt à … sur les pieds de tous pour passer à la télévision. Aux heures de pointe, chacun … sur les pieds de tous dans le métro. **3.** Il … les traditions en teignant son sapin en bleu. À la sortie d'un match, la foule se … . **4.** Furieux, il me … un regard noir. Il … la balle à plus de cent mètres. **5.** Son départ … un sale coup à toute l'équipe. Son fils l'aide à … les paquets. **6.** Tu … un coup d'œil timide dans la pièce. Il … ses mégots par terre. **7.** Sa performance … des tonnerres d'applaudissements. La grue … les blocs de béton.

7. Expliquez les mots en gras en tenant compte de l'époque à laquelle la pièce a été écrite. * *

Agamemnon
Non, je ne puis. Cédons au **sang**, à l'amitié,
Et ne rougissons plus d'une juste pitié.
Qu'elle vive. Mais quoi ? peu **jaloux** de ma **gloire**,
Dois-je au superbe Achille accorder la victoire ?
Son téméraire orgueil, que je vais redoubler,
Croira que je lui cède, et qu'il m'a fait trembler.
De quel frivole **soin** mon esprit s'embarrasse ?

J. Racine, *Iphigénie*, IV, 10, 1674.

8. Employez chacun des mots du XVIIe siècle du tableau de la leçon dans une phrase où il aura son sens moderne. *

9. Classez les mots en deux listes de synonymes. *

billet • courrier • coursier • lettre • livreur • missive • message • postillon • postier

10. **a.** Classez les mots en quatre listes de synonymes. **b.** Quels sont les antonymes d'*honneur* ? *
un affront • la colère • le courroux • une infamie • la honte • la gloire • une indignité • un honneur • une offense • un outrage

11. Complétez avec des mots de l'exercice 10. *
1. Cléante affronte … de son père Harpagon qui lui reproche ses …. **2.** Don Diègue, trop vieux, ne peut répondre à … du comte qui l'a giflé : c'est pour lui un sujet de ….

12. Parmi les verbes suivants, quels sont ceux qui sont synonymes de *crier* ? *
murmurer • vociférer • insinuer • hurler • susurrer • clamer • bégayer • s'égosiller • geindre • tonner • fulminer

13. Parmi ces verbes, quels sont ceux qui sont synonymes de « provoquer le chagrin » ? *
affliger • affecter • peiner • attrister • endurer • pâtir • épuiser

14. Remplacez le verbe *créer* par un synonyme approprié que vous conjuguerez (parfois, plusieurs solutions). *
concevoir • élaborer • construire • composer • produire • réaliser • lancer
1. Ce couturier crée une nouvelle mode à chaque saison. **2.** Cet ingénieur a créé un prototype d'avion solaire. **3.** La guitare électrique crée un son métallique. **4.** L'architecte crée une maquette. **5.** Jean Valjean crée un plan pour sauver Cosette des Thénardier. **6.** Mozart a créé un opéra révolutionnaire, *Les Noces de Figaro*.

15. **a.** Classez ces noms en deux listes antonymes. **b.** Pour chaque liste, proposez un nouveau synonyme. *
hardiesse • intrépidité • poltronnerie • lâcheté • pusillanimité • vaillance • témérité • couardise

16. **a.** Associez les mots par couples de synonymes en indiquant le niveau de langue de chaque mot : *amour, bonheur, désaccord, dessein, différend, félicité, hymen, inclination, mariage, mort, projet, trépas.* **b.** Complétez les phrases à l'aide de mots de la liste. **
1. Le … du comte brise le projet d'… entre Chimène et Rodrigue. **2.** Le … de don Diègue, en envoyant son fils combattre l'envahisseur, est de lui faire oublier son … pour Chimène. **3.** Le … entre Rodrigue et Chimène doit être réglé par un duel.

17. **a.** Classez ces adjectifs qualificatifs par couples d'antonymes : *coquin, courtois, critique, élogieux, honnête, impertinent, impoli, réaliste, respectueux, surnaturel.* **b.** Complétez les phrases à l'aide d'adjectifs de la liste. **
1. Harpagon traite son valet de …, son fils d'…. **2.** Le jeune Cléante est très … quand il parle de celle qu'il aime. **3.** Maupassant a écrit des nouvelles … et des récits fantastiques comportant des êtres ….

18. Relevez : **a.** les synonymes de l'adjectif en gras (que constatez-vous ?) ; **b.** des adjectifs antonymes. *

Je m'en vais vous mander la chose la plus **étonnante**, la plus surprenante, la plus merveilleuse, la plus miraculeuse, la plus triomphante, la plus étourdissante, la plus inouïe, la plus singulière, la plus extraordinaire, la plus incroyable, la plus imprévue, la plus grande, la plus petite, la plus rare, la plus commune, la plus éclatante, la plus secrète jusqu'aujourd'hui, la plus brillante, la plus digne d'envie.

MME DE SÉVIGNÉ, *Lettres*, 1725.

19. **a.** Les mots en gras sont-ils employés dans un sens figuré ? **b.** Donnez un synonyme pour chacun de ces mots. **

Décidée à tout pour arriver à ses **fins**, elle ne savait pas encore ce qu'elle devait faire de cet homme, mais certes elle voulait l'anéantir socialement. Le soir du troisième jour, elle sentit que, malgré ses efforts, elle ne pouvait cacher les inquiétudes que lui causait le résultat de ses **manœuvres**. Pour se trouver un moment à l'aise, elle monta chez elle, s'assit à son secrétaire, déposa le **masque** de tranquillité qu'elle conservait devant le comte Chabert.

H. DE BALZAC, *Le Colonel Chabert*, 1832.

20. Associez un synonyme moderne à chacun de ces mots issus de pièces de Molière. **
Mots de Molière : fâcheux, faquin, fat, impudent ; rosser, quérir, quereller.
Synonymes modernes : effronté, vaniteux, méprisable, gêneur ; aller chercher, donner des coups de bâton, gronder.

21. **a.** Relevez des mots antonymes. **b.** En quoi cette opposition lexicale contribue-t-elle à créer une atmosphère fantastique ? **

Certes, je me croirais fou, absolument fou, si je n'étais conscient, si je ne connaissais parfaitement mon état, si je ne le sondais en l'analysant avec une complète lucidité. Je ne serais donc, en somme, qu'un halluciné raisonnant. Un trouble inconnu se serait produit dans mon cerveau, […] et ce trouble aurait déterminé dans mon esprit, dans l'ordre et la logique de mes idées, une crevasse profonde.

G. DE MAUPASSANT, *Le Horla*, 1887.

Écrire 

22. Employez chaque mot dans une phrase où il aura : **a.** son sens propre ; **b.** un sens figuré.
aile • feu • rempart • ruiner • s'appuyer • tour • valser

23. Décrivez cette image en employant au moins un synonyme des mots suivants, que vous soulignerez : *tempête, mer, bateau, roc, marin, crier, heurter*.

LOUIS-PHILIPPE CRÉPIN (1772-1851), *Scène de naufrage*. Musée des Beaux-Arts, Brest.

Réviser des figures de style (1)

Consolider les acquis

• Les figures de style sont des procédés d'écriture qui associent des mots pour donner plus d'originalité, d'expressivité au texte. En voici quelques-unes, étudiées en 5e.

> Les figures par ressemblance

Ex. 1 à 5

• La comparaison
> *Sa figure était jaune* ***comme un citron****.*
Mise en relation de deux éléments grâce à un connecteur (*comme*, *tel que*).

• La métaphore
> *Le policier Javert était* ***un tigre****.*
Comparaison implicite (sans connecteur).

• La périphrase
> *Un château fort à l'entrée duquel je laissais l'espérance et la liberté.*
Remplacement d'un mot (*une prison*) par un groupe de mots qui en décrit une caractéristique.

• Le parallélisme
> *Le soleil chaud faiblit, le vent âpre gémit.*
Succession de deux groupes de mots de même construction (ici : nom, adjectif, verbe).

• La métonymie
> *Il aime boire* ***un verre****.*
> *Il aime* ***le Bordeaux****.*
Désignation du contenu (*le vin*) par le contenant (*verre*), par la provenance (*Bordeaux*).

S'exercer

1. a. Relevez les comparaisons et les métaphores. b. Quelle caractéristique de chaque personnage soulignent-elles ? *

1. Une grosse dame monta dans mon wagon, escortée de quatre petites filles. Je jetai à peine un coup d'œil sur cette mère qui ressemblait à une poule, très large, très ronde, avec une face de pleine lune.

D'après G. DE MAUPASSANT, *Adieu*, 1885.

2. La petite Fadette était un enfant très causeur et très moqueur, vif comme un papillon, curieux comme un rouge-gorge et noir comme un grillon. C'est vous dire qu'elle n'était pas belle, car ce pauvre petit cricri des champs est encore plus laid que celui des cheminées.

D'après GEORGE SAND, *La Petite Fadette*, 1848-1851.

2. a. Associez chaque périphrase de la liste A à un nom de la liste B. b. Employez chaque périphrase dans une phrase qui mette son sens en valeur. *

A. un amoncellement de cubes de béton • un fin limier • un rideau d'eau • un engin de mort • un déluge de paroles

B. une arme • un détective • un discours • la pluie • une ville

3. Relevez et nommez les figures par ressemblance. * *

1. Sous le hâle de la figure perçait une pâleur de cire, une pâleur mate et profonde. **2.** La large meurtrissure brune qui entourait ses yeux comme une auréole leur donnait un éclat fiévreux et singulier. **3.** L'automne est là : le vent souffle, la pluie cingle. **4.** Le messager de l'aube met fin au charme du bal dans *La Cafetière* : de quel oiseau s'agit-il ?

4. a. Quelle figure par ressemblance repérez-vous ? b. Quel est l'effet produit ? *

CLÉONTE : Peut-on rien voir d'égal, Covielle, à cette perfidie de l'ingrate Lucile ?
COVIELLE : Et à celle, Monsieur, de la pendarde de Nicole ?
CLÉONTE : Après tant de sacrifices ardents, de soupirs, et de vœux que j'ai faits à ses charmes !
COVIELLE : Après tant d'assidus hommages, de soins et de services que je lui ai rendus dans sa cuisine !
CLÉONTE : Tant de larmes que j'ai versées à ses genoux !
COVIELLE : Tant de seaux d'eau que j'ai tirés au puits pour elle !

MOLIÈRE, *Le Bourgeois gentilhomme*, III, 9, 1671.

Écrire

5. Décrivez en quelques phrases cette caricature d'É. Zola en employant au moins trois figures de style que vous soulignerez et que vous nommerez entre parenthèses.

ANDRÉ GILL, caricature d'Émile Zola pour *Le Monde illustré*, XIXe siècle.

Les figures de style (2) – Les procédés de l'ironie

Les mots de la leçon

anti- : préfixe signifiant « le contraire de ».
hyperbole : du grec *hyper-*, « au-dessus de ».
ironie : du grec *eironia*, « action d'interroger en simulant l'ignorance ».
emphase : exagération excessive.

Observer pour comprendre

1. a. Dans chaque phrase, qu'ont en commun les groupes de mots soulignés ?
b. Quelle vision des armées donnent-ils ?

> Rien n'était si beau, si leste, si brillant, si bien ordonné que les deux armées. Les trompettes, les fifres, les hautbois, les tambours, les canons, formaient une **harmonie** telle qu'il n'y en eut jamais en **enfer**. [...] La baïonnette fut la raison suffisante de la mort de quelques milliers d'hommes.
>
> VOLTAIRE, *Candide*, 1759.

2. Les deux mots en gras dans le texte expriment-ils des idées semblables ou opposées ?

3. « La baïonnette » est-elle présentée comme un objet ou comme une personne ?

4. a. La fin du texte donne-t-elle de la guerre la même vision que le début ?
b. Par ces figures de style, Voltaire fait-il l'éloge ou la critique de la guerre ?

Retenir la leçon

> Les figures par animation

Ex. 5 et 6

• La personnification

Un objet présenté comme une personne.
> *Les armes s'étaient tues.*

• L'allégorie

Représentation concrète (une femme) d'une idée abstraite (la liberté).
> ***La Liberté** guide le peuple dans le tableau de Delacroix.*

> Les figures par exagération

Ex. 7 à 12

• L'énumération ou accumulation

Succession de termes, plus ou moins synonymes, pour renforcer une caractéristique, pour renforcer une critique.
> *Les jeunes gens sont **durs, féroces, sans mœurs ni politesse**.*

• L'hyperbole

Exagération d'une caractéristique, par un adjectif qualificatif au **superlatif**, par des **adverbes** d'intensité, par des **mots** au sens très fort.
> *Cet homme est **démesurément grand** : c'est un **géant**.*

• L'anaphore

Répétition en début de vers ou **de phrases** pour insister.
> ***Mon bras** qu'avec respect toute l'Espagne admire,*
> ***Mon bras** qui tant de fois défendit cet empire [...]* (CORNEILLE, *Le Cid*)

> Les figures par opposition

Ex. 10 à 12

• L'antithèse

Opposition de deux termes de même classe grammaticale pour les souligner.
> *Cosette était **laide**. Heureuse, elle eût été **jolie**.* (V. HUGO, *Les Misérables*)

• L'antiphrase

Emploi d'un mot ou d'une expression **dans un sens contraire** à son véritable sens, afin de **se moquer** ou de critiquer.
> *Tu as triché : c'est du **joli** !*

• La litote

Atténuation apparente d'un propos pour le renforcer.
> *Va, **je ne te hais point**.* (CORNEILLE, *Le Cid*)

> Les procédés de l'ironie

Ex. 10 à 12

- Certaines figures de style contribuent à donner un ton ironique à un texte.
- **L'ironie** consiste à affirmer le contraire de ce que l'on veut faire entendre dans le but de se moquer, de critiquer. Particulièrement présente dans les textes des écrivains du Siècle des lumières, au XVIIIe, l'ironie permet d'exprimer des critiques virulentes tout en se cachant de la censure.
- Les principaux **procédés de l'ironie** sont les figures par opposition, notamment l'antiphrase, la litote et l'antithèse. L'ironie provient aussi **des procédés d'exagération** ou emphase, notamment l'hyperbole, qui soulignent le caractère ridicule ou absurde d'une situation, d'un personnage.

S'exercer

5. a. Nommez la figure de style. b. Relevez les mots et groupes de mots qui la constituent. *

Les beaux fruits, délicatement parés dans des paniers, avaient des rondeurs de joues qui se cachent, des faces de belles enfants entrevues à demi sous un rideau de feuilles ; les pêches surtout, les Montreuil rougissantes de peau fine et claire comme des filles du Nord, et les pêches du midi, jaunes et brûlées, ayant le hâle des filles de Provence.

É. ZOLA, *Le Ventre de Paris*, 1873.

6. Relevez et expliquez les allégories. *

1. La Déroute se dressa devant les soldats, les poussant à fuir. **2.** La faucheuse approchait à grands pas, affaiblissant chaque jour la vieille femme. **3.** Les soldats appelaient de leurs vœux la colombe. **4.** Demain, en basket, le coq gaulois affrontera l'oncle Sam.

7. Dans cet extrait où Cyrano décrit son nez, relevez les hyperboles. *

Emphatique : « Aucun vent ne peut, nez magistral,
T'enrhumer tout entier, excepté le mistral ! »
Dramatique : « C'est la mer Rouge quand il saigne ! »
Admiratif : « Pour un parfumeur, quelle enseigne ! »
Lyrique : « Est-ce une conque, êtes-vous un triton ? »
Naïf : « Ce monument, quand le visite-t-on ? »

E. ROSTAND, *Cyrano de Bergerac*, I, 4, 1897.

8. Relevez et nommez la (les) figure(s) de style. *

1. Les paysans, sans doute, attachaient à ce mot « métairie » une idée de richesse et de grandeur, car cette ferme était assurément la plus vaste, la plus opulente et la plus ordonnée de la contrée.

G. DE MAUPASSANT, *Coco*, 1884.

2. L'enfant de cette femme était un des plus divins êtres qu'on pût voir. **3.** Le marchand avait placé sur un fond de serviettes blanches une immense poupée, haute de près de deux pieds, qui était vêtue d'une robe en crêpe rose avec des épis d'or sur la tête et qui avait de vrais cheveux et des yeux en émail. Tout le jour, cette merveille avait été étalée à l'ébahissement des passants.

V. HUGO, *Les Misérables*, 1862.

9. a. Relevez et nommez les figures de style employées. b. Quelle image de chaque personnage donnent-elles ? *

1. Thénardier était sournois, gourmand, flâneur et habile. Thénardier était attentif et pénétrant, silencieux ou bavard à l'occasion. Thénardier, par dessus-tout, était un coquin. **2.** Cosette montait, descendait, lavait, brossait, frottait, balayait, courait, trimait, haletait, remuait des choses lourdes.

V. HUGO, *Les Misérables*, 1862.

10. a. Relevez et nommez les figures de style employées. b. Quelle image du personnage donnent-elles ? *

Je vis un petit homme si fier, il prit une prise de tabac avec tant de hauteur, il se moucha si impitoyablement, il cracha avec tant de flegme, il caressa ses chiens d'une manière si offensante pour les hommes, que je ne pouvais me lasser de l'admirer.

MONTESQUIEU, *Lettres persanes*, 1721.

11. a. Relevez et nommez les figures de style employées. b. Quel est le ton du texte ? * *

Plusieurs personnes dignes de foi ont vu Jeannot et Colin à l'école dans la ville d'Issoire, en Auvergne, ville fameuse dans tout l'univers par son collège et par ses chaudrons. Jeannot était fils d'un marchand de mulets très renommé; Colin devait le jour à un brave laboureur des environs, qui cultivait la terre avec quatre mulets, et qui, après avoir payé la taille, le taillon, les aides et gabelles, le sou pour livre, la capitation, et les vingtièmes, ne se trouvait pas puissamment riche au bout de l'année.

VOLTAIRE, *Jeannot et Colin*, 1764.

Écrire

12. Décrivez cette caricature de Louis-Philippe, en employant au moins trois figures de style.

HONORÉ DAUMIER, *Le Passé, Le Présent, L'Avenir*, 1834. Collection privée.

Le vocabulaire de la poésie

Retenir la leçon

> Versification

Ex. 1 à 8

Les vers

• Un vers n'occupe pas toute une ligne et commence par une majuscule. Il ne correspond pas nécessairement à une phrase. Il comporte un nombre précis de syllabes.

• Le « e muet » ne compte pour une syllabe que s'il est placé entre deux consonnes (même sur deux mots) ; à la rime, il ne compte jamais.

> *Ces / bons / soirs / de / sep/tem/br(e) où / je / sen/tais / des / goutt(e)s*
> 1 2 3 4 5 6 7 8 9 10 11 12

• Deux voyelles qui se suivent se prononcent d'ordinaire en une seule syllabe (synérèse) ; en poésie, on peut séparer la prononciation de ces voyelles (diérèse). > *vio/lon* ou *vi/o/lon*

• Un hexasyllabe est un vers de six syllabes ; un heptasyllabe est un vers de sept syllabes ; un octosyllabe est un vers de huit syllabes ; un décasyllabe est un vers de dix syllabes ; un alexandrin est un vers de douze syllabes. Les vers libres ont un nombre indifférent de syllabes.

• Les vers impairs, plus rares, peuvent être associés à des vers pairs ou employés seuls dans un poème, comme l'heptasyllabe (vers de sept syllabes).

Les strophes

• Les vers peuvent être regroupés en strophes, selon une disposition particulière de rimes, dont l'organisation est souvent répétitive dans le poème. Un tercet est une strophe de trois vers ; un quatrain est une strophe de quatre vers ; un quintil est une strophe de cinq vers ; un sizain est une strophe de six vers.

Les rythmes

• Le rythme interne au vers : la coupe normale d'un alexandrin est au milieu du vers : c'est la coupe à l'hémistiche (césure).

> *Et / quand / j'a/rri/ve/rai,// je / met/trai / sur / ta / tombe* (V. Hugo)

Certains vers ont un rythme binaire, en deux temps, ou ternaire, en trois temps.

> *Ce/la / vo/gue,// ce/la / na/ge,// ce/la / cha/vire* (4 // 4 // 4) (V. Hugo)

• Le rythme externe au vers : la pause, à la fin d'un vers, est marquée le plus souvent par un signe de ponctuation. Si une phrase se poursuit, sans pause, sur deux vers, on parle d'enjambement.

> *Ces bons soirs de septembre où je sentais des gouttes*
> *De rosée à mon front, comme un vin de vigueur.* (A. Rimbaud)

Si un élément bref, étroitement relié au vers précédent, est placé au début du vers suivant, on parle de rejet.

> *Petit Poucet rêveur, j'égrenais dans ma course*
> ***Des rimes.*** (A. Rimbaud)

Les rimes

• La rime, placée en fin de vers, se répète d'un vers à l'autre et crée un écho. On note les rimes par des lettres. Il existe des rimes plates ou suivies (AABB), des rimes embrassées (ABBA), des rimes croisées (ABAB).

> *Je suis venu calme orphe**lin**,* (A)
> *Riche de mes seuls yeux tranqu**illes**,* (B)
> *Vers les hommes des grandes v**illes**.* (B)
> *Ils ne m'ont pas trouvé ma**lin**...* (A) (P. Verlaine)

Les allitérations et les assonances

• Une allitération est la répétition d'un son consonantique (produit par des consonnes).

• Une assonance est la répétition d'un son vocalique (produit par des voyelles).

> *Les sanglots longs*
> *Des violons*
> *De l'automne*

Les allitérations et les assonances cherchent à traduire une impression sonore, comme la fluidité ou les chocs...

> Formes poétiques

Les poèmes à forme fixe

• Il existe des poèmes dont la forme obéit à des règles strictes. Ainsi, le sonnet, écrit en alexandrins, comporte deux quatrains suivis de deux tercets. Les rimes sont en général embrassées dans les quatrains ; dans les tercets, on rencontre différentes dispositions.

S'exercer

1. a. Dans chaque poème, comment la strophe se nomme-t-elle ? b. Combien de syllabes chaque vers comporte-t-il ? c. Quels sont les systèmes de rimes employés ? d. Comment doit-on prononcer les syllabes en gras ? Justifiez. *

Tout suffocant
Et blême, quand
Sonne l'heure,
Je me sou**viens**
Des jours an**ciens**
Et je pleure

P. Verlaine, *Chanson d'automne*, 1866.

Dans dix ans d'ici seulement
Vous serez un peu moins cruelle.
C'est long, à parler franchement.
L'amour viendra probablement
Donner à l'horloge un coup d'aile.

A. de Musset, *Poésies nouvelles*, 1842.

2. Recopiez le texte en reconstituant le sonnet. * *

Je fais souvent ce rêve étrange et pénétrant d'une femme inconnue, et que j'aime, et qui m'aime, et qui n'est, chaque fois, ni tout à fait la même ni tout à fait une autre, et m'aime et me comprend. Car elle me comprend, et mon cœur transparent pour elle seule, hélas ! cesse d'être un problème pour elle seule, et les moiteurs de mon front blême, elle seule les sait rafraîchir, en pleurant. Est-elle brune, blonde ou rousse ? – Je l'ignore. Son nom ? Je me souviens qu'il est doux et sonore comme ceux des aimés que la Vie exila. Son regard est pareil au regard des statues, et pour sa voix, lointaine, et calme, et grave, elle a l'inflexion des voix chères qui se sont tues.

P. Verlaine, « Mon Rêve familier », *Poèmes saturniens*, 1866.

3. Quel est le rythme interne à chacun des vers ? *

Écoutez la chanson bien douce
Qui ne pleure que pour vous plaire.
Elle est discrète, elle est légère :
Un frisson d'eau sur de la mousse !

P. Verlaine, *Sagesse*, 1873.

4. Retrouvez la structure de cette strophe en remettant les vers dans l'ordre et en respectant le schéma de rimes AABCCB. Vous respecterez les enjambements entre les vers 2 et 3 ; 4 et 5. Le premier vers est : *Du temps que j'étais écolier.* * *

Qui me ressemblait comme un frère.
Devant ma table vint s'asseoir
Du temps que j'étais écolier,
Dans notre salle solitaire.
Je restais un soir à veiller
Un pauvre enfant vêtu de noir,

A. de Musset, *La Nuit de décembre*, 1835.

5. Relevez les enjambements et précisez quels mots sont mis en valeur par les rejets. * *

C'est un trou de verdure où chante une rivière,
Accrochant follement aux herbes des haillons
D'argent ; où le soleil, de la montagne fière,
Luit : c'est un petit val qui mousse de rayons.

Un soldat jeune, bouche ouverte, tête nue,
Et la nuque baignant dans le frais cresson bleu,
Dort ; il est étendu dans l'herbe, sous la nue,
Pâle dans son lit vert où la lumière pleut.

Les pieds dans les glaïeuls, il dort. Souriant comme
Sourirait un enfant malade, il fait un somme :
Nature, berce-le chaudement : il a froid.

Les parfums ne font pas frissonner sa narine ;
Il dort dans le soleil, la main sur sa poitrine,
Tranquille. Il a deux trous rouges au côté droit.

A. Rimbaud, *Le Dormeur du val*, 1870.

6. a. Relevez deux allitérations dans l'extrait de poème de l'exercice 3. b. Que traduisent-elles ? * *

Écrire

7. Trouvez le plus possible de mots finissant par les sons [ɔ̃], [u], [e], [ʒʀ] et composez un quatrain en décasyllabes en utilisant deux de ces rimes.

8. Écrivez un poème en octosyllabes, en utilisant des mots pour évoquer : a. quelque chose de fluide, d'harmonieux ; b. quelque chose de heurté, saccadé. Listez des mots comportant le son [l] ou le son [s] pour traduire la fluidité, puis des mots comportant le son [k] ou le son [p] pour traduire les chocs.

Initiation au vocabulaire de l'abstraction

Les mots de la leçon

abstraction : action d'isoler par la pensée un élément d'un tout pour y consacrer son observation.
abstrait : qui relève de l'abstraction.
concret : qui exprime quelque chose de réel.

Observer pour comprendre

1. Dans quelle phrase le nom *peinture* désigne-t-il « un tableau que l'on peut voir et toucher » ? Dans laquelle désigne-t-il « l'art de peindre » ?
> A. *La **peinture** impressionniste se caractérise par des touches de couleurs et le traitement de la lumière.*
> B. *Cette **peinture** mesure trente centimètres sur cinquante.*

2. a. Lequel des mots en gras évoque-t-il une action ? un sentiment ?
b. Quel est le suffixe du nom exprimant un sentiment ?
> A. *La tempête a fragilisé les arbres : il faudra procéder à leur **abattage**.*
> B. *Après la mort de sa fille, Victor Hugo ressentit un grand **abattement**.*

Retenir la leçon

> Vocabulaire concret, vocabulaire abstrait

Ex. 3 à 9 et 14

• Le vocabulaire concret définit les objets et les réalités que l'on peut percevoir par les cinq sens (la vue, l'ouïe, le toucher, l'odorat, le goût).
> *la table en bois rugueux, le coquelicot rouge, la pluie froide, l'orage sonore, un fruit acide*

• Le vocabulaire abstrait définit le monde des idées et des sentiments, que l'on comprend par la raison ou par le cœur. Le vocabulaire de l'abstraction sert à exprimer :
– des sentiments (voir p. 70, 142 et 168) ;
– des valeurs comme l'honneur (voir p. 190) ;
– des jugements (voir p. 32 et 168) ;
– des notions propres à une discipline (arts, grammaire, géographie, histoire, politique, sciences, etc.) ;
– des états (comme la saleté, la netteté...).
Le vocabulaire abstrait est nécessaire pour développer une réflexion, un raisonnement argumenté. Vous l'enrichirez au cours de vos études.

• Du concret à l'abstrait : certains mots ont un sens concret et un sens abstrait.
> *Monet **peint** ses toiles à l'extérieur. Maupassant **peint** des paysans normands.*
« mettre de la couleur » (concret) « représenter en faisant appel à l'imagination » (abstrait)

• Pour exprimer des sentiments, plutôt que d'employer des mots abstraits, on a parfois recours à :
– l'expression des sensations physiques provoquées par ce sentiment ;
> « *Je suis pétrifié.* » (ou) « *Je tremble de tous mes membres.* » (traduisent la peur)
– des figures de style, comme la métaphore, qui évoquent le monde sensible.
> « *La **flamme*** » (ou) « *Le **feu*** » (désignent « l'amour »)

> Les noms abstraits

Ex. 10, 12 et 14

• Certains suffixes nominaux servent à former de nombreux noms abstraits :
– *-ance*, *-ence* : > *vaillance, prudence* ;
– *-ation* (plus de 1500 noms), *-ion* : > *imagination, conception* ;
– *-té* : > *liberté, égalité, fraternité* ;
– *-ment* : > *attachement.*

> Les verbes de la pensée et du jugement

Ex. 11, 13 et 14

• Voici quelques verbes exprimant :
– un mécanisme de la pensée : porter son attention sur (*observer, repérer, discerner, déceler...*), faire un raisonnement (*analyser, étudier, expliquer, définir, déduire, conclure...*), exercer une opinion (*commenter, estimer, interpréter, juger...*) ;
– un jugement positif, un accord : *approuver, encenser, louer (quelque chose), complimenter, congratuler, féliciter (quelqu'un)...* ;

– un jugement négatif, un désaccord : *blâmer, condamner, critiquer, désapprouver, disputer, objecter, réfuter, réprouver.*

• On trouve certains de ces verbes dans les consignes scolaires qui demandent d'observer, de faire un raisonnement, de porter un jugement personnel.

> Les connecteurs argumentatifs

• Les connecteurs argumentatifs, qui servent à organiser un raisonnement, font partie du vocabulaire abstrait (voir p. 345).

S'exercer

Pour l'ensemble de ces exercices, munissez-vous d'un dictionnaire.

3. Relevez, en les classant, les noms concrets et les noms abstraits. *

Jean Valjean a passé des années au bagne. Marqué par ces années d'enfermement, il ne veut pas retourner en prison. Cachots, cellules, toutes ces formes d'emprisonnement et de claustration lui sont odieuses.

4. a. Quels sont les termes grammaticaux qui répondent à chacune de ces définitions ? **b.** Quel mot comporte un des suffixes nominaux indiqués dans la leçon ? *

1. Nous pouvons être définis ou indéfinis : nous sommes les .... **2.** Nous pouvons exprimer une coordination ou une subordination : nous sommes les .... **3.** Nous modifions des verbes, des adjectifs, des phrases : nous sommes les .... **4.** On m'emploie après *pour que* et *avant que* : je suis le .... **5.** Je suis le mode de l'hypothèse : je me nomme ....

5. Voici le sens concret de certains noms. Employez ces noms dans une phrase où ils expriment un sentiment. * *

1. Une jalousie : treillis de fer ou de bois permettant de voir sans être vu.
2. Le vide : espace où il n'y a rien.
3. Une amertume : saveur amère d'un aliment.
4. Une peine : châtiment.
5. Une désolation : action de vider un lieu, de le ravager.

6. Classez les noms suivants selon qu'ils expriment un comportement ou un sentiment. * *

amertume • élégance • chagrin • indolence • douleur • hâte • joie • lenteur • impatience • peine • rancune • torpeur • vivacité

7. Voici les premiers vers d'un poème de Victor Hugo, écrit la veille de l'anniversaire de la mort de sa fille, noyée dans la Seine (voir p. 126). Parmi les mots de l'exercice précédent, quels sont ceux que vous pourriez utiliser pour qualifier le comportement et les sentiments du poète ? * *

Demain, dès l'aube, à l'heure où blanchit la campagne,
Je partirai. Vois-tu, je sais que tu m'attends.
J'irai par la forêt, j'irai par la montagne.
Je ne puis demeurer loin de toi plus longtemps.

V. Hugo, *Les Contemplations*, 1856.

8. Classez les noms suivants selon qu'ils expriment : **a.** un sentiment ; **b.** un jugement. *

admiration • affection • antipathie • tendresse • mépris • condescendance • dépit • affliction • animosité

9. a. Parmi les noms suivants, lesquels expriment une attention ou un dévouement aux autres ? un comportement non conforme à la morale ? un rapport honnête à l'argent ? **b.** Employez trois noms pour qualifier trois personnages littéraires. * *

abnégation • altruisme • compassion • cruauté • harcèlement • désintéressement • générosité • hypocrisie • malhonnêteté • brutalité • miséricorde • probité

10. a. Formez à partir des verbes suivants des noms abstraits en employant les suffixes indiqués. **b.** Employez, dans une phrase qui en révèle le sens, les noms de sentiments formés à partir des verbes soulignés. * *

A. *-ance* : abonder • appartenir • espérer • complaire • répugner • assurer
B. *-ence* : adolescent • apparent • clément • cohérent • coexister • coïncider • exiger • exister
C. *-ation* : améliorer • détériorer • formuler • indigner • appliquer • revendiquer • acclamer
D. *-ment* : accomplir • affaiblir • arracher • bouleverser • désappointer • épanouir • recueillir

11. Complétez les phrases suivantes avec un des verbes de la leçon (parfois, plusieurs solutions possibles) que vous conjuguerez au présent du mode indiqué. * *

1. Le président du jury ... (indicatif) le vainqueur du tournoi. **2.** Victor Hugo ... (indicatif) le comportement cruel de Javert envers Fantine. **3.** Dans le second paragraphe, ... (impératif) tous les noms exprimant des sentiments puis ... (impératif) cet extrait. **4.** Don Diègue se ... (indicatif) du courage de son fils. **5.** Les journalistes politiques ... (indicatif) les résultats des élections.

12. a. Classez les noms suivants en deux listes, selon qu'ils expriment un accord ou un désaccord. **b.** Employez les noms soulignés dans une phrase qui en révèle le sens. * *

acquiescement • approbation • assentiment • consentement • différend • dissension • objection • réfutation • ratification

13. a. Quand c'est possible, indiquez les verbes correspondant aux noms de l'exercice 12. **b.** Employez chacun de ces verbes dans une phrase qui mette son sens en valeur. *

Écrire 

14. Rédigez un petit paragraphe pour évoquer une discussion entre amis, en employant au moins trois de ces mots abstraits.

exigence • apprécier • objecter • réfuter • estimer • implication

Avoir, *être* et les verbes du 1er groupe

AVOIR

INDICATIF

Présent	Passé composé
j'ai	j'ai eu
tu as	tu as eu
il a	il a eu
nous avons	nous avons eu
vous avez	vous avez eu
ils ont	ils ont eu
Imparfait	**Plus-que-parfait**
j'avais	j'avais eu
tu avais	tu avais eu
il avait	il avait eu
nous avions	nous avions eu
vous aviez	vous aviez eu
ils avaient	ils avaient eu
Passé simple	**Passé antérieur**
j'eus	j'eus eu
tu eus	tu eus eu
il eut	il eut eu
nous eûmes	nous eûmes eu
vous eûtes	vous eûtes eu
ils eurent	ils eurent eu
Futur simple	**Futur antérieur**
j'aurai	j'aurai eu
tu auras	tu auras eu
il aura	il aura eu
nous aurons	nous aurons eu
vous aurez	vous aurez eu
ils auront	ils auront eu

CONDITIONNEL

Présent	Passé
j'aurais	j'aurais eu
tu aurais	tu aurais eu
il aurait	il aurait eu
nous aurions	nous aurions eu
vous auriez	vous auriez eu
ils auraient	ils auraient eu

SUBJONCTIF	IMPÉRATIF
Présent (que / qu'…)	**Présent**
j'aie	aie
tu aies	ayons
il ait	ayez
nous ayons	**Passé**
vous ayez	*inusité*
ils aient	

INFINITIF

Présent	Passé
avoir	avoir eu

PARTICIPE

Présent	Passé
ayant	eu

ÊTRE

INDICATIF

Présent	Passé composé
je suis	j'ai été
tu es	tu as été
il est	il a été
nous sommes	nous avons été
vous êtes	vous avez été
ils sont	ils ont été
Imparfait	**Plus-que-parfait**
j'étais	j'avais été
tu étais	tu avais été
il était	il avait été
nous étions	nous avions été
vous étiez	vous aviez été
ils étaient	ils avaient été
Passé simple	**Passé antérieur**
je fus	j'eus été
tu fus	tu eus été
il fut	il eut été
nous fûmes	nous eûmes été
vous fûtes	vous eûtes été
ils furent	ils eurent été
Futur simple	**Futur antérieur**
je serai	j'aurai été
tu seras	tu auras été
il sera	il aura été
nous serons	nous aurons été
vous serez	vous aurez été
ils seront	ils auront été

CONDITIONNEL

Présent	Passé
je serais	j'aurais été
tu serais	tu aurais été
il serait	il aurait été
nous serions	nous aurions été
vous seriez	vous auriez été
ils seraient	ils auraient été

SUBJONCTIF	IMPÉRATIF
Présent (que / qu'…)	**Présent**
je sois	sois
tu sois	soyons
il soit	soyez
nous soyons	**Passé**
vous soyez	*inusité*
ils soient	

INFINITIF

Présent	Passé
être	avoir été

PARTICIPE

Présent	Passé
étant	été

CRIER

INDICATIF

Présent	Passé composé
je crie	j'ai crié
tu cries	tu as crié
il crie	il a crié
nous crions	nous avons crié
vous criez	vous avez crié
ils crient	ils ont crié
Imparfait	**Plus-que-parfait**
je criais	j'avais crié
tu criais	tu avais crié
il criait	il avait crié
nous criions	nous avions crié
vous criiez	vous aviez crié
ils criaient	ils avaient crié
Passé simple	**Passé antérieur**
je criai	j'eus crié
tu crias	tu eus crié
il cria	il eut crié
nous criâmes	nous eûmes crié
vous criâtes	vous eûtes crié
ils crièrent	ils eurent crié
Futur simple	**Futur antérieur**
je crierai	j'aurai crié
tu crieras	tu auras crié
il criera	il aura crié
nous crierons	nous aurons crié
vous crierez	vous aurez crié
ils crieront	ils auront crié

CONDITIONNEL

Présent	Passé
je crierais	j'aurais crié
tu crierais	tu aurais crié
il crierait	il aurait crié
nous crierions	nous aurions crié
vous crieriez	vous auriez crié
ils crieraient	ils auraient crié

SUBJONCTIF	IMPÉRATIF
Présent (que / qu'…)	**Présent**
je crie	crie
tu cries	crions
il crie	criez
nous criions	**Passé**
vous criiez	aie crié
ils crient	ayons crié
	ayez crié

INFINITIF

Présent	Passé
crier	avoir crié

PARTICIPE

Présent	Passé
criant	crié

Les verbes irréguliers du 1er groupe

APPELER	JETER	ACHETER	LANCER	PLONGER	EMPLOYER
INDICATIF					
Présent					
j'appelle tu appelles il appelle nous appelons vous appelez ils appellent	je jette tu jettes il jette nous jetons vous jetez ils jettent	j'achète tu achètes il achète nous achetons vous achetez ils achètent	je lance tu lances il lance nous lançons vous lancez ils lancent	je plonge tu plonges il plonge nous plongeons vous plongez ils plongent	j'emploie tu emploies il emploie nous employons vous employez ils emploient
Imparfait					
j'appelais tu appelais il appelait nous appelions vous appeliez ils appelaient	je jetais tu jetais il jetait nous jetions vous jetiez ils jetaient	j'achetais tu achetais il achetait nous achetions vous achetiez ils achetaient	je lançais tu lançais il lançait nous lancions vous lanciez ils lançaient	je plongeais tu plongeais il plongeait nous plongions vous plongiez ils plongeaient	j'employais tu employais il employait nous employions vous employiez ils employaient
Passé simple					
j'appelai tu appelas il appela nous appelâmes vous appelâtes ils appelèrent	je jetai tu jetas il jeta nous jetâmes vous jetâtes ils jetèrent	j'achetai tu achetas il acheta nous achetâmes vous achetâtes ils achetèrent	je lançai tu lanças il lança nous lançâmes vous lançâtes ils lancèrent	je plongeai tu plongeas il plongea nous plongeâmes vous plongeâtes ils plongèrent	j'employai tu employas il employa nous employâmes vous employâtes ils employèrent
Futur simple					
j'appellerai tu appelleras il appellera nous appellerons vous appellerez ils appelleront	je jetterai tu jetteras il jettera nous jetterons vous jetterez ils jetteront	j'achèterai tu achèteras il achètera nous achèterons vous achèterez ils achèteront	je lancerai tu lanceras il lancera nous lancerons vous lancerez ils lanceront	je plongerai tu plongeras il plongera nous plongerons vous plongerez ils plongeront	j'emploierai tu emploieras il emploiera nous emploierons vous emploierez ils emploieront
CONDITIONNEL présent					
j'appellerais…	je jetterais…	j'achèterais…	je lancerais…	je plongerais…	j'emploierais…
SUBJONCTIF présent					
(que / qu'…) j'appelle tu appelles il appelle nous appelions vous appeliez ils appellent	(que / qu'…) je jette tu jettes il jette nous jetions vous jetiez ils jettent	(que / qu'…) j'achète tu achètes il achète nous achetions vous achetiez ils achètent	(que / qu'…) je lance tu lances il lance nous lancions vous lanciez ils lancent	(que / qu'…) je plonge tu plonges il plonge nous plongions vous plongiez ils plongent	(que / qu'…) j'emploie tu emploies il emploie nous employions vous employiez ils emploient
IMPÉRATIF présent					
appelle appelons appelez	jette jetons jetez	achète achetons achetez	lance lançons lancez	plonge plongeons plongez	emploie employons employez
INFINITIFS présent et passé					
appeler avoir appelé	jeter avoir jeté	acheter avoir acheté	lancer avoir lancé	plonger avoir plongé	employer avoir employé
PARTICIPES présent et passé					
appelant appelé	jetant jeté	achetant acheté	lançant lancé	plongeant plongé	employant employé

NB : pour la conjugaison de la voix passive et de la forme pronominale, voir p. 392.

Les verbes du 2e groupe

SAISIR (VOIX ACTIVE)	
INDICATIF	
Présent je saisis tu saisis il saisit nous saisissons vous saisissez ils saisissent	**Passé composé** j'ai saisi tu as saisi il a saisi nous avons saisi vous avez saisi ils ont saisi
Imparfait je saisissais tu saisissais il saisissait nous saisissions vous saisissiez ils saisissaient	**Plus-que-parfait** j'avais saisi tu avais saisi il avait saisi nous avions saisi vous aviez saisi ils avaient saisi
Passé simple je saisis tu saisis il saisit nous saisîmes vous saisîtes ils saisirent	**Passé antérieur** j'eus saisi tu eus saisi il eut saisi nous eûmes saisi vous eûtes saisi ils eurent saisi
Futur simple je saisirai tu saisiras il saisira nous saisirons vous saisirez ils saisiront	**Futur antérieur** j'aurai saisi tu auras saisi il aura saisi nous aurons saisi vous aurez saisi ils auront saisi
CONDITIONNEL	
Présent je saisi**rais** tu saisi**rais** il saisi**rait** nous saisi**rions** vous saisi**riez** ils saisi**raient**	**Passé** j'aurais saisi tu aurais saisi il aurait saisi nous aurions saisi vous auriez saisi ils auraient saisi
SUBJONCTIF	**IMPÉRATIF**
Présent (que / qu'...) je saisisse tu saisisses il saisisse nous saisissions vous saisissiez ils saisissent	**Présent** saisis saisiss**ons** saisiss**ez** **Passé** aie saisi ayons saisi ayez saisi
INFINITIF	
Présent saisir	**Passé** avoir saisi
PARTICIPE	
Présent saisissant	**Passé** saisi

(VOIX PASSIVE)	
INDICATIF	
Présent je **suis** saisi(e) tu **es** saisi(e) il (elle) **est** saisi(e) nous **sommes** saisi(e)s vous **êtes** saisi(e)s ils (elles) **sont** saisi(e)s	**Passé composé** j'**ai été** saisi(e) tu **as été** saisi(e) il (elle) **a été** saisi(e) nous **avons été** saisi(e)s vous **avez été** saisi(e)s ils (elles) **ont été** saisi(e)s
Imparfait j'**étais** saisi(e) tu **étais** saisi(e) il (elle) **était** saisi(e) nous **étions** saisi(e)s vous **étiez** saisi(e)s ils (elles) **étaient** saisi(e)s	**Plus-que-parfait** j'**avais été** saisi(e) tu **avais été** saisi(e) il (elle) **avait été** saisi(e) nous **avions été** saisi(e)s vous **aviez été** saisi(e)s ils (elles) **avaient été** saisi(e)s
Passé simple je **fus** saisi(e) tu **fus** saisi(e) il (elle) **fut** saisi(e) nous **fûmes** saisi(e)s vous **fûtes** saisi(e)s ils (elles) **furent** saisi(e)s	**Passé antérieur** j'**eus été** saisi(e) tu **eus été** saisi(e) il (elle) **eut été** saisi(e) nous **eûmes été** saisi(e)s vous **eûtes été** saisi(e)s ils (elles) **eurent été** saisi(e)s
Futur simple je **serai** saisi(e) tu **seras** saisi(e) il (elle) **sera** saisi(e) nous **serons** saisi(e)s vous **serez** saisi(e)s ils (elles) **seront** saisi(e)s	**Futur antérieur** j'**aurai été** saisi(e) tu **auras été** saisi(e) il (elle) **aura été** saisi(e) nous **aurons été** saisi(e)s vous **aurez été** saisi(e)s ils (elles) **auront été** saisi(e)s
CONDITIONNEL	
Présent je **serais** saisi**(e)** tu **serais** saisi**(e)** il (elle) **serait** saisi**(e)** nous **serions** saisi**(e)s** vous **seriez** saisi**(e)s** ils (elles) **seraient** saisi**(e)s**	**Passé** j'**aurais été** saisi**(e)** tu **aurais été** saisi**(e)** il (elle) **aurait été** saisi**(e)** nous **aurions été** saisi**(e)s** vous **auriez été** saisi**(e)s** ils (elles) **auraient été** saisi**(e)s**
SUBJONCTIF	**IMPÉRATIF**
Présent (que / qu'...) je **sois** saisi(e) tu **sois** saisi(e) il (elle) **soit** saisi(e) nous **soyons** saisi(e)s vous **soyez** saisi(e)s ils (elles) **soient** saisi(e)s	**Présent** **sois** saisi**(e)** **soyons** saisi**(e)s** **soyez** saisi**(e)s** **Passé** *inusité*
INFINITIF	
Présent **être** saisi(e)(s)	**Passé** **avoir été** saisi(e)(s)
PARTICIPE	
Présent **étant** saisi(e)(s)	**Passé** **ayant été** saisi(e)(s)

(FORME PRONOMINALE)	
INDICATIF	
Présent je **me** saisis tu **te** saisis il **se** saisit nous **nous** saisissons vous **vous** saisissez ils **se** saisissent	**Passé composé** je **me** suis saisi(e) tu **t'**es saisi(e) il (elle) **s'**est saisi(e) nous **nous** sommes saisi(e)s vous **vous** êtes saisi(e)s ils (elles) **se** sont saisi(e)s
Imparfait je **me** saisissais tu **te** saisissais il **se** saisissait nous **nous** saisissions vous **vous** saisissiez ils **se** saisissaient	**Plus-que-parfait** je **m'**étais saisi(e) tu **t'**étais saisi(e) il (elle) **s'**était saisi(e) nous **nous** étions saisi(e)s vous **vous** étiez saisi(e)s ils (elles) **s'**étaient saisi(e)s
Passé simple je **me** saisis tu **te** saisis il **se** saisit nous **nous** saisîmes vous **vous** saisîtes ils **se** saisirent	**Passé antérieur** je **me** fus saisi(e) tu **te** fus saisi(e) il (elle) **se** fut saisi(e) nous **nous** fûmes saisi(e)s vous **vous** fûtes saisi(e)s ils (elles) **se** furent saisi(e)s
Futur simple je **me** saisirai tu **te** saisiras il **se** saisira nous **nous** saisirons vous **vous** saisirez ils **se** saisiront	**Futur antérieur** je **me** serai saisi(e) tu **te** seras saisi(e) il (elle) **se** sera saisi(e) nous **nous** serons saisi(e)s vous **vous** serez saisi(e)s ils (elles) **se** seront saisi(e)s
CONDITIONNEL	
Présent je **me** saisi**rais** tu **te** saisi**rais** il **se** saisi**rait** nous **nous** saisi**rions** vous **vous** saisi**riez** ils **se** saisi**raient**	**Passé** je **me serais** saisi(e) tu **te serais** saisi(e) il (elle) **se serait** saisi(e) nous **nous serions** saisi(e)s vous **vous seriez** saisi(e)s ils (elles) **se seraient** saisi(e)s
SUBJONCTIF	**IMPÉRATIF**
Présent (que / qu'...) je **me** saisisse tu **te** saisisses il **se** saisisse nous **nous** saisissions vous **vous** saisissiez ils **se** saisissent	**Présent** *inusité* **Passé** *inusité*
INFINITIF	
Présent **se** saisir	**Passé** **s'**être saisi(e)(s)
PARTICIPE	
Présent **se** saisissant	**Passé** **s'**étant saisi(e)(s)

Les verbes du 3e groupe

ALLER	
INDICATIF	
Présent	Passé composé
je vais	je suis allé(e)
tu vas	tu es allé(e)
il va	il (elle) est allé(e)
nous allons	nous sommes allé(e)s
vous allez	vous êtes allé(e)s
ils vont	ils (elles) sont allé(e)s
Imparfait	Plus-que-parfait
j'allais	j'étais allé(e)
tu allais	tu étais allé(e)
il allait	il (elle) était allé(e)
nous allions	nous étions allé(e)s
vous alliez	vous étiez allé(e)s
ils allaient	ils (elles) étaient allé(e)s
Passé simple	Passé antérieur
j'allai	je fus allé(e)
tu allas	tu fus allé(e)
il alla	il (elle) fut allé(e)
nous allâmes	nous fûmes allé(e)s
vous allâtes	vous fûtes allé(e)s
ils allèrent	ils (elles) furent allé(e)s
Futur simple	Futur antérieur
j'irai	je serai allé(e)
tu iras	tu seras allé(e)
il ira	il (elle) sera allé(e)
nous irons	nous serons allé(e)s
vous irez	vous serez allé(e)s
ils iront	ils (elles) seront allé(e)s
CONDITIONNEL	
Présent	**Passé**
j'irais	je serais allé(e)
tu irais	tu serais allé(e)
il irait	il (elle) serait allé(e)
nous irions	nous serions allé(e)s
vous iriez	vous seriez allé(e)s
ils iraient	ils seraient allé(e)s
SUBJONCTIF	IMPÉRATIF
Présent (que / qu'…)	**Présent**
j'aille	va
tu ailles	allons
il aille	allez
nous allions	**Passé**
vous alliez	*inusité*
ils aillent	
INFINITIF	
Présent	Passé
aller	être allé(e)
PARTICIPE	
Présent	Passé
allant	allé

DIRE	
INDICATIF	
Présent	Passé composé
je dis	j'ai dit
tu dis	tu as dit
il dit	il a dit
nous disons	nous avons dit
vous dites	vous avez dit
ils disent	ils ont dit
Imparfait	Plus-que-parfait
je disais	j'avais dit
tu disais	tu avais dit
il disait	il avait dit
nous disions	nous avions dit
vous disiez	vous aviez dit
ils disaient	ils avaient dit
Passé simple	Passé antérieur
je dis	j'eus dit
tu dis	tu eus dit
il dit	il eut dit
nous dîmes	nous eûmes dit
vous dîtes	vous eûtes dit
ils dirent	ils eurent dit
Futur simple	Futur antérieur
je dirai	j'aurai dit
tu diras	tu auras dit
il dira	il aura dit
nous dirons	nous aurons dit
vous direz	vous aurez dit
ils diront	ils auront dit
CONDITIONNEL	
Présent	**Passé**
je dirais	j'aurais dit
tu dirais	tu aurais dit
il dirait	il aurait dit
nous dirions	nous aurions dit
vous diriez	vous auriez dit
ils diraient	ils auraient dit
SUBJONCTIF	IMPÉRATIF
Présent (que / qu'…)	**Présent**
je dise	dis
tu dises	disons
il dise	dites
nous disions	**Passé**
vous disiez	aie dit
ils disent	ayons dit
	ayez dit
INFINITIF	
Présent	Passé
dire	avoir dit
PARTICIPE	
Présent	Passé
disant	dit

FAIRE	
INDICATIF	
Présent	Passé composé
je fais	j'ai fait
tu fais	tu as fait
il fait	il a fait
nous faisons	nous avons fait
vous faites	vous avez fait
ils font	ils ont fait
Imparfait	Plus-que-parfait
je faisais	j'avais fait
tu faisais	tu avais fait
il faisait	il avait fait
nous faisions	nous avions fait
vous faisiez	vous aviez fait
ils faisaient	ils avaient fait
Passé simple	Passé antérieur
je fis	j'eus fait
tu fis	tu eus fait
il fit	il eut fait
nous fîmes	nous eûmes fait
vous fîtes	vous eûtes fait
ils firent	ils eurent fait
Futur simple	Futur antérieur
je ferai	j'aurai fait
tu feras	tu auras fait
il fera	il aura fait
nous ferons	nous aurons fait
vous ferez	vous aurez fait
ils feront	ils auront fait
CONDITIONNEL	
Présent	**Passé**
je ferais	j'aurais fait
tu ferais	tu aurais fait
il ferait	il aurait fait
nous ferions	nous aurions fait
vous feriez	vous auriez fait
ils feraient	ils auraient fait
SUBJONCTIF	IMPÉRATIF
Présent (que / qu'…)	**Présent**
je fasse	fais
tu fasses	faisons
il fasse	faites
nous fassions	**Passé**
vous fassiez	aie fait
ils fassent	ayons fait
	ayez fait
INFINITIF	
Présent	Passé
faire	avoir fait
PARTICIPE	
Présent	Passé
faisant	fait

NB : pour la conjugaison de la voix passive et de la forme pronominale, voir p. 392.

Les verbes du 3e groupe

METTRE	
INDICATIF	
Présent	**Passé composé**
je mets	j'ai mis
tu mets	tu as mis
il met	il a mis
nous mettons	nous avons mis
vous mettez	vous avez mis
ils mettent	ils ont mis
Imparfait	**Plus-que-parfait**
je mettais	j'avais mis
tu mettais	tu avais mis
il mettait	il avait mis
nous mettions	nous avions mis
vous mettiez	vous aviez mis
ils mettaient	ils avaient mis
Passé simple	**Passé antérieur**
je mis	j'eus mis
tu mis	tu eus mis
il mit	il eut mis
nous mîmes	nous eûmes mis
vous mîtes	vous eûtes mis
ils mirent	ils eurent mis
Futur simple	**Futur antérieur**
je mettrai	j'aurai mis
tu mettras	tu auras mis
il mettra	il aura mis
nous mettons	nous aurons mis
vous mettrez	vous aurez mis
ils mettront	ils auront mis
CONDITIONNEL	
Présent	**Passé**
je mettrais	j'aurais mis
tu mettrais	tu aurais mis
il mettrait	il aurait mis
nous mettrions	nous aurions mis
vous mettriez	vous auriez mis
ils mettraient	ils auraient mis
SUBJONCTIF	**IMPÉRATIF**
Présent (que / qu'…)	**Présent**
je mette	mets
tu mettes	mettons
il mette	mettez
nous mettions	**Passé**
vous mettiez	aie mis
ils mettent	ayons mis
	ayez mis
INFINITIF	
Présent	**Passé**
mettre	avoir mis
PARTICIPE	
Présent	**Passé**
mettant	mis

PRENDRE	
INDICATIF	
Présent	**Passé composé**
je prends	j'ai pris
tu prends	tu as pris
il prend	il a pris
nous prenons	nous avons pris
vous prenez	vous avez pris
ils prennent	ils ont pris
Imparfait	**Plus-que-parfait**
je prenais	j'avais pris
tu prenais	tu avais pris
il prenait	il avait pris
nous prenions	nous avions pris
vous preniez	vous aviez pris
ils prenaient	ils avaient pris
Passé simple	**Passé antérieur**
je pris	j'eus pris
tu pris	tu eus pris
il prit	il eut pris
nous prîmes	nous eûmes pris
vous prîtes	vous eûtes pris
ils prirent	ils eurent pris
Futur simple	**Futur antérieur**
je prendrai	j'aurai pris
tu prendras	tu auras pris
il prendra	il aura pris
nous prendrons	nous aurons pris
vous prendrez	vous aurez pris
ils prendront	ils auront pris
CONDITIONNEL	
Présent	**Passé**
je prendrais	j'aurais pris
tu prendrais	tu aurais pris
il prendrait	il aurait pris
nous prendrions	nous aurions pris
vous prendriez	vous auriez pris
ils prendraient	ils auraient pris
SUBJONCTIF	**IMPÉRATIF**
Présent (que / qu'…)	**Présent**
je prenne	prends
tu prennes	prenons
il prenne	prenez
nous prenions	**Passé**
vous preniez	aie pris
ils prennent	ayons pris
	ayez pris
INFINITIF	
Présent	**Passé**
prendre	avoir pris
PARTICIPE	
Présent	**Passé**
prenant	pris

CRAINDRE	
INDICATIF	
Présent	**Passé composé**
je crains	j'ai craint
tu crains	tu as craint
il craint	il a craint
nous craignons	nous avons craint
vous craignez	vous avez craint
ils craignent	ils ont craint
Imparfait	**Plus-que-parfait**
je craignais	j'avais craint
tu craignais	tu avais craint
il craignait	il avait craint
nous craignions	nous avions craint
vous craigniez	vous aviez craint
ils craignaient	ils avaient craint
Passé simple	**Passé antérieur**
je craignis	j'eus craint
tu craignis	tu eus craint
il craignit	il eut craint
nous craignîmes	nous eûmes craint
vous craignîtes	vous eûtes craint
ils craignirent	ils eurent craint
Futur simple	**Futur antérieur**
je craindrai	j'aurai craint
tu craindras	tu auras craint
il craindra	il aura craint
nous craindrons	nous aurons craint
vous craindrez	vous aurez craint
ils craindront	ils auront craint
CONDITIONNEL	
Présent	**Passé**
je craindrais	j'aurais craint
tu craindrais	tu aurais craint
il craindrait	il aurait craint
nous craindrions	nous aurions craint
vous craindriez	vous auriez craint
ils craindraient	ils auraient craint
SUBJONCTIF	**IMPÉRATIF**
Présent (que / qu'…)	**Présent**
je craigne	crains
tu craignes	craignons
il craigne	craignez
nous craignions	**Passé**
vous craigniez	aie craint
ils craignent	ayons craint
	ayez craint
INFINITIF	
Présent	**Passé**
craindre	avoir craint
PARTICIPE	
Présent	**Passé**
craignant	craint

NB : pour la conjugaison de la voix passive et de la forme pronominale, voir p. 392.

CONJUGAISON

Les verbes du 3e groupe

DEVOIR

INDICATIF	
Présent	**Passé composé**
je dois	j'ai dû
tu dois	tu as dû
il doit	il a dû
nous devons	nous avons dû
vous devez	vous avez dû
ils doivent	ils ont dû
Imparfait	**Plus-que-parfait**
je devais	j'avais dû
tu devais	tu avais dû
il devait	il avait dû
nous devions	nous avions dû
vous deviez	vous aviez dû
ils devaient	ils avaient dû
Passé simple	**Passé antérieur**
je dus	j'eus dû
tu dus	tu eus dû
il dut	il eut dû
nous dûmes	nous eûmes dû
vous dûtes	vous eûtes dû
ils durent	ils eurent dû
Futur simple	**Futur antérieur**
je devrai	j'aurai dû
tu devras	tu auras dû
il devra	il aura dû
nous devrons	nous aurons dû
vous devrez	vous aurez dû
ils devront	ils auront dû
CONDITIONNEL	
Présent	**Passé**
je devrais	j'aurais dû
tu devrais	tu aurais dû
il devrait	il aurait dû
nous devrions	nous aurions dû
vous devriez	vous auriez dû
ils devraient	ils auraient dû
SUBJONCTIF	**IMPÉRATIF**
Présent (que / qu'…)	**Présent**
je doive	*inusité*
tu doives	
il doive	**Passé**
nous devions	*inusité*
vous deviez	
ils doivent	
INFINITIF	
Présent	**Passé**
devoir	avoir dû
PARTICIPE	
Présent	**Passé**
devant	dû

SAVOIR

INDICATIF	
Présent	**Passé composé**
je sais	j'ai su
tu sais	tu as su
il sait	il a su
nous savons	nous avons su
vous savez	vous avez su
ils savent	ils ont su
Imparfait	**Plus-que-parfait**
je savais	j'avais su
tu savais	tu avais su
il savait	il avait su
nous savions	nous avions su
vous saviez	vous aviez su
ils savaient	ils avaient su
Passé simple	**Passé antérieur**
je sus	j'eus su
tu sus	tu eus su
il sut	il eut su
nous sûmes	nous eûmes su
vous sûtes	vous eûtes su
ils surent	ils eurent su
Futur simple	**Futur antérieur**
je saurai	j'aurai su
tu sauras	tu auras su
il saura	il aura su
nous saurons	nous aurons su
vous saurez	vous aurez su
ils sauront	ils auront su
CONDITIONNEL	
Présent	**Passé**
je saurais	j'aurais su
tu saurais	tu aurais su
il saurait	il aurait su
nous saurions	nous aurions su
vous sauriez	vous auriez su
ils sauraient	ils auraient su
SUBJONCTIF	**IMPÉRATIF**
Présent (que / qu'…)	**Présent**
je sache	sache
tu saches	sachons
il sache	sachez
nous sachions	**Passé**
vous sachiez	aie su
ils sachent	ayons su
	ayez su
INFINITIF	
Présent	**Passé**
savoir	avoir su
PARTICIPE	
Présent	**Passé**
sachant	su

VENIR

INDICATIF	
Présent	**Passé composé**
je viens	je suis venu(e)
tu viens	tu es venu(e)
il vient	il est venu
nous venons	nous sommes venu(e)s
vous venez	vous êtes venu(e)s
ils viennent	ils sont venus
Imparfait	**Plus-que-parfait**
je venais	j'étais venu(e)
tu venais	tu étais venu(e)
il venait	il était venu
nous venions	nous étions venu(e)s
vous veniez	vous étiez venu(e)s
ils venaient	ils étaient venus
Passé simple	**Passé antérieur**
je vins	je fus venu(e)
tu vins	tu fus venu(e)
il vint	il fut venu
nous vînmes	nous fûmes venu(e)s
vous vîntes	vous fûtes venu(e)s
ils vinrent	ils furent venus
Futur simple	**Futur antérieur**
je viendrai	je serai venu(e)
tu viendras	tu seras venu(e)
il viendra	il sera venu
nous viendrons	nous serons venu(e)s
vous viendrez	vous serez venu(e)s
ils viendront	ils seront venus
CONDITIONNEL	
Présent	**Passé**
je viendrais	je serais venu(e)
tu viendrais	tu serais venu(e)
il viendrait	il serait venu
nous viendrions	nous serions venu(e)s
vous viendriez	vous seriez venu(e)s
ils viendraient	ils seraient venus
SUBJONCTIF	**IMPÉRATIF**
Présent (que / qu'…)	**Présent**
je vienne	viens
tu viennes	venons
il vienne	venez
nous venions	**Passé**
vous veniez	sois venu(e)
ils viennent	soyons venu(e)s
	soyez venu(e)s
INFINITIF	
Présent	**Passé**
venir	être venu(e)
PARTICIPE	
Présent	**Passé**
venant	venu

Les verbes du 3e groupe

VOIR	
INDICATIF	
Présent	**Passé composé**
je vois	j'ai vu
tu vois	tu as vu
il voit	il a vu
nous voyons	nous avons vu
vous voyez	vous avez vu
ils voient	ils ont vu
Imparfait	**Plus-que-parfait**
je voyais	j'avais vu
tu voyais	tu avais vu
il voyait	il avait vu
nous voyions	nous avions vu
vous voyiez	vous aviez vu
ils voyaient	ils avaient vu
Passé simple	**Passé antérieur**
je vis	j'eus vu
tu vis	tu eus vu
il vit	il eut vu
nous vîmes	nous eûmes vu
vous vîtes	vous eûtes vu
ils virent	ils eurent vu
Futur simple	**Futur antérieur**
je verrai	j'aurai vu
tu verras	tu auras vu
il verra	il aura vu
nous verrons	nous aurons vu
vous verrez	vous aurez vu
ils verront	ils auront vu
CONDITIONNEL	
Présent	**Passé**
je verrais	j'aurais vu
tu verrais	tu aurais vu
il verrait	il aurait vu
nous verrions	nous aurions vu
vous verriez	vous auriez vu
ils verraient	ils auraient vu
SUBJONCTIF	**IMPÉRATIF**
Présent (que / qu'…)	**Présent**
je voie	vois
tu voies	voyons
il voie	voyez
nous voyions	**Passé**
vous voyiez	*inusité*
ils voient	
INFINITIF	
Présent	**Passé**
voir	avoir vu
PARTICIPE	
Présent	**Passé**
voyant	vu

POUVOIR	
INDICATIF	
Présent	**Passé composé**
je peux	j'ai pu
tu peux	tu as pu
il peut	il a pu
nous pouvons	nous avons pu
vous pouvez	vous avez pu
ils peuvent	ils ont pu
Imparfait	**Plus-que-parfait**
je pouvais	j'avais pu
tu pouvais	tu avais pu
il pouvait	il avait pu
nous pouvions	nous avions pu
vous pouviez	vous aviez pu
ils pouvaient	ils avaient pu
Passé simple	**Passé antérieur**
je pus	j'eus pu
tu pus	tu eus pu
il put	il eut pu
nous pûmes	nous eûmes pu
vous pûtes	vous eûtes pu
ils purent	ils eurent pu
Futur simple	**Futur antérieur**
je pourrai	j'aurai pu
tu pourras	tu auras pu
il pourra	il aura pu
nous pourrons	nous aurons pu
vous pourrez	vous aurez pu
ils pourront	ils auront pu
CONDITIONNEL	
Présent	**Passé**
je pourrais	j'aurais pu
tu pourrais	tu aurais pu
il pourrait	il aurait pu
nous pourrions	nous aurions pu
vous pourriez	vous auriez pu
ils pourraient	ils auraient pu
SUBJONCTIF	**IMPÉRATIF**
Présent (que / qu'…)	**Présent**
je puisse	*inusité*
tu puisses	
il puisse	**Passé**
nous puissions	*inusité*
vous puissiez	
ils puissent	
INFINITIF	
Présent	**Passé**
pouvoir	avoir pu
PARTICIPE	
Présent	**Passé**
pouvant	pu

VOULOIR	
INDICATIF	
Présent	**Passé composé**
je veux	j'ai voulu
tu veux	tu as voulu
il veut	il a voulu
nous voulons	nous avons voulu
vous voulez	vous avez voulu
ils veulent	ils ont voulu
Imparfait	**Plus-que-parfait**
je voulais	j'avais voulu
tu voulais	tu avais voulu
il voulait	il avait voulu
nous voulions	nous avions voulu
vous vouliez	vous aviez voulu
ils voulaient	ils avaient voulu
Passé simple	**Passé antérieur**
je voulus	j'eus voulu
tu voulus	tu eus voulu
il voulut	il eut voulu
nous voulûmes	nous eûmes voulu
vous voulûtes	vous eûtes voulu
ils voulurent	ils eurent voulu
Futur simple	**Futur antérieur**
je voudrai	j'aurai voulu
tu voudras	tu auras voulu
il voudra	il aura voulu
nous voudrons	nous aurons voulu
vous voudrez	vous aurez voulu
ils voudront	ils auront voulu
CONDITIONNEL	
Présent	**Passé**
je voudrais	j'aurais voulu
tu voudrais	tu aurais voulu
il voudrait	il aurait voulu
nous voudrions	nous aurions voulu
vous voudriez	vous auriez voulu
ils voudraient	ils auraient voulu
SUBJONCTIF	**IMPÉRATIF**
Présent (que / qu'…)	**Présent**
je veuille	veuille
tu veuilles	*inusité*
il veuille	veuillez
nous voulions	**Passé**
vous vouliez	*inusité*
ils veuillent	
INFINITIF	
Présent	**Passé**
vouloir	avoir voulu
PARTICIPE	
Présent	**Passé**
voulant	voulu

NB : pour la conjugaison de la voix passive et de la forme pronominale, voir p. 392.

Index des notions étudiées dans la partie « Lectures »

Les chiffres renvoient aux numéros des chapitres et des dossiers.
En noir, les notions littéraires et artistiques ; en orange, les notions de langue.

Index des auteurs cités dans la partie « Lectures »

EDMOND BACOT, *Victor Hugo à Guernesey*, 1862. Coll. Musée Carnavalet.

Index des artistes cités dans la partie « Lectures »

Jan Vermeer, *La Jeune Femme avec une servante tenant une lettre*, vers 1667-1668. Frick Collection, New York.

Crédits : p. 15 ht Leemage / Luisa Ricciarini ; p. 15 g RMN / Hervé Lewandowski ; p. 15 m Kharbine-Tapabor / Coll. Lou ; p. 16 ht d Coll. privée – Ph. Leemage / Lee ; p. 16 bg Palais Longchamp, Marseille – Ph. Leemage / Jean Bernard ; p. 17 ht d *Château de Miromesnil* Akg-images / Hervé Champollion ; p. 19 Éditions Petit à Petit ; p. 20 Éditions Petit à Petit ; p. 21 Éditions Petit à Petit ; p. 22 Kharbine-Tapabor / Coll. Lou ; p. 24 Leemage / Selva ; p. 25 Bridgeman-Giraudon / Archives Charmet ; p. 26 Bridgeman-Giraudon / Musée de la Ville de Paris, Maison de Balzac, Paris ; p. 27 D. R. ; p. 28 ht g © Muséum national d'Histoire naturelle, Dist. RMN / Image du MNHN, bibl. centrale ; p. 28 ht mg *Contes de la bécasse*, G. de Maupassant © Le Livre de Poche ; p. 28 ht md *Les contes de la bécasse*, G. de Maupassant © Larousse 2008 ; p. 28 ht d *Contes de la bécasse*, G. de Maupassant © GF Flammarion ; p. 29 bd Muséum national d'Histoire naturelle, Dist. RMN / image du MNHN, bibl. centrale ; p. 28 fb Corbis / Adam Woolfitt / Robert Harding World Imagery ; p. 29 Gamma Rapho / Christophe Boisvieux / Hoa-Qui ; p. 30 ht g Leemage / Selva ; p. 30 b Leemage / Luisa Ricciarini ; p. 31 Leemage / Selva ; p. 35 Kharbine-Tapabor / Coll. Foras ; p. 36 Éditions Petit à Petit ; p. 38 Gamma Rapho / Robert Doisneau / Rapho ; p. 40 f ht Corbis / Adam Woolfiit / Corbis ; p. 40 fg Corbis / Robert Harding World Imagery ; p. 40 Bibliocollège, Hachette Livre ; p. 41 Akg-images / Erich Lessing ; p. 43 Illustration de *Un cœur Simple* par É. Adan, 1894. BnF – Cliché BnF, Paris ; p. 44 et 45 Éditions Petit à Petit ; p. 46 ht et b © Rezo Productions – Arte France Cinéma ; p. 46 md Bridgeman-Giraudon / Christie's Images / DR ; p. 47 md RMN / Hervé Lewandowski ; p. 47 bg Leemage / Luisa Ricciarini ; p. 49 Bridgeman / Giraudon. Henri Michaux © Adagp, Paris 2011 ; p. 50 Photographie de Nadar. Leemage / Jean Bernard ; p. 51 RMN / Hervé Lewandowski ; p. 53 Bibl. littéraire Jacques Doucet, Paris / Suzanne Nagy ; p. 54 Bibl. littéraire Jacques Doucet, Paris / Suzanne Nagy ; p. 55 Leemage / FineArtImages ; p. 57 La Collection / Artothek ; p. 58 ht Library of Congress, Washington ; p. 58 b à 62 *Le Masque de la Mort-Rouge* de Timothy Hannem et Jean Monset, 2005 ; p. 64 Scala Firenze / Digital Image, The MoMA, New York. James Ensor © Adagp, Paris 2011 ; p. 65 ht g Coll. Particulière ; p. 65 ht d Universal Music ; p. 65 b Bridgeman / Giraudon ; p. 66 g Akg-images ; p. 66 d Le Livre de Poche ; p. 67 CDDS Enguerand / Marc Enguerand ; p. 68 Akg-images / Erich Lessing ; p. 69 Leemage / Isadora ; p. 70 RMN Dist. / BPK, Berlin / Andres Kilger ; p. 71 Éditions Gallimard, coll. Folio ; p. 73 Michael Kenna ; p. 74 ht et b Prod DB © Prana-Film / D.R. ; p. 76 Akg-images. Sergei A. Alimow D.R. ; p. 77 RIA Novosti ; p. 78 ht RMN / Jean-Gilles Berizzi ; p. 78 m Accoudoir en sphinx, fauteuil de Jacob Frères, 1800-1801. Châteaux de Malmaison et Bois-Préau. RMN / Daniel Arnaudet ; p. 78 bg Mobilier national ; p. 78 bd Akg-images / Rabatti-Domingie ; p. 78 fg Leemage / Luisa Ricciarini ; p. 78 fd Leemage / Photo Josse ; p. 79 ht RMN / Jean-Pierre Lagiewski ; p. 79 m Partition d'*Aïda*, 1873. Leemage / Fototeca ; p. 79 bg RMN / Gérard Blot ; p. 79 bm RMN / Gérard Blot ; p. 79 bd Mobilier national ; p. 79 f Leemage / Luisa Ricciarini ; p. 80 ht g RMN / Daniel Arnaudet ; p. 80 ht d Le Livre de Poche ; p. 80 fg Leemage / Luisa Ricciarini ; p. 80 f ht d Leemage / Raffael ; p. 81 Bridgeman / Giraudon ; p. 82 ht RMN / Daniel Arnaudet ; p. 82 b Bridgeman / Giraudon ; p. 82 f ht Leemage / Luisa Ricciarini ; p. 82 fb RMN / Hervé Lewandowski ; p. 83 RMN / Hervé Lewandowski ; p. 83 f ht Leemage / Luisa Ricciarini ; p. 83 f ht m Bridgeman / Giraudon ; p. 83 fm Roger-Viollet / Petit Palais ; p. 84 ht g Corbis / Gianni Dagli Orti ; p. 84 ht d RMN / Daniel Arnaudet ; p. 84 b Bridgeman / Giraudon / Brooklyn Museum of Art, New York ; p. 84 f ht g Leemage / Luisa Ricciarini ; p. 84 f ht d Leemage / Luisa Ricciarini ; p. 85 ht La déesse Isis, XVIIIe dynastie. Corbis / Gianni Dagli Orti ; p. 85 m Bridgeman / Giraudon / Brooklyn Museum of Art, New York ; p. 85 b Sarcophage et momie, période ptolémaïque. Science Museum. Leemage / SSPL / Jennie Hills ; p. 85 f ht d Leemage / Luisa Ricciarini ; p.86 Kharbine-Tapabor / Larrieu-Licorne ; p. 86 f ht Leemage / Luisa Ricciarini ; p. 86 fb Corbis / Gianni Dagli Orti ; p. 87 ht Roger-Viollet / Petit Palais ; p. 87 bg Vase canope de Paniouf : Amset à tête d'homme, Égypte, 1069-664 av. J.-C. Musée du Louvre, Paris. Bridgeman / Giraudon / Christian Larrieu-La Licorne ; p. 87 bm Vase canope étrusque, Chiusi, 620-480 av. J.-C. Musée du Louvre, Paris. RMN / Hervé Lewandowski ; p. 87 bd Vase canope : un fils d'Horus. XXIe dynastie, Égypte. British Museum, London. RMN Dist. / The British Museum, Londres / The Trustees of the British Museum ; p. 88 ht Leemage / De Agostini ; p. 88 b Leemage / Luisa Ricciarini ; p. 89 Leemage / Luisa Ricciarini ; p. 90 b et 91 ht Leemage / Heritage Images ; p. 91 b Bridgeman / Giraudon. Léon Spilliaert © Adagp, Paris 2011 ; p. 92 ht Leemage / FineArtImages ; p. 92 b Bridgeman / Giraudon ; p. 88 à 93 f Leemage / Luisa Ricciarini ; p. 95 f © Musée Carnavalet / Roger-Viollet ; p. 95 ht g Paris, musée de la vie romantique – Ph. Leemage / Photo Josse ; p. 95 ht m Paris, musée d'Orsay – Ph. RMN / Daniel Arnaudet ; p. 95 ht d Enveloppe-collage réalisée par Martine Chenon. Coll. Pierre-Stéphane Proust, www.artpostal.com ; p. 95 bg BnF – Cliché BnF, Paris ; p. 95 bd New York, Frick Coll. – Ph. Akg-images / Erich Lessing ; p. 96 Leemage ; p. 97 Kharbine-Tapabor / Coll. IM ; p. 98 ht Photographie de Carjat. Coll. privée – Ph. Leemage ; p. 98 b Leemage / Heritage Images ; p. 100 bg BnF – Cliché BnF, Paris ; p. 100 bd Rue des Archives / Mary Evans ; p. 101 Prod DB © Films Alain Sarde / Alexandre Films / DR ; p. 102 © Musée Carnavalet / Roger-Viollet ; p. 103 © Coalition Mondiale contre la peine de mort ; p. 104 et 105 © DirectLyonPlus ; p. 104 Sipa / Marttila / Lehtikuva Oy ; p. 105 Sipa / Superstock / Sipa ; p. 106-107 © CRDP de l'académie de Versailles / www.ctoutnet.fr / memotice ; p. 108 Shutterstock ; p. 109 Coll. Pierre-Stéphane Proust, www.artpostal.com ; p. 110 ht Kharbine-Tapabor / Coll. Lou ; p. 110 m RMN / Gérard Blot ; p. 111 Roger-Viollet / Musée Carnavalet ; p. 112 Leemage / FineArtImages ; p. 113 Bridgeman-Giraudon ; p. 114 The Metropolitan Museum of Art, Dist. RMN / Image of the MMA ; p. 115 Shutterstock ; p. 118 Leemage / Selva ; p. 119 ht Akg-images / Erich Lessing ; p. 119 b Akg-images ; p. 122 Leemage / Photo Josse ; p. 123 Leemage / FineArtImages ; p. 125 Leemage / DeAgostini ; p. 126 et 127 RMN / Agence Bulloz ; p. 128 Cliché Jean-Louis Losi © Adagp, Banque d'Images, Paris 2011 ; p. 129 Akg-images / Erich Lessing ; p. 131 RMN / Hervé Lewandowski ; p. 132 ht Paris, Médiathèque de l'Architecture et du Patrimoine – Ministère de la Culture – Médiathèque du Patrimoine, Dist. RMN / Sam Lévin © RMN – Gestion droits d'auteur ; p. 132 b Ph. Leemage / Aisa © Adagp, Paris 2011 ; p. 133 © Photothèque R. Magritte – Adagp, Paris 2011 ; p. 134 D. R. ; p. 135 g Akg-images ; p. 135 d © Saint Louis Art Museum, Museum Shop Fund 323, 1991 ; p. 136 et 137 Bridgeman-Giraudon / Christie's Images ; p. 138 ht BnF – Ph. Akg-images ; p. 138 b Leemage / Photo Josse © Adagp, Paris 2011 ; p. 140 Akg-images / Erich Lessing ; p. 141 Bridgeman-Giraudon / Mucha trust ; p. 144 RMN / Hervé Lewandowski ; p. 145 The National Gallery, Londres, Dist. RMN / National Gallery Photographic Department ; p. 146 Coll. Centre Pompidou, Dist. RMN / D. R. © Adagp, Paris 2011 ; p. 148 et 149 © Akg-images ; p. 151 Jean-Denis Malclès © Adagp, Paris 2011 ; p. 152 Bruno Amsellem ; p. 154 CDDS Enguerand / Marc Enguerand ; p. 155 CDDS Enguerand / Ramon Senera ; p. 157 CDDS Enguerand / Ramon Senera ; p. 158 ht Jean-Denis Malclès © Adagp, Paris 2011 ; p. 158 b Roger-Viollet / Horst Tappe / Fondation Horst Tappe ; p. 160 ArtComArt / Pascal Victor ; p. 161 ArtComArt / Pascal Victor ; p. 162 ht g CDDS Enguerand / Marc Enguerand ; p. 162 f ht d CDDS Enguerand / Agence Bernand ; p. 162 b Fedephoto / Agathe Poupeney ; p. 163 ht Leemage / Photo Josse ; p. 163 b Maxppp / *Le Dauphiné Libéré* / BEP / Patrick Roux ; p. 164 ht g CDDS Enguerand / Pascal Gély ; p. 164 ht g et bg Gamma Rapho / Imagestate / Dimitri Vervits ; p. 165 ht CDDS Enguerand / Pascal Gély ; p. 165 b CDDS Enguerand / Pascal Gély ; p. 166 ht Shutterstock ; p. 166 b The Art Archive / Alfredo Dagli Orti ; p. 167 Jean-Denis Malclès © Adagp, Paris 2011 ; p. 168 Leemage / Selva ; p. 170 ArtComArt / Pascal Victor ; p. 172 g Leemage / Costa ; p. 172 d Akg-images / Erich Lessing ; p. 174 CDDS Enguerand / Ramon Senera ; p. 177 ht g CDDS Enguerand / Brigitte Enguerand ; p. 177 ht d et 180 CDDS Enguerand / Brigitte Enguerand ; p. 177 m Shutterstock ; p. 177 ht m et 178 m Leemage / Costa ; p. 177 bg CDDS Enguerand / Ramon Senera / Agence Bernand ; p. 178 ht Leemage / Photo Josse ; p. 179 Cie C. Roumanoff ; p. 180 CDDS Enguerand / Brigitte Enguerand ; p. 181 g CDDS Enguerand / Bernard Michel Palazon ; p. 181 d CDDS Enguerand / Brigitte Enguerand ; p. 183 g CDDS Enguerand / Brigitte Enguerand ; p. 183 m ArtComArt / Pascal Victor ; p. 183 d ArtComArt / Pascal Victor ; p. 184 CDDS Enguerand / Ramon Senera / Agence Bernand ; p. 185 CDDS Enguerand / Armelle enguerand ; p. 186 ArtComArt / Pascal Victor ; p. 187 CDDS Enguerand / Ramon Senera / Agence Bernand ; p. 188 CDDS Enguerand / Brigitte Enguerand ; p. 189 Kharbine-Tapabor / Coll. Jonas / DR ; p. 190 CDDS Enguerand / Ramon Senera / Agence Bernand ; p. 193 CDDS Enguerand / Pascal Gely ; p. 194 CDDS Enguerand / Bernard Michel Palazon ; p. 196 CDDS Enguerand / Ramon Senera / Agence Bernand ; p. 197 CDDS Enguerand / Agence Bernand ; p. 198 ht Prod DB © D. R. ; p. 198 b Photo12.com / Hachedé ; p. 199 ht et m © Camera One © Hachette Première, 1990 ; p. 199 b Coll. Christophe L © D. R. ; p. 200 Kharbine-Tapabor / Coll. IM ; p. 201 mg Julio Donoso / Sygma / Corbis ; p. 201 md © Camera One © Hachette Première, 1990 ; p. 201 mb CDDS Enguerand / Brigitte Enguerand ; p. 202 © Camera One © Hachette Première, 1990 ; p. 203 CDDS Enguerand / Pascal Gely ; p. 204 CDDS Enguerand / Pascal Gely ; p. 205 CDDS Enguerand / Brigitte Enguerand ; p. 206 ht © Camera One © Hachette Première, 1990 ; p. 206 b AFP / Pierre Verdy ; p. 207 Artcomart / Patrick Berger ; p. 208 *Voltaire*, gravure XVIIIe siècle colorisée. Leemage / Fototeca ; *Jean-Jacques Rousseau*, copie d'un portrait du XVIIIe siècle par C. Escot, 1874. Musée du Château, Versailles. Leemage / Photo Josse ; *Beaumarchais*, P. C. Soyer d'après Greuze. Musée du Château, Versailles. Leemage / Photo Josse ; *Portrait de Diderot*, L. M. van Loo, 1767. Musée du Louvre, Paris. Leemage / Photo Josse ; *Portrait de Montesquieu*, J. A. Dassier, 1728. Musée du Château, Versailles. Leemage / Photo Josse ; p. 209 ht © by permission of The Voltaire Fondation, University of Oxford ; p. 209 bg Leemage / Lebrecht ; p. 209 bm The Art Archive / Gianni Dagli Orti ; p. 209 bd Leemage / Costa ; p. 210 ht Leemage / National Maritime Museum, Greenwich ; p. 210 b Bridgeman / Giraudon ; p. 211 Leemage / Costa ; p. 212 Akg-images ; p. 213 ht BnF ; p. 213 b BnF ; p. 214 ht Leemage / Photo Josse ; p. 214 b Leemage / Photo Josse ; p. 215 g CIT'en scène / Vincent Pontet ; p. 215 d CIT'en scène / Vincent Pontet ; p. 216 ht Leemage / FineArtImages ; p. 216 b RMN Dist. / The Metropolitan Museum of Art / Malcom Varon ; p. 217 Roger-Viollet / Musée Carnavalet ; p. 208 à 217 f Lettre autographe de George Sand © Hachette Livre ; p. 219 ht Bridgeman / Giraudon / The Maas Gallery, London ; p. 219 b Bridgeman / Giraudon / Birmingham Museums and Art Gallery ; p. 220 Peinture de J. H. Thompson. Bridgeman / Giraudon / Bronte Parsonage Museum, Haworth (Yorkshire) ; p. 221 www.janeeyreillustrated.com / George G. Harrap & Company / Monro S. Orr D.R. ; p. 222 Rue des Archives / 20th Century Fox ; p. 224 Roger-Viollet / Maison de Balzac. Auguste Leroux D.R. ; p. 225 Maison de Balzac. Auguste Leroux D.R ; p. 226 Maison de Balzac. René X. Prinet © Adagp, Paris 2011 ; p. 228 Maison de Balzac / Roger-Viollet. Auguste Leroux D.R ; p. 229 Maison de Balzac / Roger-Viollet. Pierre Brissaud D.R. ; p. 230 ht Le Livre de Poche ; p. 230 m Peinture d'Orest A. Kiprensky, Galerie Tretiakov, Moscou. Leemage / Russian Look ; p. 230 b The Art Archive / Alfredo Dagli Orti ; p. 231 Akg-images ; p. 232 Akg-images / Oronoz. Marc Chagall © Adagp, Paris 2011 ; p. 233 Leemage / Selva. Pierre Brissaud D.R. ; p. 234 Maison de Balzac. René X. Prinet © Adagp, Paris 2011 ; p. 237 Bridgeman / Giraudon / The Maas Gallery, London ; p. 240 Leemage / Photo Josse ; p. 243 (Cosette) Corbis / Gail Mooney ; (Londres) Gamma Rapho / Hoa Qui / Wojtek Buss ; (barricades) Rue des Archives / Tal ; (Gavroche) Leemage / Photo Josse ; (Javert-Michel Bouquet) Rue des Archives / RDA / G.E.F. – Modern Media Filmproduktion – SFP ; (Cosette et Jean Valjean) Rue des Archives / Coll. CSFF / G.E.F. – Modern Media Filmproduktion – SFP ; p. 244 g Bridgeman / Giraudon / The Stapleton Coll. ; p. 244 d © Olympus. © Pringer & Jacoby ; p. 245 Rue des Archives / RDA ; p. 246 Kharbine-Tapabor / Jean Vigne ; p. 247 Rue des Archives / Coll. CSFF / G.E.F. – Modern Media Filmproduktion – SFP ; p. 248 Roger-Viollet / Maisons de Victor Hugo ; p. 249 Roger-Viollet ; p. 250 Leemage / De Agostini ; p. 251 Roger-Viollet / Maisons de Victor Hugo ; p. 252 Leemage / Photo Josse ; p. 253 Leemage / Photo Josse ; p. 254 Roger-Viollet / Maison de Balzac ; p. 255 Dessin de Victor Hugo, *Carnet*, 1864-1865. Paris, BnF ; p. 256 Roger-Viollet / Maisons de Victor Hugo ; p. 258 Sipa Press / Rex Features / Nils Jorgensen ; p. 259 Roger-Viollet / TopFoto / Michael Le Poer Trench ; p. 260 g Roger-Viollet ; p. 260 d Roger-Viollet / Maisons de Victor Hugo / Edmond Bacot ; p. 262 Rue des Archives / Coll. CSFF / DEFA – P.A.C. – Serena – Société nouvelle Pathé Cinéma ; p. 263 Sipa Press / TF1 – Maestracci ; p. 264 ht Leemage / Selva ; p. 264 m Bridgeman-Giraudon / Archives Charmet ; p. 265 ht Leemage / Photo Josse ; p. 265 m Roger-Viollet / Charles Marville / Musée Carnavalet ; p. 266 et 267 ht Leemage / Photo Josse ; p. 267 b The National Gallery, Londres, Dist. RMN / National Gallery Photographic Department ; p. 268 Coll. privée – D. R. ; p. 269 ht Leemage / Photo Josse ; p. 269 b Roger-Viollet / Musée Carnavalet ; p. 270 ht Leemage / Gusman © Adagp, Paris 2011 ; p. 270 m Roger-Viollet / Musée Carnavalet ; p. 270 b Leemage / Selva ; p. 271 Coll. privée – Ph. Leemage / Gusman ; p. 272 RMN / Hervé Lewandowski ; p. 273 RMN / Hervé Lewandowski ; p. 274 ht © 2010, The M. C. Escher Company, Holland. All rights reserved. www.mcescher.com ; p. 274 b Bridgeman / Giraudon / Boltin Picture Library ; p. 275 RMN / Hervé Lewandowski ; p. 276 RMN Dist / BPK, Berlin / Andres Kilger ; p. 277 ht Leemage / Photo Josse ; p. 277 mg La Coll. / Artothek ; p. 277 mm RMN / Hervé Lewandowski ; p. 277 md Bridgeman / Giraudon ; p. 277 b Akg-images ; p. 278 Éditions Petit à Petit ; p. 279 Hachette Livre ; p. 281 Bridgeman / Giraudon ; p. 286 C. Roumanoff ; p. 287 Leemage / Photo Josse ; p. 289 Rue des Archives / Tallandier ; p. 293 Leemage / De Agostini ; p. 294 Leemage / Superstock ; p. 296 Leemage / Aisa ; p. 301 Erick Labbé, Beaufort (Québec) ; p. 307 Roger-Viollet ; p. 309 Hachette Livre ; p. 314 Hachette Livre ; p. 315 Hachette Livre ; p. 317 Kharbine-Tapabor / Museum Images ; p. 319 Bridgeman / Giraudon ; p. 320 Leemage / Lee ; p. 321 Leemage / Lee ; p. 324 Leemage / Selva ; p. 330 Leemage / Lee ; p. 332 Leemage / Costa ; p. 337 Kharbine-Tapabor / Coll. IM ; p. 339 Bridgeman / Giraudon ; p. 341 CDDS Enguerand / Pascal Gély ; p. 342 Hachette Livre ; p. 343 Leemage / De Agostini ; p. 349 Éditions Petit à Petit ; p. 363 Rue des Archives / PVDE ; p. 365 Leemage / Photo Josse ; p. 367 Leemage / Selva ; p. 371 Leemage / Photo Josse ; p. 377 Musée de la Poste, Paris, 2007 ; p. 379 Rue des Archives / Mary Evans Picture Library. Mario Laboccetta D.R. ; p. 382 RMN / Michèle Bellot ; p. 383 Leemage / Bianchetti ; p. 385 Bridgeman / Giraudon ; p. 398 © Musée Carnavalet / Roger-Viollet ; p. 399 Akg-images / Erich Lessing.

Achevé d'imprimer en Italie par G. canale & C. S.p.A.
Dépôt légal : août 2011 - Collection n° 11 - Édition 02 -
12/5635/3

Écrivains et œuvres littéraires

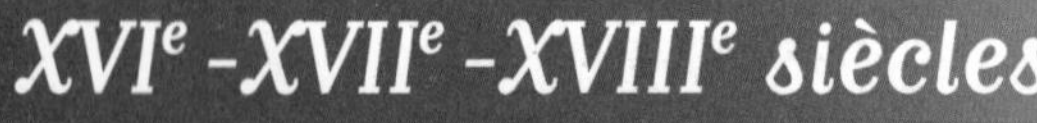

XIX

Histoire des arts